Tableau des masses atomiques (2001)

Éléments	Symboles	Numéros atomiques	Masses atomiques	Éléments	Symboles	Numéros atomiques	Masses atomiques
Actinium	Ac	89	[227]	Mendélévium	Md	101	[258]
Aluminium	Al	13	26,981 538(2)	Mercure	Hg	80	200,59(2)
Américium	Am	95	[243]	Molybdène	Mo	42	95,94(2)
Antimoine	Sb	51	121,760(1)	Néodyme	Nd	60	144,24(3)
Argent	Ag	47	107,868 2(2)	Néon	Ne	10	20,179 7(6)
Argon	Ar	18	39,948(1)	Neptunium	Np	93	[237]
Arsenic	As	33	74,921 60(2)	Nickel	Ni	28	58,693 4(2)
Astate	At	85	[210]	Niobium	Nb	41	92,906 38(2)
Azote	N	7	14,006 7(2)	Nobélium	No	102	[259]
Baryum	Ba	56	137,327(7)	Or	Au	79	196,966 55(2)
Berkélium	Bk	97	[247]	Osmium	Os	76	190,23(3)
Béryllium	Be	4	9,012 182(3)	Oxygène	O	8	15,9994(3)
Bismuth	Bi	83	208,980 38(2)	Palladium	Pd	46	106,42(1)
Bohrium	Bh	107	[264]	Phosphore	P	15	30,973 761(2)
Bore	B	5	10,811(7)	Platine	Pt	78	195,078(2)
Brome	Br	35	79,904(1)	Plomb	Pb	82	207,2(1)
Cadmium	Cd	48	112,411(8)	Plutonium	Pu	94	[244]
Calcium	Ca	20	40,078(4)	Polonium	Po	84	[209]
Californium	Cf	98	[251]	Potassium	K	19	39,098 3(1)
Carbone	C	6	12,010 7(8)	Praséodyme	Pr	59	140,907 65(2)
Cérium	Ce	58	140,116(1)	Prométhium	Pm	61	[145]
Césium	Cs	55	132,905 45(2)	Protactinium	Pa	91	231,035 88(2)
Chlore	Cl	17	35,453(2)	Radium	Ra	88	[226]
Chrome	Cr	24	51,996 1(6)	Radon	Rn	86	[222]
Cobalt	Co	27	58,933 200(9)	Rhénium	Re	75	186,207(1)
Cuivre	Cu	29	63,546(3)	Rhodium	Rh	45	102,905 50(2)
Curium	Cm	96	[247]	Rubidium	Rb	37	85,467 8(3)
Darmstadtium	Ds	110	[281]	Ruthénium	Ru	44	101,07(2)
Dubnium	Db	105	[262]	Rutherfordium	Rf	104	[261]
Dysprosium	Dy	66	162,500(1)	Samarium	Sm	62	150,36(3)
Einsteinium	Es	99	[252]	Scandium	Sc	21	44,955 910(8)
Erbium	Er	68	167,259(3)	Seaborgium	Sg	106	[266]
Étain	Sn	50	118,710(7)	Sélénium	Se	34	78,96(3)
Europium	Eu	63	151,964(1)	Silicium	Si	14	28,085 5(3)
Fer	Fe	26	55,845(2)	Sodium	Na	11	22,989 770(2)
Fermium	Fm	100	[257]	Soufre	S	16	32,065(5)
Fluor	F	9	18,998 403 2(5)	Strontium	Sr	38	87,62(1)
Francium	Fr	87	[223]	Tantale	Ta	73	180,947 9(1)
Gadolinium	Gd	64	157,25(3)	Technétium	Tc	43	[98]
Gallium	Ga	31	69,723(1)	Tellure	Te	52	127,60(3)
Germanium	Ge	32	72,64(1)	Terbium	Tb	65	158,925 34(2)
Hafnium	Hf	72	178,49(2)	Thallium	Tl	81	204,383 3(2)
Hassium	Hs	108	[277]	Thorium	Th	90	232,038 1(1)
Hélium	He	2	4,002 602(2)	Thulium	Tm	69	168,934 21(2)
Holmium	Ho	67	164,930 32(2)	Titane	Ti	22	47,867(1)
Hydrogène	H	1	1,007 94(7)	Tungstène	w	74	183,84(1)
Indium	In	49	114,818(3)	Uranium	U	92	238,028 91(3)
Iode	I	53	126,904 47(3)	Vanadium	V	23	50,941 5(1)
Iridium	Ir	77	192,217(3)	Ununbium	Uub	112	[285]
Krypton	Kr	36	83,798(2)	Ununquadium	Uuq	114	[289]
Lanthane	La	57	138,905 5(2)	Unununium	Uuu	111	[272]
Lawrencium	Lr	103	[262]	Xénon	Xe	54	131,293(6)
Lithium	Li	3	6,941(2)	Ytterbium	Yb	70	173,04(3)
Lutécium	Lu	71	174,967(1)	Yttrium	Y	39	88,905 85(2)
Magnésium	Mg	12	24,305 0(6)	Zinc	Zn	30	65,409(4)
Manganèse	Mn	25	54,938 049(9)	Zirconium	Zr	40	91,224(2)
Meitnerium	Mt	109	[268]				

Note Un nombre mis entre parenthèses indique l'incertitude sur le dernier chiffre.
Une valeur mise entre crochets désigne la masse atomique de l'isotope le plus stable.

CHIMIE DES SOLUTIONS

JOHN C. KOTZ

PAUL M. TREICHEL JR

TRADUCTION ET ADAPTATION
DE MARCEL DENEUX

CHIMIE
DES SOLUTIONS

John C. Kotz
Paul M. Treichel Jr

Traduction et adaptation de Marcel Deneux

Version française de *Chemistry and Chemical Reactivity*, 5th edition, by John C. Kotz and Paul M. Treichel Jr. © 2003 Thomson Learning Inc. Thomson Learning™ is a trademark used herein under license.

© 2005, Groupe Beauchemin, éditeur ltée

3281, avenue Jean-Béraud
Laval (Québec) H7T 2L2
Téléphone :   (514) 334-5912
                1 800 361-4504
Télécopieur : (450) 688-6269
www.beaucheminediteur.com

Nous reconnaissons l'aide financière du gouvernement du Canada par l'entremise du Programme d'aide au développement de l'industrie de l'édition (PADIÉ) pour nos activités d'édition.

ISBN : 2-7616-2515-3

Dépôt légal : 2e trimestre 2005
Bibliothèque nationale du Québec
Bibliothèque et Archives Canada

Éditrice : **Sophie Gagnon**

Directrice de la production : **Maryse Quesnel**

Chargé de projet : **Dany Cloutier**

Révision linguistique : **Annick Loupias**

Correction d'épreuves : **Viviane Deraspe**

Indexation : **Julie Fournier**

Traduction et adaptation des exercices et des réponses :
Isabelle Dubuc et Patrick Germain

Couvertures, conception graphique et mise en pages :
Dessine-moi un mouton

Impression : **Imprimeries Transcontinental inc.**

L'Éditeur tient à souligner la collaboration des personnes suivantes pour leurs commentaires et précieux conseils.
Serge Bazinet, Collège de Maisonneuve
Denis Bilodeau, Cégep de Saint-Hyacinthe
Abdel Kader Boulia, Collège Ahuntsic
Jaque Couture, Collège François-Xavier-Garneau
Isabelle Dubuc, Cégep de Chicoutimi
Hélène Forest, Collège Ahuntsic
Patrick Germain, Collège de Sherbrooke
Jocelyne Poupart-Deneux, Collège Jean-de-Brébeuf

L'Éditeur tient tout particulièrement à remercier Mme Jocelyne Poupart-Deneux, Collège Jean-de-Brébeuf, pour ses commentaires et ses nombreuses relectures du manuscrit, de même que Mme Isabelle Dubuc, Cégep de Chicoutimi, et M. Patrick Germain, Collège de Sherbrooke, pour la traduction des exercices de fin de chapitres et des réponses correspondantes, de même que pour les conseils judicieux qu'ils ont prodigués durant la production de cet ouvrage.

Imprimé au Canada
1 2 3 4 5   08 07 06 05

Avant-propos

Chimie des solutions constitue la seconde partie de la traduction de la cinquième édition de *Chemistry and Chemical Reactivity* de John C. Kotz et Paul M. Treichel (2003), la première partie étant publiée sous le titre *Chimie générale*.

Le contenu de *Chimie des solutions*

Chimie des solutions adopte la même séquence de chapitres que le livre original, si bien que la logique de présentation du contenu avancée par les auteurs est totalement respectée. Ce contenu sert de base pour atteindre la compétence 00UM du programme *Sciences de la nature*, à savoir : analyser les propriétés des solutions et les réactions en solution, que l'on a utilisé pour élaborer les objectifs d'apprentissage.

Le manuel se divise en trois sections.

La première expose les propriétés générales des solutions.

Chapitre 1 – Le comportement des solutions. Unités de concentration, processus de la dissolution, effet de la pression et de la température sur la solubilité, propriétés colligatives, solutions idéales de liquides volatils.

La deuxième partie, portant sur la cinétique, aborde les façons de contrôler ou d'influer sur le cours des réactions chimiques.

Chapitre 2 – La cinétique chimique. Vitesse des réactions, facteurs influant sur la vitesse d'une réaction, effet de la concentration, lois de vitesse intégrées, vitesses à l'échelle moléculaire, mécanismes de réaction.

La troisième partie, les équilibres chimiques, complète l'étude des facteurs dont dépend la réactivité des composés.

Chapitre 3 – L'équilibre chimique. Équilibre chimique, constante d'équilibre et quotient réactionnel, détermination des constantes, calculs de concentrations, écriture des constantes, déplacement de la position d'équilibre, fabrication de l'ammoniac.

Chapitre 4 – La chimie des solutions acides et basiques. Théorie d'Arrhenius, théorie de Brønsted-Lowry, échelle de pH, constantes d'équilibre, types de réactions acidobasiques, aspect quantitatif, acides et bases polyprotiques, théorie de Lewis, structure moléculaire et propriétés acidobasiques.

Chapitre 5 – Applications du concept d'équilibre aux réactions acidobasiques et de précipitation. Effet d'ion commun, solutions tampons, dosages acidobasiques, solubilité des sels, réactions de précipitation, ions complexes, précipitation sélective.

Chapitre 6 – L'entropie et l'énergie de Gibbs. Notions de thermochimie, premier principe de la thermodynamique, réactions spontanées et équilibre, chaleur et spontanéité, entropie et deuxième principe, entropie et troisième principe, variations d'entropie, énergie de Gibbs, direction des transformations chimiques.

Chapitre 7 – Applications du concept d'équilibre aux réactions d'oxydoréduction. Réactions d'oxydoréduction, piles électrochimiques, électrochimie et thermodynamique, piles commerciales, électrolyse.

La présentation des chapitres

Comme dans *Chimie générale*, chaque chapitre débute par une *introduction* décrivant un scientifique, relatant une anecdote, un événement ou le développement possible d'un sujet abordé par la suite et énonçant les éléments de compétence et les objectifs visés, ainsi que le plan. Elle est suivie de la rubrique *Point de mire*, qui expose quelques notions clés. Ensuite, le *développement* comprend des exemples et des exercices, qui permettent à l'élève de vérifier immédiatement sa compréhension. Le chapitre se termine par la section *À sauvegarder* et une série d'*exercices*.

Les particularités de l'ouvrage

Accessibles en un coup d'œil, le verso de la couverture et la première page du manuel présentent le tableau périodique des éléments et le tableau des masses atomiques.

Présentation des chapitres

Présentée sur deux pages, l'introduction de chacun des chapitres raconte une histoire ou un événement en lien avec les notions présentées par la suite. Elle présente également les éléments de compétence, les objectifs d'apprentissage et le plan du chapitre.

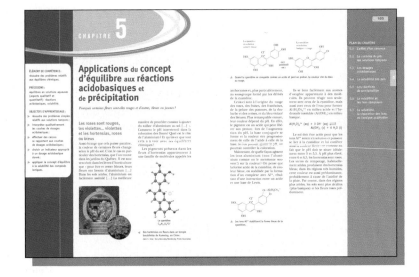

Point de mire

L'introduction est suivie par la rubrique *Point de mire,* qui énonce clairement quelques notions clés abordées tout le long du chapitre.

Encadrés

Les définitions, les équations, les démarches générales de résolution de problèmes et les conclusions font l'objet d'encadrés facilement repérables.

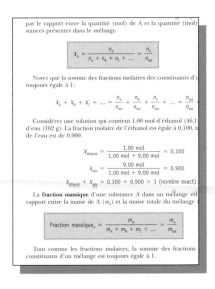

par le rapport entre la quantité (mol) de A et la quantité (mol) stances présentes dans le mélange.

$$\chi_A = \frac{n_A}{n_A + n_B + n_C + \ldots} = \frac{n_A}{n_{tot}}$$

Notez que la somme des fractions molaires des constituants d'u toujours égale à 1:

$$\chi_A + \chi_B + \chi_C + \ldots = \frac{n_A}{n_{tot}} + \frac{n_B}{n_{tot}} + \frac{n_C}{n_{tot}} + \ldots = \frac{n_{tot}}{n_{tot}}$$

Considérez une solution qui contient 1,00 mol d'éthanol (46,1 d'eau (162 g). La fraction molaire de l'éthanol est égale à 0,100, t de l'eau est de 0,900.

$$\chi_{éthanol} = \frac{1,00 \text{ mol}}{1,00 \text{ mol} + 9,00 \text{ mol}} = 0,100$$

$$\chi_{eau} = \frac{9,00 \text{ mol}}{1,00 \text{ mol} + 9,00 \text{ mol}} = 0,900$$

$$\chi_{éthanol} + \chi_{eau} = 0,100 + 0,900 = 1 \text{ (nombre exact)}$$

La **fraction massique** d'une substance A dans un mélange est rapport entre la masse de A (m_A) et la masse totale du mélange (

$$\text{Fraction massique}_A = \frac{m_A}{m_A + m_B + m_C + \ldots} = \frac{m_A}{m_{tot}}$$

Tout comme les fractions molaires, la somme des fractions constituants d'un mélange est toujours égale à 1.

Capsules

L'élève découvrira différentes capsules qui situent la matière dans un contexte plus global.

Histoire et découvertes Ces capsules replacent les découvertes importantes en chimie et en sciences physiques, en général. Elles présentent les hommes et les femmes qui ont contribué à l'avancement de la chimie.

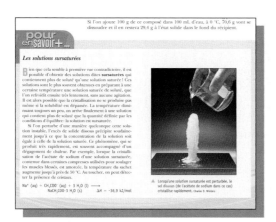

Pour en savoir + Cette rubrique permet à l'élève d'approfondir certaines notions, de les situer dans un contexte d'application précis et de mieux les comprendre.

Perspectives La capsule *Perspectives* traite de la place et de la contribution de la chimie dans le développement de la connaissance.

Exemples et exercices Au fil de la lecture, l'élève est appelé à appliquer les notions qu'il vient d'étudier. Les exemples viennent illustrer les notions théoriques. Ils sont suivis d'exercices qui lui permettent de vérifier sa compréhension de la matière.

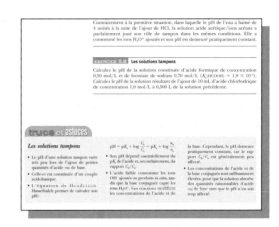

Trucs et astuces Ces capsules facilitent l'apprentissage en suggérant à l'élève des méthodes de résolution de problèmes.

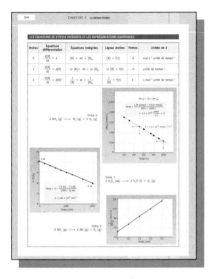

À sauvegarder

Présentée sous forme de tableaux synthèses, la section *À sauvegarder* résume les concepts clés étudiés tout le long du chapitre que l'élève doit maîtriser pour démontrer qu'il a atteint les éléments de compétence énoncés dans l'introduction.

Exercices de fin de chapitre

L'élève trouvera à la fin de chaque chapitre une série d'exercices qui passe en revue les concepts importants et présente des questions sous forme thématique. Les questions de révision plus difficiles sont identifiées par une couleur.

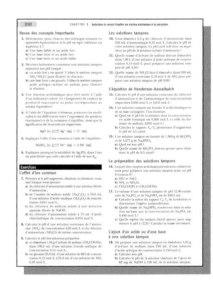

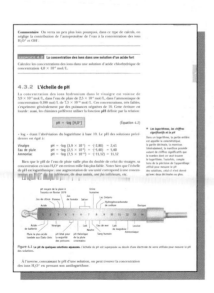

Représentations graphiques

De nombreuses figures sous forme de photographies, d'illustrations, de graphiques ou de schémas viennent illustrer le propos.

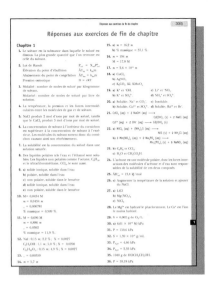

Corrigé

Les réponses à tous les exercices sont données à la fin de l'ouvrage.

Annexes

L'élève y trouvera notamment les symboles ou les abréviations des grandeurs, les unités courantes, les valeurs de quelques constantes physiques et un tableau de correspondance entre la nomenclature des composés inorganiques utilisée dans le manuel et la nomenclature systématique recommandée par l'UICPA.

Glossaire et index

Situé à la fin du manuel, le glossaire regroupe les définitions des termes propres à la chimie, écrits en caractères gras dans le texte. Un index général facilite le repérage des mots et des expressions clés du manuel.

Table des matières

Chapitre 7
APPLICATIONS DU CONCEPT D'ÉQUILIBRE AUX RÉACTIONS D'OXYDORÉDUCTION

Le **comportement** des **solutions**

Les lacs meurtriers du Cameroun

Le soir du 21 août 1986, des gens et des animaux vivant près du lac Nyos au Cameroun, un petit État de l'Afrique occidentale, s'effondrent et meurent soudainement. Le lendemain matin, on déplore plus de 1700 victimes et des centaines d'animaux morts. La cause de ce désastre est mystérieuse: pas d'incendie de forêt, pas de tremblement de terre, pas d'ouragan.

La solution est trouvée quelques semaines plus tard. Les lacs Nyos et Monoum sont d'origine volcanique: ils ont été formés lorsque l'eau a rempli les cratères des volcans assoupis. Leurs eaux sont caractérisées par

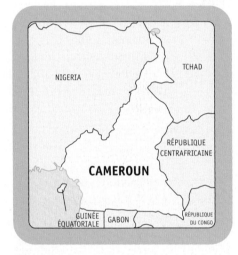

une énorme quantité de CO_2 dissous. Ce soir fatal de 1986, une énorme bulle a jailli du lac jusqu'à une hauteur de 75 m. Comme le dioxyde de carbone est plus dense que l'air, il est resté au sol et, à une vitesse voisine de 70 km/h, a atteint des villages situés à environ 20 km de l'éruption. L'air nécessaire à la vie a ainsi été remplacé par un kilomètre cube de dioxyde de carbone, provoquant l'asphyxie des personnes et des animaux.

L'activité volcanique souterraine produit du dioxyde de carbone qui se dissout dans les lacs. Dans la plupart d'entre

▲ **Le lac Nyos, au Cameroun (Afrique occidentale), site d'une catastrophe naturelle.** En 1986, une énorme bulle de CO_2 s'est échappée du lac et a asphyxié 1700 personnes. Avec l'aimable autorisation de George Kling

eux, cette dissolution ne pose aucun problème, à cause du brassage des eaux au printemps et à l'automne (*voir la section 8.2.2 du manuel* Chimie générale). À l'automne, la couche superficielle de l'eau des lacs se refroidit, sa masse volumique augmente et l'eau froide descend vers les profondeurs tandis que l'eau plus chaude remonte. Normalement, la majeure partie du dioxyde de carbone dissous s'élimine graduellement durant ce processus.

▲ **Une boisson gazeuse est saturée de CO_2.** L'ouverture soudaine d'une bouteille de boisson gazeuse préalablement secouée provoque un jet de gaz et de liquide.
Charles D. Winters

Les géologues ont démontré que les lacs du Cameroun n'ont pas ce comportement habituel. La thermocline, c'est-à-dire la frontière entre les eaux profondes, riches en minéraux et en gaz, et les eaux fraîches de surface, reste intacte. Il arrive ainsi un temps où les eaux deviennent saturées en dioxyde de carbone qui surgit continuellement du fond du lac. En août 1986, une perturbation mineure, peut-

être un léger tremblement de terre, un vent soufflant en bourrasques ou un glissement de terrain a détruit cet équilibre fragile et le gaz s'est échappé brusquement. Le même phénomène se produit lorsque vous agitez une bouteille de boisson gazeuse avant de l'ouvrir.

Le lac Nyos est toujours potentiellement dangereux. On estime qu'il contient de 300 à 400 millions de m^3 de dioxyde de carbone, soit environ 16 000 fois plus qu'un lac ordinaire de même grandeur. En 2001, des scientifiques français et américains ont descendu un tuyau de 200 m de long dans le lac. La pression du dioxyde de carbone qui s'échappe crée un jet d'eau d'une hauteur de 50 m et il éjecte ainsi dans l'atmosphère quelque 20 millions de m^3 de gaz par année. L'essai est prometteur, mais il faudrait enlever encore plus de gaz pour que le lac devienne sûr : on envisage actuellement de multiplier le nombre d'évents.

▲ Un jet d'eau riche en dioxyde de carbone émerge d'un tuyau plongeant dans les profondeurs du lac Nyos. Avec l'aimable autorisation de George Kling

Les solutions et leurs propriétés Le fait de dissoudre une substance dans un solvant modifie les propriétés de ce dernier. Ces changements, appelés les propriétés colligatives, dépendent du nombre de molécules ou d'ions dissous dans une certaine quantité de solvant.

QUELQUES EFFETS DE LA DISSOLUTION DE COMPOSÉS DANS L'EAU

▲ On place dans un congélateur un bocal d'eau (à gauche) et un bocal rempli d'eau et d'éthylèneglycol (HOCH$_2$CH$_2$OH) (à droite). Au bout de quelques heures, l'eau a gelé et le bocal a cassé sous l'effet de l'expansion (à masse égale, le volume de la glace est plus grand que celui de l'eau liquide). Pourquoi l'eau n'a-t-elle pas gelé dans le mélange homogène de droite?

▲ **Le sel et la glace.** Pourquoi l'épandage de sel fait-il fondre la neige et la glace?

▲ **La bière.** Pourquoi se forme-t-il de la mousse quand on verse de la bière dans un verre?

L'EFFET DE L'ENVIRONNEMENT SUR UN SYSTÈME BIOLOGIQUE

Pourquoi un œuf dépourvu de sa coquille gonfle-t-il dans l'eau, alors qu'il se contracte dans une solution aqueuse de sucre?

a) Une solution diluée d'acide acétique dissout la coquille d'un œuf frais en réagissant avec le carbonate de calcium, laissant intacte sa membrane.

b) Plongé dans l'eau, l'œuf frais sans coquille enfle.

c) Plongé dans une solution aqueuse concentrée de sucre, l'œuf se contracte.

*L*es solutions font partie de votre quotidien: boissons gazeuses, café ou thé, essence, produits d'entretien... Nous en fabriquons pour répondre à des besoins spécifiques. L'ajout de sucre, de composés donnant un goût particulier et de CO_2 à de l'eau produit une boisson douce pétillante fort appréciée. En médecine, les perfusions, composées de solutions aqueuses salines (NaCl et d'autres sels solubles), remplacent les liquides perdus par notre organisme.

Rappelons qu'une **solution** est un mélange homogène d'au moins deux substances constituant une seule phase. On considère généralement le constituant présent en plus grande quantité comme étant le **solvant**, les autres étant des **solutés**. Quand on parle de solution, la première représentation qui vient à l'esprit est certainement une solution liquide, mais il en existe aussi dans les états gazeux et solide: l'air que l'on respire est une solution gazeuse d'azote, d'oxygène, de dioxyde de carbone, de vapeur d'eau, etc.; l'or à 18 carats est une solution solide d'or (fraction massique égale à 0,75) et d'autres métaux comme le cuivre, le zinc, l'étain ou le plomb. Dans ce chapitre, on se limitera à l'étude des solutions liquides.

L'expérience montre que l'addition d'une substance à un liquide pur modifie ses propriétés: c'est pour cette raison que l'on prépare des solutions. En effet, on ajoute un « antigel » à l'eau du circuit de refroidissement du moteur d'une automobile pour l'empêcher de bouillir l'été ou de geler l'hiver: ce changement dans les points d'ébullition et de congélation du solvant sera examiné en détail dans ce chapitre. Ces deux propriétés, ainsi que les variations de pression de vapeur d'une solution par rapport au solvant pur et la pression osmotique des solutions, font partie des **propriétés colligatives**. Elles ne dépendent en théorie que du nombre relatif de particules de solutés et de molécules de solvant, la nature des particules dissoutes n'intervenant pas dans les changements observés.

1.1 LES UNITÉS DE CONCENTRATION

Pour analyser les propriétés colligatives d'une solution, on a souvent besoin d'une unité de concentration qui reflète le nombre de moles de molécules ou d'ions dissous par mole de molécules de solvant. La **concentration molaire volumique,** utilisée couramment en stœchiométrie, ne peut jouer ce rôle. Définie comme étant la quantité (mol) de soluté A par litre de solution,

$$[A] = \frac{\text{quantité (mol) de A}}{\text{volume de solution (L)}}$$

elle ne permet pas de calculer la quantité de solvant servant à préparer la solution. En effet, pour préparer, par exemple, 1 L d'une solution de K_2CrO_4 de concentration 0,100 mol/L, on a ajouté suffisamment d'eau à 0,100 mol de ce soluté pour obtenir 1,000 L de solution (flacon de jauge à la droite de la figure 1.1). Il n'est fait aucune mention de la quantité d'eau qui a été nécessaire et l'on ne peut présumer qu'on en a utilisé 1 L. Si l'on avait ajouté ce volume d'eau à 0,100 mol de K_2CrO_4 (flacon de jauge à la gauche de la figure 1.1), le volume résultant aurait été légèrement supérieur à 1 L.

Toutefois, plusieurs unités de concentration peuvent satisfaire à la condition énoncée plus haut: la molalité, la fraction molaire et la fraction massique.

La **molalité,** symbolisée par la lettre m, représente la quantité (mol) de soluté par kilogramme de solvant.

$$\text{Molalité de A} = \frac{\text{quantité (mol) de A}}{\text{masse de solvant (kg)}} \qquad \text{(Équation 1.1)}$$

$V_{sol} > 1,00$ L $V_{sol} = 1,00$ L
Eau ajoutée = 1,00 L Eau ajoutée < 1,00 L
0,100 m 0,100 mol/L

Figure 1.1 La molalité et la concentration molaire volumique. Dans la fiole de jauge 1 L de droite, on a ajouté 19,4 g de K_2CrO_4 (0,100 mol) et de l'eau jusqu'au trait de jauge (0,100 mol/L). Dans celui de gauche, on a ajouté 1000 g d'eau (1 L) à cette même quantité de K_2CrO_4 (0,100 m). Le volume de cette dernière solution est plus élevé que celui de la solution de droite. Charles D. Winters

La molalité de la solution de K_2CrO_4 préparée en ajoutant 1,000 kg d'eau à 0,100 mol (19,4 g) de K_2CrO_4 est de 0,100 *m* (prononcez « zéro virgule cent molal »).

Les quantités d'eau diffèrent dans une solution de concentration molaire volumique 0,100 mol/L et dans une solution de 0,100 *m* : on déduit de cet exemple que la concentration molaire volumique et la molalité d'une solution donnée ne sont pas identiques (bien que peu différentes dans le cas des solutions très diluées).

La **fraction molaire** d'une substance A dans un mélange (χ_A, khi) est définie par le rapport entre la quantité (mol) de A et la quantité (mol) totale de substances présentes dans le mélange.

$$\chi_A = \frac{n_A}{n_A + n_B + n_C + \ldots} = \frac{n_A}{n_{tot}}$$

(Équation 1.2)

Notez que la somme des fractions molaires des constituants d'un mélange est toujours égale à 1 :

$$\chi_A + \chi_B + \chi_C + \ldots = \frac{n_A}{n_{tot}} + \frac{n_B}{n_{tot}} + \frac{n_C}{n_{tot}} + \ldots = \frac{n_{tot}}{n_{tot}} = 1$$

Considérez une solution qui contient 1,00 mol d'éthanol (46,1 g) et 9,00 mol d'eau (162 g). La fraction molaire de l'éthanol est égale à 0,100, tandis que celle de l'eau est de 0,900.

$$\chi_{éthanol} = \frac{1,00 \text{ mol}}{1,00 \text{ mol} + 9,00 \text{ mol}} = 0,100$$

$$\chi_{eau} = \frac{9,00 \text{ mol}}{1,00 \text{ mol} + 9,00 \text{ mol}} = 0,900$$

$$\chi_{éthanol} + \chi_{eau} = 0,100 + 0,900 = 1 \text{ (nombre exact)}$$

La **fraction massique** d'une substance A dans un mélange est définie par le rapport entre la masse de A (m_A) et la masse totale du mélange (m_{tot}).

$$\text{Fraction massique}_A = \frac{m_A}{m_A + m_B + m_C + \ldots} = \frac{m_A}{m_{tot}}$$

(Équation 1.3)

Tout comme les fractions molaires, la somme des fractions massiques des constituants d'un mélange est toujours égale à 1.

$$\text{Somme des fractions massiques} = \frac{m_A}{m_{tot}} + \frac{m_B}{m_{tot}} + \frac{m_C}{m_{tot}} + \ldots = \frac{m_{tot}}{m_{tot}} = 1$$

La solution précédente est constituée de 46,1 g d'éthanol et de 162 g d'eau. La fraction massique de l'éthanol est donc de $\frac{46,1 \text{ g}}{46,1 \text{ g} + 162 \text{ g}} = \frac{46,1}{208,1} = 0,222$.

Bien que non recommandée par l'Association canadienne de normalisation[1], la fraction massique multipliée par 100 % est toujours largement utilisée. Ainsi, on dira que la solution précédente d'éthanol et d'eau contient 22,2 % d'éthanol et (100 − 22,2) = 77,8 % d'eau.

---

1. ASSOCIATION CANADIENNE DE NORMALISATION. *Guide canadien de familiarisation au système métrique*, édition française, janvier 1990, paragraphe 5.27.4, ISSN 0317-8935.

EXEMPLE 1.1 **Les concentrations**

Pour préparer le mélange réfrigérant d'un moteur, vous ajoutez 1,2 kg d'éthylèneglycol (M = 62,1 g/mol) à 4,0 kg d'eau. Calculez la molalité, la fraction molaire et la fraction massique de l'éthylèneglycol dans ce mélange.

SOLUTION

Convertissez les données dans les grandeurs et les unités appropriées, et appliquez les équations définissant les concentrations recherchées.

Quantité d'éthylèneglycol = 1,2 × 10³ g d'éthylèneglycol ×

$$\frac{1 \text{ mol}}{62,1 \text{ g d'éthylèneglycol}} = \frac{1,2 \times 10^3}{62,1} \text{ mol} = 19,3 \text{ mol}$$

Quantité d'eau = 4,0 × 10³ g d'eau × $\dfrac{1 \text{ mol}}{18,02 \text{ g d'eau}} = \dfrac{4,0 \times 10^3}{18,02}$ mol

$$= 222 \text{ mol}$$

Application de l'équation 1.2

$$\chi_{\text{éthylèneglycol}} = \frac{19,3 \text{ mol}}{19,3 \text{ mol} + 222 \text{ mol}} = 0,0800$$

Application de l'équation 1.1

$$m_{\text{éthylèneglycol}} = \frac{19,3 \text{ mol d'éthylèneglycol}}{4,0 \text{ kg d'eau}} = 4,8 \, m$$

Application de l'équation 1.3

$$\text{Fraction massique}_{\text{éthylèneglycol}} = \frac{1,2 \text{ kg}}{1,2 \text{ kg} + 4,0 \text{ kg}} = 0,23 \text{ ou } 23 \text{ %}.$$

EXERCICE 1.1 **Les concentrations**

Calculez les fraction molaire, fraction massique et molalité du sucrose ($C_{12}H_{22}O_{11}$) d'une solution préparée en dissolvant 10,0 g de ce composé dans 250 g d'eau.

a)

b)

Figure 1.2 La dissolution du chlorure de cuivre (II) dans l'eau. a) Les interactions entre, d'une part, les ions chlorure et cuivre (II) et, d'autre part, les molécules d'eau permettent la solubilisation du chlorure de cuivre (II). **b)** Les ions sont maintenant « enrobés » de molécules d'eau, ils sont hydratés. Charles D. Winters

1.2 LE PROCESSUS DE LA DISSOLUTION

1.2.1 La solubilité des solides et la saturation

On ajoute un peu de chlorure de cuivre (II) dans un becher rempli d'eau. Le sel solide disparaît, il se dissout. Cette **dissolution** implique la séparation des ions de charges opposées présents dans le réseau cristallin (figure 1.2).

L'eau est un excellent solvant pour les composés ioniques, à cause de sa polarité. Son extrémité positive (δ^+) peut attirer un anion, tandis que son extrémité négative (δ^-) peut faire la même chose avec un cation. Après dissolution, chaque anion est entouré de molécules d'eau, dont les atomes d'hydrogène chargés partiellement δ^+ sont dirigés vers lui. Il en est de même pour les cations, mais ce sont les atomes d'oxygène chargés partiellement δ^- qui sont tournés vers eux. Cette interaction entre les molécules d'eau et les ions s'appelle l'**hydratation,** nom particulier donné à la **solvatation** dans le cas de l'eau.

À mesure que l'on ajoute du chlorure de cuivre, la concentration des ions Cu^{2+} (aq) et Cl^- (aq) augmente. Il arrive un point où la dissolution s'arrête : la substance ajoutée reste à l'état solide au fond de la solution et la concentration des ions demeure constante. On a atteint la **saturation** et la solution est dite **saturée.**

Bien que l'on n'observe aucun changement macroscopique, le système n'est pas figé pour autant. Des ions Cu^{2+} et Cl^- se libèrent constamment de l'état solide, tandis qu'un nombre identique d'ions Cu^{2+} (aq) et Cl^- (aq) réintègrent le réseau cristallin (et se libèrent des molécules d'eau). Cela est un autre exemple d'un **équilibre dynamique,** défini lors de la description des pressions de vapeur d'un liquide (*voir la section 8.4.2 du manuel* Chimie générale). On symbolise cet état par une double flèche.

$$CuCl_2 \text{ (s)} \rightleftharpoons Cu^{2+} \text{ (aq)} + 2 \, Cl^- \text{ (aq)}$$

La saturation des solutions permet de définir la solubilité des composés solides dans un liquide.

> La **solubilité** représente la concentration d'un soluté en équilibre avec son solide dans une solution (forcément saturée), à une température donnée.

Elle s'exprime souvent en grammes de soluté par 100 mL de solvant : ainsi, la solubilité du chlorure de cuivre (II) dans l'eau, à 0 °C, est de 70,6 g par 100 mL. Si l'on ajoute 100 g de ce composé dans 100 mL d'eau, à 0 °C, 70,6 g vont se dissoudre et il en restera 29,4 g à l'état solide dans le fond du récipient.

pour en savoir + ...

Les solutions sursaturées

Bien que cela semble à première vue contradictoire, il est possible d'obtenir des solutions dites **sursaturées** qui contiennent plus de soluté qu'une solution saturée ! Ces solutions sont le plus souvent obtenues en préparant à une certaine température une solution saturée de soluté, que l'on refroidit ensuite très lentement, sans aucune agitation. Il est alors possible que la cristallisation ne se produise pas même si la solubilité est dépassée. La température diminuant toujours un peu, on arrive finalement à une solution qui contient plus de soluté que la quantité définie par les conditions d'équilibre : la solution est sursaturée.

Si l'on perturbe d'une manière quelconque cette solution instable, l'excès de solide dissous précipite soudainement jusqu'à ce que la concentration de la solution soit égale à celle de la solution saturée. Ce phénomène, qui se produit très rapidement, est souvent accompagné d'un dégagement de chaleur. Par exemple, lorsque la cristallisation de l'acétate de sodium d'une solution sursaturée, contenue dans certaines compresses utilisées pour soulager les muscles blessés, est amorcée, la température du sachet augmente jusqu'à près de 50 °C. Au toucher, on peut détecter la présence de cristaux.

$$Na^+ \text{ (aq)} + CH_3COO^- \text{ (aq)} + 3 \, H_2O \text{ (l)} \longrightarrow$$
$$NaCH_3COO \cdot 3 \, H_2O \text{ (s)} \qquad \Delta H = -36,9 \text{ kJ/mol}$$

▲ Lorsqu'une solution sursaturée est perturbée, le sel dissous (de l'acétate de sodium dans ce cas) cristallise rapidement. Charles D. Winters

1.2.2 La solubilité dans l'eau des composés ioniques

Les composés ioniques ne sont pas tous solubles comme $CuCl_2$ en grande quantité dans l'eau. Beaucoup ne se dissolvent que partiellement et d'autres peuvent être considérés comme insolubles.

La figure 1.3 présente les grandes règles empiriques qui peuvent aider à prévoir la solubilité dans l'eau des composés ioniques, ou sels, les plus courants.

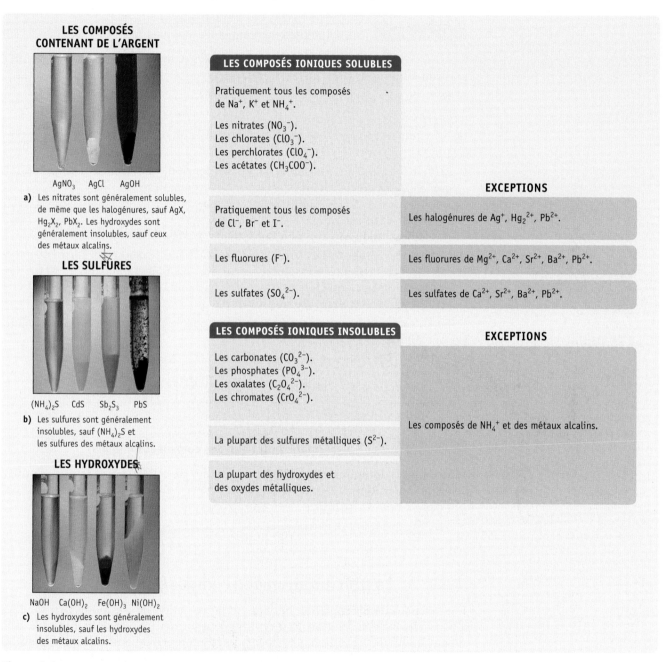

LES COMPOSÉS CONTENANT DE L'ARGENT

$AgNO_3$ AgCl   AgOH

a) Les nitrates sont généralement solubles, de même que les halogénures, sauf AgX, Hg_2X_2, PbX_2. Les hydroxydes sont généralement insolubles, sauf ceux des métaux alcalins.

LES SULFURES

$(NH_4)_2S$ CdS Sb_2S_3 PbS

b) Les sulfures sont généralement insolubles, sauf $(NH_4)_2S$ et les sulfures des métaux alcalins.

LES HYDROXYDES

NaOH $Ca(OH)_2$ $Fe(OH)_3$ $Ni(OH)_2$

c) Les hydroxydes sont généralement insolubles, sauf les hydroxydes des métaux alcalins.

LES COMPOSÉS IONIQUES SOLUBLES

Pratiquement tous les composés de Na^+, K^+ et NH_4^+.

Les nitrates (NO_3^-).
Les chlorates (ClO_3^-).
Les perchlorates (ClO_4^-).
Les acétates (CH_3COO^-).

Pratiquement tous les composés de Cl^-, Br^- et I^-.

Les fluorures (F^-).

Les sulfates (SO_4^{2-}).

EXCEPTIONS

Les halogénures de Ag^+, Hg_2^{2+}, Pb^{2+}.

Les fluorures de Mg^{2+}, Ca^{2+}, Sr^{2+}, Ba^{2+}, Pb^{2+}.

Les sulfates de Ca^{2+}, Sr^{2+}, Ba^{2+}, Pb^{2+}.

LES COMPOSÉS IONIQUES INSOLUBLES

Les carbonates (CO_3^{2-}).
Les phosphates (PO_4^{3-}).
Les oxalates ($C_2O_4^{2-}$).
Les chromates (CrO_4^{2-}).

La plupart des sulfures métalliques (S^{2-}).

La plupart des hydroxydes et des oxydes métalliques.

EXCEPTIONS

Les composés de NH_4^+ et des métaux alcalins.

Figure 1.3 La solubilité dans l'eau des composés ioniques courants. Un composé contenant un des ions de la partie supérieure de la colonne de gauche du tableau a de fortes chances d'être au moins modérément soluble dans l'eau. Les quelques exceptions sont répertoriées dans la colonne de droite. La plupart des composés ioniques formés à partir des anions apparaissant dans la partie inférieure de la colonne de gauche du tableau sont très peu solubles ou considérés souvent comme insolubles, sauf si le cation est NH_4^+ ou l'ion d'un métal alcalin. Charles D. Winters

Par exemple, le nitrate de sodium ($NaNO_3$) contient les ions Na^+ et NO_3^-. Selon les règles, la présence de Na^+ ou de NO_3^- rend le composé original soluble dans l'eau.

Au contraire, l'hydroxyde de calcium ($Ca(OH)_2$) contenant les ions hydroxyde (OH^-) est peu soluble, à 10 °C, 0,17 g/100 mL ou 0,0023 mol/100 mL, si bien qu'à cette température la concentration des ions Ca^{2+} issus de la dissolution ne peut être supérieure à 0,023 mol/L. Ainsi, la presque totalité de l'hydroxyde de calcium ajouté à de l'eau demeure sous forme solide et il en résulte un mélange hétérogène. Cela est valable pour la majorité des hydroxydes, à l'exception de ceux contenant un métal alcalin.

EXEMPLE 1.2   Les solubilités des composés ioniques

Les composés ioniques suivants sont-ils solubles dans l'eau ? S'ils le sont, donnez la formule des ions présents en solution.

a) KCl   b) $MgCO_3$ c) Fe_2O_3 d) $Cu(NO_3)_2$

SOLUTION

On identifie les ions présents dans le composé et on se réfère aux règles énoncées à la figure 1.3 (*voir la page 9*).

a) KCl est composé des ions K^+ et Cl^-. La présence d'un de ces deux ions indique que KCl a de fortes chances d'être soluble dans l'eau.

$$KCl \ (s) \longrightarrow K^+ \ (aq) + Cl^- \ (aq)$$

(La solubilité de KCl est de l'ordre de 35 g/100mL d'eau, à 20 °C.)

b) $MgCO_3$ est composé des ions Mg^{2+} et CO_3^{2-}. Les carbonates forment généralement des composés insolubles, sauf avec les métaux alcalins et NH_4^+. On s'attend donc à ce que le carbonate de magnésium soit insoluble (sa solubilité est inférieure à 0,02 g/100 mL d'eau froide).

c) Fe_2O_3 est composé des ions Fe^{3+} et O^{2-}. Seuls les oxydes des métaux alcalins sont solubles. Fe_2O_3 est insoluble.

d) $Cu(NO_3)_2$ est composé des ions Cu^{2+} et NO_3^-. Tous les nitrates sont solubles.

$$Cu(NO_3)_2 \ (s) \longrightarrow Cu^{2+} \ (aq) + 2 \ NO_3^- \ (aq)$$

EXERCICE 1.2   La solubilité dans l'eau des composés ioniques

Les composés ioniques suivants sont-ils solubles dans l'eau ? S'ils le sont, donnez la formule des ions présents en solution.

a) $LiNO_3$ b) $CaCl_2$ c) CuO   d) CH_3COONa

1.2.3   La précipitation des composés ioniques

Les **réactions de précipitation** impliquent la formation de composés peu solubles à partir des ions en solution. Si un cation peut former un composé insoluble avec un des anions de la solution, il y a formation d'un **précipité** qui reste en suspension ou qui tombe au fond du récipient. Par exemple, l'ajout de quelques gouttes d'une solution aqueuse de chlorure de potassium à une solution aqueuse de nitrate d'argent fait précipiter le chlorure d'argent, un solide blanc (figure 1.4).

Équation globale

$$KCl \ (aq) + AgNO_3 \ (aq) \longrightarrow AgCl \ (s) + KNO_3 \ (aq)$$

Équation ionique complète

$$K^+ \ (aq) + Cl^- \ (aq) + Ag^+ \ (aq) + NO_3^- \ (aq) \longrightarrow AgCl \ (s) + K^+ \ (aq) + NO_3^- \ (aq)$$

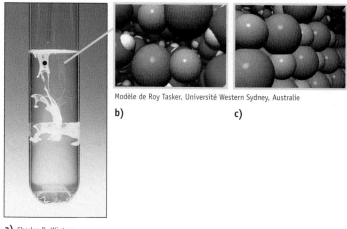

Modèle de Roy Tasker, Université Western Sydney, Australie

b)   **c)**

a) Charles D. Winters

Figure 1.4 La précipitation du chlorure d'argent. a) L'ajout de quelques gouttes d'une solution aqueuse de chlorure de potassium à une solution de nitrate d'argent provoque la précipitation d'un solide blanc, le chlorure d'argent. **b)** Un ion Cl^- (représenté en vert) et un ion Ag^+ (représenté en gris) se rencontrent et forment une paire d'ions. **c)** De plus en plus d'ions Cl^- et Ag^+ s'agglomèrent autour de la paire d'ions initiale et un précipité solide de AgCl se forme.

Équation ionique nette

$$Cl^- \ (aq) + Ag^+ \ (aq) \longrightarrow AgCl \ (s)$$

De nombreuses réactions de précipitation se produisent parce qu'il existe beaucoup de combinaisons entre des ions positifs et des ions négatifs qui donnent naissance à des composés insolubles (figures 1.4 et 1.5).

a) Précipitation de $PbCrO_4$ à partir de $Pb(NO_3)_2$ et K_2CrO_4.

b) Précipitation de PbS à partir de $Pb(NO_3)_2$ et $(NH_4)_2S$.

c) Précipitation de $Fe(OH)_3$ à partir de $FeCl_3$ et NaOH.

d) Précipitation de Ag_2CrO_4 à partir de $AgNO_3$ et K_2CrO_4.

Figure 1.5 Quelques réactions de précipitation. Charles D. Winters

Par exemple, le chromate de plomb (II), un solide connu sous le nom de jaune de chrome utilisé autrefois comme pigment, en peinture, précipite quand on mélange un composé soluble de plomb (II) et un composé soluble de chromate (figure 1.4 **a**).

$$Pb(NO_3)_2 \ (aq) + K_2CrO_4 \ (aq) \longrightarrow PbCrO_4 \ (s) + 2 \ KNO_3 \ (aq)$$
$$Pb^{2+} \ (aq) + CrO_4^{2-} \ (aq) \longrightarrow PbCrO_4 \ (s)$$

EXEMPLE 1.3 **La prévision des réactions de précipitation**

Que se passe-t-il lorsqu'on mélange une solution de chromate de potassium et une solution de nitrate d'argent?

SOLUTION

On commence par identifier les ions produits par chacun des composés en solution. On combine ensuite le cation du premier avec l'anion du second, l'anion du premier avec le cation du second (réaction de double échange) et l'on déduit des règles de la figure 1.3 (*voir la page 9*) si les composés ainsi formés sont solubles ou non.

$$AgNO_3 \ (aq) \longrightarrow Ag^+ \ (aq) + NO_3^- \ (aq)$$
$$K_2CrO_4 \ (aq) \longrightarrow 2 \ K^+ \ (aq) + CrO_4^{2-} \ (aq)$$

Produits susceptibles de se former par échange d'ions: Ag_2CrO_4 et KNO_3. Celui-ci est soluble (les nitrates sont solubles), tandis que le chromate d'argent ne l'est pas; seuls les chromates des métaux alcalins et d'ammonium le sont. Il y a donc précipitation du chromate d'argent selon l'équation ionique nette.

$$2 \ Ag^+ \ (aq) + CrO_4^{2-} \ (aq) \longrightarrow Ag_2CrO_4 \ (s)$$

EXERCICE 1.3 **Les réactions de précipitation**

Déterminez si le mélange des solutions suivantes entraîne la formation d'un précipité. Équilibrez l'équation de la réaction lorsqu'elle a lieu.

a) Carbonate de sodium et chlorure de cuivre (II).

b) Carbonate de potassium et nitrate de sodium.

c) Chlorure de nickel (II) et hydroxyde de potassium.

1.2.4 La miscibilité des liquides

Lorsque deux liquides se mélangent de façon appréciable pour former une solution homogène, on dit qu'ils sont **miscibles.** Au contraire, des liquides non miscibles mis en contact existent séparément et forment deux couches distinctes.

L'éthanol (C_2H_5OH), une molécule polaire relativement petite, est miscible en toute proportion avec l'eau, un composé lui aussi polaire. L'octane (C_8H_{18}), un hydrocarbure non polaire, et le tétrachlorure de carbone (CCl_4), non polaire, sont miscibles en toute proportion. D'un autre côté, ni C_8H_{18} ni CCl_4 ne sont miscibles avec l'eau. De nombreuses constatations de ce genre ont conduit les chimistes à énoncer l'adage familier « Qui se ressemble s'assemble » présenté dans la section 8.1.1 du manuel *Chimie générale*. Deux ou plusieurs liquides non polaires sont souvent miscibles, tout comme deux ou plusieurs liquides polaires le sont aussi.

Comment peut-on expliquer cette règle pratique? Dans l'eau et l'éthanol purs, la **liaison hydrogène** rendue possible par la présence des groupes —OH (*voir la section 8.2 du manuel Chimie générale*) contribue le plus aux forces intermoléculaires. Quand on mélange les deux liquides, des liaisons hydrogène existent aussi entre l'eau et l'éthanol: elles facilitent le processus de solubilisation. Les **forces de dispersion de London** (*voir la section 8.1.3 du manuel Chimie générale*) sont les seules à maintenir à l'état liquide les molécules d'octane et de tétrachlorure de carbone. Lors du mélange de ces deux substances, l'énergie associée à ces forces d'attraction est voisine de celle associée aux forces d'attraction entre C_8H_{18} et CCl_4. De ce fait, il y a très peu ou pas de variation d'énergie quand les attractions C_8H_{18}—C_8H_{18} et CCl_4—CCl_4 sont remplacées par les attractions C_8H_{18}—CCl_4 dans le mélange. Mais alors, pourquoi se mélangent-ils ? La réponse appartient à la thermodynamique : les processus qui se traduisent par des arrangements moins ordonnés que la situation initiale ont tendance à se produire spontanément. Cette tendance est mesurée par la fonction appelée l'**entropie** (figure 1.6).

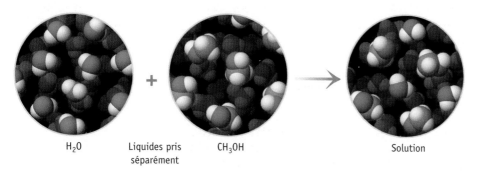

H₂O   Liquides pris   CH₃OH   Solution
séparément

Figure 1.6 L'entropie, force motrice du processus de solubilisation. Dans cette illustration, les molécules de deux liquides semblables, l'eau et le méthanol, se côtoient au hasard dans un mélange. L'arrangement dans la solution est moins ordonné que dans chacun des liquides pris séparément. Cette augmentation du désordre contribue le plus fortement à la formation de la solution.

Des liquides polaires sont généralement très peu solubles dans des liquides non polaires. Mis en présence dans un même flacon, ils restent séparés et forment deux couches superposées (figure 1.7).

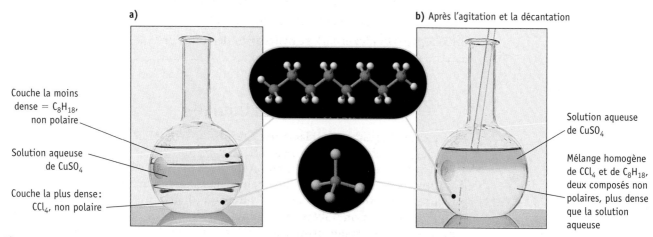

a)

b) Après l'agitation et la décantation

Couche la moins dense = C_8H_{18}, non polaire

Solution aqueuse de CuSO₄

Couche la plus dense : CCl₄, non polaire

Solution aqueuse de CuSO₄

Mélange homogène de CCl₄ et de C_8H_{18}, deux composés non polaires, plus dense que la solution aqueuse

Figure 1.7 La miscibilité. a) La couche inférieure, la plus dense, est constituée de tétrachlorure de carbone (CCl₄), substance non polaire. Au-dessus se trouve une solution aqueuse de sulfate de cuivre (II). Finalement, une couche d'octane (C_8H_{18}), la moins dense, recouvre le tout. **b)** Après l'agitation et le repos, il n'y a plus que deux couches. CCl₄ et C_8H_{18}, les deux substances non polaires, forment maintenant un mélange homogène, tandis que le sulfate de cuivre (II) est resté dans la solution aqueuse, qui surnage à cause de sa moindre masse volumique. Charles D. Winters

L'explication rationnelle d'un tel comportement est complexe. On constate expérimentalement que la variation d'enthalpie, la chaleur de dissolution, accompagnant le mélange de deux liquides dissemblables est presque nulle : ce facteur énergétique n'est donc pas primordial. Il semblerait apparemment que l'introduction de molécules non polaires dans un liquide polaire tel que l'eau conduirait à un arrangement plus ordonné des molécules d'eau : former un système plus ordonné ne favorise pas la mise en solution (*voir le chapitre 6, page 234*).

1.2.5 La solubilité dans les liquides des solides moléculaires et des solides covalents

L'adage « Qui se ressemble s'assemble » s'applique aussi à la dissolution des solides moléculaires dans les liquides. Par exemple, l'iode (I_2), dont les molécules non polaires sont maintenues à l'état solide dans les conditions ordinaires par les seules forces de dispersion de London, est beaucoup plus soluble dans le tétrachlorure de carbone (CCl_4), une substance non polaire, que dans l'eau, composé polaire (figure 1.8).

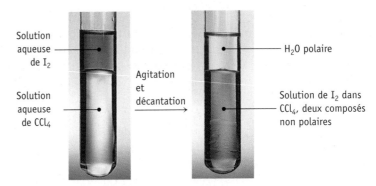

Solution aqueuse de I_2

Solution aqueuse de CCl_4

Agitation et décantation

H_2O polaire

Solution de I_2 dans CCl_4, deux composés non polaires

Figure 1.8 La solubilité de l'iode dans l'eau et dans le tétrachlorure de carbone. Charles D. Winters

Le sucrose est un solide moléculaire susceptible d'engendrer des liaisons hydrogène à cause de la présence de nombreuses liaisons O—H. Le sucrose est très soluble dans l'eau, un fait que l'on connaît bien par son utilisation pour « sucrer » les boissons, gazeuses ou non. Par contre, il est pratiquement insoluble dans le tétrachlorure de carbone ou dans tout autre solvant non polaire.

On sait par expérience que les solides covalents, comme le graphite, le diamant ou le sable (SiO_2), ne se dissolvent pas dans l'eau. La dissolution n'a pas lieu, car la liaison chimique covalente présente dans ce type de solides est trop forte pour être remplacée par des forces de Van der Waals ou des liaisons hydrogène agissant entre ses atomes et les molécules d'eau.

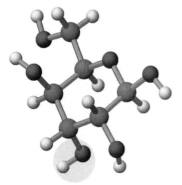

Groupements —OH

▲ La molécule de sucrose, ou sucre de canne, possède cinq groupements hydroxyle —OH pouvant former des liaisons hydrogène avec les molécules d'eau.

1.2.6 La solubilité des gaz non polaires dans les liquides

Beaucoup de gaz comme O_2, N_2 et les halogènes, bien que non polaires, sont légèrement solubles dans des solvants polaires tels que l'eau. Les molécules polaires peuvent induire, c'est-à-dire créer, un dipôle dans une molécule qui ne possède pas de moment dipolaire permanent. Ce type d'attraction est nommé l'**interaction dipôle permanent-dipôle induit** ou l'attraction de Debye. On appelle la polarisation le processus d'induction d'un dipôle et la **polarisabilité** la facilité avec laquelle le nuage électronique d'un atome ou d'une molécule peut se déformer pour donner un dipôle.

Pour comprendre comment un gaz non polaire peut se solubiliser dans un solvant non polaire, on doit se rappeler les forces de dispersion de London étudiées dans la section 8.1.3 du manuel *Chimie générale*. Les électrons des atomes ou des molécules sont constamment en mouvement. En moyenne, l'arrangement du nuage électronique et des noyaux est tel que l'ensemble ne présente pas de moment dipolaire permanent. Toutefois, à un instant précis, il est fort probable que les électrons ne sont pas répartis uniformément dans l'atome ou la molécule : une dissymétrie apparaît dans la répartition des charges et il se crée un dipôle instantané. Peu après, les électrons ont changé de position et un nouveau dipôle instantané différent du précédent se crée. La moyenne de ces dipôles instantanés conduit évidemment à un moment dipolaire résultant nul, mais à un instant donné, et c'est là le point important, le moment instantané ne l'est pas. On peut imaginer que ce dipôle temporaire peut induire un dipôle dans une autre entité très proche : si les déformations des deux nuages électroniques sont en concordance, sont synchronisées, il en résulte une attraction entre les deux entités. Cette attraction est d'autant plus forte que la polarisabilité est élevée.

1.2.7 L'enthalpie de dissolution et l'enthalpie d'hydratation

Le nitrate d'ammonium et l'hydroxyde de sodium se dissolvent tous deux facilement dans l'eau. On constate expérimentalement que la solution résultante de NH_4NO_3 s'est refroidie, alors que celle de NaOH s'est réchauffée (figure 1.9). Comment expliquer cette différence de comportement thermique ?

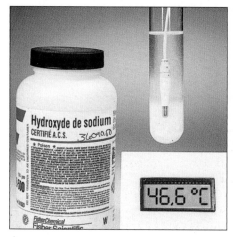 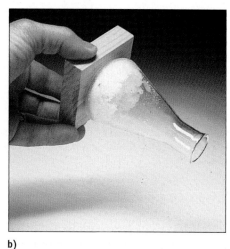

a)   b)

Figure 1.9 L'enthalpie de dissolution. a) La dissolution de NaOH dans l'eau est un processus fortement exothermique. **b)** La température de la solution chute beaucoup lors de la dissolution de NH_4NO_3 dans l'eau. Le flacon contenant le mélange réactionnel était déposé sur quelques gouttes d'eau perlant sur un morceau de bois : l'eau a gelé et le flacon est resté collé à la plaque de bois (pour réaliser cette expérience, on mélange de l'hydroxyde de baryum hydraté $Ba(OH)_2 \cdot 8 \; H_2O$ (s) et du nitrate d'ammonium. Les composés réagissent et forment du nitrate de baryum, de l'ammoniac et de l'eau liquide. Lors de la dissolution du nitrate d'ammonium en excès dans l'eau libérée, il se produit une chute de température : la dissolution de NH_4NO_3 dans l'eau est un processus endothermique. Charles D. Winters

Pour comprendre l'aspect énergétique du processus de mise en solution, on doit se référer à ce qui se passe au niveau des particules et analyser le changement à l'aide de données thermodynamiques connues. Prenez l'exemple de la dissolution de KF dans l'eau.

Supposez en premier lieu que les ions du réseau cristallin se dissocient à l'état gazeux.

$$KF \; (s) \longrightarrow K^+ \; (g) + F^- \; (g) \qquad -\Delta E_{\text{rét}} = 821 \; kJ \cdot mol^{-1}$$

L'énergie mise en jeu dans ce processus est égale à l'opposé de l'**énergie réticulaire** (*voir la section 6.3.2 du manuel* Chimie générale).

Imaginez ensuite que ces ions sont dissous dans l'eau : ils s'entourent alors de molécules d'eau maintenues par des forces électrostatiques s'exerçant entre les charges des ions et les dipôles des molécules d'eau. Ce processus dégage de l'énergie (on forme des liens) appelée l'**enthalpie d'hydratation (ΔH_{hyd}).**

$$K^+ \; (g) + F^- \; (g) \longrightarrow K^+ \; (aq) + F^- \; (aq) \qquad \Delta H_{\text{hyd}} = -819 \; kJ \cdot mol^{-1}$$

L'**enthalpie de dissolution** (ΔH_{sol}) représente la somme algébrique des énergies correspondant à ces deux étapes (figure 1.10).

$$KF\ (s) \longrightarrow K^+\ (g) + F^-\ (g) \qquad\qquad -\Delta E_{ret} = \quad 821\ kJ \cdot mol^{-1}$$
$$K^+\ (g) + F^-\ (g) \longrightarrow K^+\ (aq) + F^-\ (aq) \qquad \Delta H_{hyd} = -819\ kJ \cdot mol^{-1}$$
$$\overline{KF\ (s) \longrightarrow K^+\ (aq) + F^-\ (aq)} \qquad\qquad \overline{\Delta H_{sol} = \quad\ 2\ kJ \cdot mol^{-1}}$$

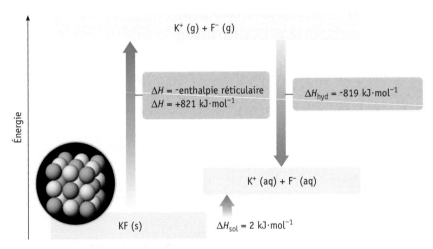

Figure 1.10 L'estimation de l'enthalpie de dissolution. On peut estimer très grossièrement l'ampleur du changement énergétique se produisant lors de la dissolution d'un composé ionique dans l'eau en supposant qu'elle a lieu en deux étapes hypothétiques.

On déduit de cet exemple que l'énergie requise pour détruire le réseau cristallin est contrebalancée par l'énergie d'hydratation, c'est-à-dire l'énergie libérée par la formation de liens électrostatiques entre les ions et les molécules d'eau polaires. Parfois, la valeur de ΔH_{sol} calculée de cette façon est franchement positive (processus endothermique), parfois elle est négative (tableau 1.1).

Composés	Valeurs estimées de ΔH_{sol} dans l'eau (kJ·mol⁻¹)	Solubilité dans l'eau (g/100 mL)
AgCl	61	0,000 089 (à 10 °C)
LiF	32	0,3 (à 18 °C)
NaCl	26	35,7 (à 0 °C)
KF	2	92,3 (à 18 °C)
RbF	-3	130,6 (à 18 °C)

TABLEAU 1.1 Valeurs estimées de quelques enthalpies de dissolution et valeurs des solubilités dans l'eau de quelques composés ioniques

Pour les sels relativement simples comme ceux mentionnés dans le tableau 1.1, il existe une bonne corrélation entre les valeurs estimées de ΔH_{sol} et la solubilité dans l'eau. La solubilité varie en sens inverse de ΔH_{sol}: une diminution de ΔH_{sol} se traduit par une augmentation de la solubilité. Le très soluble fluorure de rubidium a une enthalpie de dissolution négative, tandis que celle du chlorure d'argent, pratiquement insoluble, est largement positive. Il semblerait donc que la solubilité soit favorisée lorsque l'énergie nécessaire pour détruire le réseau cristallin est inférieure, en valeur absolue, ou à la limite égale à l'énergie libérée lors de l'hydratation des ions.

Rappelez-vous que l'énergie d'un système constitué de charges électriques de signes opposés (dans ce cas un ion et une molécule polaire) dépend de la charge des particules mises en présence et de leur distance (*voir la section 6.3 du manuel* Chimie générale). On peut estimer les énergies d'hydratation d'un ion en utilisant la même logique. La quantité d'énergie libérée lors de l'hydratation d'un ion dépend de:

- la distance entre cet ion et le dipôle: plus courte est la distance, plus forte est l'attraction;
- la charge de l'ion: plus la charge est élevée, plus l'attraction est forte;
- la polarité de la molécule solvatante: plus le moment dipolaire est grand, plus l'attraction est forte.

La variation d'enthalpie associée à l'hydratation d'un cation est parfois considérable. On ne peut la mesurer expérimentalement, mais on peut l'estimer indirectement. C'est ainsi, par exemple, que l'enthalpie d'hydratation de l'ion Na^+ est voisine de -405 $kJ \cdot mol^{-1}$.

$$Na^+ (g) + x\ H_2O\ (l) \longrightarrow [Na(H_2O)_x]^+ (aq) \qquad \Delta H_{hyd} = -405\ kJ \cdot mol^{-1}$$
(x est probablement égal à 6.)

On a regroupé dans le tableau 1.2 les valeurs estimées des enthalpies d'hydratation des cations des métaux alcalins et les valeurs de leur rayon.

TABLEAU 1.2 **Les enthalpies d'hydratation estimées et les rayons des cations des métaux alcalins**

Cations	Rayons (pm)	ΔH_{hyd} ($kJ \cdot mol^{-1}$)
Li^+	78	-515
Na^+	98	-405
K^+	133	-321
Rb^+	149	-296
Cs^+	165	-263

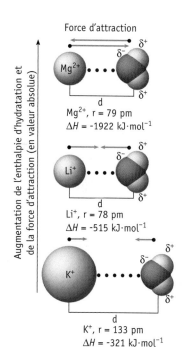

Force d'attraction

Augmentation de l'enthalpie d'hydratation et de la force d'attraction (en valeur absolue)

Mg^{2+}, r = 79 pm
ΔH = -1922 $kJ \cdot mol^{-1}$

Li^+, r = 78 pm
ΔH = -515 $kJ \cdot mol^{-1}$

K^+, r = 133 pm
ΔH = -321 $kJ \cdot mol^{-1}$

On constate aisément que les enthalpies d'hydratation diminuent, en valeur absolue, du lithium, le cation le plus petit, au césium, le cation le plus gros. En comparaison, l'enthalpie d'hydratation de l'ion H^+ estimée à -1090 kJ/mol paraît exceptionnelle: la petitesse de cet ion chargé lui aussi +1 est responsable de ce fait.

EXEMPLE 1.4 **L'enthalpie d'hydratation**

Expliquez pourquoi l'enthalpie d'hydratation de Na^+ (-405 $kJ \cdot mol^{-1}$) est un peu plus négative que celle de Cs^+ (-263 $kJ \cdot mol^{-1}$), alors que celle de Mg^{2+} est nettement plus négative (-1922 $kJ \cdot mol^{-1}$) que celle de Li^+ (-515 $kJ \cdot mol^{-1}$).

SOLUTION

L'intensité de l'attraction entre les ions et le dipôle de l'eau dépend de la charge et du rayon de l'ion, celui-ci déterminant la distance entre les charges. Puisque les charges portées par les cations Na^+ et Cs^+ sont identiques, seul le rayon a un effet sur la force d'attraction: comme celui de Na^+ (98 pm) est plus petit que celui de Cs^+ (165 pm), la distance entre le centre de l'ion et le côté négatif du dipôle de l'eau est moindre dans le cas de Na^+ et la force d'attraction est plus élevée, enthalpie plus négative ou enthalpie plus élevée en valeur absolue.

Puisque les rayons des ions Li^+ et Mg^{2+} sont quasi identiques, respectivement 78 et 79 pm, ce sont leurs charges qui déterminent principalement les forces d'attraction entre eux et les molécules d'eau. La charge plus élevée de Mg^{2+} se traduit par une plus grande attraction que dans le cas de Li^+ et, de ce fait, une enthalpie d'hydratation plus négative, ou plus grande en valeur absolue.

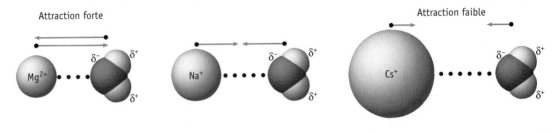

EXERCICE 1.4   **L'enthalpie d'hydratation**

Qui de F^- et Cl^- devrait posséder l'enthalpie d'hydratation la plus négative? Justifiez votre réponse.

1.2.8   L'enthalpie de dissolution et la thermodynamique

Les enthalpies de dissolution sont facilement mesurables par calorimétrie. Lorsque les expériences conduisent à des solutions de concentration 1 *m*, l'enthalpie de dissolution mesurée est appelée l'**enthalpie standard de dissolution (ΔH^0_{sol})**[2].

Les tables de thermodynamique des livres de référence donnent souvent les valeurs des **enthalpies standards de formation des solutions aqueuses** des sels **(ΔH^0_f (aq, 1 *m*))**, c'est-à-dire la variation d'enthalpie associée à la formation d'une solution de 1 *m* à partir des éléments pris dans leur état standard (*voir* Pour en savoir +… La variation d'enthalpie, la loi de Hess, les enthalpies standards de formation *du manuel* Chimie générale, *chapitre 6*). On trouve, par exemple, qu'elle vaut -407,3 kJ·mol⁻¹ pour le chlorure de sodium. Cette valeur peut être considérée comme la somme algébrique des enthalpies associées à deux processus: la formation de NaCl solide à partir de ses éléments (ΔH^0_f (s)) et la dissolution du sel solide dans l'eau (ΔH^0_{sol}).

$$Na\ (s) + \frac{1}{2}\ Cl_2\ (g) \longrightarrow NaCl\ (s) \qquad \Delta H^0_f\ (s) = -411,2\ kJ \cdot mol^{-1}$$

$$NaCl\ (s) \longrightarrow NaCl\ (aq, 1\ m) \qquad \Delta H^0_{sol} = 3,9\ kJ \cdot mol^{-1}$$

$$Na\ (s) + \frac{1}{2}\ Cl_2\ (g) \longrightarrow NaCl\ (aq, 1\ m) \qquad \Delta H^0_f\ (aq, 1\ m) = -407,3\ kJ \cdot mol^{-1}$$

Les valeurs des enthalpies standards de formation (s) ou (aq, 1 *m*) de quelques composés ioniques sont données dans le tableau 1.3.

Elles permettent de calculer les enthalpies standards de dissolution.

$$LiCl\ (s) \longrightarrow Li\ (s) + \frac{1}{2}\ Cl_2\ (g) \qquad -\Delta H^0_f\ (s) = -(-408,6\ kJ \cdot mol^{-1})$$

$$Li\ (s) + \frac{1}{2}\ Cl_2\ (g) \longrightarrow LiCl\ (aq, 1\ m) \qquad \Delta H^0_f\ (aq, 1\ m) = -445,6\ kJ \cdot mol^{-1}$$

$$LiCl\ (s) \longrightarrow LiCl\ (aq, 1\ m) \qquad \Delta H^0_{sol} = -37,0\ kJ \cdot mol^{-1}$$

---

2. L'état standard des solutés peut être aussi la concentration molaire volumique (1 mol/L). Source: IUPAC Compendium of Chemical Technology, 2ᵉ édition, 1997.

TABLEAU 1.3 Les enthalpies standards de formation de quelques composés ioniques

Composés ioniques	ΔH_f^0 (s) (kJ·mol^{-1})	ΔH_f^0 (aq, 1 m) (kJ·mol^{-1})
LiF	-616,9	-611,1
NaF	-573,6	-572,8
KF	-568,6	-585,0
RbF	-557,7	-583,8
LiCl	-408,6	-445,6
NaCl	-411,2	-407,3
KCl	-436,7	-419,5
RbCl	-435,4	-418,3
NaOH	-425,9	-469,2
NH$_4$NO$_3$	-365,6	-339,9

On peut remarquer que ce résultat, $\Delta H_{sol}^0 = \Delta H_f^0$ (aq, 1 m) $- \Delta H_f^0$ (s), n'est que l'application de la formule plus générale s'appliquant à toutes les réactions.

$$\Delta H^0 = \sum [\Delta H_f^0 \text{ (produits)}] - \sum [\Delta H_f^0 \text{ (réactifs)}]$$ (Équation 1.4)

EXEMPLE 1.5   Le calcul de l'enthalpie standard de dissolution

À l'aide des données du tableau 1.3, calculez l'enthalpie standard de dissolution du nitrate d'ammonium, le composé actif des sachets réfrigérants jetables.

SOLUTION

Il suffit d'appliquer l'équation 1.4 à la réaction de solubilisation du nitrate d'ammonium.

$$\text{NH}_4\text{NO}_3 \text{ (s)} \longrightarrow \text{NH}_4\text{NO}_3 \text{ (aq, 1 } m)$$
$$\Delta H^0 = \sum [\Delta H_f^0 \text{ (produits)}] - \sum [\Delta H_f^0 \text{ (réactifs)}]$$
$$\Delta H_{sol}^0 = \Delta H_f^0 \text{ (NH}_4\text{NO}_3, 1 \text{ } m) - \Delta H_f^0 \text{ (NH}_4\text{NO}_3 \text{ (s)}$$
$$= \text{-339,9 kJ·mol}^{-1} - (\text{-365,6) kJ·mol}^{-1} = 25,7 \text{ kJ·mol}^{-1}$$

Le processus est endothermique. L'énergie nécessaire est fournie par l'eau contenue dans le sachet: sa température diminue de ce fait.

EXERCICE 1.5   Le calcul de l'enthalpie standard de dissolution

À l'aide des données du tableau 1.3, calculez l'enthalpie standard de dissolution de l'hydroxyde de sodium.

1.3 L'EFFET DE LA PRESSION ET DE LA TEMPÉRATURE SUR LA SOLUBILITÉ

Dans la section 1.2 (*voir la page* 7), vous avez vu que la nature des substances mises en présence déterminait la solubilité de l'une dans l'autre. À ce facteur intrinsèque, on doit aussi ajouter deux autres paramètres externes : la pression et la température. Ces deux paramètres affectent la solubilité des gaz dans les liquides, tandis que seule la température a un effet sur celle des solides dans les liquides.

1.3.1 L'effet de la pression sur la solubilité des gaz dans les liquides : la loi de Henry

À température constante, la solubilité d'un gaz dans un liquide (s_g) est directement proportionnelle à la pression partielle du gaz (*voir la section 9.4 du manuel* Chimie générale). Cet énoncé, qui constitue la **loi de Henry,** se traduit par l'équation 1.5,

$$s_g = k_H P_g$$

(Équation 1.5)

dans laquelle k_H désigne la constante de Henry caractéristique du gaz et du solvant, P_g la pression partielle du gaz au-dessus de la solution. Les unités de s_g dépendent de celles de la constante de Henry, dont quelques valeurs sont rassemblées dans le tableau 1.4.

TABLEAU 1.4 Les constantes de Henry (k_H) pour quelques gaz en solution aqueuse, à différentes températures (mol·kg^{-1}·kPa^{-1})

Gaz	$t = 0$ °C	$t = 20$ °C	$t = 40$ °C	$t = 60$ °C
azote	$1,02 \times 10^{-5}$	$7,24 \times 10^{-6}$	$5,48 \times 10^{-6}$	$4,79 \times 10^{-6}$
dioxyde de carbone	$7,50 \times 10^{-4}$	$3,86 \times 10^{-4}$	$2,41 \times 10^{-4}$	$1,61 \times 10^{-4}$
éthylène	$1,13 \times 10^{-4}$	$5,53 \times 10^{-5}$	$3,39 \times 10^{-5}$	–
hélium	$4,16 \times 10^{-6}$	$3,82 \times 10^{-6}$	$3,82 \times 10^{-6}$	$4,05 \times 10^{-6}$
oxygène	$2,18 \times 10^{-5}$	$1,41 \times 10^{-5}$	$1,01 \times 10^{-5}$	$8,60 \times 10^{-6}$

Figure 1.11 La solubilité des gaz et la pression. Les boissons pétillantes renferment du dioxyde de carbone sous pression. Quand on ouvre la bouteille, la pression au-dessus de la solution chute brutalement et la solubilité de CO_2 diminue : des bulles se forment à l'intérieur du liquide pour finalement s'échapper à l'air libre. Au bout d'un certain temps, un nouvel équilibre s'établit entre le gaz dissous et le dioxyde de carbone présent dans l'atmosphère. Comme le CO_2 confère une partie du goût de la boisson, celle-ci devient plate et fade puisque la majorité du gaz dissous a disparu.
Charles D. Winters

Les boissons pétillantes illustrent bien la loi de Henry. Elles sont embouteillées dans une salle remplie de dioxyde de carbone à une pression supérieure à la pression atmosphérique ordinaire : ce gaz se dissout dans le breuvage. Quand on ouvre la bouteille, la pression au-dessus de la solution baisse brutalement, la solubilité du dioxyde de carbone décroît et des bulles s'échappent de la solution (figure 1.11).

La loi de Henry a d'importantes conséquences en plongée sous-marine autonome (figure 1.12) [SCUBA : mot abrégé de l'expression « **s**elf-**c**ontained **u**nderwater **b**reathing **a**pparatus » inventé par l'océanographe français Jacques Cousteau (1910-1997)]. Lors d'une plongée, la pression de l'air inhalé doit équivaloir à la pression externe exercée par l'eau et l'atmosphère sur le corps : elle peut atteindre plusieurs fois la valeur de la pression atmosphérique selon la profondeur à laquelle le plongeur se trouve. La solubilité des gaz dans le sang augmente proportionnellement à la pression : ce phénomène peut causer de graves problèmes si le plongeur revient trop rapidement à la surface. Lors de la remontée, la pression décroît et la solubilité de l'azote dans le sang diminue : si on ne lui laisse pas le temps de s'évacuer normalement par l'expiration, des bulles peuvent se former, provoquant ainsi le mal des caissons. Pour éviter ces désagréments, à la limite mortels, les plongeurs ponctuent leur remontée d'arrêts plus ou moins nombreux et plus ou moins longs : les paliers de décompression. On peut aussi remplacer l'air des bonbonnes par des mélanges hélium-oxygène, car l'hélium moins soluble dans les milieux aqueux que l'azote présente de ce fait moins de risques.

a) Tom et Theresa Stack/Tom Stack Associates   **b)** Peter Arnold Inc.

Figure 1.12 Deux illustrations de la loi de Henry. a) Les plongeurs autonomes doivent tenir compte de la solubilité des gaz dans le sang et de sa dépendance à la pression. **b)** Une chambre hyperbare. On place les personnes qui ont des difficultés respiratoires dans une chambre hyperbare, dans laquelle la pression partielle de l'oxygène est plus élevée que celle qu'il manifeste dans l'atmosphère.

On peut comprendre l'effet de la pression sur la solubilité des gaz en se référant au niveau submicroscopique. La solubilité d'un gaz représente sa concentration dans le solvant en équilibre avec sa pression partielle. Dans cette situation, la vitesse à laquelle les molécules de gaz quittent la solution est égale à la vitesse de réinsertion des molécules de gaz dans la solution (équilibre dynamique). Un accroissement de la pression partielle du gaz a pour effet immédiat une augmentation du nombre de molécules de gaz heurtant la surface du liquide par unité de temps et, conséquemment, un accroissement de la vitesse d'entrée des molécules dans la solution : la concentration du gaz dans la solution (sa solubilité) augmente et finit par se stabiliser quand le taux de sortie des molécules de gaz du milieu liquide, dépendant de la concentration, redevient égal à leur taux d'entrée.

EXEMPLE 1.6 **La loi de Henry**

Calculez la concentration de l'oxygène (mg/kg) d'un cours d'eau en équilibre, à 20 °C, avec l'air atmosphérique à une pression de 101,325 kPa. (*Rappel* La fraction molaire de l'oxygène dans l'air est égale à 0,21.)

SOLUTION

Après avoir calculé la pression partielle de l'oxygène dans l'air (loi des pressions partielles de Dalton), on applique l'équation 1.5 en utilisant la valeur de la constante de Henry donnée dans le tableau 1.5. On convertit ensuite le résultat dans l'unité désirée.

$P_{O_2} = \chi_{O_2} P_{tot}$ (Équation 9.5 du manuel *Chimie générale*)

$P_{O_2} = 0,21 \times 101,325$ kPa

$s_{O_2} = k_H P_{O_2} = (1,41 \times 10^{-5}$ mol·kg^{-1}·kPa$^{-1}) \times (0,21 \times 101,325)$ kPa $= 3,0 \times 10^{-4}$ mol·kg^{-1}

Pour convertir les quantités (mol) en masses (g), il suffit de multiplier le résultat par la masse molaire de l'oxygène.

$$s_{O_2} = 3,0 \times 10^{-4} \text{ mol de O}_2\cdot\text{kg}^{-1} \times \frac{31,9988 \text{ g}}{1 \text{ mol de O}_2} = 9,6 \times 10^{-3} \text{ g/kg ou } 9,6 \text{ mg/kg.}$$

EXERCICE 1.6 **La loi de Henry**

Calculez la concentration du dioxyde de carbone (mg/kg) d'une solution aqueuse en équilibre, à 20 °C, avec ce gaz à une pression partielle de 33,4 kPa. [On ne tiendra pas compte des quantités négligeables de H_2CO_3, HCO_3^- et CO_3^{2-} issues de la réaction de CO_2 avec l'eau ; k_H (CO_2) $= 3,86 \times 10^{-4}$ mol·kg^{-1}·kPa^{-1}.]

1.3.2   L'effet de la température sur la solubilité : le principe de Le Chatelier

On constate expérimentalement que la solubilité des gaz diminue lorsque la température augmente. On peut s'en rendre compte quotidiennement en observant un verre d'eau froide se réchauffer lentement sans agitation : de petites bulles se forment, souvent accrochées à la paroi du verre. Elles sont constituées des gaz de l'atmosphère qui s'y trouvaient dissous en plus grande quantité à température plus basse. Ce comportement vis-à-vis de la température a beaucoup de répercussions sur l'environnement. Par exemple, les poissons se tiennent plus volontiers dans le fond des lacs l'été, parce que l'eau y est plus riche en oxygène que les eaux de surface plus chaudes. La pollution thermique, résultat d'une utilisation des eaux de surface comme agent réfrigérant dans différentes industries, peut être un problème pour les espèces aquatiques dont la vie dépend de l'oxygène : les effluents d'usines retournés dans la nature contiennent en effet moins d'oxygène dissous parce que leur température a augmenté.

Pour comprendre l'impact de la température sur la solubilité des gaz, il vous faut revenir à l'enthalpie de dissolution. La dissolution des gaz en quantités appréciables dans l'eau est en général un processus exothermique.

gaz + solvant liquide $\rightleftarrows$ solution saturée + chaleur dégagée ($\Delta H_{sol} < 0$)

Le processus inverse, l'élimination des gaz d'une solution, requiert au contraire de la chaleur. Ces deux processus antagonistes atteignent un point d'équilibre décrit par une double flèche reliant les réactifs et les produits dans l'équation de la réaction. Le déplacement de la position d'équilibre est régi par le **principe de Le Chatelier** (1850-1936), qui stipule que *toute modification d'un facteur influant sur les conditions d'équilibre d'un système le force à évoluer dans le sens qui réduit ou contrecarre l'effet de ce changement.* Dans cet exemple, le système résiste à une hausse de température en consommant une partie de l'énergie fournie : il évolue dans le sens endothermique. L'équilibre se déplace ainsi vers la gauche, dans le sens de la réaction inverse. Quelques molécules dissoutes quittent la solution et retournent à l'état gazeux : la solubilité du gaz décroît.

La solubilité des solides est aussi affectée par la température, mais on ne peut dégager, comme dans les gaz, un comportement général commun (figure 1.13).

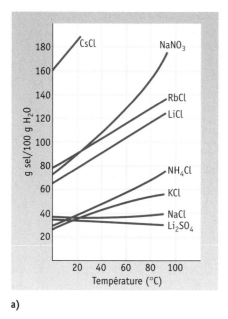

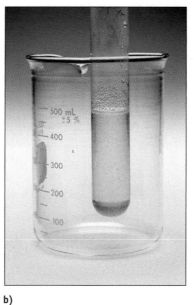

a)   b)   c)

Figure 1.13 La solubilité dans l'eau de quelques composés ioniques en fonction de la température. La solubilité dans l'eau de la plupart des composés ioniques augmente avec une hausse de température. **a)** Les variations de la solubilité dans l'eau de quelques composés ioniques en fonction de la température. **b)** Une solution de NH$_4$Cl à la température ambiante. **c)** La solution précédente refroidie dans la glace : le chlorure d'ammonium précipite. Charles D. Winters

La solubilité de beaucoup de sels augmente avec l'élévation de la température, mais il existe de nombreuses exceptions notables. Les prévisions reposant sur l'enthalpie de dissolution, positive ou négative, sont généralement en accord avec l'expérience, mais pas toujours.

La purification des composés par recristallisation repose sur les différences de solubilité selon la température. On dissout l'échantillon de composé impur dans une certaine quantité de solvant chaud. On le laisse refroidir plus ou moins lentement. La solubilité décroît et le composé commence à précipiter à la température à laquelle la concentration de la solution est égale à la saturation. Menée très lentement et avec beaucoup de précautions, la cristallisation peut dans certains cas donner naissance à de très gros cristaux (figure 1.14).

1.4 LES PROPRIÉTÉS COLLIGATIVES

La dissolution du chlorure de sodium dans l'eau a pour conséquences la diminution de la pression de vapeur de l'eau au-dessus de la solution, l'abaissement du point de congélation, l'élévation du point d'ébullition et une variation de la pression osmotique. Toutes ces **propriétés,** qui dépendent des quantités relatives de soluté et de solvant, sont qualifiées de **colligatives.**

1.4.1 La pression de vapeur du solvant : la loi de Raoult

La **pression de vapeur (P_{vap})** représente la pression exercée par la vapeur d'un composé en équilibre avec son liquide, à une température donnée (*voir la section 8.4.2 du manuel* Chimie générale).

$$liquide \rightleftarrows vapeur$$

Figure 1.14 Des cristaux géants de dihydrogénophosphate de potassium. Le cristal placé à la droite du chercheur du laboratoire Lawrence Livermore (Californie) pèse 318 kg et mesure 66 × 53 × 58 cm. Ces cristaux sont obtenus en suspendant un petit cristal de ce composé, appelé le germe de cristallisation, dans une solution sursaturée contenue dans un très grand réservoir (*voir l'encadré* Pour en savoir +... Les solutions sursaturées *à la page 8*). On abaisse très lentement la température du réservoir : elle baisse de 65 °C sur une période d'environ 50 jours. Les cristaux géants obtenus au bout de ce laps de temps sont découpés en fines tranches qui servent à convertir la lumière d'un puissant laser de l'infrarouge à l'ultraviolet. Charles D. Winters

La pression de vapeur d'un liquide est considérée comme une mesure de sa **volatilité,** c'est-à-dire de la tendance de ses molécules à s'échapper du liquide et à adopter l'état gazeux, à une température donnée.

L'énergie moyenne des molécules dépend de la température. Plus celle-ci est élevée, plus nombreuses sont les molécules qui possèdent suffisamment d'énergie pour quitter le liquide: de ce fait, la pression de vapeur augmente. Si l'on porte sur un graphique les valeurs des pressions de vapeur en fonction de la température, on obtient des courbes ressemblant à celles de la figure 1.15. On remarque aisément que l'éthoxyéthane est plus volatil que l'éthanol, lui-même plus volatil que l'eau.

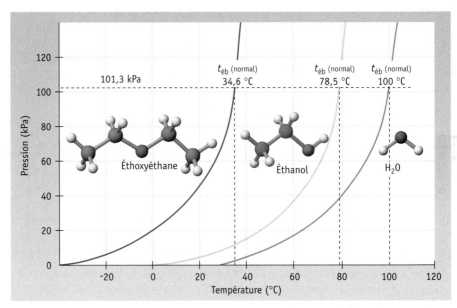

Figure 1.15 Les courbes de pression de vapeur de l'éthoxyéthane (C₂H₅OC₂H₅), de l'éthanol (C₂H₅OH) et de l'eau. Chaque courbe représente les conditions d'équilibre (P_{vap} et T) entre les deux phases liquide et gazeuse d'une substance donnée. En dehors de ces courbes, les phases liquide et gazeuse ne peuvent exister en même temps. À la gauche des courbes, l'état liquide est seul présent; à droite, seule la phase gazeuse existe.

Chaque point des courbes représente les conditions d'équilibre entre les phases liquide et gazeuse des substances considérées. En dehors de ces courbes, elles ne peuvent exister en même temps.

La pression de vapeur, à une température donnée, est caractéristique de la substance liquide. Que lui arrive-t-il lorsqu'on dissout un composé dans ce liquide considéré alors comme un solvant? On constate expérimentalement que sa pression est:
- moindre que lorsqu'il est pur;
- proportionnelle à sa fraction molaire dans la solution.

La diminution de la pression de vapeur du solvant est attribuable à une réduction de son taux d'évaporation. L'état d'équilibre qui en résulte montre alors une concentration (pression partielle) plus faible du solvant dans la phase gazeuse.

La pression de vapeur du solvant (P_{solv}) est exprimée quantitativement par la **loi de Raoult**: elle est égale au produit de sa fraction molaire dans la solution (χ_{solv}) par sa pression de vapeur à l'état pur (P^0_{solv}), à la température considérée.

$$P_{solv} = \chi_{solv} P^0_{solv}$$

(Équation 1.6)

La loi de Raoult décrit un modèle simplifié de solution. On dit d'une **solution** qu'elle est **idéale** lorsqu'elle obéit à cette loi, de la même manière qu'un gaz parfait obéit à la loi des gaz parfaits. Les solutions idéales n'existent pas plus que les gaz parfaits. Cependant, tout comme l'équation $PV = nRT$ peut constituer une bonne approximation du comportement des gaz réels dans certaines conditions (température relativement élevée et pression faible), la loi de Raoult peut décrire de manière très acceptable le comportement des solutions, surtout lorsque celles-ci sont peu concentrées.

Pourquoi les solutions ne sont-elles pas généralement idéales? Les forces intermoléculaires sont responsables de cet état de fait. Pour respecter la loi de Raoult, il faudrait que les interactions entre le soluté et le solvant soient identiques à celles prévalant entre les molécules de solvant pur. On est très proche de cette situation lorsque des molécules de soluté et de solvant possèdent des structures assez semblables: une solution d'un hydrocarbure dans un autre de grosseur peu différente, de l'hexane dans de l'octane par exemple, respecte raisonnablement bien cette loi. Par contre, quand les interactions solvant-soluté sont supérieures à celles existant entre les molécules de solvant pur, on observe que la pression de vapeur expérimentale du solvant est inférieure à celle calculée à l'aide de la loi de Raoult: les molécules de solvant, plus retenues par le soluté que par ses autres molécules, ont alors plus tendance à rester dans le liquide qu'à passer à l'état de vapeur. À l'inverse, quand les interactions solvant-soluté sont plus faibles que les interactions solvant-solvant, la pression de vapeur réelle du solvant est supérieure à celle déduite de la loi de Raoult.

EXEMPLE 1.7 **La loi de Raoult**

Calculez, à la température de 90 °C, la pression de vapeur de l'eau au-dessus d'un mélange réfrigérant d'un radiateur d'une voiture, contenant 651 g d'éthylèneglycol ($C_2H_6O_2$) dissous dans 1,50 kg d'eau (P^0_{eau} à 90 °C = 70,1 kPa; on suppose que le mélange est idéal).

SOLUTION

On applique la loi de Raoult (équation 1.6), puisqu'on suppose que la solution est idéale. P^0_{eau} est donnée, et l'on peut calculer la fraction molaire de l'eau dans le mélange.

$$\text{Quantité d'eau} = 1,50 \times 10^3 \text{ g d'eau} \times \frac{1 \text{ mol}}{18,0152 \text{ g d'eau}} = 83,26 \text{ mol}$$

$$\text{Quantité de glycol} = 651 \text{ g de glycol} \times \frac{1 \text{ mol}}{62,068 \text{ g de glycol}} = 10,49 \text{ mol}$$

$$\chi_{eau} = \frac{83,26 \text{ mol}}{83,26 \text{ mol} + 10,49 \text{ mol}} = 0,8881$$

$$P_{eau} = \chi_{eau}P^0_{eau} = 0,8881 \times 70,1 \text{ kPa} = 62,3 \text{ kPa}$$

Commentaire La pression de vapeur de l'eau a baissé de $(70,1 - 62,3) = 7,8$ kPa.

EXERCICE 1.7 **La loi de Raoult**

Calculez, à la température de 60 °C, la pression de vapeur de l'eau au-dessus d'une solution contenant 10,0 g de sucrose ($C_{12}H_{22}O_{11}$) dissous dans 225 g d'eau (P^0_{eau} à 60 °C = 19,9 kPa; on suppose que la solution est idéale).

Lorsqu'une solution n'est constituée que d'un seul soluté, on peut remplacer χ_{solv} par $(1 - \chi_{\text{soluté}})$ dans l'équation 1.6. En réarrangeant les termes, on aboutit à l'expression

$$P^0_{\text{solv}} - P_{\text{solv}} = \Delta P_{\text{solv}} = \chi_{\text{soluté}} P^0_{\text{solv}}$$

(Équation 1.7)

Sous cette forme, on voit aisément que l'abaissement de pression de vapeur du solvant (ΔP_{solv}), lors du passage du solvant pur à une solution, est effectivement une propriété colligative, puisqu'il est directement proportionnel à la fraction molaire du soluté (nombre relatif de particules).

1.4.2   L'élévation du point d'ébullition

Pour commencer, rappelez-vous que la température à laquelle la pression de vapeur d'un liquide est égale à la pression externe qui s'exerce sur lui désigne son **point d'ébullition** et que, lorsque la pression externe est égale à 101,325 kPa, on qualifie ce dernier de **normal.**

Supposez maintenant qu'au lieu d'un liquide pur vous soyez en présence d'une solution formée de 0,200 mol d'un composé non volatil dissous dans 100 g de benzène (C_6H_6), soit 1,28 mol de benzène. La fraction molaire de ce dernier, considéré comme le solvant, est égale à $\dfrac{1,28 \text{ mol}}{1,28 \text{ mol} + 0,200 \text{ mol}} = 0,865$. Sachant qu'à 60 °C sa pression de vapeur est égale à 53,3 kPa, on peut, à l'aide de la loi de Raoult, calculer sa pression de vapeur au-dessus de la solution, qui dans ce cas est égale à la pression de vapeur de la solution puisque le composé dissous, non volatil, n'exerce aucune pression.

$$P_{\text{benzène}} = \chi_{\text{benzène}} \ P^0_{\text{benzène}} = 0,865 \times 53,3 \text{ kPa} = 46,1 \text{ kPa}$$

Cette pression de vapeur du solvant, à 60 °C, est portée sur le graphique de la figure 1.16.

On répète ce calcul à différentes températures et on obtient la courbe bleue de la figure 1.16, qui s'éloigne de plus en plus de la courbe rouge lorsque la température augmente ($P^0_{\text{benzène}}$ augmente avec la température et la fraction molaire du benzène demeure constante).

On déduit facilement de ce graphique que *la diminution de la pression de vapeur du solvant causée par la dissolution d'un composé non volatil se traduit par une élévation du point d'ébullition*. Le point d'ébullition normal du benzène, valeur de t correspondant à la pression de 101,3 kPa, est égal à 80 °C. Cette pression n'est atteinte qu'à 85,1 °C dans le cas de la solution, abscisse du point de la courbe bleue d'ordonnée égale à 101,3 kPa : la solution commence à bouillir à 85,1 °C, environ 5 °C plus élevés que le point d'ébullition normal du benzène pur.

La courbe bleue de la figure est valable pour une solution de 2,00 m. Comment se placent les courbes équivalentes correspondant à des concentrations différentes ? On sait que la diminution de la pression de vapeur du solvant est proportionnelle à la fraction molaire du soluté (équation 1.7).

$$\Delta P_{\text{solv}} = \chi_{\text{soluté}} \ P^0_{\text{solv}}$$

La courbe correspondant à une solution plus concentrée va ainsi se placer en dessous de la courbe bleue (ΔP_{solv} plus grande, car $\chi_{\text{soluté}}$ plus grande). Cette situation se traduit par l'élévation plus substantielle du point d'ébullition de cette nouvelle solution de concentration supérieure à 2 m par rapport au benzène pur. En fait, l'**élévation du point d'ébullition ($\Delta T_{\text{éb}}$)** est directement proportionnelle à la molalité du soluté ($m_{\text{soluté}}$).

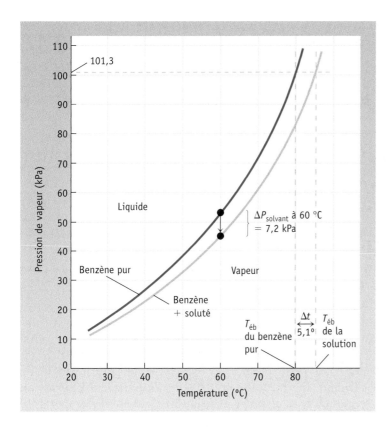

Figure 1.16 La diminution de la pression de vapeur du benzène par la dissolution d'un soluté non volatil. La courbe rouge représente la pression de vapeur du benzène pur, tandis que la courbe bleue représente celle d'une solution contenant 0,200 mol d'un composé non volatil dissous dans 100 g de ce même solvant. La courbe rouge a été tracée à partir de valeurs expérimentales obtenues à différentes températures, la courbe bleue, à partir de calculs semblables à ceux effectués ci-dessus ou à partir des pressions de vapeur de la solution mesurées elles aussi expérimentalement.

$$\Delta T_{\text{éb}} = k_{\text{éb}} m_{\text{soluté}}$$

(Équation 1.8)

La constante de proportionnalité ($k_{\text{éb}}$), appelée la **constante ébullioscopique molale,** ne dépend que de la nature du solvant. Le tableau 1.5 présente ses valeurs pour quelques solvants usuels.

TABLEAU 1.5 Les constantes ébullioscopiques et cryoscopiques molales de quelques solvants usuels

Solvants	$t_{\text{éb}}$ normal (°C)	$k_{\text{éb}}$ (°C·mol^{-1}·kg)	t_{fus} (°C)	k_{fus} (°C·mol^{-1}·kg)
eau	100,00	0,512	0,0	1,86
benzène	80,10	2,53	5,50	5,12
camphre	207,4	5,61	179,75	39,7
chloroforme	61,70	3,63	–	–

EXEMPLE 1.8   L'élévation du point d'ébullition

Calculez le point d'ébullition normal d'une solution formée de 0,144 g d'eugénol ($C_{10}H_{12}O_2$), l'ingrédient actif des clous de girofle, dissous dans 10,0 g de benzène.

SOLUTION

L'équation 1.8 permet de calculer l'élévation du point d'ébullition du benzène due à la présence d'un soluté. Les valeurs du point d'ébullition normal du benzène pur et de sa constante ébullioscopique molale sont données dans le tableau 1.5.

$$\text{Quantité d'eugénol} = 0{,}144 \text{ g d'eugénol} \times \frac{1 \text{ mol}}{164{,}20 \text{ g d'eugénol}} = 8{,}770 \times 10^{-4} \text{ mol}$$

$$m_{\text{eugénol}} = \frac{8{,}770 \times 10^{-4} \text{ mol}}{0{,}0100 \text{ kg de benzène}} = 0{,}08770 \text{ mol/kg}$$

$$\Delta T_{\text{éb}} = k_{\text{éb}} m_{\text{soluté}} = 2{,}53 \text{ °C·mol}^{-1} \text{·kg} \times 0{,}08770 \text{ mol·kg}^{-1} = 0{,}2218 \text{ °C}$$

Le point d'ébullition normal de la solution est égal à :

$$80{,}10 \text{ °C} + 0{,}2218 \text{ °C} = 80{,}32 \text{ °C}.$$

EXERCICE 1.8   **L'élévation du point d'ébullition**

Quelle masse d'éthylèneglycol ($C_2H_6O_2$) doit-on ajouter à 125 g d'eau pour obtenir une solution qui bout normalement à 101,0 °C ?

L'élévation du point d'ébullition des solvants par l'ajout d'un soluté non volatil présente quelques avantages pratiques. C'est ainsi qu'on utilise une solution aqueuse d'éthylèneglycol ($HOCH_2CH_2OH$) comme liquide réfrigérant des moteurs de voitures automobiles plutôt que de l'eau. Le système de refroidissement est de nos jours scellé de manière à maintenir le mélange réfrigérant sous pression : celui-ci ne peut ainsi se vaporiser dans les conditions normales de fonctionnement. Cependant, quand il fait très chaud l'été, la température du mélange pourrait être plus élevée que prévu et atteindre peut-être la température d'ébullition, causant ainsi des désagréments et des dommages peu souhaitables : on diminue ce risque en utilisant une solution aqueuse d'éthylèneglycol, dont le point d'ébullition est plus élevé que celui de l'eau.

1.4.3   L'abaissement du point de congélation du solvant

◆ *Point de fusion, point de congélation ?*

À 0 °C, la glace est en équilibre avec l'eau liquide. En prenant le solide comme référence, cette température est son point de fusion. Par contre, du point de vue de l'eau liquide, celle-ci « gèle » à cette température : on parle alors habituellement de point de congélation. Les deux appellations possèdent la même valeur numérique puisqu'elles s'appliquent à un même équilibre, mais font référence à des états physiques initiaux différents.

L'ajout d'un soluté à un solvant, qui diminue la pression de vapeur de ce dernier (loi de Raoult), entraîne une autre conséquence sur les propriétés du solvant, à savoir un abaissement de son point de congélation, ou de fusion.

Tout d'abord, rappelez-vous qu'au point de fusion la glace et l'eau liquide ont la même pression de vapeur. La dissolution d'un soluté non volatil dans l'eau entraîne une diminution de la pression de vapeur : cette solution ne peut commencer à « geler » à 0 °C, car la pression de vapeur au-dessus de la solution est inférieure à celle de la glace à cette température et l'équilibre entre les phases ne peut exister. La glace ne se forme pas à cette température. Cependant, puisque la pression de vapeur de la glace diminue plus rapidement que celle de l'eau à mesure que la température baisse (les pentes des courbes d'équilibre solide-gaz et liquide-gaz des diagrammes de phases sont différentes), il existe une température (inférieure à 0 °C) pour laquelle la pression de vapeur de la glace et celle de la solution se rejoignent : les premiers cristaux de glace se forment alors, on a atteint le point de congélation de la solution. Comme les cristaux de glace apparaissent à une température plus basse dans une solution que dans l'eau pure, on dit que l'ajout d'un soluté a pour conséquence l'abaissement du point de congélation de l'eau (figure 1.17).

L'**abaissement du point de congélation** (ΔT_{fus}) d'une solution idéale par rapport au solvant pur est donné par une équation semblable à celle de l'élévation du point d'ébullition.

$$\Delta T_{\text{fus}} = k_{\text{fus}} m_{\text{soluté}}$$

(Équation 1.9)

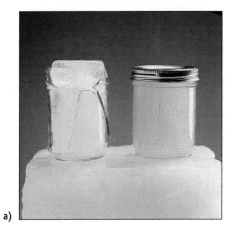
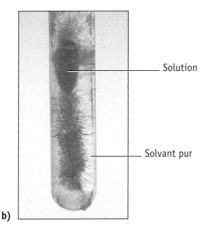

a)   b)

Figure 1.17 La congélation des solutions. a) L'addition d'antigel à l'eau abaisse son point de congélation. La photographie représente deux bocaux remplis d'eau (à gauche) et d'un mélange eau et antigel (à droite) après une nuit dans un congélateur domestique. **b)** Des cristaux de solvant « pur » se forment lors du gel d'une solution. On a réfrigéré lentement une solution aqueuse d'un colorant mauve. Des cristaux de glace « pure » sont apparus sur la paroi interne de l'éprouvette et le colorant est resté dans la solution liquide. Comme sa concentration augmente au fur et à mesure de la formation de la glace (quantité stable de colorant, mais quantité décroissante de solvant), le point de congélation de la solution résiduelle s'abaisse constamment. À une température donnée, un équilibre s'établit entre la glace « pure » incolore et la solution de colorant plus concentrée qu'au début de l'expérience. Charles D. Winters

Quelques valeurs de k_{fus}, **constante cryoscopique molale** caractéristique du solvant, sont rassemblées dans le tableau 1.5 (*voir la page 27*).

Les incidences pratiques de cette propriété des solutions sont identiques à celles relevées pour le point d'ébullition. On appelle couramment l'antigel le composé ajouté au liquide réfrigérant des moteurs de voitures automobiles: ce nom reflète bien le pourquoi de son ajout. En effet, un mélange aqueux contenant environ un tiers d'antigel ne commence à geler qu'à une température voisine de -30 °C. Comme on l'a vu précédemment, ce composé présente un autre avantage, apprécié cette fois durant l'été: l'élévation du point d'ébullition (environ 9 °C).

EXEMPLE 1.9   **L'abaissement du point de congélation**

Quelle masse approximative d'éthylèneglycol ($HOCH_2CH_2OH$) doit-on ajouter à 5 kg d'eau pour abaisser le point de congélation de 0 °C à -20 °C?

SOLUTION

L'équation 1.9 relie l'abaissement du point de congélation de l'eau à la molalité du soluté. La valeur de la constante cryoscopique est donnée dans le tableau 1.5 (*voir la page 27*).

$$\Delta T_{\text{fus}} = k_{\text{fus}} m_{\text{soluté}} \qquad m_{\text{soluté}} = \frac{\Delta T_{\text{fus}}}{k_{\text{fus}}}$$

$$\Delta T_{\text{fus}} = 20 \text{ °C} \qquad k_{\text{fus}} = 1,86 \text{ °C·mol}^{-1}\text{·kg}$$

$$m_{\text{soluté}} = \frac{20 \text{ °C}}{1,86 \text{ °C·mol}^{-1}\text{·kg}} = 10,8 \text{ mol/kg}$$

$$\text{Quantité d'éthylèneglycol} = \frac{10,8 \text{ mol de glycol}}{1 \text{ kg d'eau}} \times 5 \text{ kg d'eau} = 54 \text{ mol de glycol}$$

$$\text{Masse d'éthylèneglycol} = 54 \text{ mol de glycol} \times \frac{62,068 \text{ g}}{1 \text{ mol de glycol}}$$

$$= 3352 \text{ g, soit environ } 3,4 \text{ kg.}$$

EXERCICE 1.9   **L'abaissement du point de congélation**

À la fin de l'automne, lors de la fermeture des chalets, certains propriétaires ajoutent de l'antigel dans les réservoirs de toilettes. L'ajout de 525 g d'éthylène-glycol aux 3 kg d'eau que contient un réservoir est-il suffisant pour empêcher l'eau de geler lorsque la température descend jusqu'à -25 °C ?

1.4.4 La détermination des masses molaires

Dans le manuel *Chimie générale* (*voir la section 3.6*), vous avez appris que l'on pouvait trouver la formule moléculaire à partir des formules empiriques, à la condition de connaître la masse molaire du composé. Pour aboutir à cette donnée incontournable, il est nécessaire de recourir à une autre mesure expérimentale. Un des moyens utilisés est de mettre à contribution une propriété colligative d'une solution de ce composé. On peut déterminer sa masse molaire, à la condition d'utiliser un solvant dans lequel il est soluble et dont la pression de vapeur est appréciable aux températures courantes. Toutes les approches suivent la même logique.

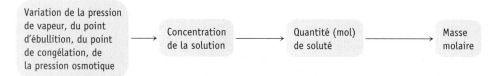

Variation de la pression de vapeur, du point d'ébullition, du point de congélation, de la pression osmotique → Concentration de la solution → Quantité (mol) de soluté → Masse molaire

EXEMPLE 1.10   **La détermination des masses molaires à l'aide de l'élévation du point d'ébullition**

Le point d'ébullition d'une solution préparée en dissolvant 1,25 g d'essence de gaulthérie couchée ou *wintergreen* (salicylate de méthyle à 99 %) dans 99,0 g de benzène est de 80,31 °C. Calculez la masse molaire de ce composé.

SOLUTION

On trouve la concentration de la solution à l'aide de l'équation 1.8 et des données du tableau 1.5 relatives au benzène (*voir la page 27*). On calcule ensuite la quantité (mol) de soluté à partir de cette concentration et de la masse de solvant. Le rapport entre la masse de soluté et son nombre de moles conduit à la masse molaire.

$$\Delta T_{\text{éb}} = 80{,}31 \ °\text{C} - 80{,}10 \ °\text{C} = 0{,}21 \ °\text{C}$$

$$\Delta T_{\text{éb}} = k_{\text{éb}} m_{\text{soluté}} \qquad m_{\text{soluté}} = \frac{\Delta T_{\text{éb}}}{k_{\text{éb}}} = \frac{0{,}21 \ °\cancel{\text{C}}}{2{,}53 \ °\cancel{\text{C}} \cdot \text{mol}^{-1} \cdot \text{kg}} = 0{,}0830 \ \text{mol/kg}$$

$$\text{Quantité de soluté} = \frac{0{,}0830 \ \text{mol}}{1 \ \cancel{\text{kg de benzène}}} \times 0{,}0990 \ \cancel{\text{kg de benzène}} = 0{,}00822 \ \text{mol}$$

$$\text{Masse molaire} = \frac{1{,}25 \ \text{g}}{0{,}00822 \ \text{mol}} = 152 \ \text{g/mol.}$$

Commentaire La masse molaire du salicylate de méthyle ($C_8H_8O_3$), calculée à l'aide des masses atomiques, est égale à 152,15 g/mol.

EXERCICE 1.10 **La détermination des masses molaires à l'aide de l'élévation du point d'ébullition**

Une solution de 0,640 g d'azulène, un hydrocarbure d'un bleu magnifique, dans 99,0 g de benzène bout à 80,23 °C. Trouvez sa formule moléculaire, sachant que sa formule empirique déterminée par ailleurs est C_5H_4.

1.4.5 Les propriétés colligatives des solutions d'électrolytes

Au Québec, durant l'hiver, on épand du sel sur les routes et les trottoirs glacés ou enneigés. Sous les rayons du soleil, la glace fond superficiellement et dissout localement une certaine quantité des cristaux de sel déposés. La solution ainsi formée, au point de congélation inférieur à 0 °C, se fraie progressivement un chemin dans la glace, la morcelle, et la chaussée devient alors moins dangereuse pour les piétons et les automobilistes (figure 1.18).

Figure 1.18 L'épandage de sel. L'épandage de sel sur la glace facilite la fonte. Charles D. Winters

Grâce à son coût abordable, à sa disponibilité sur le marché et à sa grande solubilité, le sel gemme (NaCl), extrait de différents dépôts naturels du sous-sol canadien, est la substance la plus utilisée au Canada comme sel de voirie ou de déglaçage. Autre avantage, sa masse molaire relativement basse se traduit par une grande efficacité par gramme. Finalement, comme le sel est un composé ionique, il se dissout dans l'eau en libérant deux ions.

$$NaCl\ (s) \longrightarrow Na^+\ (aq) + Cl^-\ (aq)$$

Comme les propriétés colligatives dépendent non pas de la nature de la substance dissoute, mais des nombres relatifs de particules de soluté et de solvant, il s'ensuit que l'abaissement du point de congélation dû, par exemple, à une mole de NaCl est le double de celui occasionné par une mole d'un non-électrolyte comme le sucre, dans la même quantité de solvant. Cet aspect particulier des substances a été découvert par Raoult en 1884 et étudié en profondeur en 1887 par Jacobus Henrikus Van't Hoff (1852-1911). Cette même année 1887, Svante Arrhenius (1859-1927) en donnait l'explication, en émettant sa théorie des électrolytes. Une solution de NaCl 0,100 m contient deux solutés, Na^+ (aq) 0,100 m et Cl^- (aq) 0,100 m. La molalité des particules en solution est donc égale à 0,200 m et l'abaissement du point de congélation devient alors :

$$\Delta T_{fus} = k_{fus}m_{soluté} = 1{,}86\ °C \cdot mol^{-1} \cdot kg \times 0{,}200\ mol \cdot kg^{-1} = 0{,}372\ °C$$

Pour estimer la valeur de ΔT_{fus} dans le cas d'un électrolyte fort, il faut donc tout d'abord calculer la molalité du composé dissous à l'aide de sa masse, de sa masse molaire et de la masse de solvant, et ensuite multiplier celle-ci par le nombre d'ions présents dans la formule : deux pour NaCl, trois pour Na_2SO_4, quatre pour $LaCl_3$, cinq pour $Al_2(SO_4)_3$, etc.

Ce modèle décrit relativement bien en première approximation l'effet de l'ionisation des électrolytes en solution sur les propriétés colligatives. Il est cependant incomplet et n'est pas toujours applicable tel quel, comme l'indiquent les données expérimentales et théoriques du tableau 1.6 (*voir la page 32*) portant sur NaCl et Na_2SO_4.

L'abaissement du point de congélation déterminé expérimentalement ($\Delta T_{fus}(exp)$) est plus grand que $\Delta T_{fus}(théor)$ calculé à l'aide de l'équation 1.9 ne supposant aucune dissociation des ions. Cependant, dans le cas de NaCl, il n'est pas deux fois plus élevé que la valeur théorique : le facteur varie entre 1,82 et 1,94. De la même manière, la valeur expérimentale pour le sulfate de sodium s'approche, mais n'atteint pas trois fois la valeur théorique ne supposant aucune

TABLEAU 1.6 L'abaissement du point de congélation de quelques solutions aqueuses de NaCl et de Na$_2$SO$_4$

Fractions massiques	Molalités (mol/kg)	ΔT_{fus}(exp) (°C)	ΔT_{fus}(théor) (°C)	ΔT_{fus}(exp)/ ΔT_{fus}(théor)
NaCl				
$7,00 \times 10^{-4}$	0,0120	0,0433	0,0223	1,94
0,00500	0,0860	0,299	0,160	1,87
0,0100	0,173	0,593	0,321	1,85
0,0200	0,349	1,186	0,650	1,82
Na$_2$SO$_4$				
$7,00 \times 10^{-4}$	0,00493	0,0257	0,00917	2,80
0,00500	0,0354	0,165	0,0658	2,51
0,0100	0,0711	0,320	0,132	2,42
0,0200	0,144	0,606	0,267	2,26

ionisation. Le rapport $i = \dfrac{\Delta T_{fus}(\text{exp})}{\Delta T_{fus}(\text{théor})}$ est appelé le **coefficient de Van't Hoff.** Son insertion dans l'équation 1.9 conduit à:

$$\Delta T_{fus}(\text{théor}) = \Delta T_{fus}(\text{exp})/i = k_{fus}m_{soluté}$$

d'où l'on tire:

$$\Delta T_{fus}(\text{exp}) = k_{fus}im_{soluté} \qquad \text{(Équation 1.10)}$$

Comme on peut l'anticiper, cette explication développée à partir de l'abaissement du point de congélation s'applique intégralement à toutes les autres propriétés colligatives. Il s'ensuit que les équations mentionnées auparavant, valables pour des non-électrolytes, peuvent aussi être utilisées dans le cas des électrolytes à la condition d'introduire le coefficient de Van't Hoff (i). Le tableau 1.7 illustre la transposition.

TABLEAU 1.7 Les propriétés colligatives et les électrolytes

Propriétés colligatives	Équations pour une solution non électrolytique	Équations pour une solution électrolytique
abaissement de la pression de vapeur du solvant	$\Delta P_{solv} = \chi_{soluté}\, P^0_{solv}$	$\Delta P_{solv} = \dfrac{in_{soluté}}{in_{soluté} + n_{solv}}\, P^0_{solv}$
élévation du point d'ébullition	$\Delta T_{éb} = k_{éb}m_{soluté}$	$\Delta T_{éb} = k_{éb}im_{soluté}$
abaissement du point de congélation	$\Delta T_{fus} = k_{fus}m_{soluté}$	$\Delta T_{fus} = k_{fus}im_{soluté}$

On utilise les coefficients de Van't Hoff du tableau 1.6 dans les calculs portant sur les propriétés colligatives. Ils ne s'approchent des nombres entiers supérieurs que dans les solutions diluées. Dans les solutions concentrées, l'abaissement du point de congélation expérimental indique qu'il y a moins d'ions en solution que ce à quoi on pourrait s'attendre à partir des formules. Ce comportement, typique de tous les composés ioniques, est une des conséquences des très fortes interactions entre les ions en solution. Tout se passe comme si quelques-uns des ions positifs et des ions négatifs s'appairaient, diminuant ainsi le nombre de particules en solution. Dans les solutions concentrées, et plus particulièrement dans des solvants moins polaires que l'eau, les paires d'ions et même des agrégats se retrouvent effectivement en quantités très appréciables.

EXEMPLE 1.11   **Le point de congélation des solutions d'électrolytes**

Une solution aqueuse de $[Co(NH_3)_5(NO_2)]Cl$ 0,00200 m commence à geler à -0,00732 °C. Combien de moles d'ions une mole de ce composé ionique produit-elle en solution aqueuse?

SOLUTION

On évalue ΔT_{fus} à l'aide de l'équation 1.9, c'est-à-dire en supposant qu'il n'y ait aucune dissociation des ions dans la solution. Le rapport entre la valeur expérimentale et ΔT_{fus} calculé reflète le nombre d'ions produits.

$$\Delta T_{fus} = 1,86 \text{ °C·mol}^{-1}\text{·kg} \times 0,00200 \text{ mol·kg}^{-1} = 0,00372 \text{ °C}$$

$$i = \frac{\Delta T_{fus}(\text{exp})}{\Delta T_{fus}(\text{théor})} = \frac{0,00732 \text{ °C}}{0,00372 \text{ °C}} = 1,97 \approx 2$$

Cette valeur de i signifie que le composé se dissocie en deux ions en solution aqueuse. D'autres expériences montrent qu'il s'agit en fait de $[Co(NH_3)_5(NO_2)]^+$ (aq) et de Cl^- (aq).

EXERCICE 1.11   **Le point de congélation des solutions d'électrolytes**

Calculez le point de congélation d'une solution constituée de 25,0 g de chlorure de sodium et de 525 g d'eau, en prenant 1,85 comme valeur du coefficient de Van't Hoff.

1.4.6 L'osmose

On appelle l'**osmose** la migration des molécules de solvant, à travers une paroi semi-perméable, d'une solution vers une solution plus concentrée. On peut mettre cette propriété en évidence par une expérience très simple. Le becher de la figure 1.19 **a** (*voir la page 34*) contient de l'eau pure, tandis que le sac et le tube auquel il est attaché contiennent une solution aqueuse de sucre de fraction massique 0,05.

L'eau et la solution aqueuse sont séparées par une **membrane semi-perméable,** constituée d'une feuille mince d'un matériau, comme un tissu végétal ou la cellophane, que seuls certains types de molécules ou d'ions peuvent traverser. Dans ce cas, seules les molécules d'eau ont cette facilité, les molécules de sucre plus grosses restant confinées dans leur milieu initial (*voir la figure 1.20 à la page 34*).

Au début de l'expérience, les liquides dans le becher et dans le tube sont au même niveau. Avec le temps, la solution s'élève dans le tube et le niveau de l'eau baisse légèrement dans le becher: la concentration de la solution de sucre diminue progressivement. Finalement, il ne se passe plus rien d'un point de vue macroscopique: l'équilibre est atteint.

La membrane semi-perméable ne constitue pas un obstacle au déplacement des molécules d'eau, qui peuvent la traverser dans les deux directions. Durant un intervalle de temps donné, plus de molécules d'eau pure migrent vers la solution qu'il n'en sort de celle-ci. En effet, les molécules d'eau ont tendance à

Figure 1.19 L'osmose. a) Un sac constitué d'une membrane semi-perméable contient une solution aqueuse de sucre. Il est attaché à un tube de verre et immergé dans l'eau, de manière à ce que la surface de l'eau du becher et le ménisque dans le tube soient au même niveau. **b)** Avec le temps, l'eau migre du becher vers la solution sucrée, c'est-à-dire vers la solution la plus concentrée. Le transfert se poursuit jusqu'à ce que la pression exercée par la colonne de solution soit telle que le taux d'entrée des molécules d'eau dans la solution sucrée soit égal à leur taux de sortie. Lorsque l'équilibre est atteint, la pression exercée par la solution dans la colonne est égale à la pression osmotique de ladite solution.

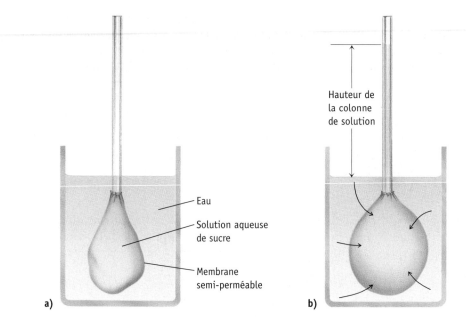

Hauteur de la colonne de solution

Eau

Solution aqueuse de sucre

Membrane semi-perméable

a)   b)

se déplacer des régions les moins condensées en soluté vers les régions les plus concentrées. Cela est vrai pour tout solvant, à condition que la membrane ne laisse passer que les molécules de solvant et constitue une barrière infranchissable pour les espèces en solution.

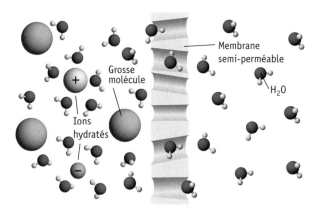

Figure 1.20 L'osmose au niveau des particules. Les substances dissoutes dans l'eau comme des ions hydratés et des molécules relativement grosses ne peuvent diffuser à travers la membrane sélectivement perméable, semi-perméable, que seules les molécules d'eau peuvent traverser.

Membrane semi-perméable

Grosse molécule

H_2O

Ions hydratés

Comment peut-on parvenir à un équilibre? Il est évident que la concentration du sucre ou de toute autre espèce en solution dans le sac et le tube de l'expérience décrite précédemment ne peut devenir nulle, condition *a priori* nécessaire pour que le nombre de molécules d'eau migrant dans une direction soit égal à celui se déplaçant en sens inverse pendant le même intervalle de temps. La réponse à ce problème réside dans la hauteur de la colonne de solution: celle-ci augmente à mesure que l'osmose se poursuit et que les molécules d'eau pénètrent dans la solution sucrée. Il arrive un moment où la pression exercée par cette colonne de solution contrebalance la pression de l'eau traversant la membrane pour se rendre vers la solution et l'on ne note plus alors de flux net de molécules. Lorsque l'équilibre est atteint, la pression créée par la colonne de solution est appelée la **pression osmotique (*Π*).** À partir de mesures expérimentales des solutions diluées, on a montré qu'elle était liée à la concentration (*C*) par l'équation:

$$\Pi = CRT$$

(Équation 1.11)

dans laquelle C est exprimée en mol/L, R est la constante des gaz parfaits et T, la température en kelvins. Cette équation ressemble à l'équation des gaz parfaits ($PV = nRT$), dans laquelle Π remplace la pression (P) et C équivaut à n/V.

La pression osmotique d'une solution d'une espèce quelconque en concentration 0,10 mol/L est égale à 25 °C, à :

$$\Pi = CRT = 0,10 \text{ mol·L}^{-1} \times 8,314 \text{ kPa·L·mol}^{-1}\text{·K}^{-1} \times 298,15 \text{ K} = 2,5 \times 10^2 \text{ kPa},$$

pression équivalant à environ 2,5 fois la pression atmosphérique.

Comme il est facile de mesurer des pressions aussi faibles que 0,1 kPa, on peut aisément, à l'aide des pressions osmotiques, évaluer des concentrations de solutés aussi faibles que 10^{-4} mol/L. L'osmométrie est ainsi largement utilisée pour déterminer la masse molaire des grosses molécules importantes en biologie et des polymères, tous composés de nombreux atomes.

EXEMPLE 1.12   **La détermination des masses molaires à l'aide de la pression osmotique**

On prépare une solution en dissolvant 7,68 mg de β-carotène dans suffisamment de chloroforme pour obtenir un volume final de 10,0 mL. Sachant que la pression osmotique de cette solution est de 3,542 kPa à 25 °C, calculez la masse molaire du β-carotène, une vitamine A très importante.

SOLUTION

On applique l'équation 1.11 pour déterminer la concentration du β-carotène. Connaissant le volume de la solution, on calcule la quantité (mol) de β-carotène présente dans la masse initiale. Le rapport de la masse à la quantité (mol) est égal à la masse molaire.

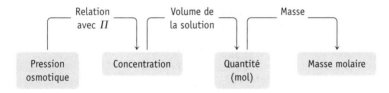

On isole C de l'équation 1.11.

$$C = \frac{\Pi}{RT} = \frac{3,542 \text{ kPa}}{8,314 \text{ kPa·L·mol}^{-1}\text{·K}^{-1} \times 298,15 \text{ K}} = 1,429 \times 10^{-3} \text{ mol/L}$$

Quantité de β-carotène dans 10,0 mL de solution
$$= (1,429 \times 10^{-3} \text{ mol·L}^{-1}) \times 0,0100 \text{ L} = 1,429 \times 10^{-5} \text{ mol}$$

Masse molaire du β-carotène $= \dfrac{7,68 \times 10^{-3} \text{ g}}{1,429 \times 10^{-5} \text{ mol}} = 537 \text{ g/mol}$

Commentaire La masse molaire du β-carotène de formule $C_{40}H_{56}$, calculée à l'aide des masses atomiques, est de 536,88 g/mol.

EXERCICE 1.12   **La détermination des masses molaires à l'aide de la pression osmotique**

On prépare une solution en dissolvant 1,40 g d'un échantillon de polyéthylène dans suffisamment de benzène pour obtenir un volume final de 100,0 mL. Sachant que la pression osmotique de cette solution est de 0,248 kPa à 25 °C, calculez la masse molaire moyenne de ce polymère.

Le personnel médical ne peut ignorer l'importance de l'osmose. Par exemple, on est souvent obligé de réhydrater ou de nourrir par injection intraveineuse des patients déshydratés à la suite d'une maladie. Toutefois, on ne peut leur injecter directement de l'eau dans les veines, car la solution doit avoir la même concentration totale du soluté que le sang : elle doit être **isotonique** (figure 1.21 **a**). Si l'on injectait de l'eau pure, il se trouverait que la solution située à l'intérieur des cellules du sang serait plus concentrée que le sang lui-même et l'eau aurait alors tendance à pénétrer dans les cellules, entraînant leur turgescence. À la limite, cette situation **hypotonique** ferait éclater les globules rouges : c'est l'hémolyse (figure 1.21 **c**). À l'inverse, il y a **hypertonicité** lorsque la solution injectée est plus concentrée que le milieu intracellulaire ; dans ce cas, la cellule perd son eau, se contracte, se flétrit et devient crénelée : c'est la plasmolyse (figure 1.21 **b**). Pour éviter de telles situations potentiellement dangereuses, on réhydrate les patients à l'aide de solutions intraveineuses stériles de NaCl en concentration de 0,16 mol/L, isotoniques au plasma sanguin (figure 1.22).

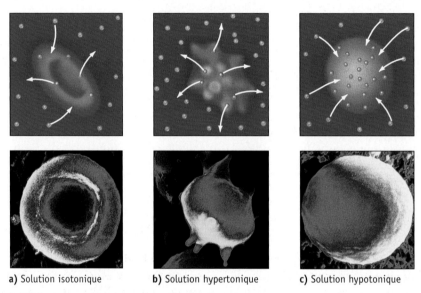

a) Solution isotonique   b) Solution hypertonique   c) Solution hypotonique

Figure 1.21 L'osmose et les cellules vivantes. a) Une cellule dans un milieu isotonique. Le flux net d'eau à travers la paroi cellulaire est nul parce que la concentration en solutés est identique de chaque côté de la membrane plasmique souple. **b)** La concentration du soluté d'une solution hypertonique est plus élevée que celle du milieu intracellulaire. Les cellules perdent leur eau par osmose, se contractent, deviennent crénelées, plasmolyse, et peuvent mourir. **c)** Dans un milieu hypotonique, la concentration du soluté est moindre qu'à l'intérieur des cellules. Les cellules absorbent de l'eau par osmose, gonflent, phénomène de turgescence, et parfois éclatent. David Phillips/Science Source/Photo Researchers, Inc.

L'équation 1.11 peut aussi s'appliquer aux électrolytes à la condition de multiplier la concentration du composé ionique en solution par son coefficient de Van't Hoff : $\Pi = iCRT$.

1.5   LES SOLUTIONS IDÉALES DE LIQUIDES VOLATILS

Dans la plupart des exposés précédents portant sur les propriétés colligatives des solutions, nous nous sommes surtout préoccupés du changement des propriétés du *solvant* dû à la présence de solutés. Nous abordons maintenant le cas des solutions formées d'au moins deux liquides volatils, chacun d'eux possédant une pression de vapeur significative : la phase de vapeur en équilibre est alors constituée de toutes les substances volatiles, dans des proportions dépendant de la composition de la solution.

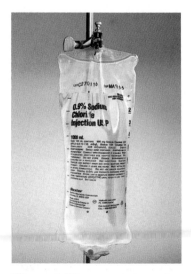

Figure 1.22 Une solution saline isotonique. Charles D. Winters

1.5.1 La composition de la vapeur en équilibre avec une solution de deux liquides volatils

Considérez le cas d'une solution formée de benzène (C_6H_6) et de toluène ($C_6H_5CH_3$). À température donnée, selon la loi de Raoult, la pression de vapeur du benzène au-dessus de la solution est donnée par:

$$P_{benzène} = \chi_{benzène}P^0_{benzène}$$

La loi de Raoult peut aussi servir au calcul de la pression partielle du toluène au-dessus de la même solution. On a alors:

$$P_{toluène} = \chi_{toluène}P^0_{toluène}$$

La figure 1.23 montre la pression de vapeur de chaque constituant lorsque la fraction molaire du toluène en solution varie de 0 à 1.

À l'extrémité gauche du graphique, le liquide est du benzène pur ($\chi_{toluène} = 0$), alors qu'à l'autre extrémité, il s'agit de toluène pur ($\chi_{toluène} = 1$). La pression de vapeur totale (P_{tot}) est simplement la somme des pressions de vapeur des deux composés. Selon les équations ci-dessous, chaque courbe est une droite.

Courbe du toluène

$$P_{toluène} = P^0_{toluène}\chi_{toluène} \quad (y = ax)$$

Courbe du benzène

$$P_{benzène} = P^0_{benzène}\chi_{benzène} = P^0_{benzène}(1 - \chi_{toluène}) = -P^0_{benzène}\chi_{toluène} + P^0_{benzène} \quad (y = ax + b)$$

Courbe de la pression totale

$$P_{tot} = P_{toluène} + P_{benzène} = P^0_{toluène}\chi_{toluène} + (-P^0_{benzène}\chi_{toluène} + P^0_{benzène})$$
$$= (P^0_{toluène} - P^0_{benzène})\chi_{toluène} + P^0_{benzène} \quad (y = ax + b)$$

À partir des pressions partielles calculées à l'aide de la loi de Raoult, la loi des pressions partielles de Dalton (*voir la section 9.4 du manuel* Chimie générale) permet de trouver la composition de la vapeur en équilibre avec sa solution, comme dans l'exemple 1.13.

EXEMPLE 1.13 **La composition de la vapeur au-dessus d'une solution idéale**

À 60 °C, on mélange 1,20 mol de toluène ($P^0_{toluène} = 17,73$ kPa) avec 3,60 mol de benzène ($P^0_{benzène} = 51,20$ kPa). Calculez les fractions molaires du toluène et du benzène dans la phase de vapeur.

SOLUTION

On calcule pour commencer la composition de la solution (fractions molaires). À l'aide de la loi de Raoult, on trouve ensuite les pressions partielles de chacun des constituants de la vapeur. Le rapport de la pression partielle d'un constituant sur la pression de vapeur totale est égal à la fraction molaire de ce constituant dans la phase de vapeur.

$$\chi_{toluène} = \frac{n_{toluène}}{n_{toluène} + n_{benzène}} = \frac{1,20 \text{ mol}}{1,20 \text{ mol} + 3,60 \text{ mol}} = 0,250$$

$$P_{toluène} = P^0_{toluène}\chi_{toluène} = 17,73 \text{ kPa} \times 0,250 = 4,4325 \text{ kPa}$$

$$\chi_{benzène} = 1 - \chi_{toluène} = 1 - 0,250 = 0,750$$

$$P_{benzène} = P^0_{benzène}\chi_{benzène} = 51,20 \text{ kPa} \times 0,750 = 38,40 \text{ kPa}$$

$$P_{tot} = 4,4325 \text{ kPa} + 38,40 \text{ kPa} = 42,8325 \text{ kPa}$$

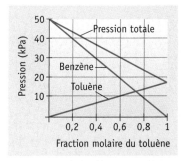

Figure 1.23 La pression de vapeur d'une solution idéale. Ce graphique montre, à température constante, les pressions de vapeur de mélanges de benzène et de toluène en fonction de la composition. Ces deux composés forment une solution idéale, c'est-à-dire que les deux liquides respectent la loi de Raoult pour l'ensemble des compositions possibles.

$$\chi_{\text{toluène(vap)}} = \frac{P_{\text{toluène}}}{P_{\text{tot}}} = \frac{4{,}4325 \ \text{kPa}}{42{,}8325 \ \text{kPa}} = 0{,}103$$

$$\chi_{\text{benzène(vap)}} = \frac{38{,}40 \ \text{kPa}}{42{,}8325 \ \text{kPa}} = 0{,}897$$

Commentaire La fraction molaire du benzène, plus volatil que le toluène, est plus élevée dans la vapeur (0,897) que dans la solution (0,750).

Comme l'illustre l'exemple 1.13, la vapeur en équilibre avec une solution de deux liquides volatils contient une proportion plus grande du composant le plus volatil. Cela se démontre facilement à l'aide des équations appliquant les lois de Raoult et des pressions partielles.

$$\chi_{\text{toluène (vap)}} = \frac{P_{\text{toluène}}}{P_{\text{tot}}} \qquad \chi_{\text{benzène (vap)}} = \frac{P_{\text{benzène}}}{P_{\text{tot}}}$$

$$\frac{\chi_{\text{benzène (vap)}}}{\chi_{\text{toluène (vap)}}} = \frac{P_{\text{benzène}}}{P_{\text{toluène}}} = \frac{P^{0}_{\text{benzène}}}{P^{0}_{\text{toluène}}} \frac{\chi_{\text{benzène}}}{\chi_{\text{toluène}}} = \frac{P^{0}_{\text{benzène}}}{P^{0}_{\text{toluène}}} \times \frac{\chi_{\text{benzène}}}{\chi_{\text{toluène}}}$$

Comme $\dfrac{P^{0}_{\text{benzène}}}{P^{0}_{\text{toluène}}}$ est plus grand que 1, alors $\dfrac{\chi_{\text{benzène (vap)}}}{\chi_{\text{toluène (vap)}}}$ est plus grand que $\dfrac{\chi_{\text{benzène}}}{\chi_{\text{toluène}}}$: la vapeur est plus riche que la solution en benzène, le constituant le plus volatil. Ce résultat est fondamental, car il permet la séparation des constituants volatils d'un mélange liquide par distillation fractionnée.

Pour caractériser le comportement des solutions formées de deux liquides volatils, on a porté sur un graphique les variations de leur pression de vapeur en fonction de leur composition, à une température constante donnée (*voir la figure 1.23 à la page 37*) : $P = \text{f(composition)}$, à température constante. Une autre manière de procéder est de considérer, à pression constante cette fois, les couples température-composition reflétant l'équilibre entre la solution et sa vapeur. Si la pression considérée est égale à 101,325 kPa, la température d'équilibre correspond alors au point d'ébullition normal de la solution : $t_{\text{éb}} = \text{f(composition)}$, à la pression égale de 101,325 kPa (**courbe d'ébullition** de la figure 1.24).

Considérez le point a de la courbe d'ébullition : il représente une solution de fraction molaire χ_{A} égale à 0,25 en équilibre avec sa vapeur au point d'ébullition normal (t_{A}). Les coordonnées du point a', relié à a par une droite de raccordement, représentent sa vapeur en équilibre : $\chi_{\text{A(vap)}} = 0{,}65$, calculée ou mesurée expérimentalement, et t_{A}. La vapeur est plus riche en A que sa solution, parce que A est plus volatil que B (son point d'ébullition est plus bas). La répétition de cette opération pour plusieurs solutions de compositions différentes conduit à la **courbe de rosée** de la figure 1.24. Alors que la courbe d'ébullition donne la température à laquelle la solution commence à bouillir, la courbe de rosée représente le phénomène inverse, soit la température à laquelle apparaît la première goutte de liquide lorsqu'on refroidit un mélange gazeux.

L'interprétation d'un diagramme température-composition pour un mélange idéal de deux liquides volatils est semblable à celle d'un diagramme de phases présenté dans le manuel *Chimie générale*. Imaginez un récipient étanche fermé par un piston mobile rempli d'une solution de A et de B, de composition χ_{A} égale à 0,65. À une température inférieure au point d'ébullition t_1 de la solution, celle-ci se présente uniquement sous la forme liquide (figure 1.25).

Lorsque la température atteint la valeur t_1, la solution commence à bouillir et les premières vapeurs de composition correspondant à l'abscisse du point 1' se forment, le piston s'élève alors pour permettre à la vapeur de prendre sa place

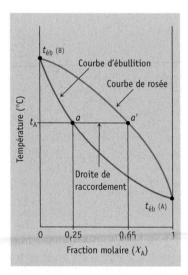

Figure 1.24 Le diagramme d'équilibre température-composition, à la pression de 101,325 kPa, d'un mélange idéal de deux constituants volatils A et B.

et à la pression de demeurer constante. On fournit un peu plus de chaleur : il se forme plus de vapeur. Comme celle-ci est plus riche en A, le composé le plus volatil, la solution résiduelle en équilibre voit sa composition changer : elle s'appauvrit constamment en A ou, si l'on préfère, s'enrichit en B, le composé le moins volatil, et, de ce fait, son point d'ébullition augmente. Ainsi, contrairement à une substance pure qui bout à température constante, *le point d'ébullition d'une solution varie et augmente selon l'avancement de la transformation en vapeur*. En supposant que le chauffage soit suffisamment lent pour que la solution soit toujours en équilibre avec sa vapeur, le point représentant cet équilibre se déplace vers les températures plus élevées. Lorsque tout le liquide a disparu, la composition de la vapeur est alors égale à la concentration initiale de la solution ($X_{A(vap)} = 0{,}65$) : la dernière goutte de solution, de composition $X_A = 0{,}25$, disparaît à la température t_2. À partir de cette température, seule la phase de vapeur existe et son comportement peut être décrit par la loi des gaz parfaits. Entre t_1 et t_2, les deux phases coexistent en équilibre.

À l'inverse, la première goutte du liquide issu du refroidissement graduel d'un mélange gazeux de A et B, de composition initiale $X_{A(vap)} = 0{,}65$, est plus pauvre en A, le constituant le plus volatil : $X_A = 0{,}25$. La température t_2 correspondant à cette apparition est appelée le **point de rosée,** d'où le nom de courbe de rosée pour désigner la courbe supérieure. Si l'on continue le refroidissement, la vapeur se condense de plus en plus, elle s'enrichit en A, et sa température décroît. Ses dernières traces, à la température t_1, auront la composition du point 1', alors que la composition du liquide sera devenue égale à celle de la vapeur initiale.

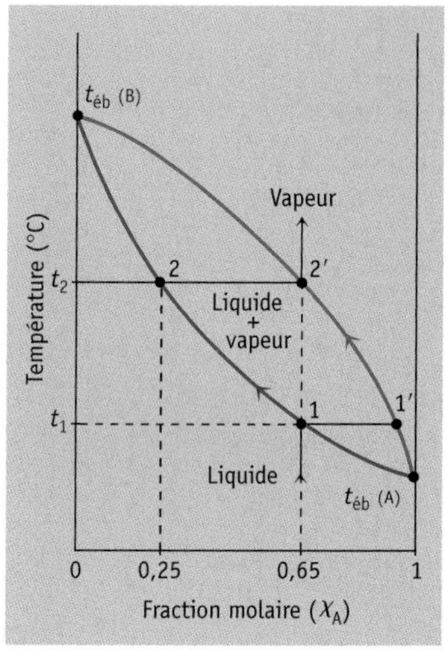

Figure 1.25 L'ébullition, à la pression de 101,325 kPa, d'un mélange idéal de deux constituants volatils A et B.

1.5.2 La distillation

La **distillation simple** consiste à faire passer par ébullition un liquide à l'état gazeux et à condenser ensuite la vapeur obtenue dans un autre récipient. Cette méthode est utilisée pour purifier un liquide contenant des particules solides ou des ions, ou pour séparer des composés dont les points d'ébullition sont assez éloignés.

Au cours d'une **distillation fractionnée,** le mélange subit une succession d'évaporation et de condensation à mesure qu'il évolue vers le haut d'une colonne à distillation. Considérez une solution initiale de A et de B, de composition $X_A = 0{,}08$ (le point 1 de la courbe d'ébullition de la figure 1.26).

Ce mélange commence à bouillir à la température t_1 en émettant des vapeurs de composition $X_{A(vap)} = 0{,}34$ (le point 2). Imaginez qu'on les recueille et qu'on les condense totalement (le point 3). Le liquide obtenu, de même composition $X_A = 0{,}34$, est ensuite porté à son tour à ébullition ($t_2 < t_1$) : ses premières vapeurs ont la composition $X_{A(vap)} = 0{,}76$ (le point 4). Ces opérations répétées un certain nombre de fois permettent d'obtenir théoriquement une vapeur ne contenant que le composé A, le plus volatil, à sa température d'ébullition.

Parallèlement, si la vapeur est constamment éliminée par évaporation-condensation, le liquide résiduel s'enrichit en B, le constituant moins volatil, son point d'ébullition augmente en conséquence et l'on finit théoriquement avec un liquide constitué uniquement de B pur, à sa température d'ébullition.

Cette séquence d'évaporation et de condensation est réalisée en pratique dans une colonne à distillation, encore appelée la colonne à fractionnement (*voir la figure 1.27, page 40*).

Cette colonne est constituée d'un certain nombre de plateaux superposés, équipés chacun de cloches permettant le passage de la vapeur ascendante et des trop-pleins assurant le déversement de liquide excédentaire vers le plateau inférieur. Les cloches forcent le barbotage de la vapeur dans le liquide, de manière à favoriser le meilleur équilibre possible entre les deux phases. Au bas de la colonne est situé le bouilleur, dans lequel le liquide est porté à ébullition. La vapeur atteignant le haut de la colonne est condensée : une partie du condensat retourne dans le dernier plateau (le reflux), l'autre est soutirée.

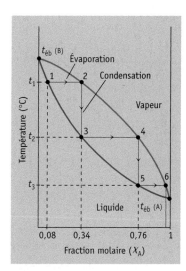

Figure 1.26 Le principe de la distillation fractionnée, à la pression de 101,325 kPa, d'un mélange idéal de deux constituants volatils A et B.

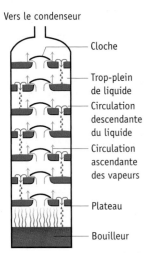

Figure 1.27 **Schéma d'une colonne à distillation (colonne à plateaux).**

La vapeur issue du bouilleur s'élève dans la colonne, dont la température décroît de bas en haut puisqu'on s'éloigne de la source de chaleur. Elle se condense dans le premier plateau plus froid : le liquide issu de cette condensation est plus riche en composé le plus volatil que le liquide initial, qui en retour s'enrichit en composé le moins volatil. La température de la vapeur produite en continu dans le bouilleur augmente : la vapeur finit par réchauffer suffisamment le contenu du premier plateau, qui émet à son tour beaucoup de vapeur, à une température inférieure à celle régnant dans le bouilleur (son liquide est plus riche en composé le plus volatil). Cette nouvelle vapeur va alors se condenser dans le plateau immédiatement au-dessus et un nouveau cycle d'évaporation-condensation démarre. Ainsi, en cheminant jusqu'en haut de la colonne, la température décroît, la vapeur s'enrichit de plus en plus en constituant le plus volatil et sa composition se rapproche de plus en plus de ce constituant pur.

Lorsque tous les plateaux sont remplis de liquide et que toute la vapeur s'échappant du dernier plateau est recondensée et retournée vers son plateau d'origine, reflux total, celui-ci déborde et le trop-plein retourne vers le plateau inférieur. Il s'établit ainsi un courant descendant de liquide : si le temps de fonctionnement est suffisant, l'équilibre peut être le mieux réalisé au niveau de chaque plateau entre ce liquide descendant et la vapeur ascendante. Avec une colonne comprenant suffisamment de plateaux, on peut trouver en haut le composé le plus volatil pratiquement pur, à son point d'ébullition : après condensation, on peut alors l'extraire lentement, en petite quantité par rapport à ce qui est retourné dans la colonne. Lorsque la plus grande partie du composé le plus volatil a été ainsi extraite du mélange, on finit par ne retrouver dans le bouilleur que le composé le moins volatil, à une température correspondant à son point d'ébullition. En poursuivant le chauffage, il peut éventuellement atteindre le sommet de la colonne.

Pour réaliser en laboratoire une distillation fractionnée, on peut utiliser une colonne de Vigreux, tube de verre pourvu à l'intérieur de pointes dirigées vers le bas favorisant les échanges entre les phases liquide et de vapeur (figure 1.28). Le liquide s'évapore et se condense constamment à mesure qu'il se déplace vers le haut de la colonne. À chacune des évaporations successives, la vapeur s'enrichit en constituant le plus volatil.

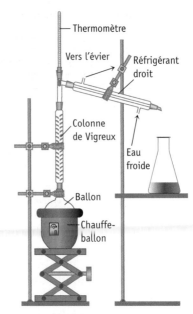

Figure 1.28 **Un appareil de laboratoire pour distillation fractionnée.**

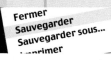

(**SAUVE***garder*)

LES UNITÉS DE CONCENTRATION

Concentration molaire volumique	
$$[A] = \dfrac{\text{quantité (mol) de A}}{\text{volume de solution (L)}}$$	0,0100 mol de A dans 100,0 mL de solution. $$[A] = \dfrac{0,0100 \text{ mol}}{0,1000 \text{ L}} = 0,100 \text{ mol/L}$$

Molalité	
$$m_A = \dfrac{\text{quantité (mol) de A}}{\text{masse de solvant (kg)}}$$	0,0120 mol de A dans 98,4 g d'eau. $$m_A = \dfrac{0,0120 \text{ mol}}{0,0984 \text{ kg}} = 0,122 \ m$$

Fraction molaire	
$$\chi_A = \dfrac{n_A}{n_A + n_B + n_C + \dots} = \dfrac{n_A}{n_{tot}}$$	1,20 mol de toluène et 3,60 mol de benzène. $$\chi_{toluène} = \dfrac{n_{toluène}}{n_{toluène} + n_{benzène}} = \dfrac{1,20}{1,20 + 3,60} = 0,250$$ $$\chi_{benzène} = 1 - \chi_{toluène} = 0,750$$

Fraction massique	
$$\text{Fraction massique}_A = \dfrac{m_A}{m_A + m_B + m_C + \dots} = \dfrac{m_A}{m_{tot}}$$	5 g de A dans 92 g d'eau. $$\text{Fraction massique}_A =$$ $$\dfrac{5,0 \text{ g}}{5,0 \text{ g} + 92 \text{ g}} = 0,052 \text{ (ou 5,2 \%).}$$

LA SOLUBILITÉ

Solubilité		
Concentration d'un soluté en équilibre avec son solide dans une solution, à une température donnée.		
Solution insaturée	**Solution saturée**	**Solution sursaturée**
Concentration inférieure à la solubilité	Concentration correspondant à la solubilité	Concentration supérieure à la solubilité (état instable)

LA SOLUBILITÉ DANS L'EAU DES COMPOSÉS IONIQUES

Les composés ioniques solubles	Exceptions
Pratiquement tous les composés de Na^+, K^+ et NH_4^+. Les nitrates (NO_3^-). Les chlorates (ClO_3^-). Les perchlorates (ClO_4^-). Les acétates (CH_3COO^-).	
Pratiquement tous les composés de Cl^-, Br^- et I^-.	Les halogénures de Ag^+, Hg_2^{2+}, Pb^{2+}.
Les fluorures (F^-).	Les fluorures de Mg^{2+}, Ca^{2+}, Sr^{2+}, Ba^{2+} et Pb^{2+}.
Les sulfates (SO_4^{2-}).	Les sulfates de Ca^{2+}, Sr^{2+}, Ba^{2+}, Pb^{2+}.
Les composés ioniques insolubles	**Exceptions**
Les carbonates (CO_3^{2-}). Les phosphates (PO_4^{3-}). Les oxalates ($C_2O_4^{2-}$). Les chromates (CrO_4^{2-}). La plupart des sulfures métalliques (S^{2-}). La plupart des hydroxydes et des oxydes métalliques.	Les composés de NH_4^+ et des métaux alcalins.

LA MISCIBILITÉ DES LIQUIDES ET LA SOLUBILITÉ DES SOLIDES MOLÉCULAIRES

« Qui se ressemble s'assemble »		
Caractéristiques du soluté (liquide ou solide moléculaire)	Caractéristiques du solvant liquide	Solubilité
polaire	polaire	élevée
polaire	non polaire	faible
non polaire	polaire	faible
non polaire	non polaire	élevée
liaisons hydrogène	liaisons hydrogène	élevée

LA MISE EN SOLUTION DES COMPOSÉS IONIQUES : ASPECTS ÉNERGÉTIQUES

Énergie réticulaire ($\Delta E_{\text{rét}}$) Énergie de formation de 1 mol de composé ionique à l'état solide à partir de ses ions considérés à l'état gazeux.	**Exemple** $$K^+ (g) + F^- (g) \longrightarrow KF (s)$$ $$\Delta E_{\text{rét}} = \text{-821 kJ·mol}^{-1}$$
Enthalpie d'hydratation (ΔH_{hyd}) Énergie dégagée lors de la dissolution dans l'eau des ions initialement à l'état gazeux.	**Exemple** $$K^+ (g) + F^- (g) \longrightarrow K^+ (aq) + F^- (aq)$$ $$\Delta H_{\text{hyd}} = \text{-819 kJ·mol}^{-1}$$
Enthalpie de dissolution (ΔH_{sol}) Variation d'enthalpie associée à la dissolution dans l'eau de 1 mol de composé ionique à l'état solide.	**Exemple** $$KF (s) \longrightarrow K^+ (aq) + F^- (aq)$$ $$\Delta H_{\text{sol}} \text{ (estimée)} = \text{2 kJ·mol}^{-1}$$

Relation $\Delta H_{\text{sol}} \text{ (estimée)} = \Delta H_{\text{hyd}} - \Delta E_{\text{rét}}$	**Exemple**
	$KF (s) \longrightarrow \cancel{K^+ (g)} + \cancel{F^- (g)}$ $-\Delta E_{\text{rét}} = 821 \text{ kJ·mol}^{-1}$
	$\cancel{K^+ (g)} + \cancel{F^- (g)} \longrightarrow K^+ (aq) + F^- (aq)$ $\Delta H_{\text{hyd}} = \text{-819 kJ·mol}^{-1}$
	$\overline{KF (s) \longrightarrow K^+ (aq) + F^- (aq)}$ $\Delta H_{\text{sol}} \text{ (estimée)} = \text{-819 kJ·mol}^{-1}$
	$+ 821 \text{ kJ·mol}^{-1}$
	$= 2 \text{ kJ·mol}^{-1}$

Enthalpie standard de formation (ΔH_f^0 (s)) Variation d'enthalpie associée à la formation de 1 mol de composé à partir de ses éléments, toutes les substances étant dans leur état standard.	**Exemple** $$Na (s) + \tfrac{1}{2} Cl_2 (g) \longrightarrow NaCl (s)$$ $$\Delta H_f^0 (s) = \text{-411,2 kJ·mol}^{-1}$$
Enthalpie standard de formation des solutions aqueuses (ΔH_f^0 (aq, 1 m)) Variation d'enthalpie associée à la formation d'une solution aqueuse 1 m à partir des éléments pris dans leur état standard.	**Exemple** $$Na (s) + \tfrac{1}{2} Cl_2 (g) \longrightarrow NaCl (aq, 1\ m)$$ $$\Delta H_f^0 (aq, 1\ m) = \text{-407,3 kJ·mol}^{-1}$$
Enthalpie standard de dissolution (ΔH_{sol}^0) Variation d'enthalpie associée à la dissolution dans l'eau de une mole de composé ionique à l'état solide, le résultat étant une solution 1 m.	**Exemple** $$NaCl (s) \longrightarrow NaCl (aq, 1\ m)$$ $$\Delta H_{\text{sol}}^0 = \text{3,9 kJ/mol}$$

Relation $\Delta H_{\text{sol}}^0 = \Delta H_f^0 (aq, 1\ m) - \Delta H_f^0 (s)$	**Exemple**
	$NaCl (s) \longrightarrow \cancel{Na (s)} + \cancel{\tfrac{1}{2} Cl_2 (g)}$ $-\Delta H_f^0 (s) = 411,2 \text{ kJ·mol}^{-1}$
	$\cancel{Na (s)} + \cancel{\tfrac{1}{2} Cl_2 (g)} \longrightarrow NaCl (aq, 1\ m)$ $\Delta H_f^0 (aq, 1\ m) = \text{-407,3 kJ·mol}^{-1}$
	$\overline{NaCl (s) \longrightarrow NaCl (aq, 1\ m)}$ $\Delta H_{\text{sol}}^0 = \text{-407,3 kJ·mol}^{-1}$
	$+ 411,2 \text{ kJ·mol}^{-1}$
	$= 3,9 \text{ kJ·mol}^{-1}$

L'EFFET DE LA PRESSION ET DE LA TEMPÉRATURE SUR LA SOLUBILITÉ

Pression: loi de Henry

À température constante, la solubilité d'un gaz dans un liquide (s_g) est directement proportionnelle à sa pression partielle.

$$s_g = k_H P_g$$

Exemple

Solubilité de l'oxygène de l'air ($X_{O_2} = 0,21$) dans l'eau, à 20 °C.

$P_{O_2} = 0,21 \times 101,325$ kPa

$s_{O_2} = k_H P_{O_2} = (1,41 \times 10^{-5} \text{ mol·kg}^{-1}\text{·kPa}^{-1})$
$\times (0,21 \times 101,325) \text{ kPa} = 3,0 \times 10^{-4}$ mol/kg

Température: principe de Le Chatelier

Toute modification d'un facteur influant sur les conditions d'équilibre d'un système le force à évoluer dans le sens qui réduit ou contrecarre l'effet de ce changement.

Exemple

gaz + solvant liquide ⇌ solution saturée

$$\Delta H_{sol} < 0$$

Élévation de température ⇒ évolution dans le sens endothermique ⇒ déplacement de l'équilibre vers la gauche: la solubilité diminue.

LES PROPRIÉTÉS COLLIGATIVES

Loi de Raoult (solutions idéales)

La **pression de vapeur du solvant (P_{solv})** est égale au produit de sa fraction molaire en solution (X_{solv}) par sa pression de vapeur à l'état pur (P^0_{solv}), à la température considérée.

$$P_{solv} = X_{solv} P^0_{solv}$$
$$P^0_{solv} - P_{solv} = \Delta P_{solv} = X_{soluté} P^0_{solv}$$

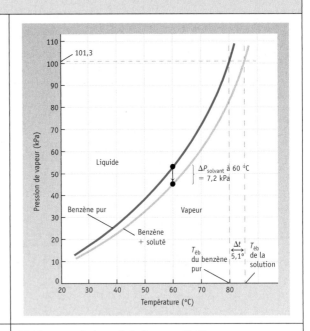

Élévation du point d'ébullition

$$\Delta T_{éb} = k_{éb} m_{soluté}$$

Abaissement du point de congélation

$$\Delta T_{fus} = k_{fus} m_{soluté}$$

Pression osmotique (Π)

Pression nécessaire pour obtenir un transfert net nul de solvant de part et d'autre d'une membrane semi perméable séparant le solvant pur d'une solution.

$\Pi = CRT$

C: concentration du soluté (mol/L)

R = constante des gaz parfaits

T = température (K)

LES PROPRIÉTÉS COLLIGATIVES (*SUITE*)

Solutions d'électrolytes et coefficient de Van't Hoff

Modifications des propriétés colligatives dues à une association partielle des ions en solution assez concentrée.

$$\text{Coefficient de Van't Hoff: } i = \frac{\Delta T_{\text{fus}}(\text{exp})}{\Delta T_{\text{fus}}(\text{théor})}$$

$\Delta T_{\text{fus}}(\text{exp}) = k_{\text{fus}} i m_{\text{soluté}}$

$\Delta P_{\text{solv}} = \dfrac{i n_{\text{soluté}}}{i n_{\text{soluté}} + n_{\text{solv}}} P^0_{\text{solv}}$

$\Delta T_{\text{éb}} = k_{\text{éb}} i m_{\text{soluté}}$

$\Pi = iCRT$

Exemples

NaCl   deux ions i: de 1,8 à 1,9.

Na_2SO_4 trois ions i: de 2,2 à 2,8.

LA DÉTERMINATION DES MASSES MOLAIRES À L'AIDE DES PROPRIÉTÉS COLLIGATIVES

Variation de la pression de vapeur, du point d'ébullition, du point de congélation, de la pression osmotique → Concentration de la solution → Quantité (mol) de soluté → Masse molaire

LES SOLUTIONS IDÉALES DE DEUX LIQUIDES VOLATILS

Composition de la vapeur

$$\chi_{A(\text{vap})} = P_A / P_{\text{tot}}$$
$$\chi_{B(\text{vap})} = P_B / P_{\text{tot}}$$

La vapeur est plus riche que la solution en constituant le plus volatil.

Exemple

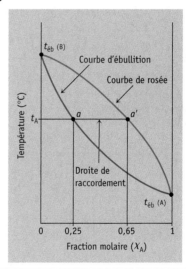

LES SOLUTIONS IDÉALES DE DEUX LIQUIDES VOLATILS (*SUITE*)

Pression de vapeur	**Exemple**
Pression de vapeur du composé A $$P_A = X_A P_A^0$$ Pression de vapeur du composé B $$P_B = X_B P_B^0$$ Pression de vapeur totale $$P_{tot} = P_A + P_B$$	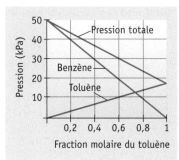
Distillation fractionnée Procédé de séparation d'un mélange de liquides volatils en ses différents constituants par une succession d'évaporation et de condensation.	**Exemple** 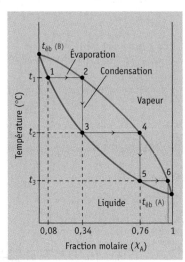

Revue des concepts importants

1. Quelle est la différence entre un solvant et un soluté ?

2. Identifiez les quatre propriétés colligatives présentées dans ce chapitre et donnez leur expression mathématique.

3. Définissez la molalité et dites en quoi elle diffère de la molarité.

4. Nommez trois facteurs pouvant affecter la solubilité des gaz dans l'eau.

5. Vous préparez deux solutions aqueuses de $NaCl$ et de $CaCl_2$ de même molalité. Vous remarquez que l'abaissement du point de fusion de l'eau de la solution de chlorure de calcium est environ 1,5 fois plus élevé que celui du chlorure de sodium. Expliquez.

6. Expliquez pourquoi un cornichon placé dans une saumure, une eau très salée, se ratatine.

7. Définissez le terme *solubilité*. Décrivez une expérience qui vous permettrait de mesurer la solubilité de $NaCl$ dans l'eau.

8. À l'aide de quelques exemples, expliquez la signification de l'adage « Qui se ressemble s'assemble » utilisé fréquemment pour interpréter la solubilité des composés.

9. Parmi les substances suivantes, identifiez celles qui sont solubles
   a) dans l'eau,
   b) dans le benzène (C_6H_6).
   1) $NaNO_3$
   2) Éthoxyéthane ($CH_3CH_2OCH_2CH_3$).
   3) Naphtalène ($C_{10}H_8$).
   4) NH_4Cl
   5) I_2

Exercices

Les concentrations

10. Vous dissolvez 2,56 g d'acide succinique ($C_4H_6O_4$) dans 500,0 mL d'eau. Sachant que la masse volumique de l'eau est de 1,00 g/cm^3, calculez la concentration (mol/L), la molalité, la fraction molaire et la fraction massique de l'acide en solution. (On suppose que le volume n'a pas varié.)

11. On dissout 45,0 g de camphre ($C_{10}H_{16}O$) dans 425 mL d'éthanol (C_2H_5OH). Calculez la concentration (mol/L), la molalité, la fraction molaire et la fraction massique du camphre dans cette solution, sachant que la masse volumique de l'éthanol est de 0,785 g/mL et en supposant que le volume n'a pas varié.

12. Complétez le tableau suivant.

Composé en solution aqueuse	Molalité (*m*)	Fraction massique	Fraction molaire
NaI	0,15		
C_2H_5OH		0,050	
$C_{12}H_{22}O_{11}$	0,15		

13. Quelle masse de Na_2CO_3 ajouterez-vous à 125 g d'eau pour préparer une solution ayant une molalité de 0,200 *m* ? Quelle est la fraction molaire de Na_2CO_3 de cette solution ?

14. Quelle masse de glycérol ($C_3H_5(OH)_3$) devez-vous ajouter à 425 g d'eau pour obtenir une solution de fraction molaire en soluté égale à 0,093 ? Quelle est la molalité de cette solution ?

15. La concentration de l'acide chlorhydrique commercial est de 12,0 mol/L. Sachant que sa masse volumique est de 1,18 g/cm^3, calculez :
    a) sa molalité ;
    b) la fraction massique de HCl.

16. L'acide sulfurique concentré possède une masse volumique de 1,84 g/cm^3 et contient 95,0 % de H_2SO_4. Calculez la molalité et la concentration (mol/L) de cet acide.

17. La concentration moyenne des ions lithium de l'eau de mer est de 18 mg/kg, ou 18 ppm, parties par million. Quelle est leur molalité ?

Solubilité des composés

18. Quel ou quels composés parmi les groupes suivants sont susceptibles d'être solubles dans l'eau ?
    a) CuO, $CuCl_2$ et $FeCO_3$.
    b) AgI, Ag_3PO_4 et $AgNO_3$.
    c) K_2CO_3, KI et $KMnO_4$.

19. Quels ions sont produits lors de la dissolution dans l'eau des composés suivants ?
    a) KOH
    b) K_2SO_4
    c) $LiNO_3$
    d) $(NH_4)_2SO_4$

20. Déterminez si les composés suivants sont solubles ou non solubles dans l'eau. Dans le cas où ils le sont, identifiez les ions produits.
    a) Na_2CO_3
    b) $CuSO_4$
    c) NiS
    d) $BaBr_2$

21. Équilibrez l'équation de la réaction de précipitation suivante, en spécifiant l'état de chacune des espèces. Écrivez l'équation ionique nette.

$$CdCl_2 + NaOH \longrightarrow Cd(OH)_2 + NaCl$$

22. Prévoyez les produits de chacune des réactions de précipitation suivantes et équilibrez l'équation globale.
    a) $NiCl_2$ (aq) + $(NH_4)_2S$ (aq) $\longrightarrow$
    b) $Mn(NO_3)_2$ (aq) + Na_3PO_4 (aq) $\longrightarrow$

Le processus de la dissolution

23. Les composés liquides des paires suivantes sont-ils miscibles ?
    a) H_2O et $CH_3CH_2CH_2CH_3$.
    b) C_6H_6 et CCl_4.
    c) H_2O et CH_3COOH.

24. Expliquez à l'aide de sa structure pourquoi l'acétone (CH_3COCH_3) est soluble dans l'eau.

$$\underset{H_3CCCH_3}{\overset{\overset{O}{\|}}{}}$$

25. À l'aide des données suivantes, calculez l'enthalpie standard de dissolution dans l'eau du perchlorate de sodium ($NaClO_4$).

$\Delta H_f^0 (s) = -382,9 \text{ kJ·mol}^{-1}$

$\Delta H_f^0 (aq, 1 \, m) = -369,5 \text{ kJ·mol}^{-1}$

26. Vous préparez une solution saturée de $NaCl$, à 25 °C. Aucun solide n'est présent dans le becher contenant cette solution. Que pouvez-vous faire pour augmenter la quantité de $NaCl$ dissoute (*voir la figure 1.13*) ?
  a) Ajouter davantage de $NaCl$.
  b) Augmenter la température de la solution.
  c) Augmenter la température de la solution et ajouter du $NaCl$ (s).
  d) Diminuer la température de la solution et ajouter du $NaCl$ (s).

27. Parmi les paires de composés suivants, identifiez celui qui possède l'enthalpie d'hydratation la plus négative. Expliquez brièvement pourquoi.
  a) $LiCl$ ou $CsCl$.
  b) $NaNO_3$ ou $Mg(NO_3)_2$.
  c) $RbCl$ ou $NiCl_2$.

28. Lorsque les sels de Mg^{2+}, Na^+ et Cs^+ sont en solution aqueuse, les cations, comme les anions, sont hydratés. Lequel des trois cations est le plus hydraté ? Lequel est le moins hydraté ?

Loi de Henry

29. La pression partielle de O_2 dans vos poumons varie de 3,3 kPa à 5,3 kPa. Quelle masse d'oxygène, à une pression partielle de 5,3 kPa, peut dissoudre 1 L d'eau, à 25 °C ?

30. La constante de Henry de l'oxygène dans l'eau, à 25 °C, est $1,24 \times 10^{-5} \text{ mol·kg}^{-1}\text{·kPa}$. Quelle constante parmi les suivantes est la plus probable à une température de 50 °C ? Expliquez votre raisonnement.
  a) $6,61 \times 10^{-6} \text{ mol·kg}^{-1}\text{·kPa}$
  b) $2,55 \times 10^{-5} \text{ mol·kg}^{-1}\text{·kPa}$
  c) $1,24 \times 10^{-5} \text{ mol·kg}^{-1}\text{·kPa}$
  d) $6,31 \times 10^{-4} \text{ mol·kg}^{-1}\text{·kPa}$

31. À 25 °C, la concentration de CO_2 dans une canette de boisson gazeuse peut atteindre 0,0506 mol/L. Quelle est la pression de CO_2 (g) à l'intérieur de la canette ?

32. La constante de Henry de l'hydrogène dissous en solution aqueuse est de $8,045 \times 10^{-6} \text{ mol·kg}^{-1}\text{·kPa}$, à 25 °C. Si la pression totale de gaz, H_2 et H_2O, au-dessus de l'eau est de 101,3 kPa, quelle est la concentration de H_2 dans l'eau, g/g, sachant que la pression de vapeur de l'eau, à 25 °C, est de 3,17 kPa ?

Les propriétés colligatives

33. On mélange 35,0 g d'éthylèneglycol ($HOCH_2CH_2OH$) et 500,0 g d'eau. La pression de vapeur de l'eau, à 32 °C, est de 4,76 kPa. Quelle est la pression de vapeur de la solution à cette même température ? (L'éthylèneglycol n'est pas volatil.)

34. L'urée ($(NH_2)_2CO$), un composé très utilisé dans la fabrication d'engrais et de plastiques, est très soluble dans l'eau. Si vous en dissolvez 9,0 g dans 10 mL, quelle sera la pression de vapeur de la solution, à 24 °C ? (À 24 °C, la masse volumique de l'eau = 1 g/mL et la pression de vapeur de l'eau = 2,98 kPa.)

35. On ajoute de l'éthylèneglycol ($HOCH_2CH_2OH$) à 2,00 kg d'eau dans le système de refroidissement d'une voiture. La pression de vapeur de l'eau dans le système, à une température de 90 °C, est de 60,92 kPa. Quelle masse d'éthylèneglycol a-t-on ajoutée, sachant que la pression de vapeur de l'eau, à 90 °C, est de 70,10 kPa ?

36. On dissout 105 g d'iode dans 325 g de CCl_4 à 65 °C. Sachant que la pression de vapeur de CCl_4 à cette température est de 70,79 kPa, quelle est la pression de vapeur de la solution ?

37. Vérifiez que 0,200 mol d'un soluté non volatil dissous dans 125 g de benzène (C_6H_6) forme une solution ayant un point d'ébullition de 84,2 °C.

38. Quel est le point d'ébullition d'une solution constituée de 15,0 g d'urée ($(NH_2)_2CO$) dissous dans 0,500 kg d'eau ?

39. Quel est le point d'ébullition d'une solution constituée de 0,755 g de caféine ($C_8H_{10}O_2N_4$) dissous dans 95,6 g de benzène (C_6H_6) ?

40. Un mélange eau et éthanol possède un point de fusion de -16,0 °C.
  a) Quelle est la molalité de l'alcool dans le mélange ?
  b) Quelle en est sa fraction massique ?

41. Vous dissolvez 15,0 g de sucrose ($C_{12}H_{22}O_{11}$) dans une tasse contenant 225 g d'eau. Quel est le point de fusion de cette solution ?

42. La fraction massique de l'éthanol (C_2H_5OH) dans une bouteille de vin est voisine de 0,11 (11 %). Commence-t-elle à geler à -20 °C ?

43. À 11,12 g de benzène, vous ajoutez 0,255 g d'un composé cristallin orange répondant à la formule empirique $C_{10}H_8Fe$. Le point d'ébullition du benzène augmente de 80,10 °C à 80,86 °C. Quelles sont la masse molaire et la formule moléculaire du composé ?

44. On utilise parfois l'aluminon, un composé organique, comme réactif pour détecter la présence d'ions aluminium dans les solutions aqueuses. Une solution de 2,5 g d'aluminon dans 50 g d'eau gèle à -0,197 °C. Quelle est la masse molaire de ce composé ?

45. Quel est le point de fusion d'une solution constituée de 52,5 g de LiF dissous dans 306 g d'eau ?

46. Estimez la pression osmotique du sang humain, à 37 °C, sachant qu'il est isotonique à une solution de $NaCl$ de concentration 0,16 mol/L et que le coefficient de Van't Hoff est 1,9 pour le chlorure de sodium.

47. Une solution aqueuse contenant 1,00 g d'insuline bovine par litre possède une pression osmotique de

0,413 kPa, à 25 °C. Calculez la masse molaire de l'insuline bovine.

Questions de révision

Ces questions peuvent combiner plusieurs concepts vus précédemment. Les numéros de couleur correspondent à des questions demandant plus de réflexion.

48. Une solution de NaOH de 10,7 *m* a une masse volumique de 1,33 g/cm³, à 20 °C. Calculez:

a) la fraction molaire de NaOH;

b) la fraction massique de NaOH;

c) la concentration molaire de NaOH.

49. Vous dissolvez 2,00 g de $Ca(NO_3)_2$ dans 750 g d'eau. Quelle est la molalité de $Ca(NO_3)_2$ de la solution résultante? En supposant une dissociation totale, quelle est la molalité des ions dissous?

50. Vous désirez préparer une solution de 0,100 *m* en ions. Quelle masse de Na_2SO_4 devrez-vous dissoudre dans 125 g d'eau pour y parvenir, si l'on admet que la dissolution du solide est totale?

51. a) Laquelle des solutions suivantes devrait avoir le point d'ébullition le plus élevé, 0,20 *m* en KBr ou 0,30 *m* en sucrose?

b) Laquelle des solutions suivantes devrait avoir le point de fusion le plus bas, 0,20 *m* en NH_4NO_3 ou 0,10 *m* en Na_2CO_3?

52. La solubilité de NaCl, à 100 °C, est de 39,1 g par 100,0 g d'eau. Calculez le point d'ébullition de cette solution, sachant que le coefficient de Van't Hoff de NaCl est égal à 1,85.

53. L'odeur de framboise est principalement due à la p-hydroxyphényl-2-butanone, molécule ayant pour formule empirique C_5H_6O. Vous en dissolvez 0,135 g dans 25 g de chloroforme ($CHCl_3$) et trouvez que le point d'ébullition de cette solution est de 61,82 °C. Quelle est la formule moléculaire de ce soluté?

54. L'hexachlorophène a déjà été utilisé dans les savons germicides. Calculez sa masse molaire, sachant que le point d'ébullition d'une solution constituée de 0,640 g du produit dissous dans 25 g de chloroforme est de 61,93 °C.

55. On prépare une solution saturée de formiate de sodium ($HCOONH_4$), à 80 °C, en en dissolvant la quantité adéquate dans 200 g d'eau. La solution est ensuite refroidie à 0 °C. Quelle masse de $HCOONH_4$ précipite, sachant que sa solubilité est de 102 g/100 mL à 0 °C et de 546 à 80 °C?

56. Quelle quantité d'azote peut être dissoute dans l'eau, à 25 °C, à la pression partielle de N_2, de 78,0 kPa?

57. Les cigares se conservent idéalement dans une pièce où la température est de 18 °C et où règne une humidité relative de 55 %. Cette valeur signifie que la pression partielle de la vapeur d'eau dans la pièce est égale à 55 % de la pression de vapeur de l'eau, à la même température. L'humidité peut être contrôlée par une solution d'eau et de glycérol ($C_3H_5(OH)_3$). Calculez la fraction massique du glycérol nécessaire pour atteindre la pression partielle désirée de la vapeur de l'eau.

58. Le liquide de refroidissement du moteur d'une voiture contient une certaine quantité d'éthylèneglycol ($HOCH_2CH_2OH$) et 5,0 kg d'eau. Si le point de congélation de cette solution est de -15,0 °C, quel en est son point d'ébullition?

59. L'eau possède une masse volumique de 0,997 g/mL, à 25 °C. Calculez sa concentration (mol/L) et sa molalité (*m*) à cette température.

60. On mélange 1,0 mol de toluène ($C_6H_5CH_3$) et 2,0 mol de benzène (C_6H_6), deux composés volatils. Quelle est la pression de vapeur totale de la solution, à 20 °C, sachant que $P^0_{benzène} = 10,0$ kPa et $P^0_{toluène} = 2,93$ kPa à cette température? Quelle est la fraction molaire de chaque substance dans la vapeur?

61. Un arbre a une hauteur de 10 m.

a) À 20 °C, quelle doit être la concentration des solutés pour que la sève se rende jusqu'au sommet de l'arbre par pression osmotique? Tenons pour acquis que l'eau se trouvant à la base de l'arbre est pure, que la masse volumique de la sève est de 1 g/mL et qu'une colonne d'eau de 1 m de haut exerce une pression de 9,80 kPa.

b) Si le seul soluté dans la sève s'avère être du sucrose ($C_{12}H_{22}O_{11}$) quelle en sera sa fraction massique?

62. Une solution aqueuse d'acide sulfurique de fraction massique 0,02 gèle à -0,796 °C.

a) Calculez le coefficient de Van't Hoff de l'acide sulfurique.

b) Laquelle des situations suivantes représente le mieux une solution aqueuse diluée d'acide sulfurique: $H^+ + HSO_4^-$ ou $2\ H^+ + SO_4^{2-}$?

63. On dissout dans l'eau un halogénure inconnu de potassium (KX). Sachant que 4,00 g de ce sel dissous dans 100 g d'eau forment une solution ayant un point de fusion de -1,28 °C, identifiez l'ion halogénure.

La **cinétique chimique**

De plus en plus vite

Des aliments comme les haricots, le chou et le brocoli contiennent des sucres complexes appelés les oligosaccharides qui sont dégradés en sucres plus simples durant la digestion. Cependant, chez certaines personnes, ce processus n'est pas complet et peut occasionner de la flatulence: la matière non digérée fermente dans le colon sous l'action d'organismes anaérobies et produit des gaz comme CO_2, H_2, CH_4 et… une petite quantité de composés malodorants. Heureusement, il existe sur le marché un composé appelé Beano qui peut diminuer cet inconvénient. La compagnie productrice mentionne dans sa publicité qu'il s'agit « d'un enzyme alimentaire naturel dégradant les sucres complexes en nourriture plus facilement digestible ».

Les enzymes sont des catalyseurs biologiques qui accélèrent les réactions chimiques. L'α-galactosidase, un des enzymes du Beano, accélère en effet la dégradation des oligosaccharides contenus dans certains aliments en galactose et en sucrose.

$$\text{Oligosaccharides} + H_2O \xrightarrow{\alpha\text{-galactosidase}} \text{galactose} + \text{sucrose}$$

Un autre enzyme, l'anhydrase carbonique, occupe aussi une place importante dans les processus biologiques. Le dioxyde de carbone, légèrement soluble dans l'eau, produit de l'acide carbonique qui s'ionise partiellement en H^+ (aq) et HCO_3^- (aq):

$$CO_2 \text{ (g)} \rightleftharpoons CO_2 \text{ (aq)} \qquad (1)$$

$$CO_2 \text{ (aq)} + H_2O \text{ (l)} \rightleftharpoons H_2CO_3 \text{ (aq)} \qquad (2)$$

▲ Il est connu que les haricots, le chou et le brocoli peuvent provoquer chez certaines personnes de la flatulence, causée par la digestion incomplète de sucres complexes. Cependant, un enzyme ingurgité en même temps que la nourriture peut faciliter la dégradation de ces sucres et, ainsi, éliminer ce fâcheux inconvénient. Charles D. Winters

$$H_2CO_3 \text{ (aq)} \rightleftharpoons H^+ \text{ (aq)} + HCO_3^- \text{ (aq)} \qquad (3)$$

L'anhydrase carbonique catalyse les réactions 1 et 2. La plupart des ions H^+ produits par l'ionisation de l'acide carbonique sont récupérés par l'hémoglobine du sang lorsqu'elle perd son oxygène. Les ions HCO_3^- sont acheminés vers les poumons avec le sang. Quand l'hémoglobine récupère son oxygène, elle libère ses ions H^+ qui reforment avec HCO_3^- de l'acide carbonique, et l'on expire du CO_2.

L'expérience décrite aux figures **A** et **B** illustre bien l'influence de l'anhydrase carbonique. On ajoute quelques gouttes d'une solution d'hydroxyde de sodium à une solution froide de dioxyde de carbone (figure **A**). La solution devient immédiatement basique, car il n'y a pas suffisamment de H_2CO_3 dans la solution pour consommer la base ajoutée. Cependant, quelques secondes plus tard, le CO_2 dissous a produit plus de H_2CO_3 qui réagit avec l'hydroxyde de sodium : la solution redevient finalement acide au bout de 37 s (photographie **e**). On refait la même expérience, mais en ajoutant à la solution initiale de dioxyde de carbone quelques gouttes de sang (figure **B**). Le retour à la solution acide (photographie **e**) est plus rapide que précédemment (21 s), preuve de l'action catalytique de l'anhydrase carbonique présente dans le sang.

a)   b)   c)   d)   e)

Figure A Le CO_2 dans l'eau. a) Une solution aqueuse froide de CO_2. **b)** La couleur jaune du bleu de bromothymol ajouté dans le becher précédent indique que la solution est acide. **c)** On y ajoute quelques gouttes d'une solution d'hydroxyde de sodium (quantité moindre que la quantité stœchiométrique) : il y a réaction avec l'acide carbonique (H_2CO_3) et production d'ions HCO_3^- (et un peu d'ions CO_3^{2-}). **d)** La couleur bleue de l'indicateur indique que la solution est basique. **e)** La teinte bleue s'atténue au fur et à mesure de la production de H_2CO_3 à partir de CO_2. Il s'en produit finalement suffisamment pour consommer tout l'hydroxyde de sodium ajouté et la solution redevient acide au bout de 37 s. Charles D. Winters

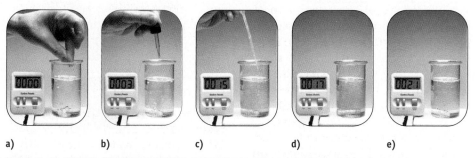

a)   b)   c)   d)   e)

Figure B L'action de l'anhydrase carbonique. a) On ajoute quelques gouttes de sang à une solution identique à celle de la photographie **a)** de la figure **A. b)** La solution est acide comme l'atteste la couleur jaune de l'indicateur. **c)** et **d)** On ajoute quelques gouttes d'une solution d'hydroxyde de sodium (quantité moindre que la quantité stœchiométrique) : il y a réaction avec l'acide carbonique (H_2CO_3) et production d'ions HCO_3^- (et un peu d'ions CO_3^{2-}). La solution devient basique (couleur bleue de l'indicateur). **e)** La teinte bleue s'atténue rapidement au fur et à mesure de la production de H_2CO_3 à partir de CO_2 et la solution redevient acide au temps $t = 21$ s, inférieur à celui enregistré au cours de l'expérience précédente. La formation de H_2CO_3 a été plus rapide à cause de la présence d'un enzyme dans le sang. Charles D. Winters

La cinétique L'étude de la vitesse des réactions chimiques et des facteurs externes qui l'influencent, comme la température, la concentration et l'état physique des réactifs, constitue l'objet de la cinétique chimique. On présente dans cette page quelques aspects de la réaction communément appelée l'horloge à iode, et facilement réalisable en laboratoire.

L'HORLOGE À IODE

A

▲ La couleur bleue du complexe iode-amidon se développe en 51 s.

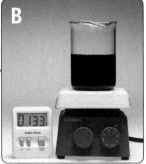

B

▲ La couleur bleue du complexe iode-amidon prend plus de temps à apparaître qu'en **A** lorsque la solution est moins concentrée.

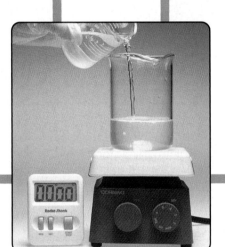

▲ On mélange dans le becher les solutions contenant de la vitamine C, du peroxyde d'hydrogène, des ions iodure et de l'amidon.

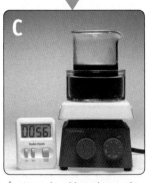

C

▲ La couleur bleue du complexe iode-amidon apparaît au bout de 56 s lorsque la solution est moins concentrée qu'en **A**, mais à une température plus élevée.

D

▲ On a utilisé du jus d'orange comme source de vitamine C.

LA CHIMIE DE L'HORLOGE À IODE

Le peroxyde d'hydrogène oxyde lentement les ions iodure en iode.

$$H_2O_2 \text{ (aq)} + 2 \text{ I}^- \text{ (aq)} + 2 \text{ H}^+ \text{ (aq)} \longrightarrow 2 \text{ H}_2O \text{ (l)} + I_2 \text{ (aq)}$$

L'iode formé est réduit rapidement par l'acide ascorbique présent aussi dans la solution: l'iode retourne à l'état I⁻ (aq).

$$I_2 \text{ (aq)} + C_6H_8O_6 \text{ (aq)} \longrightarrow C_6H_6O_6 \text{ (aq)} + 2 \text{ H}^+ \text{ (aq)} + 2 \text{ I}^- \text{ (aq)}$$

Quand toute la vitamine C a été consommée, l'iode reste en solution et forme un complexe bleu avec l'amidon. Le temps d'apparition de la coloration dépend des vitesses relatives des réactions ci-dessus, de la température et des concentrations des réactifs.

*Deux grands sujets préoccupent les chercheurs lors de la mise au point d'une réaction chimique: la vitesse à laquelle elle se produit et jusqu'où elle se rend. Le premier point, la **cinétique** des réactions, sera étudié dans ce chapitre et le second, dans les chapitres suivants.*

On aborde la cinétique sous deux angles différents. Dans le premier cas, on traite de la vitesse des réactions à l'échelle macroscopique: définition, détermination expérimentale, facteurs les influençant. Dans le second, on s'intéresse aux particules pour comprendre le mécanisme de la réaction, c'est-à-dire le chemin emprunté par les réactifs pour se transformer en produits. L'interprétation sur le plan moléculaire des données expérimentales macroscopiques a pour but de comprendre le déroulement des réactions pour, finalement, mieux contrôler leur évolution.

2.1   LA VITESSE DES RÉACTIONS

Le concept de vitesse est commun à beaucoup de processus, chimiques ou non. La vitesse d'une voiture automobile, définie comme étant la distance parcourue par unité de temps (km/h), et le débit d'un robinet d'eau exprimant le volume écoulé pendant une unité de temps (L/min) n'en sont que deux exemples communs. Dans chaque cas, pendant un laps de temps bien défini, on mesure l'évolution d'une grandeur, respectivement une distance et un volume. Dans une réaction chimique, la grandeur concernée est la concentration: celle des réactifs diminue avec le temps, celle des produits augmente. Il est donc possible d'exprimer la vitesse par la *diminution de la concentration d'un réactif* ou l'*accroissement de la concentration d'un produit par unité de temps*.

Pour calculer la vitesse d'une automobile, il suffit de mesurer le temps nécessaire (Δt) pour se rendre d'un point 1 à un point 2 ($\Delta t = t_2 - t_1$) distant de $\Delta d = d_2 - d_1$, et de diviser Δd par Δt. La vitesse d'une automobile qui met 12 min, soit $12 \text{ min} \times \frac{1 \text{ h}}{60 \text{ min}} = 0{,}20 \text{ h}$, pour parcourir 15 km est égale à $\frac{15 \text{ km}}{0{,}20 \text{ h}} = 75 \text{ km/h}$.

Il existe souvent plusieurs moyens de calculer la vitesse d'une réaction chimique. Par exemple, on peut suivre les variations de la concentration d'une substance en mesurant une de ses propriétés caractéristiques, qui dépend de la concentration, comme l'absorption de la lumière, son absorbance (figure 2.1).

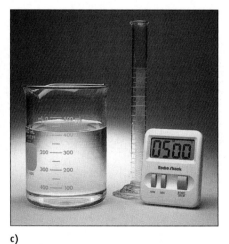

a)   b)   c)

Figure 2.1 Un exemple de mesure de la vitesse d'une réaction. a) On ajoute 10 mL d'eau de Javel à 400 mL d'une solution aqueuse d'un colorant alimentaire de couleur bleue de concentration $3{,}4 \times 10^{-5}$ mol/L environ. **b)** et **c)** La coloration s'atténue avec le temps. À l'aide d'un spectrophotomètre, on mesure l'absorbance de la solution à différents moments: on suit ainsi l'évolution de la concentration du colorant.

Charles D. Winters

Considérez la décomposition de N_2O_5 en solution dans le tétrachlorure de carbone.

$$2 \ N_2O_5 \xrightarrow{\text{CCl}_4} 4 \ NO_2 + O_2$$

À intervalles de temps réguliers, la mesure de la pression de O_2 dégagé constitue un des moyens permettant de suivre la progression de cette réaction. La quantité d'oxygène libérée, calculée à partir des valeurs expérimentales de P, V et T, est liée à la quantité de N_2O_5 décomposée : 1 mol de O_2 est issue de 2 mol de N_2O_5. La quantité résiduelle de N_2O_5 à un instant donné (t) est égale à sa quantité initiale (à $t = 0$) diminuée de la quantité décomposée au même instant : comme le volume est constant, on peut calculer la concentration à cet instant (t). En inscrivant sur un graphique les valeurs de $[N_2O_5]$ correspondant à différents temps (t), on obtient la courbe de la figure 2.2 (température de l'expérience : 30,0 °C).

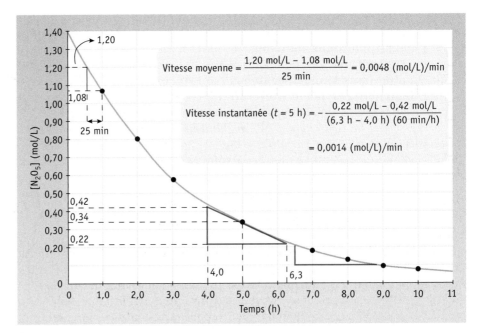

Figure 2.2 L'évolution de la réaction de décomposition de N_2O_5 : $[N_2O_5] = f(t)$. La vitesse moyenne entre les temps $t = 35$ min et $t = 1$ h est égale à 0,0048 (mol/L)/min. La vitesse instantanée au temps $t = 5$ h, où la concentration en N_2O_5 est égale à 0,34 mol/L, est de 0,0014 (mol/L)/min.

La vitesse de réaction calculée pour tout intervalle de temps (Δt) est égale au quotient de la variation de la concentration de N_2O_5 par la durée considérée (Δt).

$$\text{Vitesse de réaction} = -\frac{\text{variation de } [N_2O_5]}{\text{durée}} = -\frac{\Delta[N_2O_5]}{\Delta t}$$

Comme elle est, par convention, une grandeur positive et que la concentration de N_2O_5 diminue avec le temps ($\Delta[N_2O_5] < 0$), on introduit le signe « – » pour rendre le rapport positif.

Elle peut aussi s'exprimer en termes de vitesse de formation de NO_2 ou de O_2. Dans ce cas, comme les variations de concentration sont positives, ces vitesses de formation sont égales respectivement à $\dfrac{\Delta[NO_2]}{\Delta t}$ et à $\dfrac{\Delta[O_2]}{\Delta t}$. En outre, NO_2 se forme deux fois plus rapidement que N_2O_5 ne disparaît, car 2 mol de N_2O_5 se décomposent pour donner 4 mol de NO_2. Quant à la vitesse d'apparition de O_2, elle est deux fois plus faible que celle de la décomposition de N_2O_5, parce qu'il ne se forme qu'une seule mole de O_2 pendant que deux moles de N_2O_5 disparaissent. On peut dire aussi que la formation de NO_2 est quatre fois plus rapide que celle de O_2. Par exemple, la vitesse de disparition de N_2O_5 entre 35 min et 60 min (figure 2.2) est donnée par:

$$\frac{-\Delta[N_2O_5]}{\Delta t} = -\frac{1,08 \text{ mol/L} - 1,20 \text{ mol/L}}{60 \text{ min} - 35 \text{ min}} = -\frac{-0,12 \text{ mol/L}}{25 \text{ min}} = 0,0048 \text{ (mol/L)/min}$$

La vitesse de formation de NO_2 est deux fois plus élevée.

$$\frac{\Delta[NO_2]}{\Delta t} = 0,0048 \text{ (mol de } N_2O_5\text{/L)/min} \times \frac{4 \text{ mol de } NO_2}{2 \text{ mol de } N_2O_5} = 0,0096 \text{ (mol/L)/min}$$

On calcule la vitesse d'apparition de O_2 de la même façon.

$$\frac{\Delta[O_2]}{\Delta t} = 0,0048 \text{ (mol de } N_2O_5\text{/L)/min} \times \frac{1 \text{ mol de } O_2}{2 \text{ mol de } N_2O_5} = 0,0024 \text{ (mol/L)/min}$$

On déduit de la courbe $[N_2O_5] = f(t)$, qui n'est pas une droite, que la vitesse de décomposition de N_2O_5 n'est pas constante. La concentration diminue rapidement au début de la réaction, mais beaucoup plus lentement vers la fin. En effet, alors qu'on calculait une vitesse de 0,0048 (mol/L)/min entre les temps $t_1 = 35$ min et $t_2 = 60$ min (la concentration avait baissé de 0,12 mol/L en 25 min), la vitesse est tombée à 0,00080 (mol/L)/min entre $t_1 = 6,5$ h et $t_2 = 9,0$ h, durée requise pour que la concentration baisse de la même valeur, soit 0,12 mol/L.

$$-\frac{\Delta[N_2O_5]}{\Delta t} = -\frac{0,10 \text{ mol/L} - 0,22 \text{ mol/L}}{540 \text{ min} - 390 \text{ min}} = -\frac{-0,12 \text{ mol/L}}{150 \text{ min}} = 0,00080 \text{ (mol/L)/min}$$

La vitesse vers la fin de la réaction n'est plus que le sixième de ce qu'elle était au début.

Les calculs précédents conduisent tous à une **vitesse moyenne** entre deux temps donnés. La **vitesse instantanée** (*v*) prévaut à un temps *t* déterminé: elle est calculée à partir de la pente de la tangente à la courbe au temps *t*, pente qui représente la limite du rapport $\frac{\Delta[N_2O_5]}{\Delta t}$ au temps *t* quand Δt tend vers 0.

$$v = \lim_{\Delta t \to 0}\left(-\frac{\Delta[N_2O_5]}{\Delta t}\right) = -\frac{d[N_2O_5]}{dt}$$

Par exemple, la vitesse instantanée au temps $t = 5,0$ h ($v_{t=5h}$), temps au bout duquel $[N_2O_5] = 0,34$ mol/L, est égale à:

$$v_{t=5h} = -\frac{0,22 \text{ mol/L} - 0,42 \text{ mol/L}}{(6,3 \text{ h} - 4,0 \text{ h}) \times \frac{60 \text{ min}}{1 \text{ h}}} = \frac{0,20 \text{ mol/L}}{138 \text{ min}} = 0,0014 \text{ (mol/L)/min}$$

À cet instant précis, $t = 5,0$ h, $[N_2O_5]$ baisse au rythme de 0,0014 (mol/L)/min.

On saisit facilement la différence entre une vitesse moyenne et une vitesse instantanée en revenant à l'exemple précédent de l'automobile. Celle-ci a parcouru 15 km en 12 min, ce qui représente une vitesse moyenne de 75 km/h. Par contre, à tout instant du parcours, il est plus que probable que la vitesse instantanée, indiquée par l'odomètre, soit différente de cette valeur : plus élevée dans les dépassements, plus basse dans les ralentissements de la circulation.

Comme la vitesse moyenne d'une réaction est rarement utile ou utilisée, *on remplace généralement la dénomination vitesse instantanée par, tout simplement, vitesse* afin d'alléger l'écriture.

EXEMPLE 2.1   **Les vitesses de réaction et la stœchiométrie**

Comparez les vitesses de disparition du réactif et d'apparition des produits de la réaction suivante.

$$4\ PH_3\ (g) \longrightarrow P_4\ (g)\ +\ 6\ H_2\ (g)$$

SOLUTION

Dans cette réaction, 4 mol de PH_3 disparaissent, tandis que se forment en même temps 1 mol de P_4 et 6 mol de H_2. En prenant comme référence P_4, dont le coefficient est égal à 1, on peut dire que PH_3 disparaît quatre fois plus vite et que H_2 se forme six fois plus rapidement que ne se forme P_4 :

$$-\frac{d[PH_3]}{dt} = 4\frac{d[P_4]}{dt} \qquad \frac{d[H_2]}{dt} = 6\frac{d[P_4]}{dt}$$

que l'on peut arranger en :

$$-\frac{1}{4}\frac{d[PH_3]}{dt} = \frac{d[P_4]}{dt} = \frac{1}{6}\frac{d[H_2]}{dt}$$

Commentaire On appelle parfois « vitesse de réaction » le résultat de la division de la vitesse instantanée de formation ou de disparition d'une substance par son coefficient stœchiométrique.

EXEMPLE 2.2   **La vitesse de réaction**

La collecte de données expérimentales a permis de tracer le graphique ci-contre représentant les variations, en fonction du temps, de la concentration du colorant utilisé dans l'expérience décrite à la figure 2.1 (*voir la page 53*).

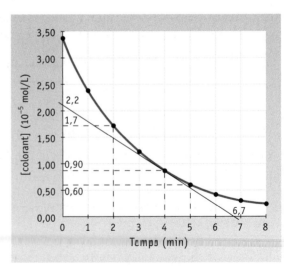

a) Calculez la vitesse moyenne de disparition du colorant durant les deux premières minutes de l'expérience.

b) Calculez la vitesse moyenne entre les temps $t = 4$ min et $t = 5$ min.

c) Estimez la vitesse instantanée à $t = 4$ min.

SOLUTION

Pour calculer les vitesses moyennes, on évalue graphiquement les valeurs des concentrations (C) au début (t_1) et à la fin (t_2) de chaque période de temps. On calcule ensuite le rapport entre l'écart ($\Delta C = C_2 - C_1$) et la durée ($\Delta t = t_2 - t_1$), dont on change le signe.

a) $t_1 = 0$ min $\Rightarrow C_1 = 3,4 \times 10^{-5}$ mol/L

$t_2 = 2$ min $\Rightarrow C_2 = 1,7 \times 10^{-5}$ mol/L

$$-\frac{\Delta C}{\Delta t} = -\frac{(1,7 \times 10^{-5}) \text{ mol/L} - (3,4 \times 10^{-5}) \text{ mol/L}}{2 \text{ min} - 0 \text{ min}} = 8,5 \times 10^{-6} \text{ (mol/L)/min}$$

b) $t_1 = 4$ min $\Rightarrow C_1 = 0,90 \times 10^{-5}$ mol/L

$t_2 = 5$ min $\Rightarrow C_2 = 0,60 \times 10^{-5}$ mol/L

$$-\frac{\Delta C}{\Delta t} = -\frac{(0,6 \times 10^{-5}) \text{ mol/L} - (0,9 \times 10^{-5}) \text{ mol/L}}{5 \text{ min} - 4 \text{ min}} = 3 \times 10^{-6} \text{ (mol/L)/min}$$

c) Pour estimer la vitesse instantanée au temps $t = 4$ min, on évalue graphiquement la pente de la tangente à la courbe, à cet instant, à partir de deux points relativement éloignés l'un de l'autre.

Point 1: $t_1 = 0$ min, $C_1 = 2,2 \times 10^{-5}$ mol/L

Point 2: $t_2 = 6,7$ min, $C_2 = 0$ mol/L

$$\Delta C = C_2 - C_1 = 0 \text{ mol/L} - (2,2 \times 10^{-5}) \text{ mol/L} = -(2,2 \times 10^{-5}) \text{ mol/L}$$

$$\Delta t = t_2 - t_1 = 6,7 \text{ min} - 0 \text{ min} = 6,7 \text{ min}$$

$$v_{t = 4 \text{ min}} = -\frac{(-2,2 \times 10^{-5}) \text{ mol/L}}{6,7 \text{ min}} = 3,3 \times 10^{-6} \text{ (mol/L)/min}$$

Commentaire La vitesse moyenne entre la quatrième et la cinquième minute est nettement inférieure à celle correspondant aux deux premières minutes de la réaction.

EXERCICE 2.1   **Les vitesses de réaction et la stœchiométrie**

Comparez la vitesse de disparition du réactif avec celle d'apparition des produits de la réaction de décomposition du chlorure de nitrosyle (NOCl).

$$2 \text{ NOCl (g)} \longrightarrow 2 \text{ NO (g)} + \text{Cl}_2 \text{ (g)}$$

EXERCICE 2.2   **La vitesse de réaction**

L'évolution de la concentration du sucrose lors de sa décomposition, en milieu acide, en fructose et en glucose est donnée dans le graphique ci-contre:

a) Calculez la vitesse moyenne de disparition du sucrose durant les deux premières heures de l'expérience.

b) Calculez la vitesse moyenne entre les temps $t = 6$ h et $t = 8$ h.

c) Estimez la vitesse à $t = 4$ h.

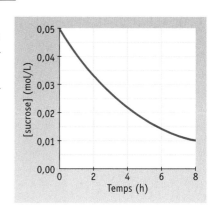

2.2 LES FACTEURS INFLUANT SUR LA VITESSE D'UNE RÉACTION

Pour qu'une réaction ait lieu, c'est-à-dire pour que les atomes des réactifs puissent changer de place et se réarranger, il est nécessaire que les molécules entrent en contact. Il n'est donc pas surprenant que la plupart des réactions se produisent en phase gazeuse ou en solution liquide, milieux dans lesquels les atomes et les molécules sont très mobiles, et ont l'occasion de se heurter fréquemment. Dans ces circonstances, plusieurs facteurs peuvent à l'évidence affecter les vitesses de réaction.

- *La concentration des réactifs.* Un comprimé d'Alka-Seltzer contient $NaHCO_3$ et de l'acide citrique, qui réagissent ensemble dans l'eau et donnent naissance à un dégagement de dioxyde de carbone (figure 2.3). La réaction est plus rapide dans l'eau que dans un mélange eau-éthanol, dans lequel la concentration en eau est plus faible.

Figure 2.3 Effet de la concentration sur la vitesse de réaction. La vitesse de réaction dépend de la concentration des réactifs. Le becher de droite est rempli d'eau et celui de gauche, d'éthanol contenant quelques traces d'eau. Le dégagement gazeux est plus lent à gauche qu'à droite, la concentration de l'eau, un des réactifs, dans la solution d'éthanol étant nettement moins élevée que dans l'eau seule. Charles D. Winters

- *La température.* Il est bien connu qu'une température plus élevée accélère la cuisson des aliments, qui n'est rien d'autre qu'un ensemble de réactions chimiques. En laboratoire, on effectue souvent les réactions à chaud pour augmenter leur vitesse (figure 2.4).

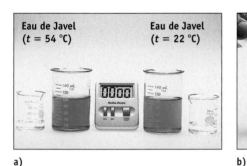  

a)   b)   c)

Figure 2.4 Effet de la température sur la vitesse de réaction. a) et **b)** On verse une même quantité d'eau de Javel, mais à des températures différentes, dans deux bechers contenant la même solution d'un colorant organique bleu. **c)** Au bout de 43 s, la solution soumise à l'eau de Javel chaude est décolorée, tandis que celle de droite, plus froide, est encore teintée: la réaction est plus rapide à chaud qu'à froid. Charles D. Winters

- *Les catalyseurs.* Ce sont des substances qui ont la propriété d'accélérer les réactions et que l'on retrouve, théoriquement du moins, intactes à la fin des réactions. Par exemple, le peroxyde d'hydrogène (H_2O_2) se décompose en eau et en oxygène,

$$2\ H_2O_2\ (aq) \longrightarrow 2\ H_2O\ (l) + O_2\ (g)$$

mais si lentement qu'on peut le conserver pendant des mois. Par contre, la présence d'un sel de manganèse ou d'un sel contenant de l'iode, ou d'un enzyme, une substance biologique, accroît la vitesse de décomposition à un point tel qu'un bouillonnement de bulles d'oxygène peut se produire (figure 2.5).

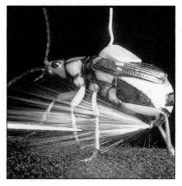

a) Charles D. Winters
b) Thomas Eisner et Daniel Aneshansley, université Cornell
c) Charles D. Winters

Figure 2.5 La décomposition catalytique du peroxyde d'hydrogène (H_2O_2). a) Une solution de peroxyde d'hydrogène en fraction massique de 0,30 se décompose rapidement en eau et en oxygène au contact d'oxyde de manganèse (IV) agissant comme catalyseur. La réaction fortement exothermique provoque un dégagement de vapeur d'eau. **b)** Un bombardier, une espèce de coléoptère, utilise la décomposition catalytique du peroxyde d'hydrogène comme moyen de défense. La chaleur dégagée par la réaction permet à l'insecte d'expulser un jet de vapeur d'eau chaude contenant des produits chimiques irritants. **c)** Un enzyme présent dans la pomme de terre accélère la décomposition de H_2O_2, rendue apparente par le dégagement de bulles d'oxygène.

Lorsque les réactifs forment plusieurs phases, comme lors de la combustion de bûches dans un foyer, la surface de contact affecte la vitesse de la réaction, car seules les molécules de la surface d'un solide peuvent entrer en contact avec les autres réactifs. Les molécules superficielles sont d'autant plus nombreuses que les particules solides sont petites. Avec de fines poussières, l'effet de surface peut être grandiose (*voir la figure 2.6, page 60*), mais parfois dévastateur : les fermiers savent que les explosions des silos à grains provoquées par la poussière en suspension dans l'air représentent un grave danger.

2.3 L'EFFET DE LA CONCENTRATION SUR LA VITESSE DE RÉACTION

On peut déterminer l'effet de la concentration sur la vitesse d'une réaction en faisant varier une par une les concentrations des réactifs, les autres facteurs, la température en particulier, étant maintenus constants. Considérez de nouveau la décomposition de N_2O_5 en NO_2 et O_2, représentée par le graphique de la figure 2.2 (*voir la page 54*) : $[N_2O_5] = f(t)$. On a calculé à la section 2.1 (*voir la page 55*) que la vitesse de disparition de N_2O_5 était égale à 0,0014 (mol/L)/min, alors que $[N_2O_5]$ valait 0,34 mol/L. Pour une valeur double de $[N_2O_5]$, soit 0,68 mol/L, on calcule graphiquement une vitesse instantanée de 0,0028 (mol/L)/min, soit le double de la valeur précédente. De la même façon, on trouve une vitesse instantanée diminuée de moitié lorsque la concentration a diminué de moitié, soit 0,17 mol/L. Ces résultats indiquent que la vitesse de réaction (v) est directement proportionnelle à la concentration de N_2O_5.

$$v \propto [N_2O_5]$$

Il existe des relations autres que la proportionnalité directe entre la vitesse et les concentrations des réactifs. On connaît, par exemple, des réactions dont la vitesse est indépendante de la concentration, et des réactions qui dépendent de la concentration d'un réactif élevée à une puissance différente de 1. Finalement, dans une réaction impliquant plusieurs réactifs, la vitesse peut dépendre de la concentration de chacun d'eux élevée à des puissances différentes. En outre, la concentration du catalyseur peut aussi influer sur la vitesse.

a)

b)

Figure 2.6 La combustion de la poudre de lycopode. a) Il est très difficile de faire brûler les spores de fougère dans un creuset de porcelaine. **b)** Par contre, elles brûlent très rapidement si on les projette dans une flamme. Charles D. Winters

2.3.1 L'équation de vitesse

La relation quantitative entre les concentrations des réactifs et la vitesse d'une réaction constitue sa **loi de vitesse** ou son **équation de vitesse.** Ainsi, l'équation de vitesse de la décomposition de N_2O_5 s'exprime par l'égalité :

$$v = k[N_2O_5]$$

où k est la **constante de vitesse.** Elle indique que la vitesse est proportionnelle à la concentration du réactif.

L'équation de vitesse d'une réaction impliquant deux réactifs A et B :

$$a\,A + b\,B \longrightarrow \text{produits}$$

prend souvent la forme :

$$v = k[A]^m[B]^n$$

Cette égalité signifie que la vitesse est proportionnelle à la concentration de chacun des réactifs élevée à une certaine puissance. Il est important de noter que les exposants, m et n, *ne sont pas nécessairement égaux aux coefficients stœchiométriques* de A et de B présents dans l'équation chimique équilibrée et qu'*ils ne sont déterminés qu'expérimentalement.* Ils sont souvent positifs et entiers, mais parfois négatifs, fractionnaires ou nuls.

La concentration du catalyseur doit être souvent incluse dans l'équation de vitesse. Ainsi, la vitesse de décomposition du peroxyde d'hydrogène catalysée par les ions iodure :

$$2\ H_2O_2\ (aq) \xrightarrow{\ I^-\ (aq)\ } 2\ H_2O\ (l) + O_2\ (g)$$

est donnée par l'équation :

$$v = k[H_2O_2][I^-]$$

Dans cette égalité, les exposants sont tous deux égaux à 1, même si le coefficient stœchiométrique de H_2O_2 dans l'équation chimique est 2 et que I^- n'y apparaît pas.

2.3.2 L'ordre d'une réaction

L'**ordre** d'une **réaction par rapport à un réactif** est donné par la valeur de l'exposant de sa concentration dans l'équation de vitesse ; la somme des exposants affectés à toutes les concentrations en constitue son **ordre global.** Ainsi, la réaction de décomposition de N_2O_5 est d'ordre 1 par rapport à N_2O_5.

$$2\ N_2O_5 \longrightarrow 4\ NO_2 + O_2$$
$$v = k[N_2O_5]$$

Dans une réaction d'ordre 1 par rapport à un réactif, la multiplication de la concentration de ce réactif par 2 fait doubler la vitesse de réaction, la multiplication par 3 la fait tripler, etc.

La loi de vitesse de la réaction de NO et de Cl_2

$$2\ NO\ (g) + Cl_2\ (g) \longrightarrow 2\ NOCl\ (g)$$

est donnée par l'équation :

$$v = k[NO]^2[Cl_2]$$

La réaction est d'ordre 2 par rapport à NO, d'ordre 1 par rapport à Cl_2 et son ordre global est 3. On a pu déterminer ces ordres à partir, par exemple, de quelques expériences menées à une température constante.

Expériences	[NO] (mol/L)	[Cl$_2$] (mol/L)	v de disparition de NO (10^{-6} (mol/L)/s)
1	0,250	0,250	1,43
2	0,500	0,250	5,72
3	0,250	0,500	2,86
4	0,500	0,500	11,4

- Lorsqu'on double la concentration de NO et que l'on maintient constante celle de Cl_2 (comparez les expériences 1 et 2), la vitesse croît d'un facteur 4. De ce résultat, on déduit que la réaction est d'ordre 2 par rapport à NO.

$$\frac{\text{vitesse de l'expérience 2}}{\text{vitesse de l'expérience 1}} = \frac{5,72 \times 10^{-6}}{1,43 \times 10^{-6}} = 4$$

$$4 = \frac{k[NO]^n[Cl_2]^m \ (\text{expérience 2})}{k[NO]^n[Cl_2]^m \ (\text{expérience 1})} = \frac{0,500^n \ \cancel{0,250^m}}{0,250^n \ \cancel{0,250^m}} = \left(\frac{0,500}{0,250}\right)^n = 2^n \quad n = 2$$

- Lorsqu'on double la concentration de Cl_2 et que l'on maintient constante celle de NO (comparez les expériences 1 et 3, ou 2 et 4), la vitesse double. On en déduit que la réaction est d'ordre 1 par rapport à Cl_2.
- L'équation de vitesse s'écrit donc $v = k[NO]^2[Cl_2]$.

La décomposition de l'ammoniac catalysée par la platine, à 856 °C, est d'ordre 0, comme la plupart des réactions catalysées par des surfaces métalliques.

$$2 \ NH_3 \ (g) \longrightarrow N_2 \ (g) + 3 \ H_2 \ (g) \qquad v = k[NH_3]^0 = k$$

Sa vitesse est constante et indépendante de la concentration en NH_3.

L'ordre des réactions est important, car, comme vous le verrez dans la section 2.6, il donne des indications essentielles sur la façon dont elles se déroulent.

2.3.3 La constante de vitesse (k)

La constante de vitesse (k) est la constante de proportionnalité qui lie la vitesse aux concentrations, à une température donnée. C'est un facteur important, car il permet de calculer la vitesse d'une réaction pour n'importe quelle valeur de concentrations. Prenez, par exemple, la réaction de substitution du chlore du *Cisplatine* ($Pt(NH_3)_2Cl_2$) par une molécule d'eau, dont on connaît la loi de vitesse (ordre 1) et la valeur de la constante k:

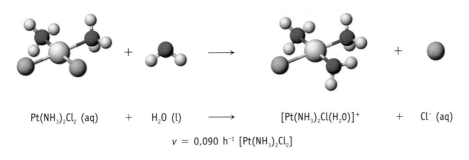

$$Pt(NH_3)_2Cl_2 \ (aq) \quad + \quad H_2O \ (l) \longrightarrow [Pt(NH_3)_2Cl(H_2O)]^+ \quad + \quad Cl^- \ (aq)$$

$$v = 0,090 \ h^{-1} \ [Pt(NH_3)_2Cl_2]$$

La vitesse de la réaction de substitution lorsque la concentration en *Cisplatine* est de 0,018 mol/L est égale à :

$$v = 0,090 \text{ h}^{-1} \times 0,018 \text{ mol/L} = 0,016 \text{ (mol/L)/h}$$

L'unité de la constante (k) dépend de la loi de vitesse. Pour une réaction d'ordre 1, représentée par l'équation $v = k[A]$, on déduit les unités de k en l'isolant de cette dernière.

$$\text{Unité de } k = \frac{\text{unité de } v}{\text{unité de la concentration}} = \frac{\text{mol·L}^{-1}\text{·unité de temps}^{-1}}{\text{mol·L}^{-1}}$$

$$= \text{unité de temps}^{-1}$$

Dans le cas d'une réaction d'ordre 2, on arrive à :

$$\text{Unité de } k = \frac{\text{unité de } v}{(\text{unité de la concentration})^2}$$

$$= \frac{\text{mol·L}^{-1}\text{·unité de temps}^{-1}}{(\text{mol·L}^{-1})(\text{mol·L}^{-1})} = \text{mol}^{-1}\text{·L·unité de temps}^{-1}$$

Finalement, pour une réaction d'ordre 0, k possède les mêmes unités que la vitesse, soit (mol/L)/unité de temps ou mol·L^{-1}·unité de temps^{-1}.

2.3.4 La détermination de l'équation de vitesse

Seule l'expérimentation permet de déterminer la loi de vitesse. Lorsque les réactions ne sont pas trop rapides, on peut utiliser la **méthode des vitesses initiales.** On entend par vitesse initiale la vitesse au temps $t = 0$ correspondant au commencement de la réaction. Bien qu'il soit théoriquement impossible de déterminer cette vitesse instantanée, on peut en obtenir une bonne approximation en mesurant la vitesse moyenne au bout d'un temps le plus court possible, durant lequel on peut considérer que les concentrations initiales ont diminué d'au plus 1 ou 2 %. Déterminer les vitesses initiales, quand c'est possible, présente plusieurs avantages : on peut modifier facilement les concentrations initiales et effectuer plusieurs mesures ; en procédant de cette façon, on évite de possibles complications occasionnées par les produits de la réaction en concentrations de plus en plus élevées ou par des réactions secondaires non voulues.

Pour illustrer cette méthode, considérez la réaction d'hydrolyse de l'acétate de méthyle par l'hydroxyde de sodium, qui produit des ions acétate et du méthanol.

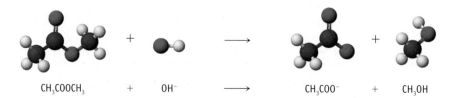

$$CH_3COOCH_3 \quad + \quad OH^- \quad \longrightarrow \quad CH_3COO^- \quad + \quad CH_3OH$$

À 25 °C, trois expériences ont donné les résultats suivants.

| | Concentrations initiales (mol/L) | | |
Expériences	$[CH_3COOCH_3]_i$	$[OH^-]_i$	Vitesse initiale (v_i) ((mol/L)/s)
1	0,050	0,050	0,00034
2	0,050	0,10	0,00069
3	0,10	0,10	0,00137

La comparaison des résultats des expériences 1 et 2 donne l'ordre de la réaction par rapport à OH$^-$, soit 1. En effet, à concentration constante en CH$_3$COOCH$_3$, un doublement de la concentration en ions OH$^-$ a pour conséquence un doublement de la vitesse initiale de réaction.

Des expériences 2 et 3, on déduit avec le même raisonnement que l'ordre de la réaction par rapport à CH$_3$COOCH$_3$ est aussi égal à 1. L'équation de vitesse correspondant à ces résultats est donc:

$$v = k[\text{CH}_3\text{COOCH}_3][\text{OH}^-]$$

À l'aide de cette équation, on peut prévoir que doubler à la fois les concentrations des deux réactifs fera quadrupler la vitesse de réaction. Qu'arrive-t-il si l'on double l'une et que l'on divise l'autre par deux? La vitesse reste inchangée, le facteur 2 étant annulé par le facteur 1/2. Ces prévisions sont effectivement corroborées par l'expérience.

On peut aussi calculer la valeur de k à l'aide de ces résultats. Il suffit pour cela de remplacer les valeurs connues des concentrations et des vitesses initiales dans l'équation de vitesse et d'en extraire k. Ainsi, à partir de l'expérience 1, on trouve:

$$v_i = k[\text{CH}_3\text{COOCH}_3]_i[\text{OH}^-]_i$$
$$0{,}00034 \ (\text{mol/L})/\text{s} = k(0{,}050 \ \text{mol/L})(0{,}050 \ \text{mol/L})$$
$$k = \frac{0{,}00034 \ \text{s}^{-1}}{0{,}050 \times 0{,}050 \ \text{mol}\cdot\text{L}^{-1}} = 0{,}14 \ \text{mol}^{-1}\cdot\text{L}\cdot\text{s}^{-1}$$

EXEMPLE 2.3 **La détermination d'une équation de vitesse**

À haute température, CO et NO$_2$ réagissent pour donner CO$_2$ et NO.

$$\text{CO (g)} + \text{NO}_2 \text{ (g)} \longrightarrow \text{CO}_2 \text{ (g)} + \text{NO (g)}$$

Pour déterminer la vitesse de cette réaction, on a utilisé la méthode des vitesses initiales. À 540 K, cinq expériences ont donné les résultats suivants.

Expériences	Concentrations initiales (10^{-4} mol/L)		Vitesse initiale (v_i) (10^{-8} (mol/L)/h)
	[CO]$_i$	[NO$_2$]$_i$	
1	5,10	0,350	3,4
2	5,10	0,700	6,8
3	5,10	0,175	1,7
4	10,2	0,350	6,8
5	15,3	0,350	10,2

Trouvez la loi de vitesse de cette réaction ainsi que la valeur de sa constante (k).

SOLUTION

Pour résoudre ce problème, on sélectionne deux expériences dans lesquelles la concentration d'un réactif est constante et l'on évalue la variation de la vitesse en fonction de la concentration du deuxième réactif.

La concentration de CO est constante dans les trois premières expériences. La vitesse initiale de réaction double lorsque celle de NO$_2$ double. On en déduit que la réaction est d'ordre 1 par rapport à NO$_2$.

$$\frac{\text{vitesse de l'expérience 2}}{\text{vitesse de l'expérience 1}} = \frac{6{,}8 \times 10^{-8} \ (\text{mol/L})/\text{h}}{3{,}4 \times 10^{-8} \ (\text{mol/L})/\text{h}} = 2$$

$$\frac{k[CO]^n[NO_2]^m \ (\text{expérience 2})}{k[CO]^n[NO_2]^m \ (\text{expérience 1})} = \frac{(0,700 \times 10^{-4} \ \text{mol/L})^m}{(0,350 \times 10^{-4} \ \text{mol/L})^m} = \left(\frac{0,700}{0,350}\right)^m = 2^m$$

$$2 = 2^m \qquad m = 1$$

Ce résultat est confirmé par l'expérience 3 : à concentration constante de CO, la vitesse initiale a diminué de moitié lorsque la concentration de NO_2 a diminué de moitié.

On raisonne de la même manière pour trouver l'ordre de la réaction par rapport à CO. La concentration de NO_2 des expériences 1, 4 et 5 est constante : la vitesse double lorsque [CO] double (expériences 1 et 4), elle triple lorsque [CO] triple (expériences 1 et 5). Cela signifie que la réaction est d'ordre 1 par rapport à CO. L'équation de vitesse s'écrit donc :

$$v = k[CO][NO_2]$$

Pour calculer k, il suffit de remplacer les valeurs littérales de cette équation par leurs valeurs numériques. À partir des résultats de l'expérience 1, le calcul donne :

$$v_i = k[CO_2]_i[NO_2]_i$$

$$3,4 \times 10^{-8} \ (\text{mol/L})/h = k(5,10 \times 10^{-4} \ \text{mol/L})(0,350 \times 10^{-4} \ \text{mol/L})$$

$$k = \frac{3,4 \times 10^{-8} \ h^{-1}}{5,10 \times 0,350 \times 10^{-8} \ \text{mol·L}^{-1}} = 1,9 \ \text{mol}^{-1}\text{·L·h}^{-1}$$

EXEMPLE 2.4   **La détermination de la vitesse à l'aide de l'équation de vitesse**

En utilisant les résultats de l'exemple 2.3, calculez la vitesse initiale de la réaction, à 540 K, lorsque les concentrations initiales de CO et de NO_2 sont égales respectivement à $3,8 \times 10^{-4}$ et $0,650 \times 10^{-4}$ mol/L.

SOLUTION

$$v_i = k[CO_2]_i[NO_2]_i$$

$$v_i = 1,9 \ \text{mol}^{-1}\text{·L·h}^{-1} \ (3,8 \times 10^{-4} \ \text{mol/L})(0,650 \times 10^{-4} \ \text{mol/L})$$

$$= 4,7 \times 10^{-8} \ \text{mol·L}^{-1}\text{·h}^{-1} \ \text{ou} \ 4,7 \times 10^{-8} \ (\text{mol/L})/h$$

EXERCICE 2.3   **La détermination d'une équation de vitesse**

NO réagit avec l'oxygène pour donner du dioxyde d'azote.

$$2 \ NO \ (g) + O_2 \ (g) \longrightarrow 2 \ NO_2 \ (g)$$

Déterminez la loi de vitesse et la constante de vitesse de cette réaction à l'aide des données expérimentales suivantes, obtenues à 25 °C.

Expériences	Concentrations initiales (mol/L)		Vitesse initiale (v_i) ((mol/L)/s)
	$[NO]_i$	$[O_2]_i$	
1	0,020	0,010	0,028
2	0,020	0,020	0,057
3	0,020	0,040	0,114
4	0,040	0,020	0,227
5	0,010	0,020	0,014

EXERCICE 2.4   **La détermination d'une équation de vitesse**

À une certaine température, la vitesse de la réaction

$$Pt(NH_3)_2Cl_2 \text{ (aq)} + H_2O \text{ (l)} \longrightarrow [Pt(NH_3)_2Cl(H_2O)]^+ + Cl^- \text{ (aq)}$$

est donnée par l'équation :

$$v = 0{,}090 \text{ h}^{-1} \, [Pt(NH_3)_2Cl_2]$$

Calculez la vitesse de la réaction lorsque la concentration de $Pt(NH_3)_2Cl_2$ est de 0,020 mol/L. Quelle est la vitesse de formation de Cl^- au même instant ?

2.4 LA VARIATION DE LA CONCENTRATION DES RÉACTIFS ET DES PRODUITS EN FONCTION DU TEMPS : LES LOIS DE VITESSE INTÉGRÉES

Dans beaucoup d'applications pratiques, il est souvent nécessaire et important de savoir combien de temps prendra une réaction pour se rendre à un terme déterminé ou de connaître les valeurs des concentrations au bout d'un certain temps. Pour arriver à ces résultats escomptés, on pourrait recueillir de nombreuses données expérimentales et les inscrire sur un graphique semblable à celui de la figure 2.2 (*voir la page 54*). Toutefois, cette méthode serait longue et fastidieuse. Il serait nettement préférable de disposer d'une équation mathématique reliant les concentrations à la durée de réaction, la concentration étant l'inconnue et le temps, la variable.

2.4.1   Les réactions d'ordre 0

Supposez une réaction du type :

$$R \longrightarrow \text{produits}$$

qui soit d'ordre 0. Sa loi de vitesse est donnée par l'équation :

$$v = k[R]^0 = k$$

Puisque par définition $v = -\dfrac{d[R]}{dt}$, l'égalité précédente peut s'écrire :

$$-\frac{d[R]}{dt} = k$$

Cette expression est appelée l'**équation de vitesse différentielle.**
La séparation des variables conduit à :

$$d[R] = -kdt$$

dont l'intégration conduit à la **loi de vitesse intégrée.**

$$\int_{[R]_0}^{[R]} d[R] = \int_0^t -kdt = -k \int_0^t dt \qquad [R] - [R]_0 = -k(t - 0) = -kt$$

$$[R] = -kt + [R]_0 \qquad \text{(Équation 2.1)}$$

Dans cette équation, $[R]_0$ et $[R]$ représentent respectivement les valeurs des concentrations du réactif au temps $t = 0$ et à un temps t ultérieur. Le temps $t = 0$ ne correspond pas nécessairement au début de la réaction; en réalité, il correspond le plus souvent au temps de la première mesure expérimentale.

2.4.2 Les réactions d'ordre 1

Supposez maintenant que la réaction

$$R \longrightarrow \text{produits}$$

soit d'ordre 1. Son équation de vitesse différentielle s'écrit:

$$v = -\frac{d[R]}{dt} = k[R]$$

Le regroupement des variables donne l'expression:

$$\frac{d[R]}{[R]} = -kdt$$

dont l'intégration entre les temps 0 et t, auxquels correspondent les concentrations $[R]_0$ et $[R]$, conduit à la loi de vitesse intégrée.

$$\int_{[R]_0}^{[R]} \frac{d[R]}{[R]} = \int_0^t -kdt = -k \int_0^t dt \qquad \ln[R] - \ln[R]_0 = -k(t - 0) = -kt$$

Cette équation, plus connue sous la forme:

$$\ln[R] = -kt + \ln[R]_0 \qquad \text{(Équation 2.2)}$$

Le rapport $[R]/[R]_0$ exprime la proportion de réactif qui reste au temps t. Comme cette fraction est toujours plus petite que 1 et que le logarithme d'un tel nombre est négatif, il est normal de retrouver le signe « - » dans le membre de droite de l'équation 2.2. Cette équation est utilisée de trois façons différentes:
- si l'on peut mesurer en laboratoire la valeur du rapport $[R]/[R]_0$, elle permet de calculer la constante de vitesse k;
- si l'on connaît la concentration au temps $t = 0$, soit $[R]_0$, et la constante k, on peut connaître $[R]$ à tout moment;
- si l'on connaît k, il est possible de calculer la proportion résiduelle de réactif à tout moment.

Finalement, on remarque que l'unité de k, temps^{-1}, est indépendante des unités de concentration. Cela signifie que l'on peut choisir n'importe quelle unité de concentration lorsqu'on applique l'équation 2.2, à condition bien sûr qu'elle reste la même pour $[R]_0$ et $[R]$.

EXEMPLE 2.5 **La loi de vitesse intégrée d'une réaction d'ordre 1**

Le réarrangement du cyclopropane (C_3H_6) en son isomère propène, sous l'effet de la chaleur, est d'ordre 1. À une certaine température, on trouve que k vaut $5,4 \times 10^{-2}$ h^{-1}. Au bout de combien de temps la concentration en cyclopropane sera-t-elle égale à 0,010 mol/L, si sa concentration au temps $t = 0$ était de 0,050 mol/L ?

SOLUTION

Il est écrit dans l'énoncé que la réaction est d'ordre 1. Son équation de vitesse s'écrit donc (équation 2.2) :

$$\ln [cyclopropane] = -(5,4 \times 10^{-2} \text{ h}^{-1})t + \ln [cyclopropane]_0$$

$$\ln \frac{[cyclopropane]}{[cyclopropane]_0} = -(5,4 \times 10^{-2} \text{h}^{-1})t$$

Pour connaître t, il suffit de remplacer les valeurs littérales de concentration par leurs valeurs numériques.

$$\ln \frac{0,010 \text{ mol/L}}{0,050 \text{ mol/L}} = \ln 0,200 = -1,61 = -(5,4 \times 10^{-2} \text{ h}^{-1})t$$

$$t = -\frac{-1,61}{5,4 \times 10^{-2} \text{ h}^{-1}} = 30 \text{ h}$$

Commentaire Le cycle à trois côtés du cyclopropane subit de dures contraintes, car les angles de liaison voisins de 60° sont très éloignés de la valeur 109,5 requise théoriquement par l'hybridation sp^3.

Cyclopropane, C_3H_6

En conséquence, le cycle s'ouvre facilement et donne un composé linéaire contenant une double liaison, le propène ($CH_2 = CH - CH_3$).

EXEMPLE 2.6 **La loi de vitesse intégrée d'une réaction d'ordre 1**

La réaction de décomposition du peroxyde d'hydrogène en solution diluée aqueuse basique est d'ordre 1.

$$2 \text{ H}_2\text{O}_2 \text{ (aq)} \longrightarrow 2 \text{ H}_2\text{O (l)} + \text{O}_2 \text{ (g)}$$

Sachant que la constante de vitesse vaut $1,06 \times 10^{-3}$ min^{-1} à 20 °C et que la concentration du peroxyde au temps $t = 0$ est égale à 0,020 mol/L, calculez la proportion résiduelle de H_2O_2 après 100 min. Quelle est la valeur de sa concentration à ce moment ?

SOLUTION

Puisque la réaction est d'ordre 1 par rapport au peroxyde d'hydrogène, on peut poser :

$$\ln \, [H_2O_2] = -(1,06 \times 10^{-3} \text{ min}^{-1})\,t + \ln \, [H_2O_2]_0$$

$$\ln \frac{[H_2O_2]}{[H_2O_2]_0} = -(1,06 \times 10^{-3} \text{ min}^{-1})\,t$$

$$\ln \frac{[H_2O_2]}{[H_2O_2]_0} = -(1,06 \times 10^{-3} \text{ min}^{-1})\,100 \text{ min} = -0,106$$

$$\frac{[H_2O_2]}{[H_2O_2]_0} = e^{-0,106} = 0,90$$

Comme on connaît la concentration au temps $t = 0$, on peut calculer celle à 100 min.

$$[H_2O_2] = 0,90[H_2O_2]_0 = 0,90 \times 0,020 \text{ mol/L} = 0,018 \text{ mol/L}$$

EXERCICE 2.5   **La loi de vitesse intégrée d'une réaction d'ordre 1**

En solution acide, la réaction de décomposition du sucrose en glucose et fructose est d'ordre 1. Sachant que la constante de vitesse vaut 0,21 h^{-1} à 25 °C et que la concentration du sucrose au temps $t = 0$ est égale à 0,010 mol/L, calculez sa concentration au bout de 5,0 h.

EXERCICE 2.6   **La loi de vitesse intégrée d'une réaction d'ordre 1**

NO_2 se décompose à chaud en NO et O_2.

$$2 \, NO_2 \, (g) \longrightarrow 2 \, NO \, (g) + O_2 \, (g)$$

Cette réaction est d'ordre 1 et l'on sait que la constante de vitesse vaut $3,6 \times 10^{-3}$ s^{-1} à 300 °C.

a) Quelle proportion de NO_2 initial reste-t-il au bout de 150 s dans un flacon maintenu à 300 °C?

b) Au bout de combien de temps 99 % du NO_2 initial aura-t-il disparu?

2.4.3   Les réactions d'ordre 2

Supposez maintenant que la réaction

$$R \longrightarrow \text{produits}$$

soit d'ordre 2. Sa vitesse est donnée par l'équation :

$$v = -\frac{d[R]}{dt} = k[R]^2$$

Le regroupement des variables donne l'expression :

$$\frac{d[R]}{[R]^2} = -k\,dt$$

dont l'intégration entre les temps 0 et t, auxquels correspondent les concentrations $[R]_0$ et $[R]$, conduit à la loi de vitesse intégrée :

$$\int_{[R]_0}^{[R]} \frac{d[R]}{[R]^2} = \int_0^t -k dt = -k \int_0^t dt \qquad \left[-\frac{1}{[R]}\right] - \left[-\frac{1}{[R]_0}\right] = -k(t-0) = -kt$$

que l'on écrit plus couramment :

$$\boxed{\frac{1}{[R]} = kt + \frac{1}{[R]_0}} \qquad \text{(Équation 2.3)}$$

EXEMPLE 2.7 **La loi de vitesse intégrée d'une réaction d'ordre 2**

L'équation de vitesse différentielle de la réaction de décomposition de HI en phase vapeur

$$2\ HI\ (g)\ \longrightarrow\ H_2\ (g)\ +\ I_2\ (g)$$

est donnée par l'égalité :

$$-\frac{d[HI]}{dt} = k[HI]^2$$

où $k = 30\ L \cdot mol^{-1} \cdot min^{-1}$ à 443 °C. Au bout de combien de temps la concentration de HI passera-t-elle de 0,010 à 0,0050 mol/L à cette température ?

SOLUTION

L'équation de vitesse différentielle indique que la vitesse est proportionnelle au carré de la concentration. La réaction est donc d'ordre 2 par rapport à HI et l'on peut appliquer l'équation 2.3 en remplaçant les symboles par leurs valeurs numériques.

$$\frac{1}{0,0050\ mol/L} = (30\ L \cdot mol^{-1} \cdot min^{-1})t + \frac{1}{0,010\ mol/L}$$

$$200\ L \cdot mol^{-1} = (30\ L \cdot mol^{-1} \cdot min^{-1})t + 100\ L \cdot mol^{-1} \qquad t = \frac{100}{30\ min^{-1}} = 3,3\ min$$

EXERCICE 2.7 **La loi de vitesse intégrée d'une réaction d'ordre 2**

En utilisant les données de l'exemple 2.7, calculez la concentration de HI au temps $t = 12$ min lorsque $[HI]_0$ était égal à 0,010 mol/L.

2.4.4 Les méthodes graphiques de détermination des lois de vitesse

Les équations 2.1, 2.2 et 2.3 reliant les concentrations à la durée des réactions, respectivement d'ordres 0, 1 et 2, sont de la forme $y = ax + b$, qui est l'équation d'une droite de pente a et d'ordonnée à l'origine b. Dans les trois cas, la variable x est le temps t, comme le montre le tableau suivant (*voir la page 70*).

Ordre 0	Ordre 1	Ordre 2
$[R] = -kt + [R]_0$	$\ln [R] = -kt + \ln [R]_0$	$\dfrac{1}{[R]} = kt + \dfrac{1}{[R]_0}$
↓ ↓ ↓	↓ ↓ ↓	↓ ↓ ↓
y ax b	y ax b	y ax b

Vous avez vu précédemment que la réaction de décomposition de l'ammoniac en ses éléments, sur une surface de platine métallique, était d'ordre 0. La ligne droite obtenue lorsqu'on inscrit sur un graphique les valeurs de $[NH_3]$ en fonction du temps (figure 2.7) confirme cette assertion.

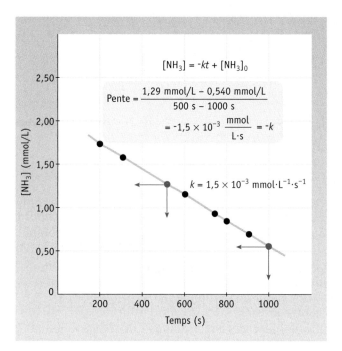

Figure 2.7 La courbe $[R] = f(t)$ correspondant à une réaction d'ordre 0. La courbe $[NH_3] = f(t)$, tracée à l'aide des données expérimentales recueillies à 856 °C, est une droite.

La courbe $[R] = f(t)$ pour une réaction d'ordre 1 n'est pas une droite (*voir la figure 2.2, page 54*). Par contre, $\ln [R] = f(t)$ en est une, et sa pente est égale à $-k$. Considérez à nouveau la décomposition du peroxyde d'hydrogène en eau et oxygène (*voir l'exemple 2.6, page 67*), une réaction d'ordre 1.

$$2\ H_2O_2\ (aq) \longrightarrow 2\ H_2O\ (l) + O_2\ (g)$$

Les concentrations mesurées lors d'une expérience particulière à des temps t différents sont rassemblées dans le tableau **a)** de la figure 2.8, qui indique aussi les valeurs correspondantes de leur logarithme naturel. Le graphique **b)** de la figure 2.8 représentant les variations de $\ln [H_2O_2]$ en fonction du temps t est effectivement une droite, confirmant de ce fait l'ordre 1 de la réaction de décomposition de H_2O_2. La pente de cette droite, calculée graphiquement, est égale à $-1{,}08 \times 10^{-3}$ min^{-1}: on en déduit que la constante de vitesse k vaut $1{,}08 \times 10^{-3}$ min^{-1}.

On peut vérifier que la réaction de décomposition de NO_2 en NO et O_2 est effectivement d'ordre 2

$$2\ NO_2\ (g) \longrightarrow 2\ NO\ (g) + O_2\ (g)$$

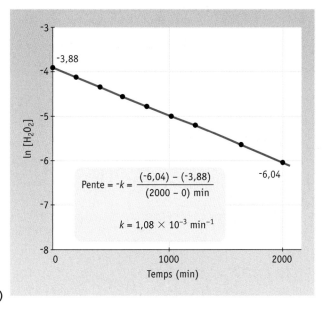

Temps (min)	$[H_2O_2]$ (mol/L)	$\ln [H_2O_2]$
0	0,0200	-3,912
200	0,0160	-4,135
400	0,0131	-4,335
600	0,0106	-4,547
800	0,0086	-4,76
1000	0,0069	-4,98
1200	0,0056	-5,18
1600	0,0037	-5,60
2000	0,0024	-6,03

a)

b)

Figure 2.8 La courbe ln [R] = f(t) correspondant à une réaction d'ordre 1. a) Données expérimentales recueillies lors de la réaction de décomposition du peroxyde d'hydrogène :

$$2 \, H_2O_2 \, (aq) \longrightarrow 2 \, H_2O \, (l) + O_2 \, (g)$$

et calcul de ln $[H_2O_2]$. **b)** La courbe ln $[H_2O_2]$ = f(t), une droite de pente égale à -k, est typique d'une réaction d'ordre 1.

en inscrivant sur un graphique les valeurs de $\dfrac{1}{[NO_2]}$ en fonction du temps. On obtient une droite, dont la pente est égale à k (figure 2.9).

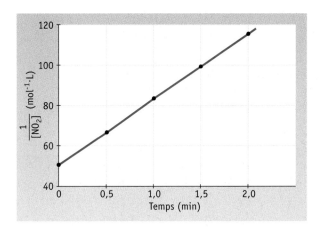

Figure 2.9 La courbe $\dfrac{1}{[R]}$ = f(t) correspondant à une réaction d'ordre 2. La droite $\dfrac{1}{[NO_2]}$ = f(t) confirme que la réaction de décomposition de NO_2 (g) en NO (g) et O_2 (g) est effectivement d'ordre 2. Sa pente est égale à la valeur de la constante de vitesse k.

Pour déterminer l'ordre d'une réaction du type R $\longrightarrow$ produits, dont on peut suivre expérimentalement l'évolution des concentrations dans le temps, il suffit donc de porter les valeurs de [R], de ln [R] et de $\dfrac{1}{[R]}$ en fonction du temps : la courbe, qui est une droite, détermine l'ordre de la réaction. Le tableau 2.1 (*voir la page 72*) résume les différentes caractéristiques graphiques des réactions R $\longrightarrow$ produits d'ordres 0, 1 et 2.

TABLEAU 2.1 **Les caractéristiques graphiques des réactions R $\longrightarrow$ produits d'ordres 0, 1 et 2**

Ordres	Équations différentielles	Équations intégrées	Lignes droites	Pentes	Unités de k
0	$-\dfrac{d[R]}{dt} = k$	$[R] = -kt + [R]_0$	$[R] = f(t)$	$-k$	$mol \cdot L^{-1} \cdot$ unité de temps^{-1}
1	$-\dfrac{d[R]}{dt} = k[R]$	$\ln [R] = -kt + \ln [R]_0$	$\ln [R] = f(t)$	$-k$	unité de temps^{-1}
2	$-\dfrac{d[R]}{dt} = k[R]^2$	$\dfrac{1}{[R]} = kt + \dfrac{1}{[R]_0}$	$\dfrac{1}{[R]} = f(t)$	k	$L \cdot mol^{-1} \cdot$ unité de temps^{-1}

trucs et astuces

L'utilité des lois de vitesse intégrées

Les lois de vitesse intégrées sont très utiles pour déterminer l'ordre des réactions R $\longrightarrow$ produits. En effet, les courbes suivantes, issues des mesures expérimentales, sont des droites.

- $[R] = f(t)$, pour une réaction d'ordre 0 (vitesse = k).
- $\ln [R] = f(t)$, pour une réaction d'ordre 1 (vitesse = $k[R]$).
- $\dfrac{1}{[R]} = f(t)$, pour une réaction d'ordre 2 (vitesse = $k[R]^2$).

EXERCICE 2.8 **Les méthodes graphiques et les lois de vitesse**

Le suivi de la concentration de N_2O_5 a donné les résultats suivants à 45 °C.

$[N_2O_5]$ (mol/L)	t (min)
2,08	3,07
1,67	8,77
1,36	14,45
0,72	31,28

Déterminez graphiquement l'ordre de la réaction de décomposition de N_2O_5, ainsi que la valeur de sa constante de vitesse.

2.4.5 La demi-vie et les réactions d'ordre 1

La **demi-vie** ($t_{1/2}$) d'une réaction correspond au laps de temps au bout duquel la concentration du réactif diminue de moitié. Elle donne une indication de la vitesse à laquelle un réactif disparaît dans une réaction chimique : plus longue est la demi-vie, plus lente est la réaction. Cette donnée est surtout utilisée dans les réactions d'ordre 1.

Selon la définition, au bout de $t_{1/2}$, $[R]$ est égal à $\dfrac{1}{2}[R]_0$. La substitution de ces valeurs dans l'équation de vitesse intégrée 2.2 applicable aux réactions d'ordre 1 donne :

$$\ln \frac{\frac{1}{2}[R]_0}{[R]_0} = -kt_{1/2} \qquad \ln \frac{1}{2} = -kt_{1/2} = -0,693$$

$$t_{1/2} = \frac{0,693}{k} \text{ (réaction d'ordre 1)} \qquad\qquad \text{(Équation 2.4)}$$

La demi-vie d'une réaction d'ordre 1 est indépendante de la concentration du réactif. Pour illustrer la portée et la signification de ce concept, considérez de nouveau la réaction de décomposition du peroxyde d'hydrogène en eau et oxygène. On a vu précédemment que la réaction était d'ordre 1 et que sa constante de vitesse valait $1,06 \times 10^{-3} \text{ min}^{-1}$. Cette valeur portée dans l'équation 2.4 permet de calculer la demi-vie de H_2O_2.

◆ **Les demi-vies**

Réaction d'ordre 0 : $t_{1/2} = \frac{[R]_0}{2k}$

Réaction d'ordre 1 : $t_{1/2} = \frac{0,693}{k}$

Réaction d'ordre 2 : $t_{1/2} = \frac{1}{k[R]_0}$

$$t_{1/2} = \frac{0,693}{1,06 \times 10^{-3} \text{ min}^{-1}} = 654 \text{ min}$$

On a représenté $[H_2O_2] = f(t)$ par une courbe sur le graphique de la figure 2.10.

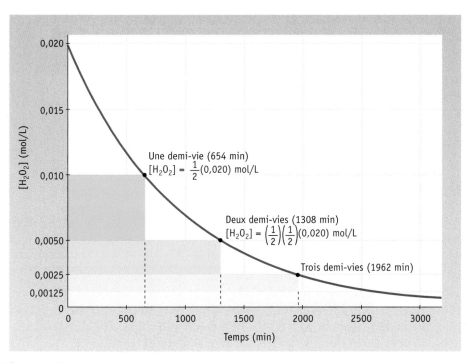

Figure 2.10 La demi-vie d'une réaction d'ordre 1. La concentration de H_2O_2 diminue de moitié toutes les 654 min (le graphique $[R] = f(t)$ a la même forme pour toutes les réactions d'ordre 1).

Cette courbe montre que $[H_2O_2]$ diminue de moitié toutes les 654 min. La concentration initiale ($t = 0$) est égale à 0,020 mol/L. Elle tombe à 0,010 mol/L au bout de 654 min. Elle chute encore de moitié, à 0,005 mol/L, après 654 min. Cela signifie qu'elle est égale, au bout de deux demi-vies, à $\left(\frac{1}{2}\right)\left(\frac{1}{2}\right) = \left(\frac{1}{2}\right)^2 = \frac{1}{4}$ ou 25 % de ce qu'elle était initialement. Après trois demi-vies, elle ne vaudrait plus que le $\frac{1}{8}$ de sa valeur initiale : $\left(\frac{1}{2}\right)\left(\frac{1}{2}\right)\left(\frac{1}{2}\right) = \left(\frac{1}{2}\right)^3 = \frac{1}{8}$, soit dans ce cas 0,0025 mol/L.

Il est assez difficile de se rendre compte de la vitesse d'une réaction au vu de la valeur de sa constante de vitesse. $k = 1,06 \times 10^{-3}$ min^{-1} ne donne aucune indication concrète sur le temps que prend H$_2$O$_2$ pour pratiquement disparaître : cela prend-il quelques secondes, des minutes, des heures ou des jours ? On ne peut le dire. Par contre, sachant que la demi-vie est de 654 min, soit environ 11 h, on peut sans se tromper affirmer qu'il s'écoulera plusieurs journées avant que la décomposition ne soit totale.

EXEMPLE 2.8 **La demi-vie et les réactions d'ordre 1**

La décomposition du sucrose en fructose et glucose est une réaction d'ordre 1, k valant 0,208 h^{-1} à 25 °C. Au bout de combien de temps la concentration initiale de sucrose sera-t-elle réduite de 87,5 % ?

SOLUTION

Si la concentration de sucrose est réduite de 87,5 %, il n'en reste plus que 12,5 % de la concentration initiale. Atteindre cette proportion résiduelle nécessite trois demi-vies.

Nombre de demi-vies	Fraction résiduelle
1	0,5
2	0,25
3	0,125

$$t_{1/2} = \frac{0,693}{0,208 \text{ h}^{-1}} \qquad \text{Durée nécessaire} = \frac{0,693}{0,208 \text{ h}^{-1}} \times 3 = 10,0 \text{ h}$$

EXEMPLE 2.9 **La demi-vie et les réactions d'ordre 1**

On a détecté dans le sous-sol d'une maison la présence de radon radioactif 222 (^{222}Rn) de concentration $4,0 \times 10^{13}$ atomes/L d'air. Sachant que sa désintégration est une réaction d'ordre 1 et que sa demi-vie est de 3,8 jours, combien en restera-t-il au bout de 30 jours (on suppose que le radon ne peut s'échapper) ?

SOLUTION

Le remplacement des valeurs littérales de l'équation de vitesse intégrée 2.2 par leurs valeurs numériques conduit au résultat recherché, à la condition de connaître la valeur de k. Celle-ci peut être calculée à l'aide de sa demi-vie.

$$k = \frac{0,693}{t_{1/2}} = \frac{0,693}{3,8 \text{ jours}} = \frac{0,693}{3,8} \text{ jour}^{-1} \qquad \ln \frac{[\text{Rn}]}{[\text{Rn}]_0} = -kt$$

$$\ln \frac{[\text{Rn}]}{4,0 \times 10^{13} \text{ atomes/L d'air}} = -\left(\frac{0,693}{3,8} \text{ jour}^{-1} \times 30 \text{ jours}\right) = -5,47$$

$$\frac{[\text{Rn}]}{4,0 \times 10^{13} \text{ atomes/L d'air}} = e^{-5,47} = 0,00421$$

$$[\text{Rn}] = 0,00421 \,(4,0 \times 10^{13} \text{ atomes/L d'air}) = 1,7 \times 10^{11} \text{ atomes/L d'air}$$

EXERCICE 2.9 **La demi-vie et les réactions d'ordre 1**

L'un des isotopes de l'américium, élément utilisé dans les détecteurs de fumée et en médecine dans le traitement de certaines tumeurs malignes, est radioactif (^{241}Am). Sa constante de vitesse de désintégration radioactive vaut 0,0016 année^{-1}. La constante de vitesse de désintégration radioactive de l'iode 125, lui aussi radioactif, est de 0,011 jour^{-1}.

a) Calculez les demi-vies de ces isotopes radioactifs.

b) Lequel de ces deux éléments se désintègre le plus rapidement?

c) Un traitement à l'iode radioactif ^{125}I nécessite $1,6 \times 10^{15}$ atomes. Combien en restera-t-il après deux jours?

2.5 LES VITESSES DE RÉACTION À L'ÉCHELLE MOLÉCULAIRE

Vous savez que les vitesses de réaction varient énormément selon les réactifs impliqués: la réaction entre l'hydrogène et l'oxygène déclenchée par une étincelle est extrêmement rapide et même explosive, tandis que la formation de la rouille, oxydation du fer exposé à l'air humide, prend des semaines, voire des années. Pour des raisons bien spécifiques, un certain nombre de facteurs influent sur la vitesse: la concentration des réactifs, la température à laquelle se produit la réaction et la présence de catalyseurs. Pour comprendre comment ils interviennent dans les processus de réaction, il est nécessaire de savoir ce qui se passe à l'échelle moléculaire.

Soit la réaction du monoxyde d'azote et de l'ozone en phase gazeuse:

$$NO \ (g) \ + \ O_3 \ (g) \ \longrightarrow \ NO_2 \ (g) \ + \ O_2 \ (g)$$

d'ordre 1 par rapport à chacun des réactifs. Pour comprendre comment cette réaction peut se comporter de cette façon, imaginez des molécules de NO et de O_3 à l'état gazeux confinées dans un récipient fermé. Toutes les molécules se déplacent rapidement et de manière aléatoire, elles heurtent les parois et se cognent mutuellement. Pour qu'une réaction ait lieu, elle doit satisfaire à trois conditions à la base de la **théorie des collisions**:

1. les molécules doivent entrer en *collision*;

2. les molécules se heurtant doivent posséder une *énergie minimale*;

3. l'*orientation relative* des molécules entrant en collision doit être telle qu'un réarrangement des atomes puisse se produire.

2.5.1 La concentration, la vitesse de réaction et la théorie des collisions

Pour réagir, les molécules doivent se heurter les unes contre les autres: la vitesse d'une réaction dépend au premier chef du nombre de collisions, lui-même relié à la concentration des réactifs (*voir la figure 2.11, page 76*).

Doubler la concentration d'un des réactifs, disons NO, se traduit par un doublement du nombre de collisions durant le même temps. Une molécule de NO se déplace au hasard parmi 16 molécules de O_3 dans l'illustration **a)** de la figure 2.11. Durant un laps de temps Δt, supposez qu'elle heurte successivement deux molécules de O_3. Durant un même Δt, le nombre de collisions avec les molécules de O_3 doublera si l'on multiplie la concentration de NO (figure 2.11 **b)**) ou

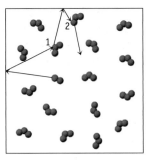

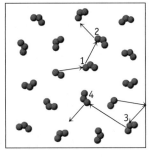

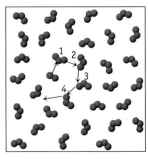

a) 1 NO: 16 O$_3$ – 2 collisions/s   **b)** 2 NO: 16 O$_3$ – 4 collisions/s   **c)** 1 NO: 32 O$_3$ – 4 collisions/s

Figure 2.11 L'effet de la concentration sur la fréquence des collisions des molécules. a) Une molécule de NO se déplaçant parmi 16 molécules O$_3$ heurte deux d'entre elles en une seconde. **b)** Si deux molécules de NO sont présentes parmi 16 molécules O$_3$, il est raisonnable de penser qu'on assiste à quatre collisions NO — O$_3$ par seconde. **c)** Si l'on double le nombre de molécules de O$_3$, soit 32 au lieu de 16, la fréquence de collision entre la molécule de NO et les molécules de O$_3$ est aussi doublée par rapport à la situation **a)** et devient égale à quatre par seconde.

celle de O$_3$ par deux (figure 2.11 **c**). Cette explication rend compte de l'effet de la concentration sur les vitesses de réaction : le nombre de collisions entre les molécules des deux réactifs est directement proportionnel à la concentration de chacun et la réaction est d'ordre 1 par rapport à l'un et à l'autre.

2.5.2   La température, la vitesse de réaction et l'énergie d'activation

Pour que les réactions se produisent plus rapidement, aussi bien en laboratoire que dans l'industrie, on les effectue souvent à des températures élevées. Inversement, il est parfois préférable de baisser la température pour ralentir une réaction ; pour éviter, par exemple, qu'elle ne devienne explosive et dangereuse. On connaît bien l'effet de la température sur la vitesse des réactions, mais comment peut-on l'expliquer ?

Une discussion portant sur l'effet de la température sur les vitesses débute obligatoirement par la connaissance de la distribution de l'énergie des molécules d'un échantillon gazeux ou liquide. Souvenez-vous que ces molécules n'ont pas toutes la même énergie et que celle-ci se répartit selon la courbe de distribution de Maxwell-Boltzmann (*voir les sections 8.4.1 et 9.5.1, les figures 8.13 et 9.9 de* Chimie générale). On a alors noté que, dans tout échantillon de gaz ou de liquide, quelques molécules possèdent une très grande énergie et quelques autres, une très faible, la majorité d'entre elles possédant une énergie intermédiaire. À température plus élevée, on a aussi montré que l'énergie moyenne était plus élevée et qu'une proportion plus grande de molécules voyait son énergie augmenter (figure 2.12).

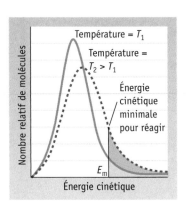

Figure 2.12 La courbe de distribution de l'énergie cinétique. L'ordonnée représente le nombre relatif de molécules d'un échantillon de substance possédant une énergie cinétique donnée par l'abscisse. L'énergie minimale requise pour qu'une réaction hypothétique puisse se produire est notée E_m. Une plus grande proportion de molécules possède une énergie supérieure à E_m lorsque la température est plus élevée.

L'énergie d'activation

Au moment de la collision, les molécules doivent posséder une énergie suffisante pour réagir. On peut l'imaginer comme une barrière à surmonter pour que les réarrangements des liaisons des réactifs puissent se produire : l'énergie nécessaire pour y arriver est appelée l'**énergie d'activation** (figure 2.13). Si la barrière est basse, l'énergie cinétique requise est faible, une forte proportion de molécules peuvent la franchir et, ainsi, réagir : la réaction est alors rapide. Par contre, si la barrière est haute, l'énergie d'activation est élevée et seule une faible proportion des molécules possède suffisamment d'énergie pour la surmonter : la réaction est alors lente.

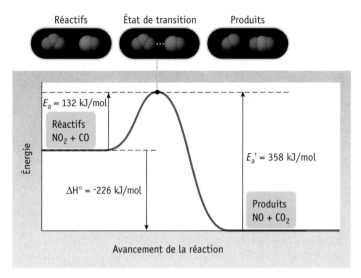

Figure 2.13 L'énergie d'activation La réaction entre NO_2 et CO, donnant NO et CO_2 (NO_2 (g) + CO (g) $\longrightarrow$ NO (g) + CO_2 (g)), requiert une énergie d'activation de 132 kJ/mol et son enthalpie de réaction est égale à -226 kJ/mol (réaction exothermique). L'énergie d'activation de la réaction inverse est égale à 358 kJ/mol.

Nous allons illustrer la signification de la barrière que représente l'énergie d'activation à l'aide de la conversion du *cis*-2-butène en *trans*-2-butène (*voir la figure 2.14, page 78*).

cis-2-butène $\longrightarrow$ trans-2-butène

Le chauffage à environ 500 °C de l'un des deux isomères donne toujours un mélange des deux composés. (Il n'y a qu'une légère différence d'énergie entre les deux, environ 4 kJ/mol, favorisant la formation de *trans*-2-butène dans le mélange.) Imaginez que la conversion d'un isomère en l'autre, appelée l'isomérisation *cis-trans*, nécessite la torsion de la molécule autour de la double liaison. Cela requiert énormément d'énergie, parce que l'on doit briser la liaison π de la double liaison pour que cette rotation se produise (*voir la section 7.2.4 de* Chimie générale). Lors de la torsion du *cis*-2-butène autour de la double liaison initiale, l'énergie du système augmente. Ce surplus d'énergie est maximal lorsque les deux extrémités de la molécule forment un angle de 90° : ce maximum d'énergie représente l'énergie d'activation de cette réaction d'isomérisation, soit 262 kJ/mol.

On appelle **état de transition** l'arrangement des espèces chimiques réagissant entre elles au maximum du *diagramme énergétique de la réaction* (courbe de l'énergie en fonction de l'avancement de la réaction). À l'état de transition, suffisamment d'énergie a été accumulée dans les liaisons appropriées des réactifs ; elles peuvent

Figure 2.14 Le profil énergétique de la réaction d'isomérisation du *cis*-2-butène en *trans*-2-butène. L'énergie du système augmente lorsque la molécule de *cis*-2-butène se tord autour de sa double liaison. Le maximum de la courbe, atteint lorsque l'angle de la déformation est maximal (90°), est situé à 262 kJ/mol au-dessus de l'état énergétique initial: cette valeur représente l'énergie d'activation de la conversion du *cis*-2-butène en *trans*-2-butène. Lorsque l'angle de rotation atteint 180°, la double liaison est complètement reformée et le *trans*-2-butène se trouve dans son état d'énergie minimale, inférieur de 4 kJ/mol à celui du *cis*-2-butène: la réaction est légèrement exothermique.

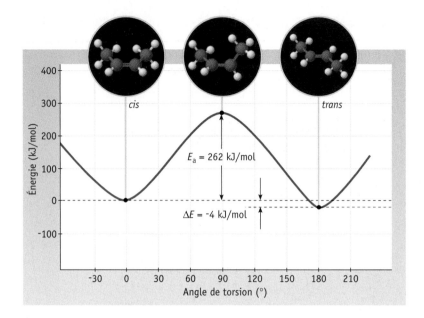

alors se briser et d'autres liaisons différentes peuvent se former ensuite pour donner les produits. Le système dans son état de transition est comme indécis: il peut évoluer vers les produits en libérant de l'énergie ou revenir en arrière vers les réactifs.

Comme l'état de transition correspond au maximum d'énergie potentielle, l'espèce présente est très instable et l'on ne peut généralement ni l'isoler ni identifier sa structure expérimentalement. Cependant, la connaissance des réactifs et des produits permet souvent d'inférer sa structure.

L'effet de la température

L'isomérisation du *cis*-2-butène en *trans*-2-butène est lente à la température ambiante, parce qu'à cette température peu de molécules possèdent une énergie suffisante pour vaincre la barrière énergétique que constitue la rupture de la double liaison. Cependant, on peut augmenter la vitesse en élevant la température: une plus grande proportion de molécules acquièrent de ce fait une énergie supérieure à l'énergie d'activation de la réaction et peuvent s'isomériser.

2.5.3 L'orientation relative des molécules et la vitesse de réaction

Pour réagir, les molécules doivent non seulement entrer en collision avec une énergie suffisante, mais aussi se heurter selon le bon angle. Posséder assez d'énergie est une condition nécessaire, mais non suffisante pour que la réaction prévue ait lieu. Par exemple, pour que l'échange d'un atome d'oxygène puisse se produire entre une molécule de NO et une molécule de O_3 entrant en collision, il faut que l'atome d'azote de NO soit proche d'un des atomes d'oxygène terminaux de l'ozone (figure 2.15).

Ce **facteur stérique** joue un rôle important dans l'ampleur de la vitesse de réaction et affecte la valeur de la constante k. Cette constante et la vitesse sont d'autant plus faibles que la probabilité d'atteindre l'alignement idéal est faible. Envisagez sous cet aspect ce qui se passe quand deux ou plusieurs molécules relativement complexes se heurtent. Beaucoup de ces collisions ne sont pas efficaces, c'est-à-dire ne conduisent pas à la formation des produits, car peu d'entre elles satisfont aux orientations spatiales requises, même si elles possèdent une énergie

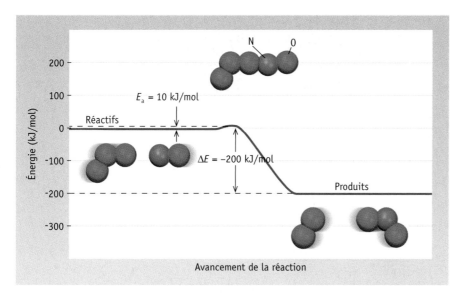

Figure 2.15 La réaction exothermique de NO et de O_3. Cette réaction n'est possible que si NO et O_3 se cognent avec suffisamment d'énergie pour vaincre l'énergie d'activation et dans la bonne direction : N contre un atome d'oxygène terminal de l'ozone. Par exemple, si O_3 heurte l'atome d'oxygène de NO ou si NO frappe sur l'atome central de O_3, la réaction ne se produit pas.

théoriquement suffisante. Il n'est donc pas étonnant que certaines réactions soient extrêmement lentes. À l'inverse, il est plutôt surprenant de constater qu'un très grand nombre est si rapide !

2.5.4 L'équation d'Arrhenius

Toutes ces observations concernant l'effet de l'énergie, de la fréquence des collisions, de la température et des facteurs stériques sur les vitesses de réaction sont résumées dans l'**équation d'Arrhenius** :

$$\text{Constante de vitesse } k = Ae^{-\frac{E_a}{RT}} \qquad \text{(Équation 2.5)}$$

dans laquelle R est la constante des gaz parfaits et T la température (K). A, le **facteur de fréquence,** est relié au nombre de collisions et au facteur stérique. Le terme $e^{-\frac{E_a}{RT}}$ représente la proportion de molécules dont l'énergie est égale ou supérieure à l'énergie minimale nécessaire pour que se produise la réaction : sa valeur est donc toujours inférieure à 1. Ce facteur varie énormément avec la température (tableau 2.2)

TABLEAU 2.2 Valeurs de $e^{-\frac{E_a}{RT}}$ pour $E_a = 40$ kJ/mol selon la température	
Température (K)	$e^{-\frac{E_a}{RT}}$ ($E_a = 40$ kJ/mol)
298	$9,7 \times 10^{-8}$
400	$5,9 \times 10^{-6}$
600	$3,0 \times 10^{-4}$

L'équation d'Arrhenius est surtout utilisée pour:
- calculer l'énergie d'activation à l'aide des valeurs de k déterminées à différentes températures;
- calculer la valeur de k à une température donnée lorsque A et E_a sont connus.

Pour effectuer ces calculs, on réarrange l'équation 2.5 pour faire apparaître une fonction linéaire.

$$k = Ae^{-\frac{E_a}{RT}} \qquad \ln k = \ln A - \frac{E_a}{RT}$$

$$\ln k = -\frac{E_a}{R}\left(\frac{1}{T}\right) + \ln A \qquad \text{(Équation 2.6)}$$

La courbe $\ln k = f\left(\frac{1}{T}\right)$ est une droite de pente $-\frac{E_a}{R}$.

EXEMPLE 2.10   **La détermination de l'énergie d'activation**

À l'aide des données et des résultats expérimentaux suivants, calculez l'énergie d'activation de la réaction.

$$2\,N_2O\,(g) \longrightarrow 2\,N_2\,(g) + O_2\,(g)$$

Expériences	Températures (K)	k (L·mol⁻¹·s⁻¹)
1	1125	11,59
2	1053	1,67
3	1001	0,380
4	838	0,0011

SOLUTION

Pour utiliser correctement l'équation d'Arrhenius, il faut tout d'abord calculer $\ln k$ et $\frac{1}{T}$ pour chacune des expériences. On trace ensuite la courbe $\ln k = f\left(\frac{1}{T}\right)$.

Expériences	$\frac{1}{T}$ (10⁻⁴ K⁻¹)	$\ln k$
1	8,889	2,4501
2	9,497	0,513
3	9,990	-0,968
4	11,9	-6,81

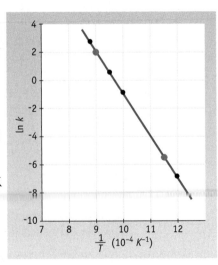

Pente de la droite

$$= \frac{2,0 - (-5,6)}{(9,0 - 11,5) \times 10^{-4}\ \text{K}^{-1}} = -3,0 \times 10^4\ \text{K}$$

$$-\frac{E_a}{R} = -3,0 \times 10^4\ \text{K}$$

$$= -\frac{E_a}{8,314 \times 10^{-3}\ \text{kJ·mol}^{-1}·\text{K}^{-1}}$$

$$E_a = 250\ \text{kJ/mol}$$

Si l'on ne dispose que de deux valeurs de k déterminées à deux températures différentes, on peut quand même calculer la valeur de E_a à l'aide de l'équation 2.6.

$$\ln k_1 = -\frac{E_a}{R}\left(\frac{1}{T_1}\right) + \ln A \qquad \ln k_2 = -\frac{E_a}{R}\left(\frac{1}{T_2}\right) + \ln A$$

La soustraction de ces deux égalités conduit à:

$$\ln k_2 - \ln k_1 = \ln \frac{k_2}{k_1} = -\frac{E_a}{R}\left(\frac{1}{T_2} - \frac{1}{T_1}\right)$$

(Équation 2.7)

Cette équation est utilisée dans l'exemple 2.11.

EXEMPLE 2.11 **La détermination de l'énergie d'activation**

À partir de deux expériences effectuées à deux températures différentes, 650 K et 700 K, on a calculé les constantes de vitesse k de la réaction:

$$2\ HI\ (g) \longrightarrow H_2\ (g) + I_2\ (g)$$

$$k_1 = 2,15 \times 10^{-8}\ L \cdot mol^{-1} \cdot s^{-1}\ \text{à}\ T_1 = 650\ K$$
$$k_2 = 2,39 \times 10^{-7}\ L \cdot mol^{-1} \cdot s^{-1}\ \text{à}\ T_2 = 700\ K$$

Calculez l'énergie d'activation de cette réaction.

SOLUTION

On introduit les valeurs numériques dans l'équation 2.7 et l'on isole ensuite E_a.

$$\ln \frac{k_2}{k_1} = -\frac{E_a}{R}\left(\frac{1}{T_2} - \frac{1}{T_1}\right)$$

$$\ln \frac{2,39 \times 10^{-7}\ L \cdot mol^{-1} \cdot s^{-1}}{2,15 \times 10^{-8}\ L \cdot mol^{-1} \cdot s^{-1}} = -\frac{E_a}{8,314 \times 10^{-3}\ kJ \cdot mol^{-1} \cdot K^{-1}}\left(\frac{1}{700\ K} - \frac{1}{650\ K}\right)$$

$$\ln 11,116 = 2,408 = -\frac{E_a}{8,314 \times 10^{-3}\ kJ \cdot mol^{-1}}\ (0,001429 - 0,001538)$$

$$= -\frac{E_a}{8,314 \times 10^{-3}\ kJ \cdot mol^{-1}}\ (-0,000109)$$

$$E_a = \frac{(2,408)(8,314 \times 10^{-3})}{0,000109}\ kJ/mol = 184\ kJ/mol$$

EXERCICE 2.10 **La détermination de l'énergie d'activation**

La réaction de décomposition de N_2O_4 (g) en NO_2 (g) est d'ordre 1. Sachant que sa constante de vitesse est égale à $4,5 \times 10^3\ s^{-1}$ à 274 K et à $1,00 \times 10^4\ s^{-1}$ à 283 K, calculez son énergie d'activation.

2.5.5 La catalyse

On a présenté précédemment des exemples de **catalyseurs,** ces substances qui accélèrent les réactions: MnO_2, I^-, un enzyme présent dans la pomme de terre, OH^-.

Ils ne sont pas consommés dans une réaction chimique, mais cela ne signifie pas pour autant qu'ils sont inactifs: au contraire, ils interviennent directement dans le processus réactionnel, en faisant prendre à la réaction un chemin différent impliquant une énergie d'activation moins élevée.

Pour illustrer comment fonctionne un catalyseur, reconsidérez la réaction d'isomérisation du *cis*-2-butène en *trans*-2-butène, une réaction d'ordre 1: $v = k[$*cis*-2-butène$]$. Son énergie d'activation est très élevée parce qu'elle nécessite le bris d'une liaison π. De ce fait, la réaction est lente et il faut procéder à des températures relativement hautes pour qu'elle se produise à une vitesse raisonnable.

La réaction d'isomérisation est grandement accélérée par la présence de traces d'iode: la réaction peut alors se produire à des températures inférieures de plusieurs centaines de degrés à celle de la réaction non catalysée. L'iode n'est pas consommé, n'est pas non plus un produit de la réaction et il n'apparaît pas dans l'équation équilibrée. Par contre, il est présent dans la loi de vitesse: la réaction est d'ordre 1/2 par rapport à celui-ci.

$$v = k[\text{\textit{cis}-2-butène}][I_2]^{1/2}$$

La vitesse d'isomérisation change parce que l'iode intervient dans le mécanisme de la réaction, c'est-à-dire dans la façon dont la réaction se déroule (figure 2.16).

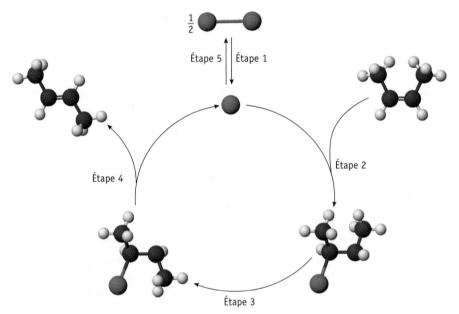

Figure 2.16 Le mécanisme de réaction de l'isomérisation du *cis*-2-butène catalysée par des traces d'iode.

La meilleure explication repose sur la séquence de réactions suivante.

Étape 1: la molécule d'iode se dissocie en ses atomes.

Étape 2: un atome d'iode s'additionne sur un des atomes de carbone de la double liaison. En faisant cela, celle-ci se rompt, ne laissant qu'une liaison simple σ autour de laquelle la libre rotation est facile.

Étape 3: la rotation autour de la liaison simple C—C s'effectue.

Étape 4: l'expulsion de l'atome d'iode du produit intermédiaire permet à la double liaison de se reformer en donnant le *trans*-2-butène.

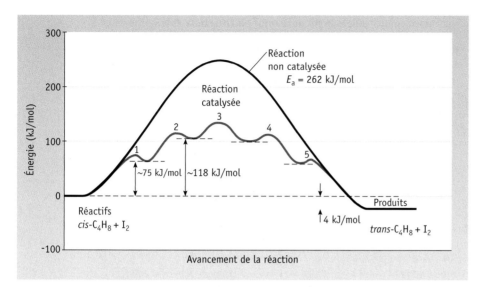

Figure 2.17 Le diagramme énergétique de la réaction d'isomérisation du *cis*-2-butène catalysée par des traces d'iode. La courbe noire représente le profil de la réaction non catalysée de l'isomérisation du *cis*-2-butène en *trans*-2-butène, la courbe rouge s'applique à la réaction catalysée par l'iode. On remarque que la présence d'iode modifie énormément la forme de la barrière énergétique. (Les numéros correspondent aux étapes décrites dans le texte.)

À la fin de la quatrième étape, l'atome d'iode catalysant la réaction est de nouveau libre et le cycle peut recommencer avec une autre molécule de *cis*-2-butène. La chaîne de réactions consécutives s'arrête si l'atome d'iode disparaît du milieu réactionnel par recombinaison avec un autre atome d'iode pour reformer une molécule d'iode (étape 5).

Le diagramme énergétique correspondant à cette séquence de réactions est intéressant à plusieurs points de vue (figure 2.17).

Premièrement, le catalyseur a fait diminuer la hauteur de la barrière énergétique globale de la réaction non catalysée. Deuxièmement, la forme de la courbe de la réaction catalysée suit les étapes du mécanisme (cinq en tout), chaque bosse représentant le profil énergétique conduisant à un **intermédiaire de réaction.** Cette espèce, formée dans une des étapes de la réaction, est totalement consommée dans l'étape suivante. Par exemple, les atomes d'iode formés au cours de la première étape sont des intermédiaires de réaction, de même que les radicaux libres issus de l'addition d'un atome d'iode au *cis*-2-butène (étape 2).

De ce mécanisme, on peut retenir ceci :

1. Les molécules d'iode (I_2) se dissocient (étape 1), mais se reforment (étape 5). D'un point de vue macroscopique, la concentration de cette espèce est inchangée. L'iode n'apparaît pas dans l'équation chimique équilibrée de la réaction, bien qu'il fasse partie de la loi de vitesse. Ce comportement est typique des catalyseurs en général.
2. Quand les réactifs et le catalyseur sont présents dans la même phase, comme c'est le cas dans cette réaction, on parle de **catalyse homogène.**
3. Les atomes d'iode et les radicaux issus de l'addition de I au *cis*-2-butène sont des intermédiaires (de réaction).
4. L'énergie d'activation de la réaction a été nettement abaissée par la présence du catalyseur, qui a modifié le chemin suivi par la réaction. En fait, le passage de $E_a = 262$ kJ/mol pour la réaction non catalysée à une barrière voisine de 140 kJ/mol dans la réaction catalysée rend la réaction 10^{15} fois plus rapide !
5. On note cinq énergies d'activation, les cinq bosses du diagramme, correspondant respectivement à chacune des cinq étapes proposées.

Ce que nous venons d'illustrer fait partie des **mécanismes de réaction,** explicités dans la section suivante.

**pour
en savoir+ ...**

Les enzymes, des catalyseurs naturels

Les **enzymes** sont des catalyseurs très efficaces, qui peuvent accélérer les réactions par un facteur pouvant atteindre 10^{14}.

Leur action est généralement maximale en présence d'ions métalliques. Par exemple, la carboxypeptidase contient des ions Zn^{2+} sur son site actif.

En 1913, Leonor Michaelis et Maud L. Menten ont proposé une théorie générale de la catalyse à partir de l'observation des vitesses de réaction. Elles ont supposé l'existence d'un complexe formé par le substrat (S, le réactif) et l'enzyme (E), lequel se scinde ensuite en redonnant l'enzyme et en libérant le produit (P).

$$S + E \rightleftharpoons SE \rightleftharpoons E + P$$

Quelques enzymes figurent dans le tableau suivant. Au début de ce chapitre, on a illustré l'action catalytique de l'anhydrase carbonique à l'aide d'une expérience simple. En voici maintenant une autre tout aussi facile à réaliser. Prenez une gorgée d'une boisson carbonatée très froide. La sensation piquante ressentie sur le bout de la langue et dans la bouche ne provient pas des bulles de CO_2, mais plutôt des protons (H^+ (aq)) libérés rapidement par l'action de l'anhydrase carbonique sur H_2CO_3 en solution. L'acidification des terminaisons nerveuses crée cette sensation de picotement.

La trypsine, la chymotrypsine et l'élastase sont des enzymes agissant sur les fonctions digestives, catalysant l'hydrolyse des liens peptidiques: $-CO-NH^- + H_2O \longrightarrow -COOH + NH_{2-}$. Ces enzymes sont synthétisés par le pancréas et secrétés dans le tube digestif.

L'acétylcholinestérase agit dans la transmission de l'influx nerveux. Comme beaucoup de pesticides interfèrent avec cet enzyme, on doit régulièrement soumettre les agriculteurs à des tests pour s'assurer qu'ils n'ont pas été surexposés à ces agents toxiques.

La fonction première du foie est de régulariser le niveau de glucose dans le sang. Il produit un glucose contenant des groupes phosphate (PO_4^{3-}): un de ses enzymes, la glucosephosphatase, a pour rôle d'éliminer ces groupements avant l'insertion du glucose dans le sang.

Quelques réactions biologiques importantes catalysées par des enzymes

Enzymes	Fonctions des enzymes ou réactions catalysées
Anhydrase carbonique	$CO_2 + H_2O \longrightarrow HCO_3^- + H^+$
Chymotrypsine	Bris des liens peptidiques des protéines
Uréase	$(NH_2)_2CO + 2\ H_2O + H^+ \longrightarrow 2\ NH_4^+ + HCO_3^-$
Catalase	$2\ H_2O_2 \longrightarrow 2\ H_2O + O_2$
Acétylcholinestérase	Dégrade l'acétylcholine en acétate et choline après la transmission de l'influx nerveux
Hexokinase et glucokinase	Ces deux enzymes catalysent la formation d'un lien phosphate avec un groupement -OH d'un sucre. La glucokinase est un enzyme spécifique du foie, organe emmagasinant l'excès de sucre sous forme de glycogène.

▲ Le léger picotement ressenti lorsqu'on prend une boisson carbonatée provient des ions H^+ libérés par H_2CO_3. Cet acide se forme rapidement à partir de CO_2 dissous, sous l'action catalytique de l'enzyme anhydrase carbonique présent dans la bouche. Charles D. Winters

2.6 LES MÉCANISMES DE RÉACTION

L'étude des vitesses contribue à la connaissance des mécanismes de réaction, représentant l'ordre dans lequel les liaisons sont brisées et formées durant la transformation des réactifs en produits. La recherche du mécanisme d'une réaction plonge le chimiste dans le monde submicroscopique: à ce niveau, il analyse les changements que subissent les atomes et les molécules au cours de la réaction.

Il tente ensuite de relier ses hypothèses à la réalité macroscopique révélée par les observations expérimentales.

On a vu que seule l'expérimentation permettait de trouver les vitesses de réaction. À partir des équations de vitesse et… de leur imagination créatrice, et de leurs connaissances préalables, les chimistes élaborent une hypothèse plausible de mécanisme. Dans certains cas, la réaction s'effectue en une seule étape, comme dans le transfert d'un atome d'oxygène de O_3 à une molécule de NO lors d'une seule collision efficace se produisant à l'état gazeux.

$$NO\ (g)\ +\ O_3\ (g)\ \longrightarrow\ NO_2\ (g)\ +\ O_2\ (g)$$

La meilleure description de l'isomérisation non catalysée du *cis*-2-butène en *trans*-2-butène implique elle aussi un mécanisme en une seule étape.

Cependant, la plupart des réactions chimiques se produisent en plusieurs événements successifs. L'isomérisation catalysée par l'iode du *cis*-2-butène appartient à cette catégorie, de même que la réaction du brome et du monoxyde d'azote.

$$Br_2\ (g)\ +\ 2\ NO\ (g)\ \longrightarrow\ 2\ NOBr\ (g)$$

Pour que cette réaction se produise d'un seul coup, il faudrait que trois molécules entrent en collision simultanément, avec suffisamment d'énergie et dans les bonnes directions. Intuitivement, un tel événement est peu probable. On doit donc envisager un mécanisme à plusieurs étapes, chacune d'elles n'impliquant qu'une ou deux molécules. On peut envisager la séquence possible suivante : Br_2 et NO se combinent pour former un produit intermédiaire (Br_2NO), qui réagit ensuite avec une autre molécule de NO pour donner cette fois le produit final, le bromure de nitrosyle (NOBr) (figure 2.18).

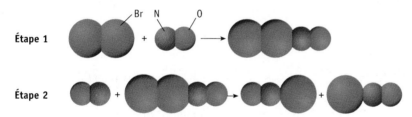

Étape 1

Étape 2

Figure 2.18 Un mécanisme de réaction. Une représentation modélisée du mécanisme en deux étapes proposé pour la réaction entre Br_2 et NO donnant NOBr.

La somme des équations de chacune des étapes donne l'équation de la réaction.

Étape 1	$Br_2\ (g)\ +\ NO\ (g)\ \longrightarrow\ Br_2NO\ (g)$
Étape 2	$Br_2NO\ (g)\ +\ NO\ (g)\ \longrightarrow\ 2\ NOBr\ (g)$
Réaction	$Br_2\ (g)\ +\ 2\ NO\ (g)\ \longrightarrow\ 2\ NOBr\ (g)$

Chaque étape d'une réaction qui en comporte plusieurs est appelée la **réaction élémentaire.** Elle est définie par une équation chimique décrivant *un seul événement supposé,* tel que la rupture ou la formation d'une liaison, ou encore le déplacement d'atomes résultant d'une collision. Chaque réaction élémentaire possède une énergie d'activation et une constante de vitesse qui lui sont spécifiques. L'addition de toutes ces étapes doit conduire à l'équation équilibrée de la réaction et le temps nécessaire pour les compléter constitue le temps de la réaction globale[1]. Lorsqu'une séquence de réactions explique la cinétique expérimentale, on peut raisonnablement considérer que le mécanisme proposé est plausible.

---

1. Dans cette section, la réaction est parfois qualifiée de *globale,* afin de bien la distinguer des réactions *élémentaires.*

Les résultats expérimentaux sont à la base des déterminations des mécanismes. Avant de voir comment on procède, nous allons décrire trois types de réactions élémentaires.

2.6.1 La molécularité des réactions élémentaires

On classe les réactions élémentaires d'après le nombre d'entités (molécules, ions, atomes ou radicaux libres) qui réagissent. Ce nombre entier positif définit sa **molécularité.** La réaction est dite *monomoléculaire* lorsqu'elle n'implique que la transformation d'une seule entité. Elle est *bimoléculaire* lorsqu'elle met en jeu deux entités, semblables ou pas. Par exemple, un mécanisme en deux étapes a été proposé pour la décomposition de l'ozone.

Étape 1	Monomoléculaire	O_3 (g)	$\longrightarrow$ O_2 (g) + $\cancel{O}$ (g)
Étape 2	Bimoléculaire	O_3 (g) + $\cancel{O}$ (g)	$\longrightarrow$ 2 O_2 (g)
Réaction globale		2 O_3 (g)	$\longrightarrow$ 3 O_2 (g)

La transformation de l'ozone en oxygène débuterait par une étape monomoléculaire et serait suivie d'une réaction bimoléculaire.

Une réaction élémentaire *trimoléculaire* fait intervenir trois entités : 3 A ou (2 A + B), ou (A + B + C). Comme on peut s'y attendre, la collision simultanée de trois entités est fort peu probable, à moins que l'une d'elles soit en très forte concentration, une molécule de solvant par exemple. En fait, la plupart des réactions élémentaires trimoléculaires n'impliquent que deux entités, la troisième n'agissant que comme récepteur de l'énergie dégagée par la formation d'une nouvelle liaison entre les deux entités réagissantes. Par exemple, la molécule d'azote ne subit aucun changement chimique dans la réaction trimoléculaire entre l'oxygène moléculaire (O_2) et l'oxygène atomique (O) se produisant dans la haute atmosphère.

$$O \text{ (g)} + O_2 \text{ (g)} + N_2 \text{ (g)} \longrightarrow O_3 \text{ (g)} + N_2 \text{ (g) d'énergie plus élevée}$$

La probabilité que quatre entités entrent simultanément en collision avec suffisamment d'énergie et dans les bonnes orientations est si faible qu'une molécularité supérieure à trois n'est jamais envisagée.

2.6.2 Les équations de vitesse des réactions élémentaires

Nous avons vu que la loi de vitesse d'une réaction ne peut être prévue à partir de son équation chimique. Tout au contraire, *l'équation de vitesse d'une réaction élémentaire est définie par la stœchiométrie de l'étape.* Elle est donnée par le produit de sa constante de vitesse *k* et des concentrations des réactifs affectées chacune d'un exposant égal au coefficient stœchiométrique.

Réactions élémentaires	Molécularités	Équations de vitesse
A $\longrightarrow$ produits	monomoléculaire	$v = k[A]$
A + B $\longrightarrow$ produits	bimoléculaire	$v = k[A][B]$
A + A $\longrightarrow$ produits	bimoléculaire	$v = k[A]^2$
2 A + B $\longrightarrow$ produits	trimoléculaire	$v = k[A]^2[B]$

Par exemple, les équations de vitesse de chacune des étapes de la décomposition de l'ozone sont:

| Étape 1 | Monomoléculaire | O_3 (g) | $\longrightarrow$ | $v = k[O_3]$ |
| Étape 2 | Bimoléculaire | O_3 (g) $+$ O (g) $\longrightarrow$ | | $v = k'[O_3][O]$ |

Quand une réaction procède en deux étapes, il y a de fortes chances que les deux réactions élémentaires n'évoluent pas à la même vitesse. Les deux constantes, k et k' dans cet exemple, ont donc certainement des valeurs différentes, et des unités différentes si les molécularités ne sont pas identiques.

2.6.3 La molécularité et l'ordre de réaction

La molécularité d'une réaction élémentaire et son ordre sont identiques. Une réaction monomoléculaire est d'ordre 1, une bimoléculaire d'ordre 2, etc. Cette identité entre la molécularité et l'ordre n'est valable que pour les réactions élémentaires, et ne l'est pas pour toutes les réactions globales. Ainsi, si l'on constate expérimentalement qu'une réaction est d'ordre 1, on ne peut pas conclure qu'elle se produit en une seule étape monomoléculaire. De la même manière, une réaction d'ordre 2 n'implique pas forcément une seule étape élémentaire bimoléculaire. L'exemple de la décomposition de N_2O_5

$$2 N_2O_5 \text{ (g)} \longrightarrow 4 NO_2 \text{ (g)} + O_2 \text{ (g)}$$

illustre ce propos. La réaction est d'ordre 1, $v = k[N_2O_5]$, mais les chimistes sont persuadés qu'elle a lieu en une série d'étapes monomoléculaires et bimoléculaires.

Déduire un mécanisme de réaction comportant plusieurs étapes des équations de vitesse déterminées expérimentalement n'est pas chose facile et demande beaucoup d'imagination et d'intuition: la prochaine section abordera ce sujet, mais très superficiellement à cause de sa complexité.

EXEMPLE 2.12 **Les réactions élémentaires**

L'ion hypochlorite peut se dismuter en ions chlorate et chlorure.

$$3 ClO^- \text{ (aq)} \longrightarrow ClO_3^- \text{ (aq)} + 2 Cl^- \text{ (aq)}$$

On pense que cette décomposition se produit en deux étapes.

| Étape 1 | ClO^- (aq) $+$ ClO^- (aq) $\longrightarrow$ ClO_2^- (aq) $+$ Cl^- (aq) |
| Étape 2 | ClO_2^- (aq) $+$ ClO^- (aq) $\longrightarrow$ ClO_3^- (aq) $+$ Cl^- (aq) |

Trouvez la molécularité de chacune d'elles et leur équation de vitesse. Vérifiez que la somme des étapes conduit bien à l'équation de la réaction.

SOLUTION

Puisque deux ions sont impliqués à chacune des étapes, chaque réaction élémentaire est bimoléculaire.

| Étape 1 | 2 ClO^- (aq) | $\longrightarrow$ | $v = k[ClO^-]^2$ |
| Étape 2 | ClO_2^- (aq) $+$ ClO^- (aq) $\longrightarrow$ | | $v = k'[ClO_2^-][ClO^-]$ |

Étape 1	ClO^- (aq) $+$ ClO^- (aq) $\longrightarrow$ $\cancel{ClO_2^-}$ (aq) $+$ Cl^- (aq)
Étape 2	$\cancel{ClO_2^- \text{ (aq)}}$ $+$ ClO^- (aq) $\longrightarrow$ ClO_3^- (aq) $+$ Cl^- (aq)
Réaction globale	3 ClO^- (aq) $\longrightarrow$ ClO_3^- (aq) $+$ 2 Cl^- (aq)

EXERCICE 2.11 **Les réactions élémentaires**

Le monoxyde d'azote réduit par l'hydrogène donne de l'azote et de l'eau.

$$2\ NO\ (g)\ +\ 2\ H_2\ (g)\ \longrightarrow\ N_2\ (g)\ +\ 2\ H_2O\ (g)$$

On a proposé le mécanisme suivant.

Étape 1 $2\ NO\ (g)\ \rightleftharpoons\ N_2O_2\ (g)$

Étape 2 $N_2O_2\ (g)\ +\ H_2\ (g)\ \longrightarrow\ N_2O\ (g)\ +\ H_2O\ (g)$

Étape 3 $N_2O\ (g)\ +\ H_2\ (g)\ \longrightarrow\ N_2\ (g)\ +\ H_2O\ (g)$

Trouvez la molécularité de chacune des étapes. Écrivez l'équation de vitesse de la troisième étape. Vérifiez que la somme des étapes conduit bien à l'équation de la réaction.

2.6.4   Les mécanismes de réaction et les équations de vitesse

La dépendance de la vitesse d'une réaction de la concentration des réactifs est un fait expérimental. Par contre, les mécanismes sont une construction de l'esprit des chimistes. Leur élaboration repose sur l'idée, bonne espère-t-on, qu'on se fait du déroulement possible de la réaction. Plusieurs mécanismes suggérés peuvent rendre compte de l'équation de vitesse de la réaction, mais ils peuvent être faux. Alors, pourquoi chercher ? Connaître le mécanisme le plus probable d'une réaction est un but louable en soi, il permet avant tout de mieux comprendre le comportement de la matière. Il en découle aussi des conséquences pratiques loin d'être négligeables, comme un meilleur contrôle des réactions ou l'élaboration de nouvelles expériences dans le but d'approfondir la connaissance.

Un des aspects importants que l'on retient de la cinétique est que *la vitesse d'apparition des produits ne peut être plus élevée que la vitesse de l'étape la plus lente*. Nommée de ce fait **étape limitante,** elle conditionne la vitesse de la réaction, qui lui est sensiblement égale. La vie de tous les jours vous donne souvent l'occasion d'expérimenter des étapes limitantes : quelle que soit la vitesse à laquelle vous remplissez votre chariot de provisions, il semble toujours que la durée totale de votre marché soit déterminée par le temps d'attente à la caisse !

Imaginez une réaction se déroulant en deux étapes, une première, lente, et une seconde, rapide.

Réaction élémentaire 1 $A\ +\ B\ \xrightarrow{\ k_1\ }\ X\ +\ M$
E_a élevé, v lent

Réaction élémentaire 2 $M\ +\ A\ \xrightarrow{\ k_2\ }\ Y$
E_a faible, v rapide

Réaction globale $2\ A\ +\ B\ \longrightarrow\ X\ +\ Y$

Dans la première étape, A et B entrent en contact et réagissent lentement pour donner un des produits (X) et une espèce intermédiaire (M). Aussitôt que M est formé, il est consommé rapidement en réagissant avec une autre molécule de A pour donner le second produit (Y). Les produits X et Y proviennent de deux réactions élémentaires et la première étape est l'étape limitante. La vitesse de la réaction globale est égale à la vitesse de cette première étape, la plus lente. Cette réaction élémentaire est bimoléculaire et son équation de vitesse est égale à :

$$v = k_1[A][B]$$

On s'attend à ce que la vitesse de la réaction globale suive la même équation.

Appliquez cette notion à la réaction d'ordre 2 du fluor et du dioxyde d'azote à l'état gazeux.

$$2\ NO_2\ (g)\ +\ F_2\ (g)\ \longrightarrow\ 2\ NO_2F\ (g)$$
$$v = k[NO_2][F_2]$$

Au vu de l'équation de vitesse, on exclut immédiatement que cette réaction puisse se produire en une seule étape : en effet, si c'était le cas, la réaction serait élémentaire et sa loi de vitesse serait fonction de $[NO_2]^2$. On doit donc envisager un processus comprenant au moins deux étapes. On peut aussi conclure que l'étape la plus lente de la réaction doit impliquer NO_2 et F_2 en quantités égales. Le mécanisme le plus simple ressemble à celui présenté précédemment.

Étape 1   Lente
$$NO_2\ (g)\ +\ F_2\ (g)\ \xrightarrow{\ k_1\ }\ NO_2F\ (g)\ +\ \cancel{F}\ (g)$$

Étape 2   Rapide
$$NO_2\ (g)\ +\ \cancel{F}\ (g)\ \xrightarrow{\ k_2\ }\ NO_2F\ (g)$$

Réaction globale
$$2\ NO_2\ (g)\ +\ F_2\ (g)\ \xrightarrow{\quad k \quad}\ 2\ NO_2F\ (g)$$

On pense qu'une molécule de NO_2 réagit avec une molécule de F_2 pour donner une molécule de fluorure de nitryle (NO_2F) et un atome F. Ensuite, cet atome F réagit avec une molécule de NO_2, ce qui produit une seconde molécule de NO_2F. Si l'on suppose que la réaction élémentaire 1, bimoléculaire, est l'étape limitante, sa vitesse $v = k_1[NO_2][F_2]$ devient la vitesse de la réaction globale et $k = k_1$.

En général, les intermédiaires comme l'atome de fluor ont une vie très éphémère et, de ce fait, sont pratiquement impossibles à repérer. Mais, occasionnellement, leur existence est suffisamment longue pour qu'on puisse les détecter : leur présence confirme alors, jusqu'à un certain point, la validité du mécanisme proposé.

EXEMPLE 2.13   **Les réactions élémentaires et les mécanismes**

À l'état gazeux, le transfert d'un atome d'oxygène du dioxyde d'azote au monoxyde de carbone conduit à la formation de monoxyde d'azote et de dioxyde de carbone.

$$NO_2\ (g)\ +\ CO\ (g)\ \longrightarrow\ NO\ (g)\ +\ CO_2\ (g)$$

À une température inférieure à 500 K, l'équation de vitesse a la forme $v = k[NO_2]^2$. Est-il possible d'envisager que cette réaction se produise en une seule étape bimoléculaire, dont la stœchiométrie est identique à celle de la réaction globale ?

SOLUTION

Si la réaction s'effectuait en une seule étape élémentaire, son équation de vitesse serait $v = k[NO_2][CO]$. Comme cette équation ne correspond pas au résultat expérimental, $v = k[NO_2]^2$, cette hypothèse doit être rejetée. En fait, on croit que la réaction s'effectue en deux étapes bimoléculaires.

Étape 1   Lente $2\ NO_2\ (g)$ $\longrightarrow$ $NO_3\ (g) + NO\ (g)$

Étape 2   Rapide $NO_3\ (g) + CO\ (g) \longrightarrow NO_2\ (g) + CO_2\ (g)$

Réaction globale $NO_2\ (g) + CO\ (g) \longrightarrow NO\ (g) + CO_2\ (g)$

L'équation de vitesse de l'étape lente est en accord avec l'équation de vitesse trouvée expérimentalement.

EXERCICE 2.12 Les réactions élémentaires et les mécanismes

On utilise le procédé Raschig pour produire industriellement l'hydrazine (N_2H_4), un important agent réducteur, à partir de NH_3 et de ClO^- en solution aqueuse basique. On a proposé le mécanisme suivant.

Étape 1   Rapide $NH_3\ (aq) + ClO^-\ (aq)\ \longrightarrow NH_2Cl\ (aq) + OH^-\ (aq)$
Étape 2   Lente $NH_2Cl\ (aq) + NH_3\ (aq) \longrightarrow N_2H_5^+\ (aq) + Cl^-\ (aq)$
Étape 3   Rapide $N_2H_5^+\ (aq) + OH^-\ (aq) \longrightarrow N_2H_4\ (aq) + H_2O\ (l)$

a) Écrivez l'équation de la réaction globale.

b) Quelle est l'étape limitante?

c) Posez l'équation de vitesse de cette étape limitante.

d) Identifiez les intermédiaires de réaction.

Un autre type courant de mécanisme implique une réaction élémentaire initiale rapide, suivie d'une seconde étape lente, dans laquelle l'intermédiaire de réaction est converti en produit final. La vitesse de la réaction globale est égale à la vitesse de cette étape lente, qui dépend de la concentration de l'intermédiaire. Or, et on a là un autre aspect caractéristique des mécanismes de réaction, *la formulation de la vitesse d'une réaction élémentaire ne doit comprendre que les réactifs.* Un intermédiaire, dont on ne peut pas généralement mesurer la concentration, ne peut apparaître dans une équation de vitesse. L'exemple de l'oxydation de NO par l'oxygène illustre comment on peut contourner cette contradiction apparente.

$$2\ NO\ (g) + O_2\ (g) \longrightarrow 2\ NO_2\ (g)$$

La loi de vitesse expérimentale montre un ordre 2 par rapport à NO et un ordre 1 par rapport à O_2.

$$v = k[NO]^2[O_2]$$

Bien que les ordres de réaction soient identiques aux coefficients de l'équation équilibrée et que cette équation puisse correspondre à une réaction élémentaire trimoléculaire, des faits expérimentaux montrent que la réaction passe par un intermédiaire et comporte plusieurs étapes. On a suggéré le mécanisme suivant.

Étape 1	Rapide, équilibrée	$NO\ (g) + O_2\ (g) \underset{k_{-1}}{\overset{k_1}{\rightleftharpoons}} \cancel{OONO}\ (g)$

Étape 2	Lente, limitante	$NO\ (g) + \cancel{OONO}\ (g) \overset{k_2}{\longrightarrow} 2\ NO_2\ (g)$
Réaction globale		$2\ NO\ (g) + O_2\ (g) \longrightarrow 2\ NO_2\ (g)$

La seconde étape de cette réaction est lente et d'elle dépend la vitesse de la réaction globale.

$$v = k_2[NO][OONO]$$

Cette équation de vitesse ne peut être comparée à celle déterminée expérimentalement parce qu'elle contient la concentration d'un intermédiaire. Il faut donc tenter de l'éliminer de cette équation en l'exprimant d'une autre façon, en fonction des concentrations des réactifs.

Au début de la réaction, NO et O_2 réagissent très rapidement et produisent l'intermédiaire OONO à une vitesse égale à $k_1[NO][O_2]$. Comme la consommation de cet intermédiaire dans la seconde étape est lente, la réaction 1 a le temps de revenir en arrière : OONO peut se décomposer en NO et O_2 au lieu de réagir avec NO.

$$\text{Vitesse de décomposition de l'intermédiaire} = k_{-1}[OONO]$$

Au fur et à mesure de la formation de OONO, les concentrations de NO et de O_2 diminuent et, de ce fait, la vitesse de la réaction directe diminue. En même temps, la concentration de OONO augmente et sa vitesse de décomposition augmente. Il arrive un moment où ces deux vitesses deviennent égales et l'on atteint un état d'équilibre dans la première étape. Les deux réactions, directe et inverse, de cette première étape sont tellement plus rapides que la réaction lente de la seconde étape que l'équilibre s'établit avant qu'une quantité significative de OONO ne soit consommée par NO pour donner NO_2 (étape 2, lente). L'état d'équilibre de la première étape persiste pendant toute la durée de la réaction globale.

Puisqu'un équilibre s'établit quand les vitesses des réactions élémentaires directe et inverse deviennent identiques, on peut écrire

$$k_1[NO][O_2] = k_{-1}[OONO]$$

que l'on arrange en :

$$\frac{k_1}{k_{-1}} = \frac{[OONO]}{[NO][O_2]} = K$$

Puisque k_1 et k_{-1} sont invariables à une température donnée, K est aussi constant, d'où son nom de constante d'équilibre. De l'équation précédente, on extrait :

$$[OONO] = K[NO][O_2]$$

que l'on porte dans l'équation de vitesse de l'étape limitante.

$$v = k_2[NO][OONO] = k_2[NO]K[NO][O_2] = k_2K[NO]^2[O_2] = k'[NO]^2[O_2]$$

Cette expression est exactement celle de la loi de vitesse de la réaction globale. Cela veut dire que le mécanisme envisagé est plausible et raisonnable. Cependant, ce n'est pas le seul possible. Cette équation de vitesse est aussi celle de la réaction élémentaire trimoléculaire, de même que celle d'un autre mécanisme exposé dans l'exemple suivant.

EXEMPLE 2.14   Les mécanismes impliquant une réaction élémentaire équilibrée

La réaction précédemment décrite dans le texte pourrait aussi s'expliquer par le mécanisme suivant.

Étape 1   Rapide, équilibrée $NO\ (g)\ +\ NO\ (g)\ \underset{k_{-1}}{\overset{k_1}{\rightleftharpoons}}\ N_2O_2\ (g)$

Étape 2   Lente, limitante $N_2O_2\ (g)\ +\ O_2\ (g)\ \overset{k_2}{\longrightarrow}\ 2\ NO_2\ (g)$

Réaction globale $2\ NO\ (g)\ +\ O_2\ (g)\ \longrightarrow\ 2\ NO_2\ (g)$

Montrez que ce mécanisme conduit à la loi de vitesse expérimentale $v = k[NO]^2[O_2]$.

SOLUTION

L'équation de vitesse de l'étape lente s'écrit:

$$v = k_2[N_2O_2][O_2]$$

$[N_2O_2]$ peut s'exprimer en fonction de $[NO]$ en faisant appel aux vitesses de réactions de l'équilibre présent à la première étape, rapide.

$$k_1[NO]^2 = k_{-1}[N_2O_2] \qquad [N_2O_2] = \frac{k_1}{k_{-1}}[NO]^2$$

$$v = k_2[N_2O_2][O_2] = k_2\frac{k_1}{k_{-1}}[NO]^2[O_2]$$

Cette expression est identique à la loi de vitesse expérimentale et $k = k_2\dfrac{k_1}{k_{-1}}$.

Commentaire Trois mécanismes possibles, reflétant tous trois la loi de vitesse expérimentale, ont été proposés dans cette section pour la réaction de NO et de O_2. Lequel est le plus acceptable? On ne peut le dire *a priori*. Cependant, dans des expériences ultérieures à ces propositions, on a détecté dans le milieu réactionnel la présence très fugitive de OONO, accréditant du coup le mécanisme impliquant cet intermédiaire.

EXERCICE 2.13   Les mécanismes impliquant une étape initiale rapide

On a proposé le mécanisme suivant pour la décomposition du chlorure de nitryle (NO_2Cl).

Étape 1   Rapide, équilibrée $NO_2Cl\ (g)\ \underset{k_{-1}}{\overset{k_1}{\rightleftharpoons}}\ NO_2\ (g)\ +\ Cl\ (g)$

Étape 2   Lente $NO_2Cl\ (g)\ +\ Cl\ (g)\ \overset{k_2}{\longrightarrow}\ NO_2\ (g)\ +\ Cl_2\ (g)$

Écrivez l'équation de la réaction globale. Trouvez sa loi de vitesse à l'aide du mécanisme proposé. Quel effet produit l'accroissement de la concentration de NO_2 sur la vitesse de réaction?

Fermer
Sauvegarder
Sauvegarder sous...

(À SAUVEgarder)

LA VITESSE DES RÉACTIONS

Vitesse de réaction

Diminution de la concentration C d'un réactif ou augmentation de celle d'un produit par unité de temps

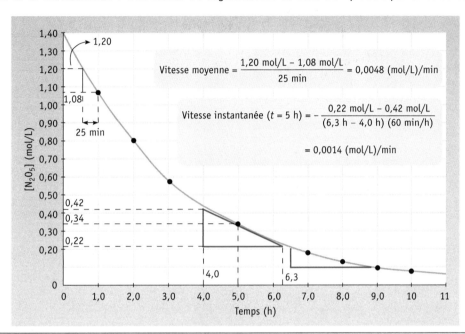

$$\text{Vitesse moyenne} = \frac{1,20 \text{ mol/L} - 1,08 \text{ mol/L}}{25 \text{ min}} = 0,0048 \text{ (mol/L)/min}$$

$$\text{Vitesse instantanée } (t = 5 \text{ h}) = -\frac{0,22 \text{ mol/L} - 0,42 \text{ mol/L}}{(6,3 \text{ h} - 4,0 \text{ h})(60 \text{ min/h})}$$

$$= 0,0014 \text{ (mol/L)/min}$$

Vitesse moyenne

Vitesse de réaction mesurée sur un intervalle de temps donné

$$v = -\frac{\Delta C}{\Delta t} \text{ pour un réactif} \qquad\qquad v = \frac{\Delta C}{\Delta t} \text{ pour un produit}$$

Vitesse instantanée (vitesse)

Vitesse de réaction à un instant donné t, égale à la valeur absolue de la pente de la tangente à la courbe $C = f(t)$ au temps t.

$$v = -\frac{dC}{dt} \text{ pour un réactif} \qquad\qquad v = \frac{dC}{dt} = \text{ pour un produit}$$

L'ÉQUATION DE VITESSE

Réaction	Exemples
a A + b B $\longrightarrow$ produits Équation (ou loi) de vitesse $$v = k[A]^m[B]^n$$ k: **constante de vitesse.** m et n: ordre par rapport à respectivement A et B. m + n: ordre global de la réaction.	$2 N_2O_5 \longrightarrow 4 NO_2 + O_2$ $v = k[N_2O_5]$ $2 NO (g) + Cl_2 (g) \longrightarrow 2 NOCl (g)$ $v = k[NO]^2[Cl_2]^1 = k[NO]^2[Cl_2]$ $2 NH_3 (g) \longrightarrow N_2 (g) + 3 H_2 (g)$ $v = k[NH_3]^0 = k$

LES ÉQUATIONS DE VITESSE INTÉGRÉES ET LES REPRÉSENTATIONS GRAPHIQUES

Ordres	Équations différentielles	Équations intégrées	Lignes droites	Pentes	Unités de k
0	$-\dfrac{d[R]}{dt} = k$	$[R] = -kt + [R]_0$	$[R] = f(t)$	$-k$	$mol \cdot L^{-1} \cdot$ unité de temps^{-1}
1	$-\dfrac{d[R]}{dt} = k[R]$	$\ln [R] = -kt + \ln [R]_0$	$\ln [R] = f(t)$	$-k$	unité de temps^{-1}
2	$-\dfrac{d[R]}{dt} = k[R]^2$	$\dfrac{1}{[R]} = kt + \dfrac{1}{[R]_0}$	$\dfrac{1}{[R]} = f(t)$	k	$L \cdot mol^{-1} \cdot$ unité de temps^{-1}

Ordre 0
$$2 \ NH_3 \ (g) \longrightarrow N_2 \ (g) + 3 \ H_2 \ (g)$$

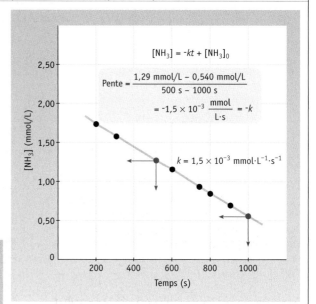

$$[NH_3] = -kt + [NH_3]_0$$

$$\text{Pente} = \frac{1,29 \ mmol/L - 0,540 \ mmol/L}{500 \ s - 1000 \ s}$$

$$= -1,5 \times 10^{-3} \ \frac{mmol}{L \cdot s} = -k$$

$$k = 1,5 \times 10^{-3} \ mmol \cdot L^{-1} \cdot s^{-1}$$

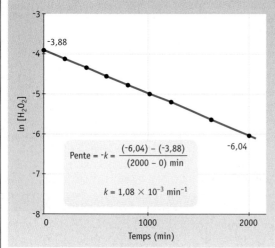

$$\text{Pente} = -k = \frac{(-6,04) - (-3,88)}{(2000 - 0) \ min}$$

$$k = 1,08 \times 10^{-3} \ min^{-1}$$

Ordre 1
$$2 \ H_2O_2 \ (aq) \longrightarrow 2 \ H_2O \ (l) + O_2 \ (g)$$

Ordre 2
$$2 \ NO_2 \ (g) \longrightarrow 2 \ NO \ (g) + O_2 \ (g)$$

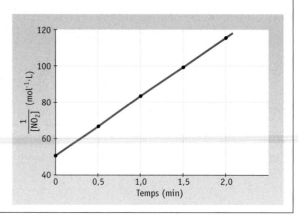

LA DEMI-VIE D'UNE RÉACTION D'ORDRE 1

Demi-vie ($t_{1/2}$)	Réaction d'ordre 1
Durée requise pour que la concentration d'un réactif diminue de moitié.	$$t_{1/2} = \frac{0,693}{k}$$ La demi-vie d'une réaction d'ordre 1 est indépendante de la concentration du réactif.

LA THÉORIE DES COLLISIONS

1. Les molécules doivent entrer en **collision** pour réagir.

a) 1 NO: 16 O_3 – 2 collisions/s   **b)** 2 NO: 16 O_3 – 4 collisions/s   **c)** 1 NO: 32 O_3 – 4 collisions/s

La vitesse de réaction dépend de la concentration des réactifs.

2. Les molécules se heurtant doivent posséder une énergie suffisante leur permettant de franchir la barrière représentée par l'**énergie d'activation (E_a).**

La vitesse de réaction dépend de la température. À une température plus élevée correspond une plus grande proportion de molécules possédant une énergie supérieure à l'énergie d'activation.

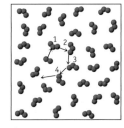

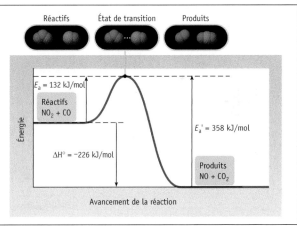

Réactifs   État de transition   Produits

E_a = 132 kJ/mol

Réactifs
NO_2 + CO

E_a' = 358 kJ/mol

$\Delta H° = -226$ kJ/mol

Produits
NO + CO_2

Énergie

Avancement de la réaction

3. L'orientation relative des molécules entrant en collision doit être telle qu'un réarrangement des atomes puisse se produire.

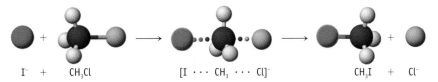

I^- + CH_3Cl $[I \cdots CH_3 \cdots Cl]^-$ CH_3I + Cl^-

Équation d'Arrhenius

Constante de vitesse   Énergie d'activation

$$\ln k = -\frac{E_a}{R}\left(\frac{1}{T}\right) + \ln A$$

Facteur de fréquence (collisions, orientation)

LA CATALYSE

Catalyseur

Substance qui accélère une réaction chimique en modifiant la façon dont elle se produit, abaissant ainsi son énergie d'activation. Non consommé dans la réaction, absent de l'équation équilibrée, mais présent dans l'équation de vitesse.

Exemple

Diagramme énergétique de la réaction d'isomérisation du *cis*-2-butène catalysée par des traces d'iode

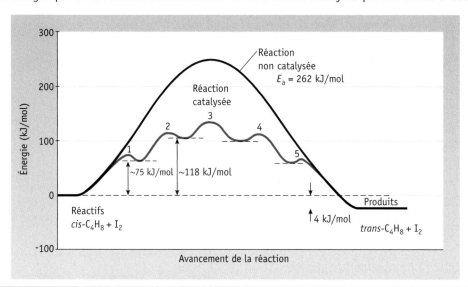

LES MÉCANISMES DE RÉACTION

Mécanisme de réaction

Explication du déroulement d'une réaction: une suite d'étapes appelées les réactions élémentaires au cours desquelles les réactifs se transforment en produit, en passant par des intermédiaires (de réaction).

Exemple

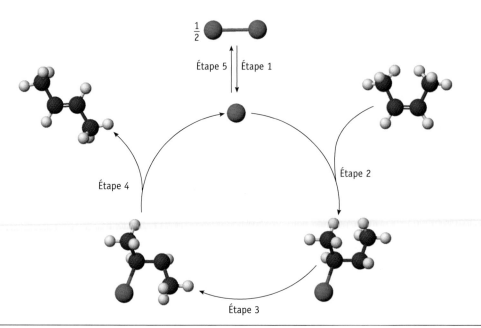

LES MÉCANISMES DE RÉACTION (*SUITE*)

Réaction élémentaire

Étape d'un mécanisme faisant intervenir un nombre restreint d'espèces [réaction *monomoléculaire* (1 espèce), *bimoléculaire* (2) ou *trimoléculaire* (3)], dont l'ordre par rapport à chacun des réactifs est identique à son coefficient stœchiométrique.

Exemple de réaction élémentaire

A $\longrightarrow$ produits	monomoléculaire	$v = k[A]$
A + B $\longrightarrow$ produits	bimoléculaire	$v = k[A][B]$
A + A $\longrightarrow$ produits	bimoléculaire	$v = k[A]^2$
2 A + B $\longrightarrow$ produits	trimoléculaire	$v = k[A]^2[B]$

Étape limitante

Étape la plus lente d'un mécanisme de réaction déterminant la vitesse d'une réaction.

Revue des concepts importants

1. À partir de la loi de vitesse : $v = k[A]^2[B]$, définissez l'ordre de réaction par rapport à A et à B. Quel en est son ordre global ?

2. L'équation $v = k[A]^2$ décrit la vitesse d'une réaction donnée. Quel est l'effet sur la vitesse
   a) lorsqu'on triple la concentration de A ?
   b) lorsqu'elle diminue de moitié ?

3. Pour une réaction d'ordre 1, par quel facteur la concentration diminue-t-elle au bout de cinq demi-vies ?

4. Quelle donnée expérimentale est-il nécessaire d'obtenir pour utiliser l'équation d'Arrhenius permettant de calculer l'énergie d'activation d'une réaction ?

5. Qu'est-ce qu'un intermédiaire de réaction ? Expliquez votre réponse à l'aide d'un mécanisme de réaction présenté dans ce chapitre.

6. Définissez le terme *catalyseur*. Quel est son effet sur le mécanisme d'une réaction ?

Exercices

La vitesse des réactions

7. Comparez la vitesse d'apparition des produits avec celle de disparition des réactifs des réactions suivantes.
   a) $2 O_3 (g) \longrightarrow 3 O_2 (g)$
   b) $2 HOF (g) \longrightarrow 2 HF (g) + O_2 (g)$

8. Lors de la réaction suivante : $2 O_3 (g) \longrightarrow 3 O_2 (g)$, la vitesse de formation de O_2 est $1,5 \times 10^{-3}$ (mol/L)/s. Quelle est la vitesse de décomposition de l'ozone ?

9. Lors de la synthèse de l'ammoniac : $N_2 (g) + 3 H_2 (g) \longrightarrow 2 NH_3 (g)$, la vitesse de disparition de l'hydrogène est égale à $4,5 \times 10^{-4}$ (mol/L)/min. À quel taux l'ammoniac se forme-t-il au même moment ?

10. L'étude de la cinétique de la réaction $A \longrightarrow 2 B$ a donné les résultats suivants.

Temps (s)	[B] (mol/L)
0,0	0,000
10,0	0,326
20,0	0,572
30,0	0,750
40,0	0,890

   a) Tracez le graphique [B] = f(t) et calculez la vitesse moyenne de formation de B pour chaque intervalle de 10 s entre 0,00 s et 40,0 s. Pourquoi ces vitesses moyennes diminuent-elles dans le temps ?
   b) Quelle relation existe-t-il entre la vitesse moyenne de disparition de [A] et celle de formation de [B] ? Calculez la vitesse moyenne de disparition de [A] entre 10,0 s et 20,0 s.

11. L'acétate de phényle, un ester, réagit avec l'eau selon l'équation suivante.

$$CH_3COC_6H_5 + H_2O \longrightarrow CH_3COH + C_6H_5OH$$
Acétate de phényle   Acide acétique   Phénol

On a recueilli les données suivantes, à la température de 5 °C.

Temps (s)	[Acétate de phényle] (mol/L)
0,0	0,55
15,0	0,42
30,0	0,31
45,0	0,23
60,0	0,17
75,0	0,12
90,0	0,085

   a) Tracez et décrivez l'allure de la courbe de la concentration d'acétate de phényle en fonction du temps.
   b) Calculez la vitesse moyenne de disparition de l'acétate de phényle entre 15,0 s et 30,0 s, et entre 75,0 s et 90,0 s. Comparez ces deux valeurs et expliquez pourquoi l'une est inférieure à l'autre.
   c) Quelle est la vitesse moyenne d'apparition du phénol entre 60,0 s et 75,0 s ?
   d) Quelle est la vitesse de formation du phénol à 15,0 s ?

Les concentrations et les équations de vitesse

12. La réaction entre l'ozone et le dioxyde d'azote, à 231 K, est d'ordre 1 par rapport à NO_2 et à O_3.

$$2 NO_2 (g) + O_3 (g) \longrightarrow N_2O_5 (s) + O_2 (g)$$

   a) Écrivez son équation de vitesse.
   b) Comment la vitesse est-elle affectée par le triplement de la concentration de NO_2 ?
   c) Quel est l'effet de la diminution de moitié de la concentration de O_3 sur la vitesse de réaction ?

13. À 660 K, l'étude de la cinétique de la réaction

$$2 NO (g) + O_2 (g) \longrightarrow 2 NO_2 (g)$$

a donné les résultats suivants.

Concentrations initiales (mol/L)		Vitesse initiale de formation de NO_2 $mol \cdot L^{-1} \cdot s^{-1}$
[NO]	[O_2]	–
0,010	0,010	$2,5 \times 10^{-5}$
0,020	0,010	$1,0 \times 10^{-4}$
0,010	0,020	$5,0 \times 10^{-5}$

a) Déterminez l'ordre de cette réaction par rapport à chaque réactif.

b) Trouvez son équation de vitesse.

c) Calculez sa constante de vitesse.

d) Calculez la vitesse de disparition de NO ((mol/L)/s), lorsque la concentration de NO est égale à 0,015 mol/L et celle de $[O_2]$ à 0,0050 mol/L.

e) Lorsque NO réagit à une vitesse de $1,0 \times 10^{-4}$ (mol/L)/s, à quelle vitesse réagit O_2 et se forme NO_2?

14. L'étude de la cinétique de la réaction

$$CO \text{ (g)} + NO_2 \text{ (g)} \longrightarrow CO_2 \text{ (g)} + NO \text{ (g)}$$

a donné les résultats suivants.

	Concentrations initiales (mol/L)		Vitesse initiale de réaction (mol·L⁻¹·h⁻¹)
	[CO]	[NO₂]	–
1	$5,0 \times 10^{-4}$	$0,36 \times 10^{-4}$	$3,4 \times 10^{-8}$
2	$5,0 \times 10^{-4}$	$0,18 \times 10^{-4}$	$1,7 \times 10^{-8}$
3	$1,0 \times 10^{-3}$	$0,36 \times 10^{-4}$	$6,8 \times 10^{-8}$
4	$1,5 \times 10^{-3}$	$0,72 \times 10^{-4}$	?

a) Quelle est l'équation de vitesse de cette réaction?

b) Quelle est sa constante de vitesse?

c) Quelle est sa vitesse initiale dans l'expérience 4?

15. L'étude de la cinétique de la réaction

$$H_2PO_4^- \text{ (aq)} + OH^- \text{ (aq)} \longrightarrow HPO_4^{2-} \text{ (aq)} + H_2O \text{ (l)}$$

a donné les résultats suivants.

	$[H_2PO_4^-]_i$ (mol/L)	$[OH^-]_i$ (mol/L)	Vitesse initiale de réaction (mol·L⁻¹·min⁻¹)
1	0,0030	0,00040	0,0020
2	0,0030	0,00080	0,0080
3	0,0090	0,00040	0,0060
4	?	0,00033	0,0020

a) Quelle est l'équation de vitesse de cette réaction?

b) Quelle est la valeur de k?

c) Quelle est la concentration initiale de $H_2PO_4^-$ dans l'expérience 4?

16. L'équation de vitesse de l'hydrolyse du sucrose en fructose et glucose,

$$C_{12}H_{22}O_{11} \text{ (aq)} + H_2O \text{ (l)} \longrightarrow 2\ C_6H_{12}O_6 \text{ (aq)}$$

est la suivante: $-\dfrac{d[C_{12}H_{22}O_{11}]}{dt} = k[C_{12}H_{22}O_{11}]$

À une température de 27 °C, la concentration du sucrose est passée de 0,0146 mol/L à 0,0132 mol/L en 2,57 h. Calculez la constante de vitesse (k).

17. La décomposition de N_2O_5 dans le tétrachlorure de carbone est une réaction d'ordre 1. Si 2,56 mg de N_2O_5 étaient présents initialement et qu'il en reste 2,50 mg après 4,26 min, à une température de 55 °C, quelle est la valeur de la constante de vitesse (k)?

18. La décomposition de SO_2Cl_2 est une réaction d'ordre 1.

$$SO_2Cl_2 \text{ (g)} + \longrightarrow SO_2 \text{ (g)} + Cl_2 \text{ (g)}$$

La constante de vitesse de cette réaction est $2,8 \times 10^{-3}$ min⁻¹, à 600 K. Au bout de combien de temps la concentration de SO_2Cl_2 passera-t-elle de $1,24 \times 10^{-3}$ mol/L à $0,31 \times 10^{-3}$ mol/L?

19. Le cyanate d'ammonium (NH_4NCO) se réarrange dans l'eau pour former de l'urée ((NH_2)$_2$CO).

$$NH_4NCO \text{ (aq)} \longrightarrow (NH_2)_2CO \text{ (aq)}$$

L'équation de vitesse pour ce processus est $v = 0,0113$ mol⁻¹·L·min⁻¹ $[NH_4NCO]^2$. Au bout de combien de temps la concentration de NH_4NCO passera-t-elle de 0,299 mol/L à 0,180 mol/L?

20. Le peroxyde d'hydrogène (H_2O_2 (aq)) se décompose en H_2O (l) et O_2 (g) selon une réaction d'ordre 1 ($k = 1,06 \times 10^{-3}$ min⁻¹).

a) Combien de temps faut-il pour décomposer 15 % de l'échantillon?

b) Combien de temps faut-il pour en décomposer 85 %?

21. La décomposition thermique de HCOOH est une réaction d'ordre 1. Sachant que la constante de vitesse est égale à $2,4 \times 10^{-3}$ s⁻¹, à une température donnée, au bout de combien de temps les trois quarts d'un échantillon quelconque seront-ils décomposés?

La demi-vie et les représentations graphiques

22. N_2O_5 se décompose en NO_2 et O_2 selon l'équation de vitesse $v = 5,0 \times 10^{-4}$ s⁻¹ $[N_2O_5]$, à une température donnée.

a) Calculez la demi-vie de N_2O_5.

b) Au bout de combien de temps la concentration de N_2O_5 chutera-t-elle à un dixième de sa valeur initiale?

23. L'azométhane gazeux ($CH_3N{=}NCH_3$) se décompose thermiquement selon une réaction d'ordre 1.

$$CH_3N{=}NCH_3 \text{ (g)} \longrightarrow N_2 \text{ (g)} + C_2H_6 \text{ (g)}$$

À $t = 0$, un récipient en contient 2,00 g. Combien en reste-t-il au temps $t = 0,0500$ min, sachant que la constante de vitesse est égale à 40,8 min⁻¹? Quelle quantité d'azote est formée pendant ce temps?

24. La demi-vie de $Xe(CF_3)_2$, un composé instable qui se décompose en libérant du xénon, est de 30 min. Vous en avez 7,50 mg au temps $t = 0$. Au bout de combien de temps n'en restera-t-il plus que 0,25 mg?

25. On utilise parfois l'or radioactif (^{198}Au) pour diagnostiquer des problèmes au foie. Sachant que la demi-vie de cet isotope est de 2,7 jours, combien reste-t-il d'un échantillon original de 5,6 mg au bout d'un jour?

26. La décomposition de SO_2Cl_2 en SO_2 et Cl_2, à haute température, est une réaction d'ordre 1. Sachant que sa demi-vie est $2,5 \times 10^3$ min, quelle fraction de SO_2Cl_2 restera-t-il après 750 min ?

27. La réaction $2\ HOF\ (g) \longrightarrow 2\ HF\ (g) + O_2\ (g)$ se produit à 25 °C. À l'aide des donnés du tableau ci-dessous, déterminez son équation et sa constante de vitesse.

Temps (min)	[HOF] (mol/L)
0	0,850
2	0,810
5	0,754
20	0,526
50	0,243

28. Soit la réaction $2\ C_2F_4 \longrightarrow C_4F_8$. La courbe $\frac{1}{[C_4F_8]}$ en fonction du temps est une droite de pente égale à $0,04\ L \cdot mol^{-1} \cdot s^{-1}$. Quelle est l'équation de vitesse de cette réaction ?

La théorie de collisions

29. Calculez l'énergie d'activation (E_a) de la réaction

$$N_2O_5\ (g) \longrightarrow 2\ NO_2\ (g) + \frac{1}{2}\ O_2\ (g)$$

à l'aide des constantes de vitesse mesurées :
k à 25 °C = $3,46 \times 10^{-5}\ s^{-1}$ et k à 55 °C = $1,5 \times 10^{-3}\ s^{-1}$.

30. La constante de vitesse d'une réaction triple lorsque la température passe de 300 K à 310 K. Quelle est son énergie d'activation ?

31. Le cyclobutane (C_4H_8) se décompose en éthylène, à haute température.

$$C_4H_8\ (g) \longrightarrow 2\ C_2H_4\ (g)$$

L'énergie d'activation (E_a) de cette réaction est de 260 kJ/mol. À 800 K, la constante de vitesse vaut $0,0315\ s^{-1}$. Calculez sa valeur à 850 K.

32. La réaction entre les molécules de H_2 et les atomes de F

$$H_2\ (g) + F\ (g) \longrightarrow HF\ (g) + H\ (g)$$

possède une énergie d'activation de 8 kJ/mol et une variation d'enthalpie de -133 kJ/mol. Représentez le diagramme énergétique de cette réaction.

Les mécanismes de réaction

33. Quelle est l'équation de vitesse de chacune des réactions élémentaires suivantes ?
   a) $NO\ (g) + NO_3\ (g) \longrightarrow 2\ NO_2\ (g)$
   b) $Cl\ (g) + H_2\ (g) \longrightarrow HCl\ (g) + H\ (g)$
   c) $(CH_3)_3CBr\ (aq) \longrightarrow (CH_3)_3C^+\ (aq) + Br^-\ (aq)$

34. L'ozone (O_3) de la haute atmosphère de la Terre se décompose selon l'équation $2\ O_3\ (g) \longrightarrow 3\ O_2\ (g)$. Un des mécanismes de cette réaction suppose une première étape rapide et réversible, suivie d'une deuxième, lente.

Étape 1 : Rapide, réversible
$$O_3\ (g) \rightleftharpoons O_2\ (g) + O\ (g)$$
Étape 2 : Lente
$$O_3\ (g) + O\ (g) \longrightarrow 2\ O_2\ (g)$$
   a) Laquelle de ces étapes est limitante ?
   b) Quelle est l'équation de vitesse de cette étape limitante ?

35. On pense que la réaction entre CH_3OH et HBr s'effectue en deux étapes. La réaction globale est exothermique.

Étape 1 : Rapide, endothermique
$$CH_3OH + H^+ \rightleftharpoons CH_3OH_2^+$$
Étape 2 : Lente
$$CH_3OH_2^+ + Br^- \longrightarrow CH_3Br + H_2O$$
   a) Trouvez une équation pour la réaction globale.
   b) Représentez son diagramme d'énergie.
   c) Démontrez que son équation de vitesse est
$$v = k[CH_3OH][H^+][Br^-]$$

36. Un mécanisme en trois étapes est proposé pour la réaction entre $(CH_3)_3CBr$ et H_2O.

Étape 1 : Lente
$$(CH_3)_3CBr \longrightarrow (CH_3)_3C^+ + Br^-$$
Étape 2 : Rapide
$$(CH_3)_3C^+ + H_2O \longrightarrow (CH_3)_3COH_2^+$$
Étape 3 : Rapide
$$(CH_3)_3COH_2^+ + Br^- \longrightarrow (CH_3)_3COH + HBr$$
   a) Écrivez une équation de la réaction globale.
   b) Quelle est l'étape limitante ?
   c) Quelle est l'équation de vitesse de cette réaction ?

Questions de révision

Ces questions peuvent combiner plusieurs concepts vus précédemment. Les numéros de couleur correspondent à des questions demandant plus de réflexion.

37. Pour déterminer la relation entre la concentration et la vitesse de la réaction suivante :
$$H_2PO_3^-\ (aq) + OH^-\ (aq) \longrightarrow HPO_3^{2-}\ (aq) + H_2O\ (l)$$
vous pourriez mesurer la concentration en OH^-, en fonction du temps à l'aide d'un pH-mètre. Pour ce faire, vous devrez vous assurer que la concentration de $H_2PO_3^-$ demeure constante en utilisant ce dernier en excès. Comment pourriez-vous prouver que cette réaction est d'ordre 2 par rapport à OH^- ?

38. La réaction cyclopropane $\longrightarrow$ propène se produit sur une surface de platine métallique à 200 °C, le platine jouant le rôle de catalyseur. La vitesse de réaction est d'ordre 1 par rapport au cyclopropane. Indiquez si les quantités suivantes augmentent, diminuent ou demeurent identiques, à température constante.
   a) [cyclopropane]   **d)** La constante de vitesse (k).
   b) [propène]   **e)** L'ordre de la réaction.
   c) [catalyseur]   **f)** La demi-vie du cyclopropane.

39. On prépare l'ammoniac à partir de la réaction :
$$N_2\ (g) + 3\ H_2\ (g) \longrightarrow 2\ NH_3\ (g)$$

À l'aide du tableau ci-dessous, répondez aux questions suivantes.

$[N_2]$ (mol/L)	$[H_2]$ (mol/L)	Vitesse (mol·L^{-1}·min^{-1})
0,03	0,01	$4,21 \times 10^{-5}$
0,06	0,01	$1,68 \times 10^{-4}$
0,03	0,02	$3,37 \times 10^{-4}$

a) Déterminez n et m de l'équation de vitesse $v = k[N_2]^n[H_2]^m$.
b) Calculez la constante de vitesse.
c) Quel est l'ordre de réaction par rapport à $[H_2]$?
d) Quel est l'ordre global de la réaction?

40. Le cyanate d'ammonium (NH_4NCO) se réarrange dans l'eau pour former de l'urée (($NH_2)_2CO$).

$$NH_4NCO \ (aq) \longrightarrow (NH_2)_2CO \ (aq)$$

Temps (min)	$[NH_4NCO]$ (mol/L)
0	0,458
$4,50 \times 10^1$	0,370
$1,07 \times 10^2$	0,292
$2,30 \times 10^2$	0,212
$6,00 \times 10^2$	0,114

a) La réaction est-elle d'ordre 1 ou d'ordre 2?
b) Calculez sa constante de vitesse.
c) Calculez la demi-vie du cyanate d'ammonium.
d) Quelle est la concentration de NH_4NCO après 12,0 h?

41. Les oxydes d'azote (NO_x) sont les principaux constituants des polluants retrouvés dans le smog. Les NO_x de l'atmosphère se transforment lentement en N_2 et en O_2 selon une réaction d'ordre 1. La demi-vie moyenne des NO_x émis dans une grande ville est d'environ 3,9 h.

Vous démarrez une expérience avec 1,5 mg de NO_x.
a) Quelle quantité vous reste-t-il après 5,25 h?
b) Au bout de combien de temps n'en restera-t-il plus que $2,50 \times 10^{-6}$ mg?

42. La décomposition du pentoxyde de diazote

$$N_2O_5 \ (g) \longrightarrow 4 \ NO_2 \ (g) + O_2 \ (g)$$

est représentée par l'équation $v = k[N_2O_5]$. Il a été démontré expérimentalement que 20 % du réactif était décomposé en 6,0 h, à 300 K. Calculez la constante de vitesse et la demi-vie, à cette température.

43. Les données du tableau suivant représentent la relation entre la température et la constante de vitesse de la réaction $N_2O_5 \ (g) \longrightarrow 2 \ NO_2 \ (g) + \frac{1}{2} O_2 \ (g)$. Déterminez graphiquement l'énergie d'activation de cette réaction.

T (K)	k (s^{-1})
338	$4,87 \times 10^{-3}$
328	$1,50 \times 10^{-3}$
318	$4,98 \times 10^{-4}$
308	$1,35 \times 10^{-4}$
298	$3,46 \times 10^{-5}$
273	$7,87 \times 10^{-7}$

44. L'iode 131, un élément radioactif utilisé pour traiter le cancer de la thyroïde, possède une demi-vie de 8,04 jours. Si l'on vous injecte 25,0 mg de $Na^{131}I$, quelle quantité sera toujours présente après 31 jours?

45. Les isotopes sont largement utilisés comme traceurs pour suivre un atome lors d'une réaction. En voici un exemple. L'acide acétique réagit avec le méthanol en produisant de l'eau et de l'acétate de méthyle.

$$CH_3COOH + CH_3OH \longrightarrow CH_3COOCH_3 + H_2O$$

Expliquez comment vous pourriez utiliser l'isotope ^{18}O pour déterminer si l'atome d'oxygène de la molécule d'eau provient du groupement -OH de l'acide ou de l'alcool.

46. La réaction

$$N_2O_5 \ (g) \longrightarrow 2 \ NO_2 \ (g) + 1/2 \ O_2 \ (g)$$

possède une énergie d'activation de 103 kJ/mol, et sa constante de vitesse est égale à 0,0900 min^{-1}, à 328 K. Que vaut cette dernière à 318 K?

47. Plusieurs réactions biochimiques sont catalysées par des acides HA, qui réagissent avec le réactif X selon le mécanisme suivant.

Étape 1	Rapide, réversible	$HA \rightleftharpoons H^+ + A^-$
Étape 2	Rapide, réversible	$X + H^+ \rightleftharpoons XH^+$
Étape 3	Lente	$XH^+ \longrightarrow$ Produits

Quelle équation de vitesse découle de ce mécanisme? Quel est l'ordre de la réaction par rapport à HA? Quel est l'effet sur la vitesse de réaction d'un doublement de la concentration de HA?

48. La décomposition de SO_2Cl_2

$$SO_2Cl_2 \ (g) \longrightarrow SO_2 \ (g) + Cl_2 \ (g)$$

est d'ordre 1 par rapport à SO_2Cl_2 et sa demi-vie est de 245 min, à 600 K. Au départ, dans un contenant de 1,0 L, la pression partielle de SO_2Cl_2 est de 3,34 kPa. Quelle sera la pression partielle du réactif et des produits après 245 minutes? Quelle sera la pression partielle de ces mêmes produits et réactifs après 12 h?

CHAPITRE 3

L'**équilibre chimique**

En découvrant comment convertir l'azote de l'air en ammoniac, produit de base dans la fabrication des engrais chimiques, Fritz Haber a sauvé de la famine et de la mort des millions de personnes.

S. B. McGrayne, *Prometheans in the Lab,* New York, McGraw-Hill, 2001, p. 58.

ÉLÉMENT DE COMPÉTENCE:

résoudre des problèmes relatifs aux équilibres chimiques.

PRÉCISIONS:

principe de Le Chatelier, équilibres en solutions aqueuses (aspects qualitatif et quantitatif).

OBJECTIFS D'APPRENTISSAGE:

▶ interpréter l'effet de différents facteurs sur le déplacement de la position d'équilibre;

▶ résoudre des exercices simples portant sur des équilibres chimiques.

Les engrais et les gaz asphyxiants

Pour accroître le rendement des récoltes, on utilise partout dans le monde des substances contenant de l'azote. Pendant des siècles, les fermiers, du Portugal au Tibet, ont recyclé les déchets des animaux en engrais naturels. Au XIXᵉ siècle, depuis le Pérou, la Bolivie et le Chili, les pays industrialisés ont importé du guano, matière riche en azote constituée de déjections d'oiseaux marins, mais l'approvisionnement était à l'évidence limité. En 1898, William Ramsey, le scientifique qui découvrit l'existence des gaz rares, signalait l'épuisement des réserves mondiales d'« azote fixé » et prévoyait une pénurie de denrées alimentaires pour le milieu du XXᵉ siècle. Grâce aux travaux de Fritz Haber, cela ne s'est pas produit.

Fritz Haber naît en 1868 à Breslau, en Silésie allemande (aujourd'hui Wroclaw, en Pologne). Sa mère meurt peu après la naissance de Fritz qui est élevé par son père, un commerçant aisé en teintures et produits chimiques. Le père désire que son fils travaille avec lui. Après un essai infructueux dans l'entreprise familiale, Fritz se consacre dès 1886 à l'étude de la chimie aux universités de Heidelberg et de Berlin, et à l'École technique supérieure de Berlin-Charlottenburg. Il obtient son doctorat, à Berlin, en 1891. Pour parfaire sa préparation qui lui permettrait finalement de se joindre à l'entreprise paternelle, il étudie le génie chimique dans différents milieux industriels. Fritz Haber travaille aussi un certain temps à l'Institut de technologie de Zurich.

Il rêve de devenir professeur, mais beaucoup d'universitaires considèrent que sa formation scientifique est trop faible et imparfaite. Qui plus est, il est Juif et, de ce fait, a peu de chances d'obtenir un poste. De façon très pragmatique, Haber se convertit alors au christianisme.

Ayant finalement délaissé l'entreprise familiale, Haber s'adonne à la

◀ **Fritz Haber (1868-1934).** Fritz Haber a mis au point la synthèse de l'ammoniac à partir de l'hydrogène et de l'azote de l'air.
Collection Oesper de l'*Histoire de la chimie,* Université de Cincinnati

recherche en chimie organique à l'université d'Iéna. Au bout d'un an et demi, il la quitte, en 1894, pour un poste de professeur adjoint à la prestigieuse École supérieure technique de Karlsruhe. Il se lance tête baissée dans l'enseignement et la recherche. Haber est nommé professeur en 1906, atteignant ainsi son but. Il se tourne alors vers un des problèmes fondamentaux de l'heure : comment convertir l'azote de l'air en une forme assimilable par les plantes ?

▲ **Injection d'ammoniac dans les champs.**
La fabrication d'engrais azotés qui fournissent l'azote nécessaire à la croissance des plantes accapare environ 90 % de la production mondiale d'ammoniac.
Arthur C. Smith III, de Grant Heilman Photography

Son assistant, l'Anglais Robert Le Rossignol, et lui découvrent que la seule façon de combiner l'azote et l'hydrogène est d'opérer à une température élevée, supérieure à 200 °C, et à très forte pression (environ 200 fois la pression atmosphérique). Bien que personne avant eux n'ait développé de méthodes susceptibles de produire de telles conditions expérimentales en laboratoire, ils y arrivent et produisent de l'ammoniac, mais la réaction est très lente. Ils savent désormais qu'il leur faut un catalyseur. Après avoir testé plusieurs substances, ils trouvent que l'osmium et l'uranium accélèrent effectivement la réaction de synthèse. Tout excité, Haber déclare à ses collègues : « Vous allez voir l'ammoniac liquide couler à flots. »

Les industriels allemands doutent de la transposition du procédé à grande échelle. De plus, il est hors de question d'utiliser l'uranium comme catalyseur. Néanmoins, l'idée paraît si pro-

metteuse que la compagnie BASF l'adopte en 1910, et une première unité de fabrication est construite sous la direction de Carl Bosch (1874-1940). Ils y effectuent plus de 10 000 expériences et testent plus de 2000 catalyseurs potentiels. On en trouve finalement un, à base d'oxyde de fer, et le brevet est déposé en 1913. Ce procédé, connu actuellement sous le nom de Haber-Bosch, est encore de nos jours le moyen le moins coûteux de « fixer l'azote de l'air ». Comme Haber reçoit à titre de redevance un pfennig (un centième de mark allemand) par kilogramme d'ammoniac produit, il devient rapidement, mais pas uniquement à cause de cela, célèbre et riche.

En 1911, Haber devient directeur du nouvel Institut de physicochimie Kaiser-Wilhelm de Berlin-Dahlem. Un fort courant nationaliste, auquel adhère Haber, règne à l'époque en Allemagne. Aussi, lorsque débute la Première Guerre mondiale, Haber met son expertise au service de son pays et travaille au Service allemand des armes chimiques, dont la mission première est le développement de gaz de combat. En 1915, il supervise la première utilisation du chlore durant la bataille tristement célèbre d'Ypres (Belgique). C'est non seulement une tragédie pour l'humanité, mais aussi une tragédie personnelle pour Haber. Sa femme, le suppliant d'arrêter ses travaux de recherche sur les gaz de combat, se suicide après son refus.

Haber reçoit le prix Nobel de chimie de 1918 pour la synthèse de l'ammoniac. Cette récompense est grandement critiquée à cause de l'implication du lauréat dans le développement des armes chimiques. La guerre terminée, Haber reprend son poste de professeur-chercheur à Berlin, où il poursuit ses travaux, plus particulièrement en thermodynamique (rappelez-vous le cycle de Born-Haber). À cause des lois antijuives promulguées par le régime nazi, Haber quitte, en 1933, l'Allemagne pour l'université de Cambridge (Angleterre). Désireux de prendre un peu de repos en Italie en passant par la Suisse, il décède d'une crise cardiaque à Bâle en janvier 1934.

L'équilibre chimique En principe, toutes les réactions chimiques sont réversibles et atteignent, si on leur en laisse le temps, un état d'équilibre dynamique caractéristique des conditions environnantes.

LA RÉACTION DIRECTE

Réactifs: ▶
$CaCl_2$ (aq) dans l'éprouvette de gauche, $NaHCO_3$ (aq) dans celle de droite.

On mélange les deux ▶
solutions. Produits: H_2O (l), CO_2 (g) et un précipité $CaCO_3$ (s). (les ions passifs Na^+ et Cl^- ne sont pas représentés.)

Ca^{2+} (aq)

HCO_3^- (aq)

$CaCO_3$ (s)

CO_2 (g)

L'ÉQUATION DE LA RÉACTION

$$Ca^{2+} \text{ (aq)} + 2\ HCO_3^- \text{ (aq)} \rightleftharpoons CaCO_3 \text{ (s)} + CO_2 \text{ (g)} + H_2O \text{ (l)}$$

LA RÉACTION INVERSE

Le précipité de carbonate ▶
de calcium se dissout dans la solution saturée de CO_2.

On peut inverser ▶
la réaction en faisant barboter du dioxyde de carbone (CO_2) dans la suspension de $CaCO_3$.

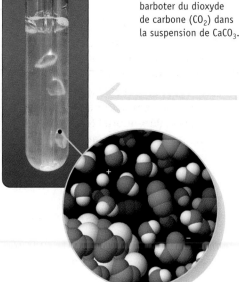

Ca^{2+} (aq) + 2 HCO_3^- (aq)

*C*e chapitre, de même que deux des trois suivants, est consacré à l'application aux réactions chimiques d'une notion fondamentale, l'équilibre. On y étudiera les conséquences de la réversibilité des réactions, de la formation dans un système fermé d'un équilibre entre les réactifs et les produits, et l'effet des facteurs extérieurs pouvant affecter la position de l'équilibre. À la suite de cette étude, il deviendra possible de décrire en termes quantitatifs la réactivité chimique des composés.

3.1 L'ÉQUILIBRE CHIMIQUE

Comment les stalactites et les stalagmites, magnifiques concrétions de carbonate de calcium, ont-elles pu se former dans les grottes calcaires (figure 3.1)? Elles sont le produit de la réversibilité des réactions. Le carbonate de calcium est présent sous forme de calcaire dans tous les dépôts souterrains, héritage des océans disparus. Sous l'action de l'eau infiltrée contenant du dioxyde de carbone, le calcaire se dissout en produisant des ions Ca^{2+} et HCO_3^-.

$$CaCO_3 \text{ (s)} + CO_2 \text{ (aq)} + H_2O \text{ (l)} \longrightarrow Ca^{2+} \text{ (aq)} + 2 \, HCO_3^- \text{ (aq)}$$

Lorsque cette eau infiltrée riche en minéraux dissous débouche dans une grotte, la réaction inverse se produit, CO_2 se dégage et le carbonate de calcium précipite.

$$Ca^{2+} \text{ (aq)} + 2 \, HCO_3^- \text{ (aq)} \longrightarrow H_2O \text{ (l)} + CO_2 \text{ (g)} + CaCO_3 \text{ (s)}$$

En laboratoire, on peut facilement illustrer la dissolution et la reprécipitation du calcaire à partir de sels solubles contenant des ions Ca^{2+} ou des ions HCO_3^-, disons $CaCl_2$ et $NaHCO_3$. Le mélange de ces deux sels dans un becher contenant de l'eau produit un dégagement gazeux de CO_2 et un précipité de $CaCO_3$ (*voir l'encadré* Point de mire). Le barbotage de CO_2 dans cette solution solubilise ce précipité: on a inversé la réaction précédente. *En principe, toutes les réactions sont réversibles.*

Que se serait-il passé si la solution initiale d'ions Ca^{2+} et HCO_3^- avait été placée dans un récipient fermé plutôt que laissée à l'air libre? Au début, les ions réagissent et donnent les produits à une certaine vitesse. Les concentrations des réactifs diminuent avec le temps et la réaction devient plus lente. Cependant, en même temps, les produits H_2O, CO_2 et $CaCO_3$ commencent à se combiner pour redonner Ca^{2+} et HCO_3^- à un rythme qui s'accentue sous l'effet de l'augmentation de leurs concentrations. Il arrive un moment où la vitesse de la réaction directe, la formation de $CaCO_3$ (s), et celle de la réaction inverse, la dissolution de $CaCO_3$ (s), deviennent égales et il ne se passe plus rien à l'échelle *macroscopique*. Le système a alors atteint l'équilibre, un état dans lequel les deux réactions directe et inverse ont toujours lieu, mais à la même vitesse, si bien qu'aucun changement *net* n'est visible (l'équilibre est représenté par le symbole $\rightleftharpoons$).

$$Ca^{2+} \text{ (aq)} + 2 \, HCO_3^- \text{ (aq)} \rightleftharpoons H_2O \text{ (l)} + CO_2 \text{ (g)} + CaCO_3 \text{ (s)}$$

Comme beaucoup de réactions, l'ionisation de l'acide acétique en solution aqueuse est réversible.

$$CH_3COOH \text{ (aq)} + H_2O \text{ (l)} \rightleftharpoons CH_3COO^- \text{ (aq)} + H_3O^+ \text{ (aq)}$$

Acide acétique · · · · · · · · · · · · Ion acétate · · Ion hydronium

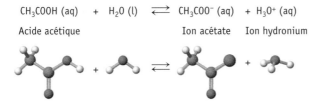

Figure 3.1 La chimie des grottes. Les stalactites tombent du plafond et les stalagmites montent à partir du sol des grottes calcaires. Ces formations géologiques illustrent très bien la réversibilité des réactions chimiques.
Arthur N. Palmer

La dissolution de 1 mol d'acide acétique dans suffisamment d'eau pour préparer une solution de concentration 1 mol/L libère des ions CH_3COO^- (aq) et H_3O^+ (aq) de concentration, à l'équilibre, 0,0042 mol/L. On obtient le même résultat en dissolvant 1 mol d'ions acétate provenant d'un sel, CH_3COONa par exemple, et 1 mol d'ions H_3O^+ provenant d'un acide fort comme HCl (aq) dans le même volume final de solution, soit 1 L.

3.2   LA CONSTANTE D'ÉQUILIBRE ET LE QUOTIENT RÉACTIONNEL

À l'équilibre, les concentrations des réactifs et des produits sont reliées par une équation mathématique. Par exemple, dans de nombreuses expériences portant sur la synthèse de HI (g) à partir de H_2 (g) et I_2 (g),

$$H_2 \text{ (g)} + I_2 \text{ (g)} \rightleftharpoons 2 \text{ HI (g)}$$

on a constaté, aux erreurs expérimentales près, que le rapport $[HI]^2/[H_2][I_2]$ était constant *à l'équilibre*, à une température donnée.

Au cours d'une expérience particulière, on a mélangé dans un ballon maintenu à 425 °C de l'hydrogène et de l'iode, tous deux de concentrations initiales 0,0175 mol/L. Avec le temps, ces concentrations diminuent et celle de HI augmente, et un état d'équilibre s'installe (figure 3.2).

L'analyse du mélange donne les résultats suivants : $[H_2] = [I_2] = 0,0037$ mol/L et $[HI] = 0,0276$ mol/L, que l'on inscrit dans un tableau iCé (« i » pour *état initial,* « C » pour *changement* et « é » pour *équilibre*).

Concentrations (mol/L)	H_2 (g)	+	I_2 (g)	$\rightleftharpoons$	2 HI (g)
initiales	0,0175		0,0175		0
Changement	-0,0138		-0,0138		+0,0276
équilibre	0,0037		0,0037		0,0276

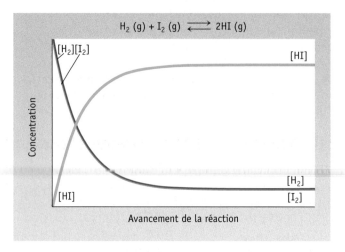

Figure 3.2 L'atteinte de l'équilibre lors de la réaction entre H_2 et I_2. Les concentrations finales à l'équilibre de HI, H_2 et I_2 dépendent des concentrations initiales en H_2 et I_2. Si les concentrations initiales sont différentes, les concentrations à l'équilibre le sont aussi, mais le rapport $[HI]^2/[H_2][I_2]$ conserve la même valeur, à condition que la température soit demeurée constante.

Le remplacement des valeurs littérales des concentrations par leurs valeurs numériques dans le rapport précédent donne

$$\frac{[HI]^2}{[H_2][I_2]} = \frac{0,0276^2}{(0,0037)(0,0037)} = 56$$

Ce rapport est constant pour toutes les expériences effectuées à la même température de 425 °C, quelle que soit la direction suivie par la réaction (directe ou inverse) et quelles que soient les concentrations initiales.

On peut généraliser ce comportement à toute réaction réversible :

$$a\,A + b\,B \rightleftharpoons c\,C + d\,D$$

pour laquelle les concentrations *à l'équilibre* sont telles que l'expression

$$\frac{[C]^c[D]^d}{[A]^a[B]^b}$$

est constante pour une température donnée. Ce rapport, appelé la **constante d'équilibre,** est habituellement symbolisé par la lettre K.

$$K = \frac{[C]^c[D]^d}{[A]^a[B]^b}$$ (Équation 3.1)

Il est important de noter que :
- les valeurs mises entre crochets, dans cette expression, représentent les concentrations des réactifs et des produits *à l'équilibre* ;
- les concentrations des produits apparaissent au numérateur ;
- les concentrations des réactifs apparaissent au dénominateur ;
- chaque concentration est élevée à la puissance de son coefficient stœchiométrique donné par l'équation équilibrée de la réaction ;
- la valeur de la constante d'équilibre dépend, en plus de la réaction évidemment, de la température ;
- les unités des constantes d'équilibre ne sont jamais précisées.

Avant d'atteindre la position d'équilibre, on appelle le **quotient réactionnel (Q)** le rapport

$$Q = \frac{[C]_i^c[D]_i^d}{[A]_i^a[B]_i^b}$$ (Équation 3.2)

dans lequel l'indice « i » affecté à chacun des facteurs signifie qu'il s'agit des concentrations avant l'atteinte de l'équilibre, bien souvent les conditions initiales.

3.2.1 L'expression de la constante d'équilibre

La constante d'équilibre peut s'écrire de différentes façons selon le type de réactions considéré. Par exemple, l'oxydation du soufre, un solide jaune, conduit au dioxyde de soufre, un gaz incolore (figure 3.3).

$$S\,(s) + O_2\,(g) \rightleftharpoons SO_2\,(g)$$

En suivant les règles, la constante d'équilibre devrait s'écrire :

$$\frac{[SO_2]}{[S][O_2]}$$

Figure 3.3 La combustion du soufre. Le soufre élémentaire brûle dans l'oxygène en formant du dioxyde de soufre. Une belle flamme bleue accompagne la réaction. Charles D. Winters

Cependant, comme le soufre est un composé solide moléculaire et que la « concentration » des molécules de tout composé solide est déterminée par sa masse volumique, [S] ne change pas durant la réaction, ou par addition ou retrait du milieu réactionnel. De plus, on constate expérimentalement que les concentrations à l'équilibre de O_2 et de SO_2 demeurent constantes, quelle que soit la quantité de soufre présente dans le milieu, pourvu qu'il y en ait. Aussi, *les concentrations des espèces solides, réactifs ou produits, n'apparaissent pas dans les constantes d'équilibre*[1]. Dans cet exemple, celle-ci s'écrit simplement :

$$K = \frac{[SO_2]}{[O_2]}$$

La même considération s'applique aux solvants qui interviennent dans les réactions. Par exemple, considérez une solution aqueuse relativement diluée d'ammoniac (l'ammoniaque), dans laquelle l'équilibre acidobasique suivant est présent.

$$NH_3\ (aq)\ +\ H_2O\ (l)\ \rightleftharpoons\ NH_4^+\ (aq)\ +\ OH^-\ (aq)$$

Comme la concentration de l'eau est très élevée par rapport à celle des autres espèces en solution, on peut considérer qu'elle demeure constante au cours de la réaction. Pour cette raison, comme pour les solides, *on l'omet dans la constante d'équilibre* qui s'écrit :

$$K = \frac{[NH_4^+][OH^-]}{[NH_3]}$$

Beaucoup de réactions se produisent en solution aqueuse, si bien que les concentrations des réactifs et des produits apparaissant dans les constantes d'équilibre répertoriées sont généralement exprimées en moles par litre. Pour refléter cette constatation, on attribue parfois l'indice « c » (pour concentration) à la constante d'équilibre (K), qui devient K_c.

Dans le cas des réactions se produisant en phase gazeuse, on peut écrire la constante d'équilibre à partir des pressions partielles des réactifs et des produits. En effet, la concentration d'un gaz A dans un mélange occupant un volume V est égale à $\frac{n_A}{V}$, n_A représentant sa quantité (mol). Comme pour un gaz idéal $\frac{n_A}{V} = \frac{P_A}{RT}$, on peut remplacer dans l'expression de la constante d'équilibre les concentrations exprimées en moles par litre par leur expression en fonction de leur pression partielle. Pour l'équilibre

$$a\ A\ (g)\ +\ b\ B\ (g)\ \rightleftharpoons\ c\ C\ (g)\ +\ d\ D\ (g)$$

la constante devient alors :

$$K_c = \frac{[C]^c[D]^d}{[A]^a[B]^b} = \frac{\left(\dfrac{P_C}{RT}\right)^c\left(\dfrac{P_D}{RT}\right)^d}{\left(\dfrac{P_A}{RT}\right)^a\left(\dfrac{P_B}{RT}\right)^b} = \frac{(P_C)^c(P_D)^d}{(P_A)^a(P_B)^b}\left(\frac{1}{RT}\right)^{[(c+d)-(a+b)]}$$

À une température donnée, $\left(\dfrac{1}{RT}\right)^{[(c+d)-(a+b)]}$ est constant, si bien que $\dfrac{(P_C)^c(P_D)^d}{(P_A)^a(P_B)^b}$ est lui aussi constant. Ce rapport constitue une autre façon d'exprimer la constante

---

1. En fait, l'expression des constantes d'équilibre provient de la thermodynamique chimique qui fait appel au concept d'*activité* des composés plutôt qu'à leurs concentrations. Lorsque les composés forment une phase à l'état pur, comme le soufre solide de l'exemple donné, leur activité est égale à 1.

d'équilibre de la réaction et est nommé K_p, l'indice « p » rappelant les pressions partielles.

$$K_c = K_p \left(\frac{1}{RT}\right)^{[(c + d) - (a + b)]} \qquad\qquad K_c = \frac{K_p}{RT^{[(c + d) - (a + b)]}}$$

En posant $\Delta n = (c + d) - (a + b)$ et en réarrangeant l'égalité précédente, on obtient :

$$K_p = K_c \, (RT)^{\Delta n}$$

Les valeurs de K_p et de K_c ne sont identiques que si Δn, la différence entre la somme des coefficients des produits *à l'état gazeux* et la somme de ceux des réactifs *à l'état gazeux* de l'équation décrivant l'équilibre, est égale à 0.

EXEMPLE 3.1 **L'expression de la constante d'équilibre**

Exprimez la constante d'équilibre (K_c) des réactions suivantes.

a) $N_2 \text{ (g)} + 3 H_2 \text{ (g)} \rightleftharpoons 2 NH_3 \text{ (g)}$

b) $H_2CO_3 \text{ (aq)} + H_2O \text{ (l)} \rightleftharpoons HCO_3^- \text{ (aq)} + H_3O^+ \text{ (aq)}$

SOLUTION

Pour exprimer une constante d'équilibre, il suffit de se rappeler que les concentrations des produits élevées à la puissance de leurs coefficients stœchiométriques figurent au numérateur, que celles des réactifs prennent place au dénominateur et que l'on omet les produits solides ou le solvant liquide.

a) $K_c = \dfrac{[NH_3]^2}{[N_2][H_2]^3}$ \qquad\qquad b) $K_c = \dfrac{[HCO_3^-][H_3O^+]}{[H_2CO_3]}$

EXERCICE 3.1 **L'expression de la constante d'équilibre**

Exprimez la constante d'équilibre (K_c) des réactions suivantes.

a) $Cu(OH)_2 \text{ (s)} \rightleftharpoons Cu^{2+} \text{ (aq)} + 2 OH^- \text{ (aq)}$

b) $CH_3COOH \text{ (aq)} + H_2O \text{ (l)} \rightleftharpoons CH_3COO^- \text{ (aq)} + H_3O^+ \text{ (aq)}$

3.2.2 La signification de la constante d'équilibre

On a rassemblé dans le tableau 3.1 (voir la page 110) quelques constantes d'équilibre de réactions très variées.

Une valeur élevée de K signifie qu'à l'équilibre les réactifs ont été transformés en produits, en grande quantité : la réaction directe est favorisée dans ce cas. La constante d'équilibre de la réaction du monoxyde d'azote et de l'ozone

$$NO \text{ (g)} + O_3 \text{ (g)} \rightleftharpoons NO_2 \text{ (g)} + O_2 \text{ (g)}$$

est égale à $K = \dfrac{[NO_2][O_2]}{[NO][O_3]} = 6 \times 10^{34}$ à 25 °C. Cette valeur, très nettement supérieure à 1 ($\gg 1$), signifie que $[NO_2][O_2]$ est bien plus grand que $[NO][O_3]$.

> $K \gg 1$: la réaction directe est favorisée et, à l'équilibre, les concentrations des produits sont nettement plus grandes que celles des réactifs.

TABLEAU 3.1 Quelques constantes d'équilibre de réactions sélectionnées

Réactions	K (à 25 °C)	Réactions favorisées
Combinaison de non-métaux		
$S\ (s) + O_2\ (g) \rightleftharpoons SO_2\ (g)$	$4{,}2 \times 10^{52}$	directe
$2\ H_2\ (g) + O_2\ (g) \rightleftharpoons 2\ H_2O\ (g)$	$3{,}2 \times 10^{81}$	directe
$N_2\ (g) + 3\ H_2\ (g) \rightleftharpoons 2\ NH_3\ (g)$	$3{,}5 \times 10^{8}$	directe
$N_2\ (g) + O_2\ (g) \rightleftharpoons 2\ NO\ (g)$	$1{,}7 \times 10^{-3}*$	inverse
Ionisation des acides et des bases		
$HCOOH\ (aq) + H_2O\ (l) \rightleftharpoons HCOO^-\ (aq) + H_3O^+\ (aq)$	$1{,}8 \times 10^{-4}$	inverse
$CH_3COOH\ (aq) + H_2O\ (l) \rightleftharpoons CH_3COO^-\ (aq) + H_3O^+\ (aq)$	$1{,}8 \times 10^{-5}$	inverse
$H_2CO_3\ (aq) + H_2O\ (l) \rightleftharpoons HCO_3^-\ (aq) + H_3O^+\ (aq)$	$4{,}2 \times 10^{-7}$	inverse
$NH_3\ (aq) + H_2O\ (l) \rightleftharpoons NH_4^+\ (aq) + OH^-\ (aq)$	$1{,}8 \times 10^{-5}$	inverse
Dissolution des sels		
$CaCO_3\ (s) \rightleftharpoons Ca^{2+}\ (aq) + CO_3^{2-}\ (aq)$	$3{,}4 \times 10^{-9}$	inverse
$AgCl\ (s) \rightleftharpoons Ag^+\ (aq) + Cl^-\ (aq)$	$1{,}8 \times 10^{-10}$	inverse

* À 2300 K.

Cette valeur très élevée de K indique que, si le mélange initial est en proportions stœchiométriques, il ne reste pratiquement plus de réactifs lorsque l'équilibre est atteint: on dit alors que la transformation est **totale.**

À l'inverse, une très faible valeur de K signifie que très peu de réactifs ont été transformés en produits et que la réaction inverse est favorisée. C'est le cas de la transformation de l'oxygène en ozone, à 25 °C.

$$\frac{3}{2}\ O_2\ (g) \rightleftharpoons O_3\ (g) \qquad K = \frac{[O_3]}{[O_2]^{\frac{3}{2}}} = 2{,}5 \times 10^{-29}, \text{ à 25 °C.}$$

$$K \ll 1: [O_3] \ll [O_2]^{\frac{3}{2}}$$

À 25 °C, très peu d'oxygène se transforme en ozone.

> $K \ll 1$: la réaction inverse est favorisée et, à l'équilibre, les concentrations des réactifs sont nettement plus grandes que celles des produits.

Lorsque la valeur de K est voisine de 1, il est difficile de savoir *a priori* laquelle des deux réactions, directe ou inverse, est favorisée. Cela dépend des coefficients stœchiométriques: il est alors nécessaire de calculer les concentrations à l'équilibre pour connaître le sens de la transformation.

EXERCICE 3.2   La position d'équilibre

a) Laquelle des deux réactions, directe ou inverse, est-elle favorisée dans les réactions réversibles suivantes?

$$Cu(NH_3)_4^{2+}\ (aq) \rightleftharpoons Cu^{2+}\ (aq) + 4\ NH_3\ (aq) \qquad K = 1{,}5 \times 10^{-13}$$
$$Cd(NH_3)_4^{2+}\ (aq) \rightleftharpoons Cd^{2+}\ (aq) + 4\ NH_3\ (aq) \qquad K = 1{,}0 \times 10^{-7}$$

b) Si les concentrations initiales en réactifs des deux réactions précédentes sont égales, dans quelle solution la concentration en NH_3 est-elle la plus élevée?

3.2.3 L'utilité du quotient réactionnel (Q)

Soit la réaction d'isomérisation du butane en 2-méthylpropane ou isobutane.

$$CH_3CH_2CH_2CH_3 \; \rightleftharpoons \; CH_3CHCH_3$$
$$|$$
$$CH_3$$

Butane $\rightleftharpoons$ Isobutane

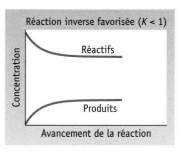

$$K = \frac{[\text{isobutane}]}{[\text{butane}]} = 2,50, \text{ à } 25\ °C.$$

La droite [isobutane] = K [butane] représente les valeurs des concentrations du butane et de l'isobutane à l'équilibre (figure 3.4). Ce graphique illustre le fait que:

– pour toute réaction chimique, il existe une multitude d'ensembles de concentrations de réactifs et de produits qui répondent aux conditions d'équilibre;

– les paires de concentrations de butane et d'isobutane qui ne sont pas situées sur la ligne ne satisfont pas aux conditions d'équilibre. Quand un système n'est pas en équilibre, il évolue de manière à ce que les concentrations des réactifs et des produits soient telles qu'elles satisfassent la constante d'équilibre.

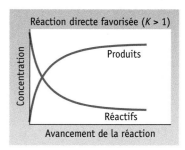

▲ *La position d'équilibre*

$K \gg 1$: les produits sont majoritaires à l'équilibre.

$K \gg 1$: les réactifs sont majoritaires à l'équilibre.

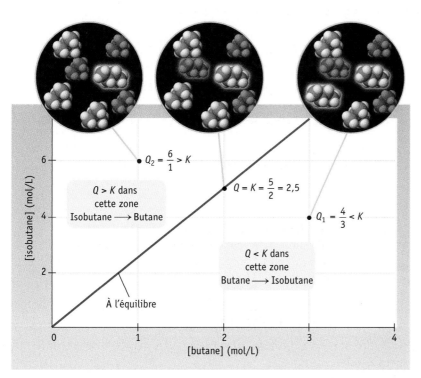

Figure 3.4 Le système butane-isobutane. La ligne droite représente toutes les concentrations de butane et d'isobutane qui satisfont l'équation $K = \frac{[\text{isobutane}]}{[\text{butane}]} = 2,50$. Lorsque $Q = K = 2,50$, le système est en équilibre. Si Q est inférieur à K, le système n'est pas en équilibre et la réaction évolue vers les produits; à l'inverse, si Q est supérieur à K, le système, qui n'est pas non plus en équilibre, évolue alors vers les réactifs.

Tout mélange de butane et d'isobutane, en équilibre ou pas, est représenté par son quotient réactionnel (Q) (équation 3.2).

$$Q = \frac{[\text{isobutane}]_i}{[\text{butane}]_i}$$

Supposez un mélange, à 25 °C, contenant 4 mol/L d'isobutane et 3 mol/L de butane. Q_1 est alors égal à $\frac{[\text{isobutane}]_i}{[\text{butane}]_i} = \frac{4 \ \text{mol/L}}{3 \ \text{mol/L}} = \frac{4}{3}$.

Le système n'est pas en équilibre, puisque Q_1 est différent de K, et le point représentatif est situé à la droite de la courbe d'équilibre de la figure 3.4 ($Q_1 < K$). Pour atteindre l'équilibre, des molécules de butane se transforment en isobutane, faisant de ce fait baisser [butane] et augmenter [isobutane]. Durant cette transformation, la valeur de Q augmente et la réaction s'arrête (échelle macroscopique) lorsqu'elle atteint $K = 2,50$.

Si, au contraire, les concentrations en isobutane et en butane sont telles que Q est supérieur à K (par exemple [isobutane] = 6,0 mol/L et [butane] = 1 mol/L; $Q_2 = 6$), le système atteint son équilibre en convertissant cette fois de l'isobutane en butane.

$Q < K$: le système n'est pas en équilibre, il évolue vers les produits (réaction directe).

$Q = K$: le système est en équilibre.

$Q > K$: le système n'est pas en équilibre, il évolue vers les réactifs (réaction inverse).

L'axe numérique de la figure 3.5 constitue un moyen mnémonique facile pour retenir ces conclusions. Le système évolue toujours de manière à rapprocher Q de K. Si Q est inférieur à K (point Q_1), il doit augmenter et Q_1 se déplace vers la droite : la réaction s'effectue aussi vers la droite pour former des produits (réaction directe). Bien sûr, si Q est supérieur à K (point Q_2), il doit diminuer et Q_2 se déplace vers la gauche : la réaction s'effectue aussi vers la gauche pour former des réactifs (réaction inverse). Lorsque Q est égal à K, il ne se passe rien d'un point de vue macroscopique, puisque le système est en équilibre.

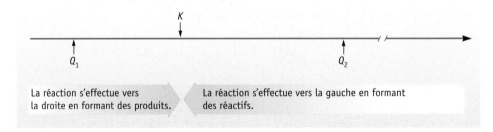

Figure 3.5 L'évolution des réactions selon les valeurs de Q. $Q_1 < K$: vers la droite (réaction directe); $Q_2 > K$: vers la gauche (réaction inverse).

EXEMPLE 3.2   Le quotient réactionnel

On mélange 0,015 mol de NO_2 et 0,025 mol de N_2O_4 dans un récipient de 1,0 L, à 298 K. À cette température, la constante d'équilibre K de la réaction est égale à 171.

$$2 \, NO_2 \, (g) \rightleftharpoons N_2O_4 \, (g)$$

Dans quelle direction le système évolue-t-il ?

SOLUTION

$$Q = \frac{[N_2O_4]_i}{[NO_2]_i^2} = \frac{0,025}{0,015^2} = 1,1 \times 10^2$$

Comme Q est inférieur à K, la réaction évolue vers la droite et une partie de NO_2 se transforme en N_2O_4.

EXERCICE 3.3 **Le quotient réactionnel**

À 2000 K, la constante d'équilibre de la réaction de formation de NO à partir de l'azote et de l'oxygène

$$N_2 \, (g) \, + \, O_2 \, (g) \rightleftharpoons 2 \, NO \, (g)$$

vaut $4,0 \times 10^{-4}$. À cette température, un mélange contenant N_2, O_2 et NO de concentrations respectives 0,50 mol/L, 0,25 mol/L et $4,2 \times 10^{-3}$ est-il en équilibre ? S'il ne l'est pas, dans quelle direction le système évolue-t-il ?

3.3 LA DÉTERMINATION D'UNE CONSTANTE D'ÉQUILIBRE

Si l'on connaît les concentrations à l'équilibre des réactifs et des produits d'une réaction, il est facile de calculer sa constante en substituant ces valeurs numériques aux valeurs littérales de son expression. Considérez, par exemple, l'oxydation du dioxyde de soufre par l'oxygène, à l'état gazeux.

$$2 \, SO_2 \, (g) \, + \, O_2 \, (g) \rightleftharpoons 2 \, SO_3 \, (g)$$

Une expérience effectuée à 852 K a donné les résultats suivants : $[SO_2] = 3,61 \times 10^{-3}$ mol/L, $[O_2] = 6,11 \times 10^{-4}$ mol/L et $[SO_3] = 1,01 \times 10^{-2}$ mol/L. La constante d'équilibre, à cette température, est égale à :

$$K = \frac{[SO_3]^2}{[SO_2]^2[O_2]} = \frac{(1,01 \times 10^{-2})^2}{(3,61 \times 10^{-3})^2 (6,11 \times 10^{-4})} = 1,28 \times 10^4, \text{ à 852 K.}$$

Il est cependant très rare que l'on mesure ou calcule, dans une expérience donnée, les concentrations de toutes les espèces à l'équilibre. Généralement, on connaît les concentrations initiales des réactifs et l'on mesure la concentration à l'équilibre d'un seul réactif ou d'un seul produit. Les concentrations à l'équilibre des autres espèces impliquées dans la réaction sont calculées à l'aide de l'équation de la réaction. Revenez à la réaction précédente et supposez que l'on ait mélangé, dans un ballon de jauge 1 L, 1,00 mol de SO_2 et 1,00 mol de O_2. À 1000 K, une fois l'équilibre atteint, le mélange contient 0,925 mol de SO_3. À l'aide d'un tableau iCé, on calcule les concentrations manquantes.

La quantité de SO_2 consommée est égale à la quantité de SO_3 formée, puisque leurs coefficients stœchiométriques sont égaux. Par contre, pour former 0,925 mol de SO_3, il n'a fallu que $\frac{0,925}{2}$ mol de O_2.

Concentrations (mol/L)	2 SO$_2$ (g)	+	O$_2$ (g)	$\rightleftharpoons$	2 SO$_3$ (g)
initiales	1,00		1,00		0
Changement	- 0,925		$\dfrac{-0,925}{2}$		+0,925
équilibre	0,075		0,5375		0,925

Donnée

Quantité de O$_2$ consommée =

$$0,925 \text{ mol de SO}_3 \text{ formée} \times \frac{1 \text{ mol de O}_2 \text{ consommée}}{2 \text{ mol de SO}_3 \text{ formées}} = \frac{0,925}{2} \text{ mol}$$

$$K = \frac{[SO_3]^2}{[SO_2]^2[O_2]} = \frac{(0,925)^2}{(0,075)^2(0,5375)} = 2,8 \times 10^2, \text{ à 1000 K.}$$

EXEMPLE 3.3   **Le calcul d'une constante d'équilibre**

On porte à 100 °C une solution aqueuse contenant 0,81 mol/L d'acétate d'éthyle (CH$_3$COOC$_2$H$_5$). À l'équilibre, sa concentration n'est plus que de 0,046 mol/L. Calculez la constante d'équilibre de sa réaction d'hydrolyse, à 100 °C.

$$\underset{\text{Acétate d'éthyle}}{CH_3COOC_2H_5 \text{ (aq)}} + H_2O \text{ (l)} \rightleftharpoons \underset{\text{Éthanol}}{C_2H_5OH \text{ (aq)}} + \underset{\text{Acide acétique}}{CH_3COOH \text{ (aq)}}$$

SOLUTION

À l'aide des concentrations initiale et à l'équilibre de l'acétate d'éthyle, on calcule le changement de concentration de ce réactif au cours de la réaction. On calcule ensuite les concentrations des produits en tenant compte de la variation observée et en se référant à l'équation de la réaction.

Concentrations (mol/L)	CH$_3$COOC$_2$H$_5$ (aq) + H$_2$O (l) $\rightleftharpoons$ C$_2$H$_5$OH (aq) + CH$_3$COOH (aq)		
initiales	0,81	0	0
Changement	- 0,764	+0,764	+0,764
équilibre	0,046	0,764	0,764

Donnée

$$K = \frac{[C_2H_5OH][CH_3COOH]}{[CH_3COOC_2H_5]} = \frac{0,764 \times 0,764}{0,046} = 13, \text{ à 100 °C.}$$

L'eau, un des réactifs, n'apparaît pas dans la constante d'équilibre, puisqu'elle agit aussi comme solvant.

EXEMPLE 3.4   **Le calcul d'une constante d'équilibre (K_p)**

Un récipient contient du sulfure d'hydrogène à une pression de 1000 kPa et à la température de 800 K. Quand la réaction

$$2 H_2S \text{ (g)} \rightleftharpoons 2 H_2 \text{ (g)} + S_2 \text{ (g)}$$

atteint l'équilibre, la pression finale est égale à 1002 kPa. Calculez K_p.

SOLUTION

Comme le volume du récipient et la température sont constants dans cette expérience, les pressions partielles des gaz, initialement et à l'équilibre, sont directement proportionnelles à leur nombre de moles. On peut donc calculer les changements de pression partielle comme on le fait habituellement avec le nombre de moles ou les concentrations.

Pressions partielles (kPa)	$2 H_2S$ (g) ⇌	$2 H_2$ (g) +	S_2 (g)
initiales	1000	0	0
Changement	$-2x$	$+2x$	$+x$
équilibre	$1000 - 2x$	$2x$	x

Donnée

La pression totale à l'équilibre est égale à la somme des pressions partielles.

$$P_{tot} = P_{H_2S} + P_{H_2} + P_{S_2} = (1000 - 2x) + 2x + x = 1000 + x = 1002$$

$$x = 2 \text{ kPa}$$

$$P_{H_2S} = 996 \text{ kPa} \qquad P_{H_2} = 4 \text{ kPa} \qquad P_{S_2} = 2 \text{ kPa}$$

$$K_p = \frac{(P_{S_2})(P_{H_2})^2}{(P_{H_2S})^2} = \frac{(2,0)(4,0)^2}{(996)^2} = 3,2 \times 10^{-5}, \text{ à 800 K.}$$

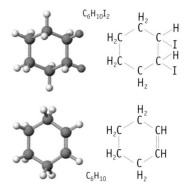

EXERCICE 3.4 **Le calcul d'une constante d'équilibre**

On dissout 0,050 mol de diiodocyclohexane ($C_6H_{10}I_2$) dans suffisamment de CCl_4 pour obtenir 1,00 L de solution. Lorsque l'équilibre est atteint, on constate que la concentration de l'iode issue de la réaction

$$C_6H_{10}I_2 \rightleftharpoons C_6H_{10} + I_2$$

est égale à 0,035 mol/L. Calculez la constante de cet équilibre.

3.4 LE CALCUL DES CONCENTRATIONS À L'ÉQUILIBRE

Dans la plupart des situations où le chimiste est mis en présence d'un équilibre, il connaît habituellement les conditions initiales et la constante (K), et il désire calculer les concentrations des espèces présentes à l'équilibre. Une légère transformation des tableaux iCé permet un tel calcul.

EXEMPLE 3.5 **Le calcul des concentrations à l'équilibre**

Un récipient fermé de 0,500 L contient initialement 1,00 mol de H_2 et 1,00 mol de I_2. Connaissant la valeur de la constante d'équilibre, $K = 55,64$ à 425 °C, de la réaction:

$$H_2 \text{ (g)} + I_2 \text{ (g)} \rightleftharpoons 2 HI \text{ (g)}$$

calculez les concentrations à l'équilibre des espèces présentes dans le mélange, à cette température.

SOLUTION

Une fois formulée la constante d'équilibre et posé le tableau iCé, il suffit d'exprimer un changement de concentration initiale par une inconnue (x) et de compléter le tableau en se référant toujours à l'équation de la réaction. Posez x = diminution de $[H_2]$. On déduit de l'équation que la concentration de I_2 a elle aussi diminué de x, alors que $[HI]$ a augmenté de $2x$, son coefficient stœchiométrique étant le double de celui de H_2.

$$[H_2]_i = \frac{1,00\ mol}{0,500\ L} = 2,00\ mol/L \qquad [I_2]_i = \frac{1,00\ mol}{0,500\ L} = 2,00\ mol/L$$

Concentrations (mol/L)	H_2 (g)	+	I_2 (g)	$\rightleftharpoons$	2 HI (g)
initiales	2,00 mol/L		2,00 mol/L		0
Changement	-x		-x		+2x
équilibre	2,00 − x		2,00 − x		2x

Donnée

$$K = \frac{[HI]^2}{[H_2][I_2]} = 55,64 = \frac{(2x)^2}{(2,00 - x)(2,00 - x)} = \left(\frac{2x}{2,00 - x}\right)^2$$

$$\sqrt{K} = 7,4592 = \frac{2x}{2,00 - x} \qquad 2x = 7,4592(2,00 - x) = 14,918 - 7,4592x$$

$$9,4592x = 14,918 \qquad\qquad\qquad\qquad\qquad\qquad\qquad\qquad x = 1,577$$

$$[H_2] = [I_2] = 2,00 - x = 2,00 - 1,577 = 0,42\ mol/L$$

$$[HI] = 2x = 3,15\ mol/L$$

Commentaire Il est toujours utile de vérifier la réponse. On peut le faire dans ce cas en recalculant la constante (K) à l'aide des valeurs trouvées à l'équilibre.

$$K = \frac{3,15^2}{(0,42)(0,42)} = 56,25$$

L'accord avec la valeur réelle, 55,64, est bon, compte tenu de la faible précision de $[H_2]$ et $[I_2]$.

EXERCICE 3.5   **Le calcul des concentrations à l'équilibre**

On place dans un récipient de l'hydrogène et de l'iode de concentrations toutes deux égales à $6,00 \times 10^{-3}$ mol/L. Connaissant la valeur de la constante d'équilibre de la réaction :

$$H_2\ (g) + I_2\ (g) \rightleftharpoons 2\ HI\ (g)$$

($K = 33$, à la température T), calculez les concentrations à l'équilibre des espèces présentes dans le mélange, à cette température T.

Il arrive presque toujours que le calcul des concentrations à l'équilibre aboutisse à une équation du second degré (équation quadratique) du type $ax^2 + bx + c = 0$. On peut résoudre algébriquement cette dernière :

$$x = \frac{-b \pm \sqrt{b^2 - 4ac}}{2a}$$

ou, quelquefois, en faisant des approximations justifiées qui simplifient les calculs.

Considérez la décomposition de PCl_5 en PCl_3 et Cl_2, à l'état gazeux, dont la constante d'équilibre vaut 1,20, à une certaine température.

$$PCl_5 \ (g) \ \rightleftharpoons \ PCl_3 \ (g) \ + \ Cl_2 \ (g)$$

Si la concentration initiale en PCl_5 est de 1,60 mol/L, quelles seront les concentrations à l'équilibre de toutes les espèces?

On procède comme dans l'exemple précédent.

Concentrations (mol/L)	$PCl_5 \ (g)$	$\rightleftharpoons$	$PCl_3 \ (g)$	$+$	$Cl_2 \ (g)$
initiales	1,60		0		0
Changement	-x		+x		+x
équilibre	1,60 − x		x		x

Donnée

$$K = \frac{[PCl_3][Cl_2]}{[PCl_5]} = 1,20 = \frac{(x)(x)}{(1,60 - x)} = \frac{x^2}{1,60 - x}$$

$$x^2 + 1,20x - 1,92 = 0$$

$$x = \frac{-b \pm \sqrt{b^2 - 4ac}}{2a} = \frac{-1,20 \pm \sqrt{1,20^2 + (4 \times 1,92)}}{2}$$

$$= \frac{-1,20 \pm \sqrt{1,44 + 7,68}}{2} = \frac{-1,20 \pm \sqrt{9,12}}{2} = \frac{-1,20 \pm 3,02}{2}$$

$$x = 0,91 \ ou \ \text{-}2,11$$

Cette équation quadratique possède deux racines, 0,91 ou -2,11, mais on ne retient que la valeur positive, une concentration ne pouvant être négative.

$$[PCl_3] = [Cl_2] = 0,91 \ mol/L \qquad\qquad [PCl_5] = 1,60 - 0,91 = 0,69 \ mol/L$$

Dans cet exemple, si K avait été très petit, la quantité de PCl_3 ou de Cl_2 formée aurait aussi été très petite et celle de PCl_5 aurait peu diminué durant la réaction. On aurait pu alors négliger x par rapport à la concentration initiale de PCl_5. Autrement dit, remplacer $(1,60 - x)$, la concentration à l'équilibre, par 1,60, la concentration initiale, aurait eu peu d'incidence sur les valeurs calculées des concentrations. L'expression au point de départ de tous les calculs, $K = \frac{x^2}{1,60 - x}$, conduisant à une équation quadratique, aurait été simplifiée en $K = \frac{x^2}{1,60}$, nettement plus facile à résoudre (une racine carrée).

Pour une réaction générale de décomposition d'un réactif en concentration initiale $[A]_0$, $A \rightleftharpoons B + C$, pour laquelle la constante d'équilibre s'exprime par l'égalité $K = \frac{[B][C]}{[A]} = \frac{x^2}{[A]_0 - x}$, on peut utiliser l'équation approchée $K \approx \frac{x^2}{[A]_0}$ sans grand risque d'erreurs, si $[A]_0 > 100 \ K$. Cependant, en cas de doute, il vaut mieux recourir à la résolution complète de l'équation quadratique.

EXEMPLE 3.6   **Le calcul des concentrations à l'équilibre**

Dès qu'un combustible brûle dans l'air à haute température, comme dans le moteur d'un véhicule, il se produit une réaction secondaire qui contribue à la pollution atmosphérique.

$$N_2 \ (g) \ + \ O_2 \ (g) \ \rightleftharpoons \ 2 \ NO \ (g)$$

À 1500 K, la constante (K) vaut $1,0 \times 10^{-5}$. Calculez les concentrations à l'équilibre, à cette température, avant combustion, des réactifs et des produits d'un mélange composé de 0,80 mol/L d'azote et de 0,20 mol/L d'oxygène.

SOLUTION

Concentrations (mol/L)	N_2 (g)	+	O_2 (g)	⇌	2 NO (g)
initiales	0,80		0,20		0
Changement	$-x$		$-x$		$+2x$
équilibre	$0,80 - x$		$0,20 - x$		$2x$

Donnée

$$K = \frac{[NO]^2}{[N_2][O_2]} = 1,0 \times 10^{-5} = \frac{(2x)^2}{(0,80 - x)(0,20 - x)}$$

Comme 100 $K = 1,0 \times 10^{-3}$ sont nettement inférieurs à la plus faible des concentrations initiales (0,20 mol/L), on peut utiliser *a priori* l'équation approchée en négligeant x par rapport à 0,80 et 0,20.

$$K = 1,0 \times 10^{-5} = \frac{(2x)^2}{(0,80)(0,20)} = \frac{4x^2}{1,60 \times 10^{-1}}$$

$$4x^2 = 1,60 \times 10^{-6} \qquad x^2 = 40,0 \times 10^{-8} \qquad x = 6,3 \times 10^{-4}$$

$$[N_2] = 0,80 - (6,3 \times 10^{-4}) = 0,80 \text{ mol/L}$$

$$[O_2] = 0,20 - (6,3 \times 10^{-4}) = 0,20 \text{ mol/L}$$

$$[NO] = 2x = 2\,(6,3 \times 10^{-4}) = 1,3 \times 10^{-4} \text{ mol/L}$$

Commentaire $x = 6,3 \times 10^{-4}$ est négligeable par rapport à 0,20.

EXERCICE 3.6   **Le calcul des concentrations à l'équilibre**

À 1000 K, le graphite et le dioxyde de carbone réagissent selon l'équation :

$$C \text{ (s)} + CO_2 \text{ (g)} \rightleftharpoons 2 \, CO \text{ (g)} \qquad K = 0,021$$

Calculez la concentration de CO une fois l'équilibre atteint, sachant que la concentration initiale en CO_2 était égale à 0,12 mol/L.

3.5 LES ÉQUATIONS CHIMIQUES ET LES CONSTANTES D'ÉQUILIBRE

Vous savez que les équations chimiques peuvent être équilibrées de différentes façons. Par exemple, l'oxydation du carbone par l'oxygène peut être représentée par :

$$C \text{ (s)} + \frac{1}{2} O_2 \text{ (g)} \rightleftharpoons CO \text{ (g)}$$

aussi bien que par :

$$2 \, C \text{ (s)} + O_2 \text{ (g)} \rightleftharpoons 2 \, CO \text{ (g)}$$

Dans la première symbolisation, la constante d'équilibre s'écrit $K_1 = \dfrac{[CO]}{[O_2]^{\frac{1}{2}}}$ et

vaut, à 25 °C, $4,6 \times 10^{23}$; dans la seconde, elle s'exprime par $K_2 = \dfrac{[CO]^2}{[O_2]}$ et vaut,

à la même température, $2,1 \times 10^{47}$. Il est facile de voir que $K_2 = K_1^2$.

$$K_2 = \frac{[CO]^2}{[O_2]} = \left(\frac{[CO]}{[O_2]^{\frac{1}{2}}} \right)^2 = K_1^2$$

Dans cet exemple, la seconde équation est obtenue en multipliant la première par deux : de ce fait, K_2 est le carré de K_1.

> Quand les coefficients stœchiométriques d'une équation équilibrée sont multipliés par un facteur donné, la constante d'équilibre correspondant à la nouvelle équation est égale à l'ancienne élevée à la puissance du facteur multiplicatif.

Considérez maintenant les réactions directe et inverse d'un même équilibre. La dissociation de l'acide formique dans l'eau s'écrit :

$$HCOOH \ (aq) + H_2O \ (l) \rightleftarrows HCOO^- \ (aq) + H_3O^+ \ (aq)$$

et la constante s'exprime par la relation :

$$K_d = \frac{[HCOO^-][H_3O^+]}{[HCOOH]} = 1,8 \times 10^{-4}, \text{ à } 25 \ °C.$$

La constante d'équilibre de la réaction inverse, le gain d'un ion H^+ par l'ion formiate, s'écrit :

$$HCOO^- \ (aq) + H_3O^+ \ (aq) \rightleftarrows HCOOH \ (aq) + H_2O \ (l)$$

$$K_i = \frac{[HCOOH]}{[HCOO^-][H_3O^+]} = 5,6 \times 10^3, \text{ à } 25 \ °C.$$

Dans ce cas, $K_i = \dfrac{1}{K_d}$.

> Les constantes d'équilibre des réactions directe et inverse sont inverses l'une de l'autre.

Finalement, considérez l'addition de deux équations chimiques permettant de rendre compte d'une équation globale. Prenez l'exemple de la dissolution d'un précipité de chlorure d'argent par l'ammoniaque (*voir la figure 3.6, page 120*), que l'on peut décomposer en deux réactions.

$$AgCl \ (s) \rightleftarrows Ag^+ \ (aq) + Cl^- \ (aq) \qquad\qquad K_1 = [Ag^+][Cl^-]$$

$$Ag^+ \ (aq) + 2 \ NH_3 \ (aq) \rightleftarrows Ag(NH_3)_2^+ \ (aq) \qquad K_2 = \frac{[Ag(NH_3)_2^+]}{[Ag^+][NH_3]^2}$$

$$\overline{AgCl \ (s) + 2 \ NH_3 \ (aq) \rightleftarrows Ag(NH_3)_2^+ \ (aq) + Cl^- \ (aq)}$$

La constante d'équilibre de la réaction globale (K) est égale au produit des deux constantes d'équilibre K_1K_2.

$$K = K_1K_2 = [Ag^+][Cl^-]\frac{[Ag(NH_3)_2^+]}{[Ag^+][NH_3]^2} = \frac{[Ag(NH_3)_2^+][Cl^-]}{[NH_3]^2}$$

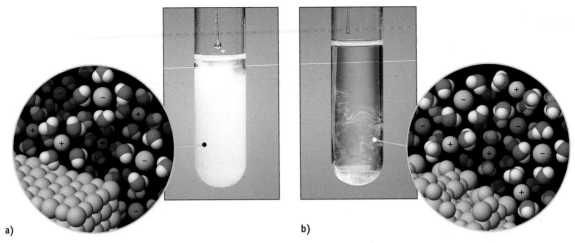

a)   b)

Figure 3.6 La dissolution du chlorure d'argent par l'ammoniaque. a) Un précipité de chlorure d'argent en suspension dans une solution aqueuse. **b)** L'ammoniac réagit avec les ions Ag⁺ présents à l'état de traces dans la solution aqueuse, l'équilibre est perturbé, et est rétabli par la dissolution du chlorure d'argent. Charles D. Winters

> Quand on additionne les équations chimiques de plusieurs réactions pour obtenir une réaction globale, la constante d'équilibre de cette dernière est égale au produit des constantes de toutes les réactions additionnées.

EXEMPLE 3.7   Les équations chimiques et les constantes d'équilibre

Un mélange d'azote, d'hydrogène et d'ammoniac est en équilibre.

$$N_2 \ (g) + 3 \ H_2 \ (g) \rightleftharpoons 2 \ NH_3 \ (g) \qquad K = 3,5 \times 10^8, \text{ à 25 °C.}$$

Trouvez les valeurs des constantes relatives aux équations suivantes.

a) $\dfrac{1}{2} \ N_2 \ (g) + \dfrac{3}{2} \ H_2 \ (g) \rightleftharpoons NH_3 \ (g)$ $\qquad (K_1)$

b) $2 \ NH_3 \ (g) \rightleftharpoons N_2 \ (g) + 3 \ H_2 \ (g)$ $\qquad (K_2)$

SOLUTION

$$K = \frac{[NH_3]^2}{[N_2][H_2]^3}$$

a) $K_1 = \dfrac{[NH_3]}{[N_2]^{\frac{1}{2}}[H_2]^{\frac{3}{2}}} = \sqrt{K} = \sqrt{3,5 \times 10^8} = 1,9 \times 10^4$

b) L'équation donnée s'applique à la réaction inverse.

$$K_2 = \frac{[N_2][H_2]^3}{[NH_3]^2} = \frac{1}{K} = \frac{1}{3,5 \times 10^8} = 2,9 \times 10^{-9}$$

EXERCICE 3.7   Les équations chimiques et les constantes d'équilibre

La constante d'équilibre de la réaction de conversion de l'oxygène en ozone est très petite, $K = 2,5 \times 10^{-29}$.

$$\frac{3}{2} \ O_2 \ (g) \rightleftharpoons O_3 \ (g)$$

Trouvez les valeurs des constantes relatives aux équations suivantes.

a) $3 O_2 (g) \rightleftharpoons 2 O_3 (g)$

b) $2 O_3 (g) \rightleftharpoons 3 O_2 (g)$

EXERCICE 3.8   **Les équations chimiques et les constantes d'équilibre**

On connaît les constantes d'équilibre des réactions suivantes, à 500 K.

$$H_2 (g) + Br_2 (g) \rightleftharpoons 2 HBr (g) \qquad K_p = 7,9 \times 10^{11}$$
$$H_2 (g) \rightleftharpoons 2 H (g) \qquad K_p = 4,8 \times 10^{-41}$$
$$Br_2 (g) \rightleftharpoons 2 Br (g) \qquad K_p = 2,2 \times 10^{-15}$$

Trouvez la valeur de la constante (K_p) de l'équilibre.

$$H (g) + Br (g) \rightleftharpoons HBr (g)$$

3.6 LE DÉPLACEMENT DE LA POSITION D'ÉQUILIBRE

On peut perturber de plusieurs façons une réaction en état d'équilibre (tableau 3.2) :

TABLEAU 3.2 Effets de différents facteurs sur le déplacement de la position d'équilibre

Perturbations	Variation des grandeurs affectées lors du retour à l'équilibre	Effets sur la position de l'équilibre	Effets sur K
Toutes les réactions			
élévation de T	absorption d'énergie thermique	déplacement dans le sens de la réaction endothermique	changement
diminution de T	dégagement d'énergie thermique	déplacement dans le sens de la réaction exothermique	changement
addition d'un réactif*	consommation d'une partie du réactif	augmentation de la concentration des produits	aucun changement
addition d'un produit*	consommation d'une partie du produit	augmentation de la concentration des réactifs	aucun changement
Réactions mettant en jeu des gaz.			
diminution de volume par accroissement de la pression	diminution de la pression	évolution dans le sens d'une diminution du nombre total de moles de gaz	aucun changement
augmentation de volume par diminution de la pression	augmentation de la pression	évolution dans le sens d'une augmentation du nombre total de moles de gaz	aucun changement

* Ne s'applique pas à un solide et au solvant, qui n'apparaissent pas dans la constante d'équilibre.

1. en modifiant la température ;

2. en changeant les concentrations des réactifs ou des produits ;

3. en modifiant le volume dans le cas des équilibres impliquant des gaz.

Le déplacement de la position d'équilibre est régi par le **principe de Le Chatelier** (*voir la section 1.3.2, page 22*). Ainsi, les systèmes en équilibre résistent au changement et évoluent de manière à contrecarrer la perturbation : le système réagit et les quantités de réactifs et de produits s'ajustent de manière à ce qu'un nouvel équilibre soit établi, c'est-à-dire, jusqu'à ce que le quotient réactionnel redevienne égal à la constante d'équilibre.

3.6.1   L'effet de la température sur la position d'équilibre

Le principe de Le Chatelier permet de prévoir l'effet de la température sur la composition d'un mélange en équilibre, à condition de savoir si la réaction est endothermique ou exothermique. À titre d'exemple, considérez la réaction endothermique de formation de NO à partir de N_2 et de O_2.

$$N_2 \text{ (g)} + O_2 \text{ (g)} \rightleftharpoons 2 \text{ NO (g)} \qquad \Delta H^0 = +180,5 \text{ kJ} \qquad K = \frac{[NO]^2}{[N_2][O_2]}$$

Température (K)	Constante d'équilibre
298	$4,5 \times 10^{-31}$
900	$6,7 \times 10^{-10}$
2300	$1,7 \times 10^{-3}$

Vous êtes environnés d'azote et d'oxygène, et savez que ces gaz ne réagissent pas entre eux de façon appréciable à une température ordinaire. Par contre, leur mélange à une température supérieure à 700 °C, comme cela se produit dans les moteurs à combustion, contient une certaine quantité de NO (*voir l'exemple 3.5, page 115*). Les constantes d'équilibre données ci-contre augmentent avec la température : cela signifie que la proportion de NO dans le mélange augmente avec cette variable.

La variation d'enthalpie accompagnant la formation de NO est positive (180,5 kJ). Si l'on augmente la température d'un mélange en équilibre, le système réagit de façon à tenter d'éliminer cette contrainte imposée de l'extérieur. Pour ce faire, il consomme une partie de l'énergie thermique fournie : le système se déplace alors dans le sens de la réaction endothermique (qui consomme de l'énergie), et de l'azote et de l'oxygène produisent du monoxyde d'azote. En conséquence, [NO] augmente dans le mélange, tandis que $[N_2]$ et $[O_2]$ diminuent : la nouvelle constante (K) est plus grande à cette température plus élevée.

À l'inverse, la formation de N_2O_4, gaz incolore, à partir de NO_2, gaz brun-rouge, est exothermique (figure 3.7).

$$2 \text{ NO}_2 \text{ (g)} \rightleftharpoons N_2O_4 \text{ (g)} \qquad \Delta H^0 = -57,2 \text{ kJ} \qquad K = \frac{[N_2O_4]}{[NO_2]^2}$$

Température (K)	Constante d'équilibre
273	1300
298	170

Ce système réagit à une hausse de température en consommant une partie de l'énergie thermique fournie : il se déplace dans le sens endothermique et la réaction inverse se produit. Une certaine quantité de N_2O_4 redonne des molécules de NO_2 : $[N_2O_4]$ diminue, $[NO_2]$ augmente et, à cette température supérieure, la nouvelle valeur de la constante (K) est plus faible. De manière semblable, on pourrait raisonner en considérant une baisse de température. Le système tente de compenser cette baisse en libérant de l'énergie thermique dans le milieu réactionnel : pour aboutir à ce résultat, la réaction exothermique se produit. Une certaine quantité de NO_2 se transforme en N_2O_4 et, à cette température plus faible, la nouvelle valeur de la constante est plus élevée.

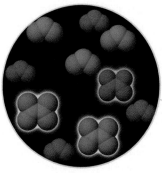
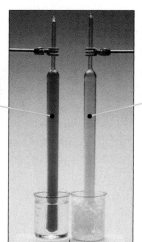
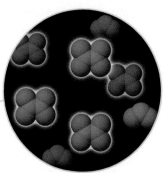

Température élevée

Température basse

Figure 3.7 L'effet de la température sur un équilibre. Les deux tubes de la photographie contiennent les gaz NO_2, brun-rouge, et N_2O_4, incolore. Comme la formation de N_2O_4 est exothermique, sa production est favorisée à basse température. La coloration du tube de droite, plongé dans un bain d'eau glacée, est plus faible que celle du tube de gauche plongé dans de l'eau à 50 °C : il contient plus de N_2O_4 incolore que celui de gauche. La constante $K = \frac{[N_2O_4]}{[NO_2]^2}$ est plus élevée à une température inférieure.

Marna G. Clarke

> Élévation de T d'un système en équilibre $\Rightarrow$ réaction endothermique favorisée.
>
> Baisse de T d'un système en équilibre $\Rightarrow$ réaction exothermique favorisée.
>
> Les valeurs de K dépendent de la température.

EXERCICE 3.9 **L'effet de la température sur la position d'équilibre**

Soit les deux équilibres :

$$2\ NOCl\ (g) \rightleftharpoons 2\ NO\ (g)\ +\ Cl_2\ (g) \qquad \Delta H^0 = +77,1\ kJ$$
$$2\ SO_2\ (g)\ +\ O_2\ (g) \rightleftharpoons 2\ SO_3\ (g) \qquad \Delta H^0 = \text{-}198\ kJ$$

Dans quelle direction une hausse de température affectera-t-elle les concentrations des réactifs ?

3.6.2 L'effet de la concentration sur la position d'équilibre

Si la valeur de la concentration à l'équilibre d'un réactif ou d'un produit d'une réaction est modifiée, à température constante, une des deux réactions, directe ou inverse, a lieu et un nouvel équilibre s'établit avec le temps. Les concentrations s'ajustent jusqu'à ce que le quotient réactionnel redevienne égal à K, la constante d'équilibre demeurant inchangée : on dit alors que l'équilibre se déplace.

Revenez à la réaction :

Butane $\rightleftharpoons$ Isobutane

Supposez que 5 mol d'isobutane soient en équilibre avec 2 mol de butane dans un récipient de 1 L. La constante (K) est égale à $\frac{5\ mol/L}{2\ mol/L} = 2,5$. On ajoute dans le mélange 7 mol d'isobutane, si bien que le quotient réactionnel, $Q = \frac{12\ mol/L}{2\ mol/L} = 6$, n'est plus égal à K. Comme Q est plus grand que K, le système réagit en consommant des molécules d'isobutane et en formant des molécules de butane (réaction inverse) : l'équilibre se déplace jusqu'à ce que Q redevienne égal à $K = 2,5$.

L'application du principe de Le Chatelier conduit à la même conclusion. L'équilibre est détruit par l'augmentation de la concentration en isobutane, le système réagit pour contrecarrer le changement imposé en consommant une partie de l'isobutane ajouté : la réaction inverse se produit.

Pour ce faire, 2 mol d'isobutane vont se transformer en 2 mol de butane : le quotient réactionnel redevient alors égal à $\frac{(10 \text{ mol/L})}{(4 \text{ mol/L})} = 2,5$, la valeur de la constante (K).

Concentrations (mol/L)	Butane	⇌	Isobutane
initiales	2		12
Changement	+x		-x
équilibre	2 + x		12 − x

Donnée

$$K = \frac{[\text{isobutane}]}{[\text{butane}]} = 2,5 = \frac{12 - x}{2 + x} \qquad 12 - x = 2,5(2 + x) = 5 + 2,5x$$

$$12 - 5 = 2,5x + x \qquad 7 = 3,5x \qquad x = 2$$

$$[\text{isobutane}] = 12 - 2 = 10 \text{ mol/L}$$

$$[\text{butane}] = 2 + 2 = 4 \text{ mol/L}$$

Le rapport de ces deux nouvelles concentrations à l'équilibre, soit 2,5, confirme l'exactitude des calculs.

EXERCICE 3.10   L'effet de la concentration sur la position d'équilibre

Un mélange de butane et d'isobutane est en équilibre lorsque leurs concentrations sont égales respectivement à 0,20 mol/L et 0,50 mol/L. On y ajoute de l'isobutane, si bien que sa concentration initiale devient 2,50 mol/L. Calculez les concentrations après le rétablissement de la situation d'équilibre.

3.6.3 L'effet du volume sur la position des équilibres comprenant une phase gazeuse

Qu'arrive-t-il aux concentrations ou aux pressions d'un système en équilibre comprenant une phase gazeuse lorsqu'on modifie son volume ? (C'est ce qui arrive au mélange essence-air comprimé dans les cylindres d'un moteur à combustion.) Comme les concentrations sont exprimées en moles par litre, un changement de volume se traduit par un changement de concentration : il est alors possible que l'équilibre se déplace comme on vient de le voir dans la section précédente.

Considérez de nouveau la réaction.

$$2 \text{ NO}_2 \text{ (g)} \rightleftharpoons \text{N}_2\text{O}_4 \text{ (g)}$$

$$K = \frac{[\text{N}_2\text{O}_4]}{[\text{NO}_2]^2} = 171, \text{ à 298 K.}$$

Supposez la situation en équilibre suivante : $[N_2O_4] = 0,0280$ mol/L et $[NO_2] = 0,0128$ mol/L. On réduit le volume de moitié, ce qui a pour effet de doubler les concentrations des deux gaz : $[N_2O_4] = 0,0560$ mol/L et $[NO_2] = 0,0256$ mol/L. Dans ces conditions, le quotient réactionnel a pour valeur $Q = \dfrac{0,0560}{0,0256^2} = \dfrac{0,0560}{6,55 \times 10^{-4}} = 85$.

Q étant inférieur à K, la réaction évolue vers la droite, vers la réaction directe : du dioxyde d'azote se transforme en tétroxyde de diazote.

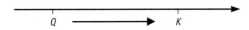

La formation de 1 mol de N_2O_4 nécessite la disparition de 2 mol de NO_2. $[NO_2]$ décroît deux fois plus rapidement que ne croît $[N_2O_4]$: le quotient Q augmente dans ce processus et un nouvel état d'équilibre est atteint lorsque sa valeur rejoint celle de la constante d'équilibre.

L'application du principe de Le Chatelier conduit évidemment au même résultat. La réduction de volume engendre automatiquement une augmentation de la pression à l'intérieur du récipient. Le système réagit pour réduire l'effet de ce changement en diminuant le nombre total de moles présent. L'équation chimique montre que 2 mol de réactif (g) se combinent pour former 1 mol de produit (g) : la diminution du volume (ou l'augmentation de pression) du système favorise le sens qui réduit le nombre de moles, le sens direct dans ce cas.

À partir de cet exemple, on peut généraliser les conclusions.

> Pour toute réaction impliquant une phase gazeuse,
> - une diminution de volume (une augmentation des pressions partielles des gaz en équilibre) est contrecarrée par le déplacement de l'équilibre dans le sens qui mène à une diminution du nombre total de moles de gaz (dans le sens où la somme des coefficients stœchiométriques des composés à l'état gazeux est la moins élevée) ;
> - une augmentation de volume (une diminution des pressions partielles des gaz en équilibre) est contrecarrée par le déplacement de l'équilibre dans le sens qui mène à une augmentation du nombre total de moles de gaz (dans le sens où la somme des coefficients stœchiométriques des composés à l'état gazeux est la plus élevée) ;
> - un changement de volume affectant une réaction où la somme des coefficients des réactifs (g) est égale à celle des produits (g) ne déplace pas la position d'équilibre.

EXERCICE 3.11   Le déplacement de la position d'équilibre

L'ammoniac est préparé industriellement à partir de ses éléments.

$$N_2\ (g) + 3\ H_2\ (g) \rightleftharpoons 2\ NH_3\ (g)$$

a) Quel est l'effet d'un ajout d'hydrogène sur la composition à l'équilibre ? D'un ajout d'ammoniac ?

b) Quel est l'effet d'une augmentation de volume sur l'équilibre ?

3.7 UNE APPLICATION INDUSTRIELLE CONCRÈTE DES ÉQUILIBRES CHIMIQUES : LE PROCÉDÉ HABER DE FABRICATION DE L'AMMONIAC

La synthèse de l'ammoniac, mise au point au début du siècle dernier par Fritz Haber (*voir l'introduction du chapitre, page 105*), constitue un bon exemple concret d'application des lois de la cinétique et de l'équilibre.

$$N_2 (g) + 3 H_2 (g) \rightleftharpoons 2 NH_3 (g)$$

À 25 °C, K (calculée) est égale à $3,5 \times 10^8$ et ΔH vaut -92,2 kJ/mol. À 450 °C, ces mêmes grandeurs valent respectivement 0,16 (valeur expérimentale) et -111,3 kJ/mol.

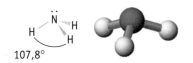

▲ **Les propriétés de l'ammoniac**

t_f = -77 °C

$t_{éb}$ = -33,4 °C (normal)

ρ = 0,6826 g/cm^3

Moment dipolaire = 1,46 D

- La réaction de synthèse de l'ammoniac est exothermique : pour favoriser sa formation, on aurait donc avantage à travailler à une température relativement basse. Cependant, la réaction est très lente à la température ambiante et l'on doit augmenter cette dernière pour accroître la vitesse.

- En faisant cela, la constante d'équilibre diminue comme le prévoit le principe de Le Chatelier. Ainsi, pour une concentration donnée des réactifs de départ, celle de NH_3 à l'équilibre devient plus faible. Pour pallier cet inconvénient, on augmente la pression (entre 8000 et 11 000 kPa). Bien que cette augmentation ne modifie pas la valeur de K, elle favorise la formation du produit, l'ammoniac, en forçant l'équilibre à se déplacer vers la droite pour diminuer le nombre total de moles dans le système.

- Pour forcer encore plus l'équilibre à évoluer vers la formation de l'ammoniac, on extrait ce produit du système en le liquéfiant par refroidissement, les réactifs, azote et hydrogène, restant à l'état gazeux dans les conditions de température et de pression retenues.

- En plus de l'augmentation de température, pour accélérer davantage la réaction, un mélange de Fe_3O_4, KOH, SiO_2 et Al_2O_3 (tous des composés peu coûteux) est employé comme catalyseur. Cependant, celui-ci n'est pas efficace à une température inférieure à 400 °C.

La température optimale d'une unité de production, issue d'un compromis entre la cinétique et l'équilibre, est d'environ 450 °C.

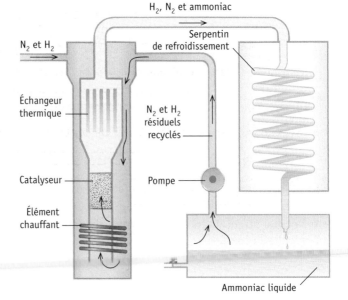

Figure 3.8 La synthèse de l'ammoniac par le procédé Haber. Un mélange de N_2 et de H_2 est pompé à travers le catalyseur. NH_3 est recueilli par refroidissement (l'ammoniac se liquéfie à -33 °C, à la pression atmosphérique) et les réactifs qui n'ont pas réagi sont recyclés.

(À SAUVE*garder*)

3

L'ÉQUILIBRE CHIMIQUE

État d'équilibre

État d'un système chimique dans lequel les deux réactions, directe et inverse, se produisent à la même vitesse.

Symbolisation : $\rightleftharpoons$

$$N_2 \text{ (g)} + 3 H_2 \text{ (g)} \rightleftharpoons 2 NH_3 \text{ (g)}$$

$$CH_3COOH \text{ (aq)} + H_2O \text{ (l)} \rightleftharpoons CH_3COO^- \text{ (aq)} + H_3O^+ \text{ (aq)}$$

$$CaCO_3 \text{ (s)} \rightleftharpoons Ca^{2+} \text{ (aq)} + CO_3^{2-} \text{ (aq)}$$

LA CONSTANTE D'ÉQUILIBRE (K OU K_p)

$$a A + b B \rightleftharpoons c C + d D$$

À l'équilibre, $K = \dfrac{[C]^c[D]^d}{[A]^a[B]^b}$ = constante, à une température donnée.

$$a A \text{ (g)} + b B \text{ (g)} \rightleftharpoons c C \text{ (g)} + d D \text{ (g)}$$

$K_c = \dfrac{[C]^c[D]^d}{[A]^a[B]^b}$ $\qquad K_p = \dfrac{(P_C)^c(P_D)^d}{(P_A)^a(P_B)^b}$ $\qquad K_p = K_c(RT)^{\Delta n}$ $\qquad \Delta n = (c + d) - (a + b)$

$S \text{ (s)} + O_2 \text{ (g)} \rightleftharpoons SO_2 \text{ (g)}$	$K = \dfrac{[SO_2]}{[O_2]}$
$NH_3 \text{ (aq)} + H_2O \text{ (l)} \rightleftharpoons NH_4^+ \text{ (aq)} + OH^- \text{ (aq)}$	$K = \dfrac{[NH_4^+][OH^-]}{[NH_3]}$

LE QUOTIENT RÉACTIONNEL ET L'ÉVOLUTION DES RÉACTIONS

$$a A + b B \rightleftharpoons c C + d D$$

$Q = \dfrac{[C]_i^c[D]_i^d}{[A]_i^a[B]_i^b}$ $\qquad$ (Indice i : concentration avant l'atteinte de l'équilibre.)

$Q < K$: le système n'est pas en équilibre, il évolue vers les produits (réaction directe).

$Q > K$: le système n'est pas en équilibre, il évolue vers les réactifs (réaction inverse).

$Q = K$: le système est en équilibre.

LE CALCUL DES CONCENTRATIONS À L'ÉQUILIBRE

Concentrations (mol/L)	PCl_5	$\rightleftharpoons$	PCl_3	$+$	Cl_2
initiales	1,60		0		0
Changement	$-x$		$+x$		$+x$
équilibre	$1,60 - x$		x		x

$$K = \frac{[PCl_3][Cl_2]}{[PCl_5]} = 1,20 = \frac{(x)(x)}{(1,60 - x)} = \frac{x^2}{1,60 - x} \qquad x^2 + 1,20x - 1,92 = 0$$

$$x = \frac{-b \pm \sqrt{b^2 - 4ac}}{2a} = \frac{-1,20 \pm \sqrt{1,20^2 + (4 \times 1,92)}}{2} = \frac{-1,20 \pm \sqrt{1,44 + 7,68}}{2}$$

$$= \frac{-1,20 \pm \sqrt{9,12}}{2} = \frac{-1,20 \pm 3,02}{2} \qquad x = 0,91$$

$$[PCl_3] = [Cl_2] = 0,91 \text{ mol/L} \qquad [PCl_5] = 1,60 - 0,91 = 0,69 \text{ mol/L}$$

LE DÉPLACEMENT DE LA POSITION D'ÉQUILIBRE

Principe de Le Chatelier

Toute modification d'un facteur influant sur les conditions d'équilibre d'un système le force à évoluer dans le sens qui réduit l'effet de ce changement.

Perturbations	Variation des grandeurs affectées lors du retour à l'équilibre	Effets sur la position de l'équilibre	Effets sur K
Toutes les réactions			
élévation de T	absorption d'énergie thermique	déplacement dans le sens de la réaction endothermique	changement
diminution de T	dégagement d'énergie thermique	déplacement dans le sens de la réaction exothermique	changement
addition d'un réactif*	consommation d'une partie du réactif	augmentation de la concentration des produits	aucun changement
addition d'un produit*	consommation d'une partie du produit	augmentation de la concentration des réactifs	aucun changement
Réactions mettant en jeu des gaz.			
diminution de volume par accroissement de la pression	diminution de la pression	évolution dans le sens d'une diminution du nombre total de moles de gaz	aucun changement
augmentation de volume par diminution de la pression	augmentation de la pression	évolution dans le sens d'une augmentation du nombre total de moles de gaz	aucun changement

* Ne s'applique pas à un solide et au solvant, qui n'apparaissent pas dans la constante d'équilibre.

Note *Toutes les constantes d'équilibre sont exprimées en mol/L, excepté* K_p, *qui est en kPa.*

Revue des concepts importants

1. Les énoncés suivants sont-ils vrais ou faux ? Corrigez ceux qui sont faux.
   a) La grandeur de la constante d'équilibre est toujours indépendante de la température.
   b) Lorsqu'on additionne deux équations chimiques pour obtenir une équation globale, la constante d'équilibre de cette dernière est égale au produit des constantes des équations additionnées.
   c) La constante d'équilibre d'une réaction inverse a la même valeur (K) que celle de la réaction directe.
   d) On ne trouve que la concentration de CO_2 dans l'expression de la constante d'équilibre de la réaction suivante.

$$CaCO_3 \text{ (s)} \rightleftharpoons CaO \text{ (s)} + CO_2 \text{ (g)}$$

   e) La valeur de K de la réaction précédente ne change pas, lorsque les concentrations (mol/L) sont remplacées par des pressions (kPa).

2. À un instant donné, le quotient de la réaction $A \rightleftharpoons B$ est inférieur à la constante d'équilibre. Dans quelle direction la transformation évolue-t-elle ?

3. La décomposition du carbonate de calcium est un processus endothermique.

$$CaCO_3 \text{ (s)} \rightleftharpoons CaO \text{ (s)} + CO_2 \text{ (g)}$$

   À l'aide du principe de Le Chatelier, expliquez comment les perturbations suivantes affectent le système en équilibre.
   a) Une hausse de température.
   b) Un ajout de $CaCO_3$.
   c) Un ajout de CO_2.

4. Pour chacune des équations chimiques suivantes, spécifiez laquelle des deux réactions, directe ou inverse, est favorisée.
   a) $CO \text{ (g)} + \frac{1}{2}O_2 \text{ (g)} \rightleftharpoons CO_2 \text{ (g)}$
   $$K_p = 1,2 \times 10^{45}$$
   b) $H_2O \text{ (g)} \rightleftharpoons H_2 \text{ (g)} + \frac{1}{2}O_2 \text{ (g)}$
   $$K_p = 9,1 \times 10^{-41}$$
   c) $CO \text{ (g)} + Cl_2 \text{ (g)} \rightleftharpoons COCl_2 \text{ (g)}$
   $$K_p = 6,5 \times 10^{11}$$

Exercices

L'expression de la constante d'équilibre

5. Exprimez les constantes d'équilibre (K_c) et (K_p) des réactions suivantes.
   a) $2 H_2O_2 \text{ (g)} \rightleftharpoons 2 H_2O \text{ (g)} + O_2 \text{ (g)}$
   b) $CO \text{ (g)} + \frac{1}{2}O_2 \text{ (g)} \rightleftharpoons CO_2 \text{ (g)}$
   c) $C \text{ (s)} + CO_2 \text{ (g)} \rightleftharpoons 2 CO \text{ (g)}$
   d) $NiO \text{ (s)} + CO \text{ (g)} \rightleftharpoons Ni \text{ (s)} + CO_2 \text{ (g)}$
   e) $Ag_2SO_4 \text{ (s)} \rightleftharpoons 2 Ag^+ \text{ (aq)} + SO_4^{2-} \text{ (aq)}$

Le quotient réactionnel

6. À 500 K, la constante d'équilibre de la dissociation des molécules d'iode en atomes vaut $5,6 \times 10^{-12}$.

$$I_2 \text{ (g)} \rightleftharpoons 2 I \text{ (g)}$$

   Le système est-il en équilibre lorsque $[I_2] = 0,020$ mol/L et $[I] = 2,0 \times 10^{-8}$ mol/L ? Sinon, dans quelle direction la transformation évolue-t-elle ?

7. À 1000 K, un mélange contient SO_2, O_2 et SO_3 de concentrations respectives $5,0 \times 10^{-3}$ mol/L, $1,9 \times 10^{-3}$ mol/L et $6,9 \times 10^{-3}$ mol/L. Ce système est-il en équilibre ? Sinon, dans quelle direction se déplace-t-il ?

$$2 SO_2 \text{ (g)} + O_2 \text{ (g)} \rightleftharpoons 2 SO_3 \text{ (g)} \qquad K = 279$$

8. La constante d'équilibre (K) de la réaction :

$$2 NOCl \text{ (g)} \rightleftharpoons 2 NO \text{ (g)} + Cl_2 \text{ (g)}$$

   est égale à $3,9 \times 10^{-3}$, à 300 °C. À cette température, un mélange contenant NOCl, NO et Cl_2, de concentrations respectives $5,0 \times 10^{-3}$ mol/L, $2,5 \times 10^{-3}$ mol/L et $2,0 \times 10^{-3}$ mol/L, est-il en équilibre ? S'il ne l'est pas, dans quelle direction la transformation évolue-t-elle ?

Le calcul d'une constante d'équilibre

9. Soit la réaction :

$$C \text{ (s)} + CO_2 \text{ (g)} \rightleftharpoons 2 CO \text{ (g)}$$

   À 700 °C, à l'équilibre, un récipient de 2,0 L contient 0,10 mol de CO, 0,20 mol de CO_2 et 0,40 mol de C.
   a) Calculez K à cette température.
   b) Calculez K, toujours à 700 °C, mais cette fois avec 0,80 mol de C à l'équilibre.
   c) Comparez les résultats obtenus aux points a) et b). La quantité de carbone modifie-t-elle la valeur de K ? Expliquez votre réponse.

10. La dissociation réversible de l'iodure d'ammonium se produit seulement à une température relativement élevée.

$$NH_4I \text{ (s)} \rightleftharpoons NH_3 \text{ (g)} + HI \text{ (g)}$$

   On chauffe à une température de 400 °C, dans un récipient fermé mis sous vide, de l'iodure d'ammonium. Lorsque le système est en équilibre, la pression totale est de 94,0 kPa. Calculez K_p.

11. Un récipient de 1,00 L contient initialement 0,010 20 mol de CO et 0,006 09 mol de Cl_2, à la température de 600 K. Quand la réaction

$$CO \text{ (g)} + Cl_2 \text{ (g)} \rightleftharpoons COCl_2 \text{ (g)}$$

   atteint l'équilibre, la concentration de Cl_2 est égale à 0,003 01 mol/L.
   a) Calculez les concentrations de CO et de $COCl_2$ à l'équilibre.
   b) Calculez K.

12. Un récipient de 8,00 L contient 3,00 mol de SO_3, à une température de 1150 K. Lorsque l'équilibre est atteint, 0,58 mol de O_2 a été formée. Calculez la constante d'équilibre à cette température.

$$2\ SO_3\ (g) \rightleftharpoons 2\ SO_2\ (g) + O_2\ (g)$$

Le calcul des concentrations à l'équilibre

13. La constante d'équilibre de la réaction d'isomérisation du butane en isobutane (ou 2-méthylpropane) vaut 2,5, à 25 °C.

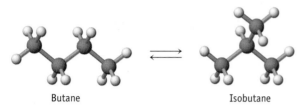

Butane   Isobutane

On introduit 0,017 mol de butane dans un ballon de 0,50 L, à 25 °C. Quelles sont les concentrations des deux isomères une fois l'équilibre atteint?

14. Un récipient de 2,00 L contient initialement 0,905 mol de I_2. Connaissant la valeur de la constante d'équilibre, $K = 3,76 \times 10^{-3}$ à 1000 K, de la réaction:

$$I_2\ (g) \rightleftharpoons 2\ I\ (g)$$

calculez la concentration des deux gaz à l'équilibre, à cette température.

15. Un récipient de 2,00 L contient initialement 0,500 mol de $COBr_2$ qui se décompose à une température de 73 °C selon la réaction suivante.

$$COBr_2\ (g) \rightleftharpoons CO\ (g) + Br_2\ (g)$$

a) Calculez les concentrations à l'équilibre de $COBr_2$, CO et Br_2 sachant que $K = 0,190$, à 73 °C.
b) Calculez le pourcentage de $COBr_2$ décomposé à cette température.

16. L'iode se dissout dans l'eau, mais il se solubilise davantage dans un solvant non polaire tel le CCl_4.

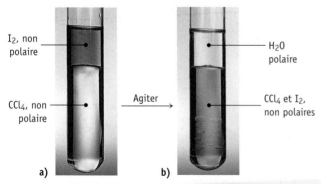

I₂, non polaire

H_2O polaire

CCl_4, non polaire

Agiter

CCl_4 et I_2, non polaires

a)   b)

▲ **Extraction de l'iode (I_2) dissous dans l'eau par le solvant non polaire CCl_4. a)** L'iode est dissous dans l'eau (couche du haut). **b)** L'iode est plus soluble dans CCl_4 que dans l'eau. Après avoir agité et laissé reposer le mélange d'eau et de CCl_4, l'iode se retrouve dans la phase la plus dense. Charles D. Winters

La constante d'équilibre de la réaction vaut 85,0.

$$I_2\ (aq) \rightleftharpoons I_2\ (CCl_4)$$

Quelle masse (g) de I_2 reste-t-il dans la phase aqueuse après avoir agité un mélange de 0,0340 g de I_2 dissous dans 100,0 mL d'eau avec 10,0 mL de CCl_4?

Les équations chimiques et les constantes d'équilibre

17. Trouvez la relation entre les constantes d'équilibre des deux réactions ci-dessous.

$$A + B \rightleftharpoons 2\ C \qquad K_1$$
$$\frac{1}{2}\ A + \frac{1}{2}\ B \rightleftharpoons C \qquad K_2$$

a) $K_2 = \dfrac{1}{2}K_1$ **c)** $K_2 = (K_1)^{\frac{1}{2}}$

b) $K_2 = K_1^{\ 2}$ **d)** $K_2 = \dfrac{1}{K_1^{\ 2}}$

18. Trouvez la relation entre les constantes d'équilibre des deux réactions suivantes.

$$SO_2\ (g) + \frac{1}{2}O_2\ (g) \rightleftharpoons SO_3\ (g) \qquad K_1$$
$$2\ SO_3\ (g) \rightleftharpoons 2\ SO_2\ (g) + O_2\ (g) \qquad K_2$$

19. Calculez la valeur de K de la réaction:

$$SnO_2\ (s) + 2\ CO\ (g) \rightleftharpoons Sn\ (s) + 2\ CO_2\ (g)$$

à l'aide des réactions suivantes.

$$SnO_2\ (s) + 2\ H_2\ (g) \rightleftharpoons Sn\ (s) + 2\ H_2O\ (g) \qquad K = 8,12$$
$$H_2\ (g) + CO_2\ (g) \rightleftharpoons H_2O\ (g) + CO\ (g) \qquad K = 0,771$$

Le déplacement de la position d'équilibre

20. La variation d'enthalpie standard de la réaction ci-dessous est de +16,1 kJ.

$$2\ NOBr\ (g) \rightleftharpoons 2\ NO\ (g) + Br_2\ (g)$$

Dans quelle direction l'équilibre se déplace-t-il si:
a) on ajoute du brome (g)?
b) on enlève un peu de NOBr?
c) on diminue la température?
d) on augmente le volume?

21. L'isomérisation du butane possède une constante d'équilibre égale à 2,5 (*voir la question 13*). Dans un mélange en équilibre, les concentrations du butane et de l'isobutane sont respectivement de 1,0 mol/L et de 2,5 mol/L.
a) Après avoir rapidement ajouté 0,50 mol/L d'isobutane, calculez la concentration de chacun des gaz une fois le nouvel équilibre atteint.
b) Après avoir rapidement ajouté 0,50 mol/L de butane au mélange initial, calculez la concentration de chacun des gaz une fois le nouvel équilibre atteint.

22. La décomposition de NH_4HS est un processus endothermique.

$$NH_4HS\ (s) \rightleftharpoons NH_3\ (g) + H_2S\ (g)$$

Considérez le système à l'équilibre. À l'aide du principe de Le Chatelier, expliquez l'effet:
a) d'une hausse de température;
b) de l'ajout de NH_4HS;
c) d'un apport d'ammoniac;
d) du retrait d'un peu de H_2S sur la pression de NH_3.

Questions de révision

Les numéros de couleur correspondent à des questions demandant plus de réflexion.

23. Dans une expérience, on chauffe 0,086 mol de Br_2 contenue dans un ballon de 1,26 L à une température suffisamment élevée pour permettre la dissociation de la molécule en ses atomes. Calculez la constante d'équilibre (K) de la réaction:

$$Br_2 \text{ (g)} \rightleftarrows 2\ Br \text{ (g)}$$

sachant que 3,7 % de Br_2 s'est dissocié.

24. La valeur de K_p de la réaction de formation du phosgène ($COCl_2$), est $6,5 \times 10^{11}$, à 25 °C.

$$CO \text{ (g)} + Cl_2 \text{ (g)} \rightleftarrows COCl_2 \text{ (g)}$$

Quelle est la valeur de K_p de la réaction de dissociation du phosphogène?

$$COCl_2 \text{ (g)} \rightleftarrows CO \text{ (g)} + Cl_2 \text{ (g)}$$

25. À 350 K, la constante d'équilibre (K_c) de la réaction suivante vaut 1,05.

$$2\ CH_2Cl_2 \text{ (g)} \rightleftarrows CH_4 \text{ (g)} + CCl_4 \text{ (g)}$$

À cette température, les concentrations à l'équilibre de CH_2Cl_2 et de CH_4 sont respectivement de 0,0206 mol/L et 0,0163 mol/L. Calculez la concentration de CCl_4 à l'équilibre.

26. On peut produire le tétrachlorure de carbone en effectuant la réaction suivante.

$$CS_2 \text{ (g)} + 3\ Cl_2 \text{ (g)} \rightleftarrows S_2Cl_2 \text{ (g)} + CCl_4 \text{ (g)}$$

Un ballon de 1,00 L contient initialement 1,2 mol de CS_2 et 3,6 mol de Cl_2. Une fois l'équilibre atteint, le mélange contient 0,90 mol de CCl_4. Calculez K.

27. Des quantités équimolaires de H_2 gazeux et de vapeur d'iode sont mélangées dans un récipient et chauffées à 700 °C. Calculez la constante d'équilibre de la réaction $H_2 \text{ (g)} + I_2 \text{ (g)} \rightleftarrows 2\ HI \text{ (g)}$, sachant que la concentration initiale de chacun des gaz est de 0,0088 mol/L, et qu'à l'équilibre une analyse révèle que 78,6 % de l'iode a réagi.

28. Considérez une réaction en phase gazeuse dans laquelle un composé incolore (I) produit un composé bleu (B).

$$2\ I \rightleftarrows B$$

Une fois le système à l'équilibre, le volume est réduit de moitié.
a) Comment l'intensité de la coloration varie-t-elle immédiatement après avoir réduit le volume?

b) Lorsque le système est de nouveau en équilibre, est-il plus coloré qu'initialement?

29. La constante d'équilibre de la réaction d'isomérisation: butane $\rightleftarrows$ isobutane vaut 2,5, à 25 °C (*voir la question 13*). Un mélange contenant 1,75 mol de butane et 1,25 mol d'isobutane est-il en équilibre? S'il ne l'est pas, quelle espèce voit augmenter sa concentration? Calculez la concentration des deux composés à l'équilibre.

30. À 2300 K, la constante d'équilibre de la réaction de formation de NO (g) est $1,7 \times 10^{-3}$.

$$N_2 \text{ (g)} + O_2 \text{ (g)} \rightleftarrows 2\ NO \text{ (g)}$$

À un instant donné, une analyse montre que les concentrations de N_2 et de O_2 sont toutes deux de 0,25 mol/L et que celle de NO est de 0,0042 mol/L.
a) Le système est-il en équilibre?
b) S'il ne l'est pas, dans quelle direction se déplace-t-il?
c) Calculez la concentration de toutes les espèces à l'équilibre.

31. Le dioxyde de soufre s'oxyde spontanément en trioxyde de soufre.

$$2\ SO_2 \text{ (g)} + O_2 \text{ (g)} \rightleftarrows 2\ SO_3 \text{ (g)} \qquad K = 279$$

On introduit 3,00 g de SO_2 et 5,00 g de O_2 dans un ballon de 1,0 L. Calculez approximativement la masse de SO_3 se trouvant dans le ballon une fois l'équilibre atteint.
a) 2,21 g   c) 4,56 g
b) 3,61 g   d) 8,00 g

32. Chauffer un carbonate de métal conduit à sa décomposition.

$$BaCO_3 \text{ (s)} \rightleftarrows BaO \text{ (s)} + CO_2 \text{ (g)}$$

Quel effet les perturbations suivantes ont-elles sur l'équilibre? Répondez par: i) Aucun. ii) Un déplacement vers la gauche. iii) Un déplacement vers la droite.
a) L'ajout de $BaCO_3$.
b) L'ajout de CO_2.
c) L'ajout de BaO.
d) Une hausse de température.
e) Une augmentation du volume du ballon réactionnel.

33. La constante d'équilibre de la réaction de décomposition du $COBr_2$ vaut 0,190, à 73 °C.

$$COBr_2 \text{ (g)} \rightleftarrows CO \text{ (g)} + Br_2 \text{ (g)}$$

Vous avez placé 0,500 mol de $COBr_2$ dans un récipient de 2,00 L et l'avez chauffé à une température de 73 °C (*voir la question 15 a*). Une fois l'équilibre atteint, vous ajoutez 2,00 mol de CO.
a) Que se passe-t-il?
b) Calculez les nouvelles concentrations de $COBr_2$, CO et Br_2 après le rétablissement de la situation d'équilibre.
c) Comparez les valeurs des degrés de dissociation de $COBr_2$ avant et après l'ajout de CO.

34. La coloration des ions Co^{2+} en solution diluée d'acide chlorhydrique varie selon la température. L'équation d'équilibre est la suivante.

$$Co(H_2O)_6^{2+} \text{ (aq)} + 4 \text{ Cl}^- \text{ (aq)} \rightleftharpoons CoCl_4^{2-} \text{ (aq)} + 6 \text{ H}_2O \text{ (l)}$$
Rose   Bleu

Sachant que l'ion $[Co(H_2O)_6]^{2+}$ (aq) est rose et l'ion $[CoCl_4]^{2-}$ (aq), bleu, déterminez si la transformation de $[Co(H_2O)_6]^{2+}$ en $[CoCl_4]^{2-}$ est exothermique ou endothermique.

▲ **Des ions Co^{2+} dans une solution d'acide chlorhydrique.** L'éprouvette de gauche se trouve dans un becher d'eau chaude, alors que celle de droite est dans un becher d'eau glacée.
Charles D. Winters

35. Le pentachlorure de phosphore se décompose à haute température.

$$PCl_5 \text{ (g)} \rightleftharpoons PCl_3 \text{ (g)} + Cl_2 \text{ (g)}$$

Un ballon de 1,00 L, à une température donnée, contient 3,120 g de PCl_5, 3,845 g de PCl_3 et 1,787 g de Cl_2 en équilibre. Dans quelle direction celui-ci se déplace-t-il si l'on ajoute 1,418 g de Cl_2? Calculez les nouvelles concentrations de PCl_5, PCl_3 et Cl_2 une fois l'équilibre rétabli.

36. À 600 °C, la constante d'équilibre de la réaction suivante vaut 4,5.

$$2 \text{ SO}_2 \text{ (g)} + O_2 \text{ (g)} \rightleftharpoons 2 \text{ SO}_3 \text{ (g)}$$

On introduit une certaine quantité de SO_3 gazeux dans un ballon de 1,00 L. À l'équilibre, on constate la présence de 2,0 mol de O_2. Quelle est la masse de SO_3 présente initialement?

37. À 25 °C, la valeur de K_p de la réaction de décomposition de NH_4HS est $1,1 \times 10^3$.

$$NH_4HS \text{ (s)} \rightleftharpoons NH_3 \text{ (g)} + H_2S \text{ (g)}$$

Calculez la pression totale exercée par le système, à l'équilibre.

38. Lors de la sublimation, le carbamate d'ammonium se dissocie en ammoniac et en dioxyde de carbone selon l'équation suivante.

$$(NH_4)(H_2NCO_2) \text{ (s)} \rightleftharpoons 2 \text{ NH}_3 \text{ (g)} + CO_2 \text{ (g)}$$

À 25 °C, la pression totale des gaz en équilibre avec le solide est de 88,2 kPa. Calculez la valeur de K_p.

39. En phase gazeuse, l'acide acétique existe sous deux formes en équilibre: un monomère et un dimère (deux molécules liées entre elles par des liaisons hydrogène).

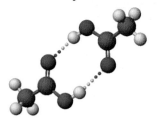

La valeur de K_c pour la réaction d'équilibre monomère-dimère vaut $3,2 \times 10^4$, à 25 °C.

$$2 \text{ CH}_3COOH \text{ (g)} \rightleftharpoons (CH_3COOH)_2 \text{ (g)}$$

Supposez qu'initialement l'acide acétique est présent seulement sous forme de monomère et que sa concentration est $5,4 \times 10^{-4}$ mol/L.
a) Calculez le pourcentage d'acide acétique converti en dimère.
b) Dans quel sens l'équilibre se déplace-t-il si la température augmente? (Rappelez-vous que la formation de liaisons hydrogène est un processus exothermique.)

40. À 450 °C, un échantillon de 3,60 mol d'ammoniac placé dans un ballon de 2,00 L se décompose en ses éléments.

$$2 \text{ NH}_3 \text{ (g)} \rightleftharpoons N_2 \text{ (g)} + 3 \text{ H}_2 \text{ (g)} \qquad K_c = 6,3$$

a) Calculez la concentration de toutes les espèces à l'équilibre.
b) Calculez la pression totale régnant dans le ballon.

41. La pression totale exercée par un mélange de N_2O_4 et de NO_2 est de 152,0 kPa. Calculez la pression partielle de chacun de ces gaz sachant qu'à 25 °C la constante d'équilibre K_p vaut 0,679.

$$2 \text{ NO}_2 \text{ (g)} \rightleftharpoons N_2O_4 \text{ (g)}$$

42. À 25 °C, la valeur de K_c de la réaction de décomposition de NH_4HS est $1,8 \times 10^{-4}$.

$$NH_4HS \text{ (s)} \rightleftharpoons NH_3 \text{ (g)} + H_2S \text{ (g)}$$

a) Calculez la concentration des deux gaz une fois le système en équilibre.
b) Un échantillon de NH_4HS est placé dans un récipient contenant déjà 0,060 mol/L de NH_3. Calculez la concentration des espèces gazeuses une fois l'équilibre établi.

43. De l'eau liquide se trouve dans un contenant fermé. Après quelque temps, elle s'évapore et un équilibre s'établit. Le processus H_2O (g) $\rightleftharpoons$ H_2O (l) est-il un état d'équilibre dynamique? Comparez la vitesse d'évaporation à celle de condensation avant que le système ne soit en équilibre et une fois que celui-ci sera atteint.

44. L'oxalate de lanthane se décompose thermiquement en oxyde de lanthane, en CO et en CO_2.

$$La_2(C_2O_4)_3 \text{ (s)} \rightleftharpoons La_2O_3 \text{ (s)} + 3 \text{ CO (g)} + 3 \text{ CO}_2 \text{ (g)}$$

a) Quelle est la valeur de K_p, sachant que, dans un ballon de 10,0 L, la pression totale est de 20,0 kPa, à 100 °C?

b) Supposez que 0,100 mol de $La_2(C_2O_4)_3$ a été placée initialement dans ce ballon. À l'équilibre, combien de moles de $La_2(C_2O_4)_3$ n'ont pas réagi?

45. À 100 °C, la constante d'équilibre K_p de la réaction de dissociation du complexe gazeux $(NH_3)B(CH_3)_3$ est égale à 468.

$$(NH_3)B(CH_3)_3 \rightleftharpoons B(CH_3)_3 + NH_3$$

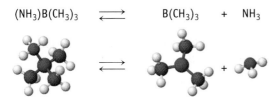

La constante d'équilibre de la réaction est différente lorsque le groupement NH_3 du complexe est remplacé par une autre molécule.

Pour $[(CH_3)_3P]B(CH_3)_3$ $K_p = 13,0$
Pour $[(CH_3)_3N]B(CH_3)_3$ $K_p = 47,8$
Pour $(NH_3)B(CH_3)_3$ $K_p = 468$

a) On introduit dans un récipient 0,010 mol du premier complexe, dans un autre la même quantité du deuxième complexe et, dans un dernier, la même quantité du troisième complexe. Dans quel récipient $B(CH_3)_3$ exerce-t-il la plus grande pression, à 100 °C?

b) On introduit dans un récipient de 100 mL 0,730 g de $(NH_3)B(CH_3)_3$ et on le chauffe à 100 °C. Calculez:
   i) la pression partielle à l'équilibre de toutes les espèces;
   ii) la pression totale;
   iii) le degré de dissociation de $(NH_3)B(CH_3)_3$.

46. Le calcaire se décompose à une température élevée.

$$CaCO_3 \text{ (s)} \rightleftharpoons CaO \text{ (s)} + CO_2 \text{ (g)}$$

À 1000 °C, $K_p = 391$. On chauffe à cette température un échantillon de $CaCO_3$ dans un récipient de 5,00 L. Quelle masse minimale de $CaCO_3$ doit se décomposer pour atteindre l'équilibre?

47. L'hémoglobine (Hb) peut former un complexe avec O_2, (HbO_2) ou avec CO, (HbCO).
À la température du corps, ces deux complexes sont en équilibre avec les deux gaz. (K vaut environ $2,0 \times 10^2$.)

$$HbO_2 \text{ (aq)} + CO \text{ (g)} \rightleftharpoons HbCO \text{ (aq)} + O_2 \text{ (g)}$$

Il y a danger de mort lorsque la valeur du rapport $[HbCO]/[HbO_2]$ est près de 1. Dans ce cas, quelle est la pression partielle de CO dans l'air? (Considérez que celle de O_2 est de 20 kPa.)

48. À 1800 K, une faible quantité d'oxygène se dissocie en ses atomes.

$$O_2 \text{ (g)} \rightleftharpoons 2 \text{ O (g)} \qquad K_p = 1,2 \times 10^{-8}$$

Si 1,0 mol de O_2 se trouve dans un contenant de 10 L, combien d'atomes O sont présents, à 1800 K, dans le contenant une fois l'équilibre atteint?

49. Le bromure de nitrosyle (NOBr) se dissocie à la température ambiante.

$$NOBr \text{ (g)} \rightleftharpoons NO \text{ (g)} + \frac{1}{2} Br_2 \text{ (g)}$$

À 25 °C, à l'équilibre, on constate que la pression totale dans un récipient contenant initialement une certaine quantité de NOBr est de 25 kPa et que 34 % du composé s'est dissocié. Calculez K_p.

La **chimie** des **solutions acides et basiques**

Nos mères nous disaient toujours: « Ne mange pas les feuilles de rhubarbe! ».

Les acides dans la nature

Quand nous étions petits, nos mères et grands-mères nous interdisaient de manger les feuilles de rhubarbe parce qu'elles pouvaient nous rendre très malades! On la cultivait dans les jardins pour leurs tiges, qui, cuites dans un peu d'eau et sucrées abondamment, donnaient une délicieuse compote. Mais, pourquoi ne pas consommer les feuilles?

C'est qu'elles contiennent une grande quantité d'un composé organique, l'acide oxalique ($H_2C_2O_4$),

$$H_2C_2O_4 \text{ (aq)} + H_2O \text{ (l)} \rightleftharpoons$$
$$HC_2O_4^- \text{ (aq)} + H_3O^+ \text{ (aq)}$$

$$HC_2O_4^- \text{ (aq)} + H_2O \text{ (l)} \rightleftharpoons$$
$$C_2O_4^{2-} \text{ (aq)} + H_3O^+ \text{ (aq)}$$

qui interfère avec des éléments essentiels à la vie, des éléments si importants qu'une carence en l'un ou l'autre d'entre eux peut entraîner de graves anomalies dans la croissance des êtres et parfois même leur mort. Seulement 11 éléments parmi les 113 connus sont présents en grande quantité dans les systèmes biologiques, à peu près toujours dans les mêmes proportions.

▲ **La rhubarbe, une des sources naturelles de nombreux acides organiques**
Les tiges et les feuilles de la rhubarbe contiennent, entre autres choses, des acides oxalique, citrique, acétique et succinique.
David Tumley/2002 Corbis Images

Présence des éléments essentiels dans le corps humain

Éléments	Fractions massiques (%)
oxygène	65
carbone	18
hydrogène	10
azote	3
calcium	1,5
phosphore	1,2
potassium, soufre, chlore	0,2
sodium	0,1
magnésium	0,05
fer, cobalt, cuivre, zinc, iode	< 0,05
sélénium, fluor	< 0,01

L'acide oxalique réagit avec les ions fer, magnésium et, plus particulièrement, calcium présents dans l'organisme. Il forme avec ce dernier un sel très peu soluble.

$$Ca^{2+} \ (aq) + C_2O_4^{2-} \ (aq) \rightleftharpoons CaC_2O_4 \ (s)$$

L'acide oxalique non seulement élimine de l'organisme des ions calcium indispensables, mais aussi contribue à la formation de calculs dans les reins ou dans la vessie. On prescrit donc aux personnes susceptibles de développer des calculs rénaux une diète faible en acide; ces personnes doivent spécialement faire attention à la quantité de vitamine C qu'elles ingurgitent, celle-ci se transformant en acide oxalique dans leur organisme.

On a aussi rapporté que des personnes étaient mortes à la suite de l'ingestion accidentelle d'antigel composé essentiellement d'éthylèneglycol: celui-ci se transforme aussi en acide oxalique dans l'organisme.

Il se trouve en fait dans les tiges et les feuilles de nombreuses plantes, comme les choux, les épinards et les betteraves, mais aussi dans d'autres produits comestibles tels que le chocolat, les arachides et le thé. Tout cela fait qu'une personne en consomme en moyenne 150 mg par jour… très loin de la dose létale de 24 g pour un individu de 65 kg. Pour atteindre cette dose fatale, il vous faudrait manger un champ entier de feuilles de rhubarbe!

En dépit des risques somme toute mineurs causés par une consommation trop élevée de rhubarbe, elle a été cultivée depuis des millénaires pour ses propriétés bienfaisantes à la santé. Elle fait partie depuis des siècles de la pharmacopée traditionnelle chinoise: elle était si précieuse que les empereurs de Chine des XVIIIᵉ et XIXᵉ siècles en ont interdit l'exportation. Elle fut malgré tout cultivée en Russie et plus tard en Angleterre. Elle apparut sur le continent nord-américain vers 1800.

◄ **La précipitation de l'oxalate de calcium.** De l'oxalate de calcium précipite lors du mélange d'une solution d'acide oxalique et d'une solution de chlorure de calcium.
Charles D. Winters

4

Les acides et les bases Dans ce chapitre, on décrira les différences existant dans la chimie des acides et des bases, forts et faibles, et l'on présentera la prévision de la direction des réactions en partant des théories des acides et des bases.

UN ACIDE FORT

▲ Eau contenant un indicateur coloré universel

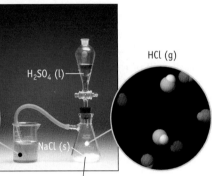

H$_2$SO$_4$ (l)

NaCl (s)

HCl (g)

H$_2$SO$_4$ (l) + NaCl (s) → Na$_2$SO$_4$ (s) + 2 HCl (g)

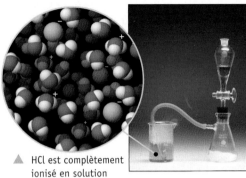

▲ HCl est complètement ionisé en solution aqueuse.

▲ Le changement de coloration de l'indicateur indique que la solution est devenue acide.

UN ACIDE FAIBLE

▲ Eau contenant un indicateur coloré universel

ACIDE ACÉTIQUE CH$_3$CO$_2$H

CH$_3$COOH (aq)

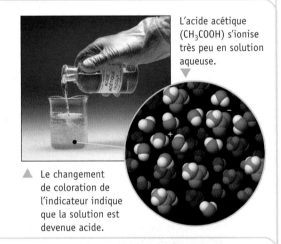

L'acide acétique (CH$_3$COOH) s'ionise très peu en solution aqueuse. ▼

▲ Le changement de coloration de l'indicateur indique que la solution est devenue acide.

UNE BASE FAIBLE

▲ Eau contenant un indicateur coloré universel

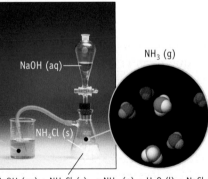

NaOH (aq)

NH$_3$ (g)

NH$_4$Cl (s)

NaOH (aq) + NH$_4$Cl (s) → NH$_3$ (g) + H$_2$O (l) + NaCl (aq)

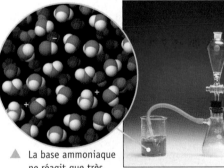

▲ La base ammoniaque ne réagit que très peu avec l'eau et donne une solution faiblement basique.

▲ Le changement de coloration de l'indicateur indique que la solution est devenue basique.

Les acides et les bases figurent parmi les substances les plus courantes dans la nature. Les acides aminés sont à la base des protéines. L'acidité des fleuves, des lacs et des océans est affectée par la dissolution d'acides ou de bases. Les fonctions vitales de notre organisme dépendent aussi de ce type de composés. Dans ce chapitre et dans le suivant, on abordera la chimie de ces substances très importantes pour les chimistes, biochimistes, médecins, géologues, nutritionnistes et ingénieurs.

4.1 LA THÉORIE D'ARRHENIUS

Les acides et les bases ont été présentés dans le chapitre 10 de *Chimie générale*. *Un acide est une substance qui libère des ions H^+ en solution aqueuse, tandis qu'une base libère des ions OH^-.* Ces substances sont soit des **électrolytes forts,** parce qu'elles sont totalement ionisées en solution aqueuse, soit des **électrolytes faibles,** dont la dissociation en ions n'est que partielle dans l'eau.

$$\underset{\substack{\text{Acide} \\ \text{chlorhydrique}}}{HCl} \xrightarrow{\text{Eau}} H^+ + \underset{\substack{\text{Ion} \\ \text{hydrogène}}}{Cl^-}$$

Acide totalement ionisé = électrolyte fort = **acide fort**

$$\underset{\text{Hydroxyde de sodium}}{NaOH} \xrightarrow{\text{Eau}} Na^+ + \underset{\text{Ion hydroxyde}}{OH^-}$$

Base totalement dissociée = électrolyte fort = **base forte**

$$\underset{\text{Acide acétique}}{CH_3COOH} \underset{\text{Eau}}{\rightleftharpoons} \underset{\text{Ion hydrogène}}{CH_3COO^-} + H^+$$

Acide partiellement ionisé = électrolyte faible = **acide faible**

Les acides réagissent avec les bases pour donner un **sel** et de l'eau.

$$\underset{\text{Acide}}{HCl} + \underset{\text{Base}}{NaOH} \xrightarrow{\text{Eau}} \underset{\text{Eau}}{H_2O} + \underset{\text{Sel}}{NaCl}$$

En éliminant les ions passifs, on aboutit à l'équation ionique qui exprime à elle seule la réaction de neutralisation.

$$H^+ + OH^- \longrightarrow H_2O$$

Ces idées proposées par Arrhenius (1859-1927), un des éminents chimistes suédois de la fin du XIXe siècle, ont permis d'expliquer que certains composés produisent des ions en solution aqueuse et de réduire la neutralisation entre un acide et une base à une seule équation ionique. Toutefois, même si cette conception était satisfaisante pour la plupart des acides et des bases connus à l'époque, son application a soulevé des difficultés, l'évolution des connaissances amenant inévitablement des remises en question :

- les solutions aqueuses de sels ne devraient être ni acides ni basiques. Tel n'est pas le cas : une solution de chlorure d'ammonium (NH_4Cl) est légèrement acide ;
- la notion de base se limite aux seuls hydroxydes. Pourtant, des composés comme l'ammoniac donnent des solutions aqueuses basiques ;
- finalement, le solvant ne joue aucun rôle, l'acidité étant considérée comme une propriété intrinsèque des substances. Cette assertion s'est révélée inexacte. Le chlorure d'hydrogène (HCl) dissous dans l'eau est un acide, mais il ne subit aucune ionisation dans le benzène où il se dissout à l'état moléculaire.

Svante August Arrhenius (1859-1927)
Il a été le premier à émettre l'idée de la dissociation électrolytique ou dissociation en ions de certains composés en solution aqueuse. Cette idée, reprise sous une forme plus raffinée en 1887, constitue le point central de sa thèse de doctorat soutenue en 1884. À cause de son caractère révolutionnaire pour l'époque, sa thèse faillit être rejetée. Finalement, après la découverte des particules subatomiques chargées, la plupart des scientifiques ont accepté son concept et, en 1903, il a reçu le prix Nobel de chimie en récompense de ses travaux sur la dissociation ionique.

4.2   LA THÉORIE DE BRØNSTED-LOWRY

Lors de la dissolution d'un acide dans l'eau, l'expérience a montré que H$^+$ n'existe pas sous cette forme. Il se combine plutôt avec des molécules d'eau pour produire des ions hydratés, dont le plus simple est l'**ion hydronium** (H$_3$O$^+$).

$$\text{HCl (aq)} \; + \; \text{H}_2\text{O (l)} \; \longrightarrow \; \text{Cl}^- \text{ (aq)} \; + \; \text{H}_3\text{O}^+ \text{ (aq)}$$

L'acide chlorhydrique est fort, parce qu'il s'ionise complètement pour donner des ions hydronium et des ions chlorure. Par contre, l'acide acétique est faible, ce qui signifie que l'acide, l'ion hydronium et l'ion acétate sont en équilibre dans la solution. On peut donc décrire la grandeur de l'**ionisation** à l'aide d'une constante d'équilibre définie dans le chapitre précédent.

Acide acétique   Eau   Ion hydronium   Ion acétate

$$K_a = \frac{[\text{CH}_3\text{COO}^-][\text{H}_3\text{O}^+]}{[\text{CH}_3\text{COOH}]} = 1{,}8 \times 10^{-5}$$

Cette constante, appelée la **constante d'acidité (K_a),** reflète la grandeur de l'ionisation de l'acide dans l'eau.

Cette notion selon laquelle la chimie des acides et des bases est reflétée par la grandeur de la constante d'équilibre relative à leur ionisation (K) est importante. En fait, les acides et les bases dont l'ionisation est très grande, possédant donc une constante K nettement supérieure à 1, sont réputés forts ; à l'inverse, ceux qui ne s'ionisent pas complètement, K inférieur à 1, sont réputés faibles. Cette remarque prend toute sa signification dans la conception des acides et des bases développée en 1923 et de façon indépendante par le Danois Johannes Nicolaus Brønsted (1879-1947) et l'Anglais Thomas M. Lowry (1874-1936). Selon cette théorie connue maintenant sous le nom de **théorie de Brønsted-Lowry**, *tout composé qui peut donner un proton à une autre substance est un acide*. Ainsi, les **acides de Brønsted** sont aussi bien des composés moléculaires tel l'acide nitrique

$$\underset{\text{Acide}}{\text{HNO}_3} \text{ (aq)} \; + \; \text{H}_2\text{O (l)} \; \longrightarrow \; \text{NO}_3^- \text{ (aq)} \; + \; \text{H}_3\text{O}^+ \text{ (aq)}$$

que des cations métalliques hydratés ou NH$_4^+$,

$$\underset{\text{Acide}}{[\text{Fe}(\text{H}_2\text{O})_6]^{3+}} \text{ (aq)} \; + \; \text{H}_2\text{O (l)} \; \rightleftharpoons \; [\text{Fe}(\text{H}_2\text{O})_5(\text{OH})]^{2+} \text{ (aq)} \; + \; \text{H}_3\text{O}^+ \text{ (aq)}$$

$$NH_4^+ \ (aq) \ + \ H_2O \ (l) \ \rightleftharpoons \ NH_3 \ (aq) \ + \ H_3O^+ \ (aq)$$
Acide

ou que des anions.

$$H_2PO_4^- \ (aq) \ + \ H_2O \ (l) \ \rightleftharpoons \ HPO_4^{2-} \ (aq) \ + \ H_3O^+ \ (aq)$$
Acide

À l'inverse, *une **base de Brønsted** est un composé qui peut accepter un proton d'une autre substance.* Ces bases peuvent être des composés moléculaires

$$NH_3 \ (aq) \ + \ H_2O \ (l) \ \rightleftharpoons \ NH_4^+ \ (aq) \ + \ OH^- \ (aq)$$
Base

ou des anions,

$$O^{2-} \ (aq) \ + \ H_2O \ (l) \ \longrightarrow \ OH^- \ (aq) \ + \ OH^- \ (aq)$$
$$CO_3^{2-} \ (aq) \ + \ H_2O \ (l) \ \rightleftharpoons \ HCO_3^- \ (aq) \ + \ OH^- \ (aq)$$

ou des cations.

$$[Al(H_2O)_5(OH)]^{2+} \ (aq) \ + \ H_2O \ (l) \ \rightleftharpoons \ [Al(H_2O)_6]^{3+} \ (aq) \ + \ OH^- \ (aq)$$

Des acides tels que HF, HCl, HNO_3 et CH_3COOH ne pouvant donner qu'un seul proton sont dits **monoprotiques.** Par contre, les **acides polyprotiques** peuvent en donner plusieurs (tableau 4.1).

$$H_2SO_4 \ (aq) \ + \ H_2O \ (l) \ \longrightarrow \ HSO_4^- \ (aq) \ + \ H_3O^+ \ (aq)$$

$$HSO_4^- \ (aq) \ + \ H_2O \ (l) \ \rightleftharpoons \ SO_4^{2-} \ (aq) \ + \ H_3O^+ \ (aq)$$

TABLEAU 4.1 Quelques acides et bases polyprotiques

Acides	Ampholytes	Bases
sulfure d'hydrogène (H_2S)	ion hydrogénosulfure (HS^-)	ion sulfure (S^{2-})
acide phosphorique (H_3PO_4)	ion dihydrogénophosphate ($H_2PO_4^-$) ion hydrogénophosphate (HPO_4^{2-})	ion phosphate (PO_4^{3-})
acide carbonique (H_2CO_3)	ion hydrogénocarbonate (HCO_3^-)	ion carbonate (CO_3^{2-})
acide oxalique ($H_2C_2O_4$)	ion hydrogénooxalate ($HC_2O_4^-$)	ion oxalate ($C_2O_4^{2-}$)

Tout comme les acides polyprotiques peuvent donner plusieurs protons, les **bases polyprotiques** peuvent en accepter plus d'un (tableau 4.1).

$$CO_3^{2-} \ (aq) + H_2O \ (l) \rightleftharpoons HCO_3^- \ (aq) + OH^- \ (aq)$$
Base

$$HCO_3^- \ (aq) + H_2O \ (l) \rightleftharpoons H_2CO_3 \ (aq) + OH^- \ (aq)$$
Base

Quelques molécules ou ions polyatomiques peuvent se comporter comme des acides ou comme des bases de Brønsted. De telles espèces, qualifiées d'**amphotères** ou d'**amphiprotiques,** sont des **ampholytes.** L'ion HPO_4^{2-} en est un exemple typique.

$$HPO_4^{2-} \ (aq) + H_2O \ (l) \rightleftharpoons PO_4^{3-} \ (aq) + H_3O^+ \ (aq)$$
Acide

$$HPO_4^{2-} \ (aq) + H_2O \ (l) \rightleftharpoons H_2PO_4^- \ (aq) + OH^- \ (aq)$$
Base

Finalement, ces deux équations illustrent aussi un point important : *l'eau est un solvant amphiprotique.* Elle peut accepter un proton et former H_3O^+ (comportement basique)

$$H_2O \ (l) + HCl \ (aq) \longrightarrow Cl^- \ (aq) + H_3O^+ \ (aq)$$
Base

ou en céder un et donner OH^- (comportement acide).

$$H_2O \ (l) + NH_3 \ (aq) \rightleftharpoons NH_4^+ \ (aq) + OH^- \ (aq)$$
Acide

Dans chacune des réactions décrites précédemment, *un proton a été transféré* à l'eau ou de l'eau vers une autre espèce en solution. La réaction réversible suivante de l'ion hydrogénocarbonate et de l'eau, qui contrôle l'acidité des systèmes biologiques, appartient aussi à ce modèle.

Couple acidobasique 1

Acide 1   Base conjuguée 1
$$HCO_3^- \ (aq) + H_2O \ (l) \rightleftharpoons CO_3^{2-} \ (aq) + H_3O^+ \ (aq)$$
            Base 2   Acide conjugué 2

Couple acidobasique 2

Cette équation illustre un fait caractéristique de toutes les réactions entre des acides et des bases de Brønsted. Les paires HCO_3^- et CO_3^{2-}, H_3O^+ et H_2O, dont les formules ne diffèrent que d'un proton, forment des **couples acidobasiques.** On dit que HCO_3^- est l'**acide conjugué** de CO_3^{2-} ou que CO_3^{2-} est la **base conjuguée** de HCO_3^-. Selon Brønsted-Lowry, *une réaction acidobasique implique le transfert d'un proton et deux couples acidobasiques* : l'acide du couple 1 (acide 1) cède son proton à la base du couple 2 (base 2) pour former la base 1 et l'acide 2.

$$\text{acide 1} + \text{base 2} \rightleftharpoons \text{base 1} + \text{acide 2}$$

Quelques couples acidobasiques sont présentés dans le tableau 4.2.

TABLEAU 4.2 Quelques couples acidobasiques

Noms	Acide 1		Base 2		Acide 2		Base 1	Noms
chlorure d'hydrogène	HCl	+	H_2O	$\longrightarrow$	H_3O^+	+	Cl^-	ion chlorure
ion hydrogénocarbonate	HCO_3^-	+	H_2O	$\rightleftharpoons$	H_3O^+	+	CO_3^{2-}	ion carbonate
acide acétique	CH_3COOH	+	H_2O	$\rightleftharpoons$	H_3O^+	+	CH_3COO^-	ion acétate
ion ammonium	NH_4^+	+	H_2O	$\rightleftharpoons$	H_3O^+	+	NH_3	ammoniac
eau	H_2O	+	H_2O	$\rightleftharpoons$	H_3O^+	+	OH^-	ion hydroxyde
ion hydronium	H_3O^+	+	OH^-	$\rightleftharpoons$	H_2O	+	H_2O	eau

---

EXERCICE 4.1 Les acides et les bases conjugués

Identifiez les acides et les bases conjugués participant à la réaction :

$$HNO_3 \text{ (aq) } + NH_3 \text{ (aq) } \rightleftharpoons NO_3^- \text{ (aq) } + NH_4^+ \text{ (aq)}$$

4.3 L'EAU ET L'ÉCHELLE DE pH

Les propriétés de l'eau ont constitué un des thèmes récurrents du manuel *Chimie générale*. Parce qu'on utilise habituellement des solutions aqueuses d'acides et de bases, et que les réactions acidobasiques se produisant dans les organismes vivants ont lieu en milieu aqueux, on poursuit son étude en abordant dans cette section ses propriétés acidobasiques.

4.3.1 L'autoprotolyse et le produit ionique de l'eau

Il n'est pas nécessaire d'ajouter un acide à de l'eau pour y trouver des ions hydronium. En effet, deux molécules interagissent pour former un ion hydronium et un ion hydroxyde par échange d'un proton.

$$H_2O \text{ (l) } + H_2O \text{ (l) } \rightleftharpoons OH^- \text{ (aq) } + H_3O^+ \text{ (aq)}$$

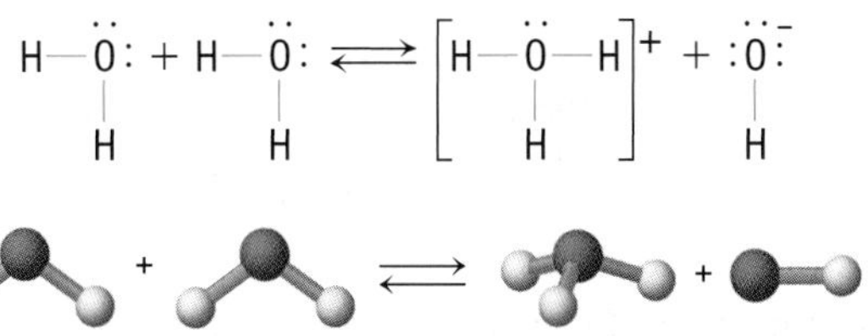

Cette équation représente l'**autoprotolyse** de l'eau, c'est-à-dire l'échange d'un proton entre deux molécules du même composé. Ce fait a été mis en évidence par le physicien allemand Friedrich Kohlrausch (1840-1910) : dans ses études sur la conductivité électrique des solutions, il trouva en effet que l'eau, même purifiée avec une extrême minutie, conduisait toujours un peu l'électricité.

L'équilibre d'autoprotolyse est largement déplacé vers la gauche. En fait, à tout instant, seulement deux molécules sur un milliard (10^9) sont ionisées.

Plus précisément, la position de cet équilibre est déterminée par sa constante (K).

$$K = \frac{[H_3O^+][OH^-]}{[H_2O]^2}$$

Dans l'eau pure ou en solutions diluées, on considère que la concentration de l'eau, environ 55,5 mol/L, est fixe et on inclut $[H_2O]^2$ dans la constante K.

$$K[H_2O]^2 = [H_3O^+][OH^-]$$

$$\boxed{K_e = [H_3O^+][OH^-] = 1,0 \times 10^{-14}, \text{ à } 25 \text{ °C.}}$$

(Équation 4.1)

TABLEAU 4.3
Les valeurs de K_e à différentes températures (t)

t (°C)	K_e (10^{-14})
10	0,29
15	0,45
20	0,68
25	1,01
30	1,47
50	5,48

Comme pour toute constante d'équilibre, la valeur de K_e, le **produit ionique de l'eau,** dépend de la température (tableau 4.3).

Dans l'eau pure, le transfert d'un proton entre deux molécules conduit à un ion H_3O^+ et à un ion OH^-: leurs concentrations sont donc égales à $\sqrt{K_e} = 1,0 \times 10^{-7}$ mol/L, à 25 °C.

L'ajout d'un acide fait croître la concentration des ions H_3O^+, modifie la position de l'équilibre

$$2\ H_2O\ (l) \rightleftharpoons OH^-\ (aq) + H_3O^+\ (aq)$$

et la solution devient acide. Pour contrer cette perturbation, selon le principe de Le Chatelier, une fraction des ions H_3O^+ réagit avec des ions OH^-, si bien que la concentration de ces derniers diminue: un nouvel état d'équilibre est atteint lorsque les concentrations sont telles que $[H_3O^+][OH^-]$ redevient égal au produit ionique de l'eau. De la même façon, l'ajout d'une base à l'eau pure fait augmenter la concentration des ions OH^- et il en résulte une solution basique. Une partie de ceux-ci réagit avec des ions H_3O^+, faisant diminuer leur concentration, jusqu'à ce qu'une nouvelle position d'équilibre s'établisse.

En solution acide: $[H_3O^+] > [OH^-]$
  $[H_3O^+] > 1,00 \times 10^{-7}$ mol/L, $[OH^-] < 1,0 \times 10^{-7}$ mol/L, à 25 °C

Dans l'eau pure: $[H_3O^+] = [OH^-] = 1,0 \times 10^{-7}$ mol/L, à 25 °C

En solution basique: $[H_3O^+] < [OH^-]$
  $[H_3O^+] < 1,00 \times 10^{-7}$ mol/L, $[OH^-] > 1,0 \times 10^{-7}$ mol/L, à 25 °C

EXEMPLE 4.1 **La concentration des ions dans une solution d'une base forte**

Calculez les concentrations des ions dans une solution d'hydroxyde de sodium de concentration 0,0012 mol/L.

SOLUTION
L'hydroxyde de sodium, une base forte, est totalement dissocié en solution aqueuse.

$$NaOH\ (aq) \longrightarrow Na^+\ (aq) + OH^-\ (aq)$$

$[OH^-]$ et $[Na^+]$ sont égaux à la concentration initiale de NaOH.

$$[OH^-] = [Na^+] = 0,0012 \text{ mol/L}$$

On calcule $[H_3O^+]$ à l'aide de l'équation 4.1.

$$K_e = [H_3O^+][OH^-] = 1,0 \times 10^{-14} \quad [H_3O^+] = \frac{K_e}{[OH^-]} = \frac{1,0 \times 10^{-14}}{0,0012} = 8,3 \times 10^{-12} \text{ mol/L}$$

Commentaire On verra un peu plus loin pourquoi, dans ce type de calculs, on néglige la contribution de l'autoprotolyse de l'eau à la concentration des ions H_3O^+ et OH^-.

EXERCICE 4.2 **La concentration des ions dans une solution d'un acide fort**

Calculez les concentrations des ions dans une solution d'acide chlorhydrique de concentration $4,0 \times 10^{-3}$ mol/L.

4.3.2 L'échelle de pH

La concentration des ions hydronium dans le vinaigre est voisine de $3,9 \times 10^{-3}$ mol/L, dans l'eau de pluie de $2,5 \times 10^{-6}$ mol/L, dans l'ammoniaque de concentration $0,100$ mol/L de $7,5 \times 10^{-12}$ mol/L. Ces concentrations, très faibles, s'expriment généralement par des puissances négatives de 10. Cette écriture est lourde : aussi, les chimistes préfèrent utiliser la fonction **pH** définie par la relation :

$$pH = -\log [H_3O^+]$$ (Équation 4.2)

« log » étant l'abréviation du logarithme à base 10. Le pH des solutions précédentes est égal à :

Vinaigre	$pH = -\log (3,9 \times 10^{-3}) = -(-2,80) = 2,41$
Eau de pluie	$pH = -\log (2,5 \times 10^{-6}) = -(-5,60) = 5,60$
Ammoniac	$pH = -\log (7,5 \times 10^{-12}) = -(-11,12) = 11,12$

Bien que le pH de l'eau de pluie vaille plus du double de celui du vinaigre, sa concentration en ions H_3O^+ est environ mille fois plus faible. Notez bien que l'échelle de pH est logarithmique : une augmentation de *une* unité correspond à une concentration en H_3O^+ *dix fois* inférieure, de *deux* unités, *cent fois* inférieure, etc.

La figure 4.1 indique le pH de quelques solutions aqueuses.

◆ ***Les logarithmes, les chiffres significatifs et le pH***

Dans un logarithme, la partie entière est appelée la *caractéristique*, la partie décimale, la *mantisse*. Généralement, la mantisse possède autant de chiffres significatifs que le nombre dont on veut trouver le logarithme. Toutefois, compte tenu de la précision de l'appareillage utilisé pour mesurer le pH des solutions, celui-ci n'est donné qu'avec deux décimales au plus.

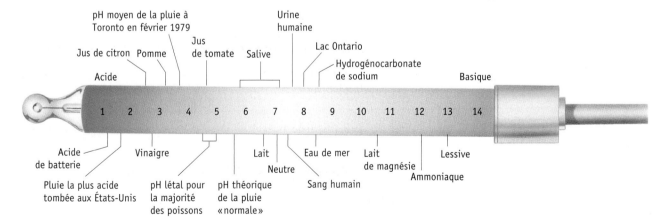

Figure 4.1 Le pH de quelques solutions aqueuses. L'échelle de pH est superposée au dessin d'une électrode de verre utilisée pour mesurer le pH des solutions.

À l'inverse, connaissant le pH d'une solution, on peut trouver la concentration des ions H_3O^+ en prenant son antilogarithme.

$$[H_3O^+] = 10^{-pH}$$ (Équation 4.3)

La concentration des ions H_3O^+ d'une boisson gazeuse, dont le pH est égal à 3,12, est:

$$[H_3O^+] = 10^{-pH} = 10^{-3,12} = 7,6 \times 10^{-4} \text{ mol/L}$$

On peut définir de la même manière le **pOH** d'une solution.

$$pOH = -\log [OH^-]$$ (Équation 4.4)

Dans l'eau pure, à 25 °C, les concentrations des ions hydronium et des ions hydroxyde sont toutes deux égales à $1,0 \times 10^{-7}$ mol/L. On a alors:

$$pH = pOH = -\log (1,0 \times 10^{-7}) = -(-7,00) = 7,00$$

La transformation en logarithme du produit ionique de l'eau

$$K_e = [H_3O^+][OH^-] = 1,0 \times 10^{-14}$$

conduit à l'expression:

$$\log K_e = \log [H_3O^+] + \log [OH^-] = -14,00$$

En inversant les signes de chaque côté de ces égalités, on obtient:

$$-\log K_e = -\log [H_3O^+] - \log [OH^-] = 14,00$$

que l'on peut écrire en notation p.

$$pK_e = pH + pOH = 14,00, \text{ à 25 °C.}$$ (Équation 4.5)

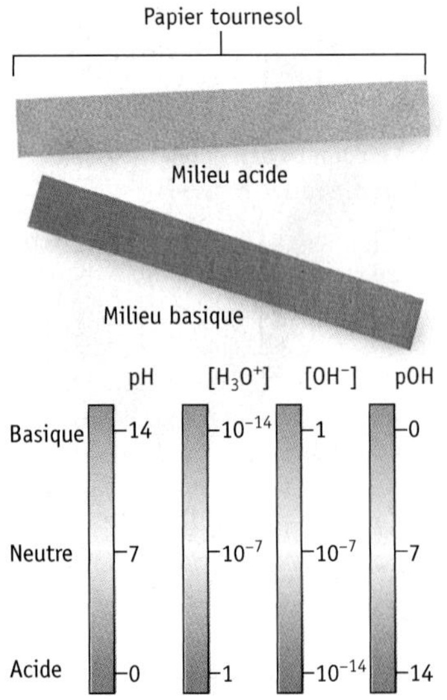

Figure 4.2 La relation entre [H₃O⁺] et [OH⁻], entre pH et pOH.
Charles D. Winters

La figure 4.2 illustre les relations existant entre $[H_3O^+]$ et $[OH^-]$, entre pH et pOH. Les solutions dont le pH est inférieur à 7,00 ($[H_3O^+] > 1,0 \times 10^{-7}$ mol/L, $[OH^-] < 1,0 \times 10^{-7}$ mol/L) sont acides, à 25 °C, celles dont le pH est supérieur à 7,00 ($[H_3O^+] < 1,0 \times 10^{-7}$ mol/L, $[OH^-] > 1,0 \times 10^{-7}$ mol/L) sont basiques, et celles dont le pH et le pOH sont égaux à 7,00 ($[H_3O^+] = [OH^-] = 1,0 \times 10^{-7}$ mol/L) sont dites neutres.

4.3.3 La mesure et le calcul du pH

On peut trouver le pH approximatif d'une solution à l'aide d'une variété d'**indicateurs acidobasiques**, substances dont la couleur change dans un intervalle de pH caractéristique, leur zone de virage (figures 4.3 **a** et 4.4). Les indicateurs couramment utilisés en laboratoire, telle la phénolphtaléine, sont des acides ou des bases de Brønsted dont les formes acide et basique possèdent des couleurs différentes. Des mesures plus précises de pH sont effectuées à l'aide d'un pH-mètre (figure 4.3 **b**): une électrode combinée est plongée dans la solution et l'appareil correctement calibré donne directement la valeur du pH.

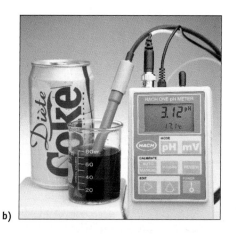

Figure 4.3 La détermination du pH. a) Quelques produits courants. Chaque solution contient quelques gouttes d'un colorant appelé l'indicateur de pH (dans ce cas, un indicateur universel). Une couleur allant du jaune au rouge signifie que le pH est inférieur à 7, tandis qu'une coloration de verte à violette indique un pH supérieur à cette valeur. **b)** On mesure le pH d'une boisson gazeuse à l'aide d'un pH-mètre. Charles D. Winters

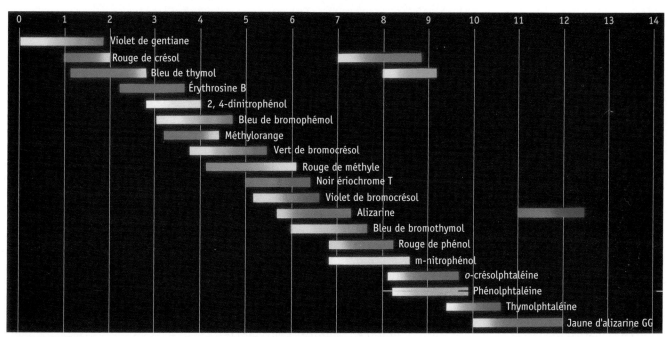

Figure 4.4 Quelques indicateurs de pH. La coloration des indicateurs acidobasiques varie selon le pH des solutions. Notez que quelques-uns d'entre eux possèdent deux zones de virage. Hach Company

---

EXERCICE 4.3 **Le calcul du pH**

a) Calculez le pH d'une solution de NaOH de concentration 0,0012 mol/L.

b) Le pH d'une boisson gazeuse est de 4,32, à 25 °C. Calculez les concentrations des ions hydronium et des ions hydroxyde.

c) Calculez la concentration d'une solution d'hydroxyde de strontium ($Sr(OH)_2$), une base forte, sachant que son pH vaut 10,46.

4.4 LES CONSTANTES D'ÉQUILIBRE DES ACIDES ET DES BASES

Comment peut-on déterminer quantitativement jusqu'où va la réaction entre un acide ou une base et l'eau, ou comment peut-on définir la force relative des acides ou des bases dans l'eau ?

Une des manières de procéder consisterait à mesurer le pH des solutions d'acide ou de base ayant la même concentration.

Pour un acide fort, $[H_3O^+]$ a la même valeur que la concentration initiale de l'acide (C_a). Il en est de même pour $[OH^-]$ dans le cas d'une base forte.

Pour un acide faible, $[H_3O^+]$ est nettement inférieur à la concentration initiale en acide (C_a), donc inférieur à ce qu'elle est pour un acide fort de même concentration. Par analogie, une base faible donne une concentration en ions OH^- inférieure à une base forte de même concentration initiale (C_b).

Dans une série d'acides monoprotiques de même concentration, $[H_3O^+]$ croît, et le pH diminue, avec la force de l'acide. C'est la même chose pour les bases: $[OH^-]$ croît, et le pH augmente, avec la force de la base.

4.4.1 Les constantes d'acidité et de basicité

Plus généralement, on exprime la force relative des acides et des bases à l'aide d'une constante. À l'équilibre résultant de la dissolution dans l'eau d'un acide de formule générale HA:

$$HA \ (aq) + H_2O \ (l) \rightleftharpoons A^- \ (aq) + H_3O^+ \ (aq)$$

est associée la constante d'acidité (K_a), l'indice « a » rappelant le mot *acide*.

$$K_a = \frac{[A^-][H_3O^+]}{[HA]}$$ (Équation 4.6)

Plus l'acide est fort, plus il se dissocie, plus l'équilibre se déplace vers les produits et plus la valeur de la constante d'acidité est élevée.

On peut définir de la même façon la **constante de basicité (K_b)** d'une base faible B correspondant à l'équilibre.

$$B \ (aq) + H_2O \ (l) \rightleftharpoons BH^+ \ (aq) + OH^- \ (aq)$$

$$K_b = \frac{[BH^+][OH^-]}{[B]}$$ (Équation 4.7)

Le tableau 4.4 regroupe quelques acides et bases classés selon leur force relative. Le tableau se lit et se comprend comme suit:
- les acides occupent la partie gauche du tableau, leurs bases conjuguées, la partie droite;
- les acides sont classés par ordre décroissant d'acidité: les valeurs de K_a décroissent de haut en bas;
- les bases les plus fortes sont situées en bas, à la droite du tableau: les valeurs de K_b augmentent de haut en bas;
- plus fort est l'acide, plus faible est sa base conjuguée: à une valeur élevée de K_a correspond une valeur faible de K_b de la base conjuguée;
- les K_a ou K_b de quelques acides et bases sont notés *grands* ou *très petits*. Les acides plus forts que H_3O^+ sont complètement ionisés, si bien que leurs valeurs de K_a sont très grandes. En conséquence, leurs bases conjuguées ne donnent pratiquement aucun ion OH^- en solution aqueuse et leurs valeurs de K_b sont très petites. Le même raisonnement vaut pour les bases fortes et leurs acides conjugués.

◆ *K_a, K_b, pH et [H_3O^+]*

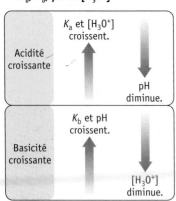

TABLEAU 4.4 **Les constantes d'acidité (K_a) de quelques acides et de basicité (K_b) de leurs bases conjuguées, à 25 °C**

Acides				Bases conjuguées			
Noms	Formules	K_a	pK_a	pK_b	K_b	Formules	Noms
acide perchlorique	$HClO_4$	grand		très petit		ClO_4^-	ion perchlorate
acide sulfurique	H_2SO_4	grand		très petit		HSO_4^-	ion hydrogénosulfate
acide chlorhydrique	HCl	grand		très petit		Cl^-	ion chlorure
acide nitrique	HNO_3	grand		très petit		NO_3^-	ion nitrate
ion hydronium	H_3O^+	1,0			$1,0 \times 10^{-14}$	H_2O	eau
acide sulfureux	H_2SO_3	$1,2 \times 10^{-2}$	1,92	12,08	$8,3 \times 10^{-13}$	HSO_3^-	ion hydrogénosulfite
ion hydrogénosulfate	HSO_4^-	$1,2 \times 10^{-2}$	1,92	12,08	$8,3 \times 10^{-13}$	SO_4^{2-}	ion sulfate
acide phosphorique	H_3PO_4	$7,5 \times 10^{-3}$	2,12	11,88	$1,3 \times 10^{-12}$	$H_2PO_4^-$	ion dihydrogénophosphate
ion hexaaquafer (III)	$Fe(H_2O)_6^{3+}$	$6,3 \times 10^{-3}$	2,20	11,80	$1,6 \times 10^{-12}$	$Fe(H_2O)_5(OH)^{2+}$	ion pentaaquahydroxofer (III)
acide fluorhydrique	HF	$7,2 \times 10^{-4}$	3,14	10,85	$1,4 \times 10^{-11}$	F^-	ion fluorure
acide nitreux	HNO_2	$4,5 \times 10^{-4}$	3,35	10,65	$2,2 \times 10^{-11}$	NO_2^-	ion nitrite
acide formique	$HCOOH$	$1,8 \times 10^{-4}$	3,74	10,26	$5,6 \times 10^{-11}$	$HCOO^-$	ion formiate
acide benzoïque	C_6H_5COOH	$6,3 \times 10^{-5}$	4,20	9,80	$1,6 \times 10^{-10}$	$C_6H_5COO^-$	ion benzoate
acide acétique	CH_3COOH	$1,8 \times 10^{-5}$	4,74	9,26	$5,6 \times 10^{-10}$	CH_3COO^-	ion acétate
acide propanoïque	CH_3CH_2COOH	$1,3 \times 10^{-5}$	4,89	9,11	$7,7 \times 10^{-10}$	$CH_3CH_2COO^-$	ion propanoate
ion hexaaquaaluminium	$Al(H_2O)_6^{3+}$	$7,9 \times 10^{-6}$	5,10	8,90	$1,3 \times 10^{-9}$	$Al(H_2O)_5(OH)^{2+}$	ion pentaaqua-hydroxoaluminium
acide carbonique	H_2CO_3	$4,2 \times 10^{-7}$	6,38	7,62	$2,4 \times 10^{-8}$	HCO_3^-	ion hydrogénocarbonate
ion hexaaquacuivre (II)	$Cu(H_2O)_6^{2+}$	$1,6 \times 10^{-7}$	6,80	7,20	$6,25 \times 10^{-8}$	$Cu(H_2O)_5(OH)^+$	ion pentaaqua-hydroxocuivre (II)
acide sulfhydrique	H_2S	1×10^{-7}	7,0	7,0	1×10^{-7}	HS^-	ion hydrogénosulfure
ion dihydrogénophosphate	$H_2PO_4^-$	$6,2 \times 10^{-8}$	7,21	6,79	$1,6 \times 10^{-7}$	HPO_4^{2-}	ion hydrogénophosphate
ion hydrogénosulfite	HSO_3^-	$6,2 \times 10^{-8}$	7,21	6,79	$1,6 \times 10^{-7}$	SO_3^{2-}	ion sulfite
acide hypochloreux	$HClO$	$3,5 \times 10^{-8}$	7,46	6,54	$2,9 \times 10^{-7}$	ClO^-	ion hypochlorite
ion hexaaquaplomb (II)	$Pb(H_2O)_6^{2+}$	$1,5 \times 10^{-8}$	7,82	6,18	$6,7 \times 10^{-7}$	$Pb(H_2O)_5(OH)^+$	ion pentaaqua-hydroxoplomb (II)
ion hexaaquacobalt (II)	$Co(H_2O)_6^{2+}$	$1,3 \times 10^{-9}$	8,89	5,11	$7,7 \times 10^{-6}$	$Co(H_2O)_5(OH)^+$	ion pentaaqua-hydroxocobalt (II)
acide borique	$B(OH)_3(H_2O)$	$7,3 \times 10^{-10}$	9,14	4,86	$1,4 \times 10^{-5}$	$B(OH)_4^-$	ion tétrahydroxoborate
ion ammonium	NH_4^+	$5,6 \times 10^{-10}$	9,26	4,74	$1,8 \times 10^{-5}$	NH_3	ammoniaque
acide cyanhydrique	HCN	$4,0 \times 10^{-10}$	9,40	4,60	$2,5 \times 10^{-5}$	CN^-	ion cyanure
ion hexaaquafer (II)	$Fe(H_2O)_6^{2+}$	$3,2 \times 10^{-10}$	9,49	4,51	$3,1 \times 10^{-5}$	$Fe(H_2O)_5(OH)^+$	ion pentaaquahydroxofer (II)
ion hydrogénocarbonate	HCO_3^-	$4,8 \times 10^{-11}$	10,32	3,68	$2,1 \times 10^{-4}$	CO_3^{2-}	ion carbonate
ion hexaaquanickel (II)	$Ni(H_2O)_6^{2+}$	$2,5 \times 10^{-11}$	10,60	3,40	$4,0 \times 10^{-4}$	$Ni(H_2O)_5(OH)^+$	ion pentaaqua-hydroxonickel (II)
ion hydrogénophosphate	HPO_4^{2-}	$3,6 \times 10^{-13}$	12,44	1,56	$2,8 \times 10^{-2}$	PO_4^{3-}	ion phosphate
eau	H_2O	$1,0 \times 10^{-14}$			1,0	OH^-	ion hydroxyde
ion hydrogénosulfure	HS^-	$1,0 \times 10^{-19}$*			1×10^{5}*	S^{2-}	ion sulfure
éthanol	C_2H_5OH	très petit			grand	$C_2H_5O^-$	ion éthanoate
ammoniaque	NH_3	très petit			grand	NH_2^-	ion amidure
hydrogène	H_2	très petit			grand	H^-	ion hydrure

Acidité croissante →

Basicité croissante →

* Valeurs estimées.

K_a augmente, l'acidité augmente.

K_b de la base conjuguée augmente.

Acide formique (HCOOH)
$K_a = 1,8 \times 10^{-4}$

Acide acétique (CH₃COOH)
$K_a = 1,8 \times 10^{-5}$

Acide propanoïque
(CH₃CH₂COOH)
$K_a = 1,3 \times 10^{-5}$

Figure 4.5 Trois acides organiques faibles. La force de ces acides diminue légèrement avec le nombre d'atomes de carbone de leur squelette.

Afin d'illustrer ces remarques, examinez quelques acides et bases courants. Par exemple, HNO₃, un acide fort, l'est nettement plus que HNO₂.

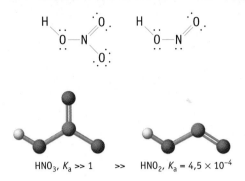

HNO₃, $K_a \gg 1$ $\gg$ HNO₂, $K_a = 4,5 \times 10^{-4}$

Par contre, la force de leurs bases conjuguées est inversée : NO₂⁻ est une base bien plus forte que NO₃⁻, qui ne produit aucun ion OH⁻ en solution aqueuse et n'affecte pas le pH.

La force des trois acides représentés à la figure 4.5 diminue légèrement selon le nombre d'atomes de carbone de leur squelette.

HCOOH plus fort que CH₃COOH plus fort que CH₃CH₂COOH.
$K_a = 1,8 \times 10^{-4}$ $K_a = 1,8 \times 10^{-5}$ $K_a = 1,3 \times 10^{-5}$

La force de leurs bases conjuguées varie en sens inverse.

CH₃CH₂COO⁻ plus fort que CH₃COO⁻ plus fort que HCOO⁻.
$K_b = 7,7 \times 10^{-10}$ $K_b = 5,6 \times 10^{-10}$ $K_b = 5,6 \times 10^{-11}$

L'ammoniac et son acide conjugué, l'ion ammonium, participent au cycle de l'azote dans l'environnement. Les systèmes biologiques réduisent les ions nitrate NO₃⁻ en NH₃ et NH₄⁺, et incorporent l'azote dans les aminoacides et les protéines. Beaucoup de bases peuvent être assimilées à des dérivés de l'ammoniac, dans lequel les atomes d'hydrogène sont remplacés par des groupements organiques.

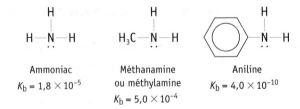

Ammoniac
$K_b = 1,8 \times 10^{-5}$

Méthanamine
ou méthylamine
$K_b = 5,0 \times 10^{-4}$

Aniline
$K_b = 4,0 \times 10^{-10}$

L'ammoniac est une base plus faible que la méthanamine et son acide conjugué (NH₄⁺) est plus fort, $K_a = 5,6 \times 10^{-10}$, que celui de la méthanamine (CH₃NH₃⁺), $K_a = 2,0 \times 10^{-11}$.

La nature regorge d'acides et de bases faibles (figure 4.6).

La novocaïne

Beaucoup de substances comprenant le groupement ―NH₂ sont des bases faibles. À l'état naturel, elles se présentent généralement sous leur forme acide conjugué résultant de la protonation de l'atome d'azote.

EXERCICE 4.4   La force des acides et des bases

Répondez aux questions suivantes en vous référant au tableau 4.4 (*voir la page 147*).

a) Quel est l'acide le plus fort, H₂SO₄ ou H₂SO₃ ?

b) L'acide benzoïque est-il plus fort que l'acide acétique ?

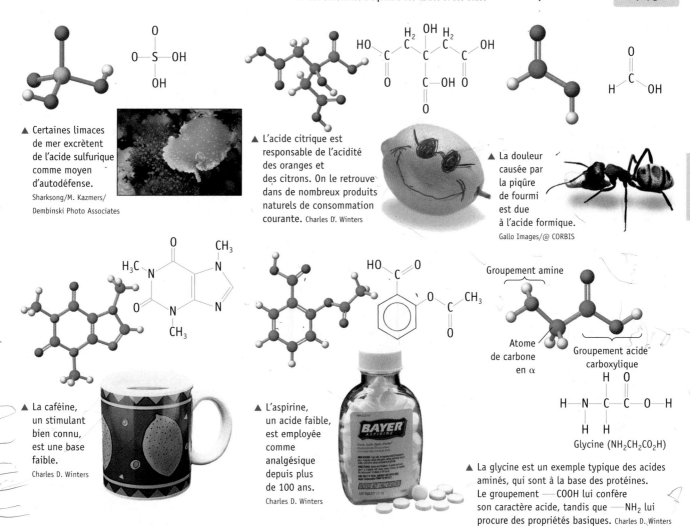

▲ Certaines limaces de mer excrètent de l'acide sulfurique comme moyen d'autodéfense. Sharksong/M. Kazmers/ Dembinski Photo Associates

▲ L'acide citrique est responsable de l'acidité des oranges et des citrons. On le retrouve dans de nombreux produits naturels de consommation courante. Charles D. Winters

▲ La douleur causée par la piqûre de fourmi est due à l'acide formique. Gallo Images/@ CORBIS

▲ La caféine, un stimulant bien connu, est une base faible. Charles D. Winters

▲ L'aspirine, un acide faible, est employée comme analgésique depuis plus de 100 ans. Charles D. Winters

Groupement amine

Atome de carbone en α

Groupement acide carboxylique

Glycine ($NH_2CH_2CO_2H$)

▲ La glycine est un exemple typique des acides aminés, qui sont à la base des protéines. Le groupement ─COOH lui confère son caractère acide, tandis que ─NH_2 lui procure des propriétés basiques. Charles D. Winters

Figure 4.6 Les acides et les bases. Il existe des centaines d'acides et de bases à l'état naturel. Notre nourriture en contient un très grand nombre. Beaucoup de molécules jouant un rôle important en biochimie possèdent des propriétés acidobasiques.

c) Lequel des deux acides, acétique ou borique, possède la base conjuguée la plus forte ?

d) Quelle est la base la plus forte, l'ammoniac ou l'ion acétate ?

e) Laquelle des deux bases, l'ammoniac ou l'ion acétate, possède l'acide conjugué le plus fort ?

trucs et astuces

Fort ou faible ?

Comment peut-on savoir *a priori* qu'un acide ou une base est fort ou faible ? La manière la plus simple est d'apprendre par cœur ceux qui sont forts. Il y a de fortes chances que tous les autres soient faibles.

Acides forts courants (six au total) : HCl, HBr, HI, HNO_3, H_2SO_4 (1ᵉ acidité), $HClO_4$.

Quelques bases fortes courantes : les hydroxydes des métaux alcalins (LiOH, NaOH, KOH, RbOH, CsOH), $Sr(OH)_2$ et $Ba(OH)_2$.

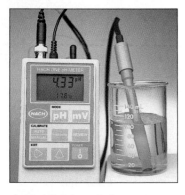

▲ **L'acidité des solutions aqueuses de cations des métaux de transition.** Cette solution aqueuse diluée de sulfate de cuivre (II) a un pH de 4,33. Charles D. Winters

4.4.2 Les solutions aqueuses de sels

Un bon nombre d'acides et de bases mentionnés dans le tableau 4.4 (*voir la page 147*) sont des cations ou des anions. Comme on l'a mentionné dans la section 4.2 (*voir la page 138*), beaucoup d'anions sont des bases de Brønsted.

$$CO_3^{2-} \text{ (aq)} + H_2O \text{ (l)} \rightleftharpoons HCO_3^- \text{ (aq)} + OH^- \text{ (aq)} \qquad K_b = 2,1 \times 10^{-4}$$

Bien qu'à première vue les cations hydratés ne semblent pas acides, plusieurs d'entre eux le sont cependant.

$$[Al(H_2O)_6]^{3+} \text{ (aq)} + H_2O \text{ (l)} \rightleftharpoons [Al(H_2O)_5(OH)]^{2+} \text{ (aq)} + H_3O^+ \text{ (aq)} \qquad K_a = 7,9 \times 10^{-6}$$

On a rassemblé dans le tableau 4.5 les propriétés acidobasiques de quelques cations et anions courants.

TABLEAU 4.5   Les propriétés acidobasiques de quelques ions en solution aqueuse

Neutres			Basiques			Acides	
anions	Cl^-	NO_3^-	CH_3COO^-	CN^-	SO_4^{2-}	HSO_4^-	
	Br^-	ClO_4^-	$HCOO^-$	PO_4^{3-}	HPO_4^{2-}	$H_2PO_4^-$	
	I^-		CO_3^{2-}	HCO_3^-	SO_3^{2-}	HSO_3^-	
			S^{2-}	HS^-	ClO^-		
			F^-	NO_2^-			
cations	Li^+	Mg^{2+}	$Al(H_2O)_5(OH)^{2+}$ et ions analogues			$Al(H_2O)_6^{3+}$ et les cations hydratés des métaux de transition, tels $Fe(H_2O)_6^{3+}$ NH_4^+, $R\text{-}NH_3^+$		
	Na^+	Ca^{2+}					
	K^+	Ba^{2+}					

On remarque ce qui suit:
- Les anions qui sont les bases conjuguées des acides forts, par exemple Cl^- et NO_3^-, ne réagissent pas avec l'eau et n'ont donc aucun effet sur le pH des solutions: ce sont des **ions passifs.**
- Il existe plusieurs anions basiques: tous sont des bases conjuguées d'acides faibles.
- Les anions acides proviennent d'acides polyprotiques (ces anions sont aussi amphiprotiques).
- Les cations des métaux alcalins et des métaux alcalino-terreux n'ont pratiquement aucun effet sur le pH des solutions: ce sont des ions passifs.
- Tous les cations sont hydratés dans l'eau et forment des entités telles que $[M(H_2O)_6]^{n+}$. Lorsqu'ils sont chargés +2 ou +3 et surtout s'il s'agit d'un métal de transition, ils ont un comportement acide.

> **EXEMPLE 4.2**   **Les propriétés acidobasiques des sels en solution aqueuse**
>
> En vous référant aux données des tableaux 4.4 (*voir la page 147*) et 4.5, prévoyez l'effet de la dissolution des sels suivants sur le pH de l'eau.
>
> a) $NaNO_3$ b) K_3PO_4 c) $FeCl_2$ d) $NaHCO_3$ e) NH_4F
>
> **SOLUTION**
>
> a) **$NaNO_3$.** Na^+, le cation d'une base forte, et NO_3^-, l'anion d'un acide fort, ne réagissent pas avec l'eau et n'ont pas d'effet sur le pH de la solution: pH = 7.
>
> b) **K_3PO_4.** K^+, le cation d'une base forte, ne réagit pas avec l'eau. Par contre, l'anion PO_4^{3-}, la base conjuguée de l'acide faible HPO_4^{2-}, a des propriétés basiques.
>
> $$PO_4^{3-} \text{ (aq)} + H_2O \text{ (l)} \rightleftharpoons HPO_4^{2-} \text{ (aq)} + OH^- \text{ (aq)}$$
>
> La solution est basique, son pH est supérieur à 7.

c) **FeCl$_2$.** Cl$^-$, la base conjuguée extrêmement faible de l'acide fort HCl, n'a pas d'effet sur le pH de la solution. Le cation Fe^{2+} s'hydrate en solution aqueuse en [Fe(H$_2$O)$_6$]$^{2+}$, un acide de Brønsted.

$$[Fe(H_2O)_6]^{2+} \text{ (aq)} + H_2O \text{ (l)} \rightleftharpoons [Fe(H_2O)_5(OH)]^+ \text{ (aq)} + H_3O^+ \text{ (aq)}$$

La solution est légèrement acide (pH < 7).

d) **NaHCO$_3$.** Na$^+$, le cation d'une base forte, ne réagit pas avec l'eau. Par contre, HCO$_3^-$ est un anion amphiprotique.

$$HCO_3^- \text{ (aq)} + H_2O \text{ (l)} \rightleftharpoons CO_3^{2-} \text{ (aq)} + H_3O^+ \text{ (aq)} \qquad K_a = 4,8 \times 10^{-11}$$
$$HCO_3^- \text{ (aq)} + H_2O \text{ (l)} \rightleftharpoons H_2CO_3 \text{ (aq)} + OH^- \text{ (aq)} \qquad K_b = 2,4 \times 10^{-8}$$

Comme K_b est plus élevé que K_a, les ions HCO$_3^-$ ont plus tendance à fournir en solution aqueuse des ions OH$^-$ que des ions H$_3$O$^+$ et présentent dans cette situation un comportement basique. La solution est légèrement basique.

e) **NH$_4$F.** NH$_4^+$ est un acide, tandis que F$^-$ est une base.

$$NH_4^+ \text{ (aq)} + H_2O \text{ (l)} \rightleftharpoons NH_3 \text{ (aq)} + H_3O^+ \text{ (aq)} \qquad K_a = 5,6 \times 10^{-10}$$
$$F^- \text{ (aq)} + H_2O \text{ (l)} \rightleftharpoons HF \text{ (aq)} + OH^- \text{ (aq)} \qquad K_b = 1,4 \times 10^{-11}$$

Puisque K_a (NH$_4^+$) est plus grand que K_b (F$^-$), la tendance de NH$_4^+$ à donner des ions H$_3$O$^+$ est plus grande que celle de F$^-$ à donner OH$^-$.

La solution est légèrement acide.

trucs et astuces

Les solutions aqueuses de sels

Parce qu'ils se retrouvent en solution aqueuse dans notre organisme et dans l'environnement en général, et qu'ils sont présents dans de nombreuses applications industrielles, il est important de connaître le comportement acidobasique des sels. Les renseignements permettant de connaître l'effet des ions sur le pH des solutions sont contenus dans le tableau 4.5. On peut trouver qualitativement l'effet des sels sur le pH selon leur composition.

Cation provenant	Anion provenant	pH de la solution
d'une base forte (Na$^+$)	d'un acide fort (Cl$^-$)	= 7 (solution neutre).
d'une base forte (K$^+$)	d'un acide faible (CH$_3$COO$^-$)	> 7 (solution basique).
d'une base faible (NH$_4^+$)	d'un acide fort (Cl$^-$)	< 7 (solution acide).
d'une base faible (BH$^+$)	d'un acide faible (A$^-$)	dépend des forces relatives de l'acide et de la base.

EXERCICE 4.5 **Les propriétés acidobasiques des sels en solution aqueuse**

En vous référant aux données des tableaux 4.4 (*voir la page 147*) et 4.5, prévoyez l'effet de la dissolution des sels suivants sur le pH de l'eau.

a) KBr   b) NH$_4$NO$_3$ c) AlCl$_3$ d) Na$_2$HPO$_4$

4.4.3 L'échelle logarithmique pK

Pour éviter de traîner constamment des puissances dix négatives pour exprimer la force des acides et des bases, on préfère souvent utiliser la notation « **p** », comme dans le cas de la concentration des ions H_3O^+.

$$pK_a = -\log K_a$$ (Équation 4.8)

Par exemple, le pK_a de l'acide acétique est égal à :

$$pK_a = -\log (1,8 \times 10^{-5}) = -(-4,74) = 4,74$$

Plus l'acide est fort, plus sa constante d'acidité est élevée, plus son pK_a est faible.

L'acidité et K_a augmentent. →

Acide propanoïque	Acide acétique	Acide formique
CH_3CH_2COOH	CH_3COOH	$HCOOH$
$K_a = 1,3 \times 10^{-5}$	$K_a = 1,8 \times 10^{-5}$	$K_a = 1,8 \times 10^{-4}$
$pK_a = 4,89$	$pK_a = 4,74$	$pK_a = 3,74$

pK_a diminue. →

De la même manière, on définit :

$$pK_b = -\log K_b$$ (Équation 4.9)

Les pK_a et pK_b de quelques acides et bases courants ont été répertoriés dans le tableau 4.4 (*voir la page 147*).

EXERCICE 4.6   Les pK

a) Calculez le pK_a de l'acide benzoïque.

b) L'acide chloroacétique ($ClCH_2COOH$), dont le pK_a vaut 2,87, est-il plus fort que l'acide benzoïque ?

c) Calculez le pK_a de l'acide conjugué de l'ammoniac. Cet acide est-il plus fort que CH_3COOH ?

4.4.4 La relation entre K_a et K_b d'un couple acidobasique

L'addition des deux équations représentant l'ionisation d'un acide faible, comme HCN, et de sa base conjuguée, CN^-, conduit à l'équation de l'autoprotolyse de l'eau.

$HCN\ (aq) + H_2O\ (l) \rightleftharpoons CN^-\ (aq) + H_3O^+\ (aq)$	$K_a = 4,0 \times 10^{-10}$
$CN^-\ (aq) + H_2O\ (l) \rightleftharpoons HCN\ (aq) + OH^-\ (aq)$	$K_b = 2,5 \times 10^{-5}$
$2\ H_2O\ (l) \rightleftharpoons H_3O^+\ (aq) + OH^-\ (aq)$	$K_e = 1,0 \times 10^{-14}$

La multiplication des deux constantes d'équilibre K_a et K_b est effectivement égale à K_e.

$$K_a K_b = \frac{[\text{CN}^-][\text{H}_3\text{O}^+]}{[\text{HCN}]} \frac{[\text{HCN}][\text{OH}^-]}{[\text{CN}^-]} = [\text{H}_3\text{O}^+][\text{OH}^-] = K_e$$

$$K_a K_b = K_e \qquad \text{(Équation 4.10)}$$

En notation p, cette équation devient:

$$\text{p}K_a + \text{p}K_b = \text{p}K_e = 14{,}00, \text{ à } 25\ °\text{C.} \qquad \text{(Équation 4.11)}$$

Ces deux équations permettent de calculer K_b à l'aide de la constante d'acidité K_a de l'acide conjugué et, réciproquement, K_a à l'aide de K_b.

$$K_b(\text{CN}^-) = \frac{K_e}{K_a(\text{HCN})} = \frac{1{,}0 \times 10^{-14}}{4{,}0 \times 10^{-10}} = 2{,}5 \times 10^{-5}$$

EXERCICE 4.7 $K_a K_b = K_e$

Sachant que la constante d'acidité de l'acide lactique ($\text{CH}_3\text{CHOHCOOH}$) est égale à $1{,}4 \times 10^{-4}$, calculez K_b de sa base conjuguée ($\text{CH}_3\text{CHOHCOO}^-$).

4.5 LES CONSTANTES D'ÉQUILIBRE ET LES RÉACTIONS ACIDOBASIQUES

Selon la théorie de Brønsted-Lowry, toutes les réactions acidobasiques impliquent deux couples d'acides et de bases conjugués.

$$\text{acide 1 + base 2} \rightleftharpoons \text{base 1 + acide 2}$$

Dans la section 4.4, on s'est servi des constantes d'équilibre pour déterminer les forces relatives des acides et des bases. On va maintenant les utiliser pour prévoir la direction de l'évolution des réactions acidobasiques et la nature de la solution résultante.

4.5.1 La prévision de l'évolution des réactions acidobasiques

L'acide chlorhydrique est un acide fort, sa constante d'acidité est très élevée et l'équilibre est complètement déplacé vers la droite.

$$\text{HCl (aq) + H}_2\text{O (l)} \longrightarrow \text{H}_3\text{O}^+ \text{ (aq) + Cl}^- \text{ (aq)}$$
Acide fort $[\text{H}_3\text{O}^+]$ = concentration
100 % ionisé, $K_a \gg 1$ initiale de l'acide (C_a)

Dans toute réaction impliquant un acide fort, l'acide du membre de gauche de l'équation (les réactifs) est plus fort que l'acide situé à droite (les produits) et, bien sûr, la base du côté des réactifs est plus forte que celle du côté des produits.

Acide plus fort que H_3O^+		Base plus forte que Cl^-			Acide plus faible que HCl		Base plus faible que H_2O
HCl (aq)	+	H_2O (l)	$\rightleftharpoons$		H_3O^+ (aq)	+	Cl^- (aq)

Couple 1

Couple 2

Des deux acides de cette réaction, HCl est plus fort que H_3O^+: il perd plus facilement son proton que H_3O^+. Des deux bases, H_2O est la plus forte: H_2O remporte contre Cl^- la compétition pour le proton. La réaction directe a lieu et l'équilibre est déplacé totalement du côté possédant l'acide et la base les plus faibles.

À l'opposé de HCl, l'acide acétique ne s'ionise que très peu dans l'eau et est considéré de ce fait comme un acide faible.

$$CH_3COOH \ (aq) \ + \ H_2O \ (l) \ \rightleftharpoons \ H_3O^+ \ (aq) \ + \ CH_3COO^- \ (aq)$$

Acide faible
ionisation < 100 %
$K_a = 1,8 \times 10^{-5}$

$[H_3O^+] \ll$ concentration
initiale de l'acide

Les concentrations à l'équilibre de H_3O^+ et de CH_3COO^- présents dans une solution aqueuse contenant initialement 0,1 mol/L d'acide acétique sont voisines de 0,001 mol/L: quelque 99 % de l'acide acétique n'est pas ionisé.

Acide plus faible que H_3O^+		Base plus faible que CH_3COO^-			Acide plus fort que CH_3COOH		Base plus forte que H_2O
CH_3COOH (aq)	+	H_2O (l)	$\rightleftharpoons$		H_3O^+ (aq)	+	CH_3COO^- (aq)

Couple 1

Couple 2

Là encore, à l'équilibre, l'acide et la base les plus faibles sont majoritaires.

On retient de ces deux exemples la règle générale suivante: *toute réaction impliquant le transfert d'un proton s'effectue de l'acide le plus fort vers le plus faible.* La réaction favorise ainsi la formation de l'acide et de la base les plus faibles. Si l'on connaît les constantes d'acidité, ou de basicité, de deux couples, on peut prévoir la direction de la réaction. Considérez, par exemple, la réaction possible entre l'acide phosphorique et les ions acétate qui donneraient l'acide acétique et les ions dihydrogénophosphate. On sait d'après le tableau 4.4 (*voir la page 147*) que H_3PO_4 ($K_a = 7,5 \times 10^{-3}$) est plus fort que CH_3COOH ($K_a = 1,8 \times 10^{-5}$) et que, forcément, l'ion acétate est une base plus forte que l'ion dihydrogénophosphate.

Acide plus fort que CH_3COOH		Base plus forte que $H_2PO_4^-$			Base plus faible que CH_3COO^-		Acide plus faible que H_3PO_4
H_3PO_4 (aq)	+	CH_3COO^- (aq)	$\rightleftharpoons$		$H_2PO_4^-$ (aq)	+	CH_3COOH (aq)

Bases de Brønsted

Acides de Brønsted

La réaction s'effectue de l'acide le plus fort (H_3PO_4) vers le plus faible (CH_3COOH) ou de la base la plus forte (CH_3COO^-) vers la plus faible ($H_2PO_4^-$): elle se produit donc vers la droite. Un mélange aqueux d'acide phosphorique et d'ions acétate formera donc une quantité appréciable d'acide acétique et d'ions dihydrogénophosphate.

EXEMPLE 4.3 **Les réactions acidobasiques**

Que se passe-t-il lors du mélange d'une solution d'acide acétique et d'une solution d'hydrogénocarbonate de sodium?

SOLUTION

L'ion hydrogénocarbonate peut adopter un comportement acide ou basique selon le réactif avec lequel il est mis en présence: comme l'acide acétique n'a que des propriétés acides, il doit se comporter comme une base pour qu'une réaction puisse éventuellement se produire. L'équilibre à envisager est donc représenté par l'équation:

$$CH_3COOH \text{ (aq)} + HCO_3^- \text{ (aq)} \rightleftharpoons H_2CO_3 \text{ (aq)} + CH_3COO^- \text{ (aq)}$$

$$(\text{acide 1} \quad + \quad \text{base 2} \quad \rightleftharpoons \quad \text{acide 2} \quad + \quad \text{base 1})$$

D'après les données du tableau 4.4 (*voir la page 147*), l'acide acétique ($K_a = 1,8 \times 10^{-5}$) est plus fort que l'acide carbonique ($K_a = 4,2 \times 10^{-7}$): comme toute réaction acidobasique évolue de l'acide le plus fort vers le plus faible, donc dans ce cas de l'acide acétique vers la formation de l'acide carbonique, la réaction directe a effectivement lieu. Des ions acétate et de l'acide carbonique se forment.

Commentaire Observez la photographie de la réaction entre l'acide acétique (vinaigre) et l'hydrogénocarbonate de sodium (levure chimique). La réaction favorise très nettement la formation de l'acide le plus faible (H_2CO_3) et de la base la plus faible (CH_3COO^-). L'équilibre se déplace constamment vers la droite (réaction directe), à cause du dégagement continu du dioxyde de carbone issu de la décomposition de l'acide carbonique:

$$H_2CO_3 \text{ (aq)} \rightleftharpoons CO_2 \text{ (g)} + H_2O \text{ (l)}$$

(*voir les sections 10.5.3 et 10.5.4 de* Chimie générale *et la section 3.6 de ce manuel, page 121*).

◄ **La prévision de la direction d'une réaction acidobasique.**
Cette photographie illustre la réaction d'un acide et d'une base faibles, l'acide acétique et l'ion hydrogénocarbonate. En se référant aux constantes d'acidité, on prévoit que la réaction puisse effectivement se produire. Charles D. Winters

---

EXERCICE 4.8 **La direction des réactions acidobasiques**

a) Lequel des deux ions, HCO_3^- ou NH_4^+, est le plus acide? Lequel possède la base conjuguée la plus forte?

b) Que se passe-t-il quand on ajoute de l'ammoniaque (NH_3 (aq)) à une solution contenant des ions HCO_3^-?

EXERCICE 4.9 **La direction des réactions acidobasiques**

Que se passe-t-il quand on ajoute de l'acide acétique à une solution aqueuse d'hydrogénosulfate de sodium?

Figure 4.7 Réaction entre un acide et une base faibles. Les bulles qui se dégagent du comprimé sont formées de dioxyde de carbone. Elles se forment à partir de la réaction entre un acide de Brønsted faible, l'acide citrique, et une base de Brønsted faible, l'ion hydrogénocarbonate. Ce dégagement gazeux constitue en fait la force motrice de la réaction. Charles D. Winters

4.6 LES DIFFÉRENTS TYPES DE RÉACTIONS ACIDOBASIQUES

La réaction entre l'acide chlorhydrique et l'hydroxyde de sodium est un cas classique de réaction entre un acide fort et une base forte, tandis que celle entre, par exemple, l'acide citrique et l'hydrogénocarbonate de sodium illustre le cas d'une réaction entre un acide et une base tous deux faibles (figure 4.7).

Les réactions acidobasiques constituent une classe importante de changements chimiques, et il est utile d'en connaître les aboutissants, que les acides et les bases soient forts ou faibles (tableau 4.6).

TABLEAU 4.6 Les caractéristiques des réactions acidobasiques

Cas	Exemples	Équations ioniques nettes	Espèces présentes en solution après le mélange de quantités équimolaires (en plus de H_3O^+ et OH^-); pH
acide fort + base forte	HCl + NaOH	H_3O^+ (aq) + OH^- (aq) $\longrightarrow$ 2 H_2O (l)	Na^+, Cl^-; pH = 7
acide fort + base faible	HCl + NH_3	H_3O^+ (aq) + NH_3 (aq) $\rightleftharpoons$ NH_4^+ (aq) + H_2O (l)	NH_4^+, Cl^-; pH < 7
acide faible + base forte	HCOOH + NaOH	HCOOH (aq) + OH^- (aq) $\rightleftharpoons$ $HCOO^-$ (aq) + H_2O (l)	Na^+, $HCOO^-$; pH > 7
acide faible + base faible	HCOOH + NH_3	HCOOH (aq) + NH_3 (aq) $\rightleftharpoons$ $HCOO^-$ (aq) + NH_4^+ (aq)	NH_4^+, $HCOO^-$; pH dépend des K_a et K_b des espèces en solution.

4.6.1 Réaction entre un acide fort et une base forte

Les acides et les bases forts sont totalement ionisés en solution aqueuse. De ce fait, l'équation ionique globale représentant la réaction entre HCl et NaOH est:

$$H_3O^+ \text{ (aq)} + Cl^- \text{ (aq)} + Na^+ \text{ (aq)} + OH^- \text{ (aq)} \rightleftharpoons 2\ H_2O \text{ (l)} + Na^+ \text{ (aq)} + Cl^- \text{ (aq)}$$

Il s'ensuit que l'équation ionique nette se résume à l'union d'un ion hydronium et d'un ion hydroxyde formant de l'eau.

$$H_3O^+ \text{ (aq)} + OH^- \text{ (aq)} \longrightarrow 2\ H_2O \text{ (l)} \qquad K = \frac{1}{K_e} = 1,0 \times 10^{14}$$

Comme cette réaction est l'inverse de la réaction d'autoprotolyse de l'eau, sa constante d'équilibre est égale à l'inverse de K_e. La grandeur de K, $1,0 \times 10^{14}$, est telle qu'on considère en pratique tous les réactifs consommés: si l'on part d'un mélange équimolaire de HCl et de NaOH, la solution résultante est tout simplement une solution de chlorure de sodium (NaCl). Puisque les ions constituant cette solution sont issus d'une base forte et d'un acide fort, ils ne réagissent pas avec l'eau et le pH de la solution est égal à 7, le pH « neutre ». Pour cette raison, les réactions entre des acides et des bases fortes étaient autrefois appelées les **neutralisations.**

Le pH de la solution résultant d'un mélange *équimolaire* d'un *acide* et d'une *base* tous deux *forts* est égal à *7*, à 25 °C.

4.6.2 Réaction entre un acide fort et une base faible

Lorsqu'on combine un acide fort tel HCl avec une base faible comme NH_3, on sait que c'est l'ion H_3O^+ qui réagit avec la base.

$$H_3O^+ \text{ (aq)} + NH_3 \text{ (aq)} \rightleftarrows NH_4^+ \text{ (aq)} + H_2O \text{ (l)}$$

L'ion H_3O^+ est bien plus acide que l'ion NH_4^+ ($K_a = 5,6 \times 10^{-10}$) et NH_3 est une base plus forte ($K_b = 1,8 \times 10^{-5}$) que l'eau. De ce fait, on prévoit que la réaction évolue vers la droite et on la considère, en pratique, comme totale.

$$H_3O^+ \text{ (aq)} + NH_3 \text{ (aq)} \longrightarrow NH_4^+ \text{ (aq)} + H_2O \text{ (l)}$$

Aussi, la solution résultant du mélange de quantités équimolaires de HCl et de NH_3 est une solution de chlorure d'ammonium. Les ions Cl^- n'ont aucun effet sur le pH de la solution, tandis que les ions NH_4^+, acide conjugué d'une base faible, sont acides: la solution de NH_4Cl est acide.

La solution résultant d'un mélange *équimolaire* d'un *acide fort* et d'une *base faible* est *acide* et son pH, inférieur à 7, à 25 °C, dépend de K_a du cation.

◆ *HCl + NH₃*

Montrez que la constante d'équilibre de la réaction entre un acide fort et NH_3 est égale à $1,8 \times 10^9$.

4.6.3 Réaction entre un acide faible et une base forte

Soit la réaction entre l'acide formique (HCOOH), un acide faible, et la base forte NaOH. Comme NaOH est totalement ionisé en solution aqueuse, c'est l'ion hydroxyde qui réagit avec l'acide selon l'équation ionique nette.

$$HCOOH \text{ (aq)} + OH^- \text{ (aq)} \rightleftarrows HCOO^- \text{ (aq)} + H_2O \text{ (l)}$$

OH^- étant une base nettement plus forte que $HCOO^-$ ($K_b = 5,6 \times 10^{-11}$), la réaction directe se produit et on la considère, en pratique, totale.

$$HCOOH \text{ (aq)} + OH^- \text{ (aq)} \longrightarrow HCOO^- \text{ (aq)} + H_2O \text{ (l)}$$

Un mélange équimolaire de HCOOH et de NaOH forme une solution de formiate de sodium (HCOONa), un sel totalement dissocié. Comme les ions Na^+ n'ont pas d'effet sur le pH des solutions et que l'ion formiate issu d'un acide faible est basique, la solution de ce sel est basique.

La solution résultant d'un mélange *équimolaire* d'un *acide faible* et d'une *base forte* est *basique* et son pH, supérieur à 7, à 25 °C, dépend de K_b de l'anion.

◆ *HCOOH + NaOH*

Montrez que la constante d'équilibre de la réaction entre l'acide formique et NaOH est égale à $1,8 \times 10^{10}$.

4.6.4 Réaction entre un acide faible et une base faible

La réaction suivante se produit lorsqu'on mélange des solutions d'acide acétique et d'ammoniac.

$$CH_3COOH \text{ (aq)} + NH_3 \text{ (aq)} \rightleftarrows CH_3COO^- \text{ (aq)} + NH_4^+ \text{ (aq)}$$

◆ **La réaction d'un acide faible et d'une base faible**

Les levures chimiques contiennent souvent du dihydrogénophosphate de calcium ($Ca(H_2PO_4)_2$), un acide faible. Il réagit avec les ions HCO_3^- en donnant HPO_4^{2-}, CO_2 et H_2O.

Charles D. Winters

◆ **Acide faible + base faible**

Montrez que la constante d'équilibre de la réaction entre un acide faible et une base faible est égale à $\frac{K_a K_b}{K_e}$,

K_a et K_b désignant respectivement la constante d'acidité de l'acide initial et la constante de basicité de la base initiale.

La réaction favorise les produits puisque CH_3COOH ($K_a = 1,8 \times 10^{-5}$) est un acide plus fort que NH_4^+ ($K_a = 5,6 \times 10^{-10}$) et que NH_3 ($K_b = 1,8 \times 10^{-5}$) est une base plus forte que CH_3COO^- ($K_b = 5,6 \times 10^{-10}$). Un mélange équimolaire de CH_3COOH (aq) et de NH_3 (aq) donne donc une solution d'acétate d'ammonium. Est-elle acide ou basique? On a vu à la section 4.4.2 (*voir la page 150*) que le pH dépendait du K_a de l'acide (NH_4^+, $K_a = 5,6 \times 10^{-10}$) et du K_b de la base (CH_3COO^-, $K_b = 5,6 \times 10^{-10}$). Comme ceux-ci sont identiques, on s'attend à une solution neutre, de pH égal à 7, à 25 °C.

> Le mélange de *quantités équimolaires* d'un *acide* et d'une base *tous deux faibles* produit un *sel*, dont le cation est l'acide conjugué de la base et l'anion, la base conjuguée de l'acide. Le pH de la solution saline dépend des valeurs relatives de K_a et de K_b.

EXERCICE 4.10   Les réactions acidobasiques

a) La solution résultant d'un mélange de quantités équimolaires de HCl (aq) et de NaCN (aq) est-elle acide?

b) La solution résultant d'un mélange de quantités équimolaires d'acide acétique et de sulfite de sodium (Na_2SO_3) est-elle acide?

4.7   L'ASPECT QUANTITATIF DES ACIDES ET DES BASES

4.7.1   Le calcul des constantes d'équilibre à l'aide des concentrations initiales et du pH mesuré

Les constantes d'acidité ou de basicité répertoriées dans le tableau 4.4 (*voir la page 147*) ont été déterminées expérimentalement. Une des techniques les plus simples, illustrée dans l'exemple suivant, consiste à mesurer le pH d'une solution dont on connaît la concentration initiale de l'acide ou de la base.

EXEMPLE 4.4   Le calcul de K_a à l'aide du pH et des concentrations

L'acide lactique ($CH_3CHOHCOOH$), un acide monoprotique présent naturellement dans le lait sur et dans les yogourts, apparaît dans l'organisme humain sous l'effet d'un travail musculaire intense et lors du métabolisme normal. Sa solution de concentration 0,10 mol/L a un pH de 2,43 : calculez son pK_a.

Acide lactique ($CH_3CHOHCOOH$)

SOLUTION

L'acide lactique réagit avec l'eau selon la réaction :

$$CH_3CHOHCOOH \text{ (aq)} + H_2O \text{ (l)} \rightleftharpoons CH_3CHOHCOO^- \text{ (aq)} + H_3O^+ \text{ (aq)}$$

$$K_a = \frac{[CH_3CHOHCOO^-][H_3O^+]}{[CH_3CHOHCOOH]}$$

Concentrations (mol/L)	CH₃CHOHCOOH (aq) + H₂O (l) ⇌ CH₃CHOHCOO⁻ (aq) + H₃O⁺ (aq)		
initiales	0,10	0	négligeable
Changement	-x	+x	+x
équilibre	0,10 − x	x	x

Donnée

La première ligne du tableau exprime les conditions initiales de l'exercice, en supposant que la réaction n'a pas encore eu lieu et que l'autoprotolyse de l'eau ne contribue pas de façon significative à la concentration des ions H_3O^+ de la solution finale (*voir l'encadré* Pour en savoir +... La résolution systématique des problèmes impliquant des acides et des bases, *page 161*).

La deuxième ligne traduit ce qui se passe sur le plan des concentrations lorsque l'acide s'ionise : les concentrations de H_3O^+ et de $CH_3CHOHCOO^-$ augmentent de x, tandis que celle de $CH_3CHOHCOOH$ diminue de la même valeur (les coefficients stœchiométriques sont égaux à 1).

Les concentrations à l'équilibre, après réaction, égales à la somme des deux lignes **i** et **C,** sont données à la troisième ligne.

On déduit de l'une des données de l'exercice que :

$$x = [H_3O^+] = 10^{-pH} = 10^{-2,43} = 3,7 \times 10^{-3} \text{ mol/L}$$

Le tableau iCé devient donc :

Concentrations (mol/L)	CH₃CHOHCOOH (aq) + H₂O (l) ⇌ CH₃CHOHCOO⁻ (aq) + H₃O⁺ (aq)		
initiales	0,10	0	négligeable
Changement	-3,7 × 10⁻³	+3,7 × 10⁻³	+3,7 × 10⁻³
équilibre	9,6 × 10⁻²	3,7 × 10⁻³	3,7 × 10⁻³

Donnée

$$K_a = \frac{[CH_3CHOHCOO^-][H_3O^+]}{[CH_3CHOHCOOH]} = \frac{(3,7 \times 10^{-3})(3,7 \times 10^{-3})}{(9,6 \times 10^{-2})} = 1,4 \times 10^{-4}$$

$$pK_a = -\log (1,4 \times 10^{-4}) = -(-3,85) = 3,85$$

Un point important est à noter à partir de cet exemple. La concentration de l'acide lactique à l'équilibre est égale à $(0,10 − x)$ et il appert que x est égal à $3,7 \times 10^{-3}$ ou 0,0037. L'acide est si faible qu'il ne s'ionise que très peu (environ 4 %) et la concentration à l'équilibre est pratiquement égale à sa concentration initiale (C_a). Autrement dit, négliger 0,0037 par rapport à 0,10 n'a que très peu d'effet, pour ne pas dire aucun, sur la réponse finale. Tout comme l'acide lactique, la plupart des acides HA sont si faibles que leur concentration à l'équilibre [HA] peut généralement être considérée comme égale à leur concentration initiale (C_a). Cette constatation conduit à la conclusion suivante : le dénominateur de l'expression de la constante d'équilibre de la plupart des acides faibles en solutions diluées peut être remplacé par (C_a), $K_a = \frac{[A^-][H_3O^+]}{C_a - [H_3O^+]} \approx \frac{[A^-][H_3O^+]}{C_a}$.

De façon pratique, on considère que l'approximation $[HA] = C_a - [H_3O^+] \approx C_a$ est valable si C_a est plus grand que $100\,K_a$.

C'est le même résultat que celui auquel on était arrivé à la section 3.4 (*voir la page 115*) portant sur le calcul des concentrations à l'équilibre.

EXERCICE 4.11 **Le calcul de K_a à l'aide du pH et de la concentration initiale**

La solution préparée par dissolution de 0,055 mol d'acide butanoïque ($CH_3CH_2CH_2COOH$) dans suffisamment d'eau pour obtenir 1,00 L a un pH de 2,72. Calculez le pK_a de cet acide monoprotique.

4.7.2 Le calcul du pH d'une solution d'un acide ou d'une base faible

Il est possible de calculer le pH d'une solution d'un acide ou d'une base faible, si l'on connaît K_a ou K_b et la concentration initiale.

EXEMPLE 4.5 **Le calcul du pH à l'aide de K_a ou K_b et des concentrations**

Calculez le pH d'une solution aqueuse d'acide benzoïque (C_6H_5COOH) de concentration 0,020 mol/L, sachant que $K_a(C_6H_5COOH) = 6,3 \times 10^{-5}$.

SOLUTION

L'acide benzoïque se dissocie dans l'eau selon l'équation :

$$C_6H_5COOH \ (aq) + H_2O \ (l) \rightleftharpoons C_6H_5COO^- \ (aq) + H_3O^+ \ (aq)$$

et l'équilibre est régi par la constante :

$$K_a = \frac{[C_6H_5COO^-][H_3O^+]}{[C_6H_5COOH]} = 6,3 \times 10^{-5}$$

Concentrations (mol/L)	C_6H_5COOH (aq) + H_2O (l) $\rightleftharpoons$ $C_6H_5COO^-$ (aq) + H_3O^+ (aq)		
initiales	0,020	0	négligeable
Changement	-x	+x	+x
équilibre	0,020 − x	x	x

Selon l'équation de la réaction, $[H_3O^+] = [C_6H_5COO^-] = x$ et l'on déduit que $[C_6H_5COOH] = 0,020 - x$, puisque 1 mol d'acide forme en se dissociant 1 mol d'ion benzoate.

$$K_a = \frac{[C_6H_5COO^-][H_3O^+]}{[C_6H_5COOH]} = \frac{x^2}{0,020 - x} = 6,3 \times 10^{-5}$$

Puisque 0,020 est plus grand que $100\,K_a$, on peut certainement négliger x par rapport à la valeur de la concentration initiale et l'égalité précédente devient

$$K_a = \frac{x^2}{0,020} = 6,3 \times 10^{-5}$$

$$x = \sqrt{0,020 \times 6,3 \times 10^{-5}} = 1,12 \times 10^{-3} \qquad [H_3O^+] = 1,1 \times 10^{-3} \text{ mol/L}$$

$$\text{pH} = -\log(1,12 \times 10^{-3}) = 2,95$$

Commentaire Un nouveau calcul de x avec cette fois $0,020 - 0,0011 = 0,019$ au lieu de $0,020$ au dénominateur de K_a conduit à la solution $x = 1,09 \times 10^{-3}$, que l'on arrondit à $1,1 \times 10^{-3}$ compte tenu de la précision des données initiales. On aboutit au même résultat qu'avec le calcul approché, indication que l'approximation était correcte.

pour en savoir + ...

La résolution systématique des problèmes impliquant des acides et des bases

Dans les exemples 4.3, 4.4 et 4.5, on a supposé *a priori* que l'autoprotolyse de l'eau ne contribuait pas à la concentration des ions H_3O^+ à l'équilibre. À l'aide d'une démarche systématique s'appliquant à tous les équilibres en solution aqueuse, on se propose de démontrer que cette approche est valide dans la plupart des cas. Les données de l'exemple 4.5 servent de support à cette démonstration.

Étape 1 Écrivez les équations chimiques équilibrées.

$$C_6H_5COOH \text{ (aq)} + H_2O \text{ (l)} \rightleftarrows C_6H_5COO^- \text{ (aq)} + H_3O^+ \text{ (aq)}$$

$$2 H_2O \text{ (l)} \rightleftarrows H_3O^+ \text{ (aq)} + OH^- \text{ (aq)}$$

Étape 2 Exprimez les constantes d'équilibre.

$$K_a = \frac{[C_6H_5COO^-][H_3O^+]}{[C_6H_5COOH]} = 6,3 \times 10^{-5}$$

$$K_e = [H_3O^+][OH^-] = 1,0 \times 10^{-14}$$

Étape 3 Posez les équations des bilans de matière.

L'acide benzoïque dissous dans l'eau se trouve en solution sous deux formes: acide benzoïque moléculaire non dissocié (C_6H_5COOH) et ion benzoate ($C_6H_5COO^-$). Les concentrations sont notées respectivement $[C_6H_5COOH]$ et $[C_6H_5COO^-]$. La somme de ces deux concentrations est égale à C_a, c'est-à-dire à la « concentration totale », à la « concentration initiale » ou simplement à la « concentration » de la substance qui a été dissoute dans l'eau.

$$C_a = [C_6H_5COOH] + [C_6H_5COO^-]$$

Cette équation porte le nom d'*équation du bilan de matière*.

Étape 4 Posez l'équation du bilan électrique.

Toute solution est électriquement neutre. Par conséquent, la concentration des charges négatives est égale à la concen-tration des charges positives. Cette égalité est appelée l'*équation du bilan électrique*. La concentration des charges portées par un ion donné est égale à la concentration de l'ion multipliée par sa charge. L'équation du bilan électrique s'écrit:

$$[H_3O^+] = [OH^-] + [C_6H_5COO^-]$$

Étape 5 Effectuez les approximations adéquates.

Le système algébrique comporte quatre équations (K_a, K_e, bilan de matière, bilan électrique). Il comporte également quatre inconnues: $[H_3O^+]$, $[OH^-]$, $[C_6H_5COO^-]$ et $[C_6H_5COOH]$. Il peut donc être résolu mathématiquement, mais la tâche est assez fastidieuse puisqu'on aboutit à une équation du quatrième degré. De manière à simplifier les calculs, on se résout donc à effectuer des approximations justifiées *a priori* en éliminant des termes négligeables par rapport à d'autres. En partant des équations équilibrées de l'étape **1**, on déduit facilement que la solution résultant de la dissolution de l'acide benzoïque est acide. Dans ces conditions, on peut présumer que la concentration des ions OH^-, inférieure à 10^{-7} mol/L, est négligeable par rapport à la concentration des ions $C_6H_5COO^-$ dans l'équation du bilan électrique. Celle-ci devient alors:

$$[H_3O^+] = [C_6H_5COO^-]$$

Étape 6 Résolvez le système d'équations.

Le remplacement de $[C_6H_5COO^-]$ par $[H_3O^+]$ dans la constante d'équilibre K_a et dans l'équations du bilan de matière conduit à:

$$K_a = \frac{[H_3O^+]^2}{[C_6H_5COOH]} \text{ et } C_a = [C_6H_5COOH] + [H_3O^+]$$

En remplaçant $[C_6H_5COOH]$ apparaissant dans l'expression de la constante K_a par sa valeur déduite de l'égalité précédente,

$$[C_6H_5COOH] = C_a - [H_3O^+]$$

pour ensavoir+ ...

La résolution systématique des problèmes impliquant des acides et des bases (suite)

on obtient:

$$K_a = \frac{[H_3O^+]^2}{C_a - [H_3O^+]} \text{ et } \frac{[H_3O^+]^2}{0,020 - [H_3O^+]} = 6,3 \times 10^{-5}$$

La résolution de cette équation quadratique donne $[H_3O^+] = 1,1 \times 10^{-3}$ mol/L.

À l'aide de K_e, on calcule $[OH^-] = 9,1 \times 10^{-12}$ mol/L. De l'équation du bilan électrique, on tire:

$$[C_6H_5COO^-] = [H_3O^+] - [OH^-] = 1,1 \times 10^{-3} \text{ mol/L}$$
$$- 9,1 \times 10^{-12} \text{ mol/L} = 1,1 \times 10^{-3} \text{ mol/L}$$

L'équation du bilan de matière donne:

$$[C_6H_5COOH] = C_a - [C_6H_5COO^-] = 0,020 \text{ mol/L}$$
$$- 1,1 \times 10^{-3} \text{ mol/L} = 0,019 \text{ mol/L}$$

Étape 7 Vérifiez la validité des approximations effectuées.

À l'étape **5,** la concentration des ions OH^- a été négligée par rapport à celle des ions $C_6H_5COO^-$. Cette opération était justifiée, puisque la concentration calculée des ions OH^-, $9,1 \times 10^{-12}$ mol/L, est très nettement inférieure à celle des ions $C_6H_5COO^-$, $1,1 \times 10^{-3}$ mol/L.

Puisque l'approximation était justifiée, on en déduit que les équations utilisées étaient valables, en particulier $[H_3O^+] = [C_6H_5COO^-]$. Cette égalité permet de considérer que les ions H_3O^+, dont la concentration est pratiquement égale à celle des ions $C_6H_5COO^-$, proviennent seulement de la réaction de l'acide benzoïque avec l'eau, l'autoprotolyse de cette dernière n'ayant que peu d'effet sur $[H_3O^+]$. Remplir le tableau iCé comme dans l'exemple 4.5 (*voir la page 160*), à savoir que $[H_3O^+]_i$ est négligeable, et poser pratiquement l'égalité des variations de concentration des ions $C_6H_5COO^-$ et H_3O^+ trouvent ainsi leur justification.

Cette méthode systématique de calcul explique aussi pourquoi on considère que, dans le cas des acides forts HA en concentration relativement élevée ($>10^{-5}$ mol/L), la concentration des ions H_3O^+ est égale à la concentration initiale en acide (C_a). En effet, les approximations justifiées dans les équations du bilan de matière, $C_a = [HA] + [A^-]$, et du bilan électrique, $[H_3O^+] = [OH^-] + [A^-]$, conduisent aux égalités $C_a = [A^-]$ et $[H_3O^+] = [A^-]$ puisque HA, acide fort, n'existe plus en solution et que $[OH^-]$ est négligeable devant $[A^-]$. La contribution de l'autoprotolyse de l'eau à la formation des ions H_3O^+ n'a pratiquement aucun effet sur leur concentration et, dans la plupart des cas, elle n'est pas retenue dans les calculs.

EXEMPLE 4.6 **Le calcul du pH à l'aide de K_a et des concentrations**

Calculez le pH d'une solution aqueuse d'acide formique (HCOOH) de concentration 0,0010 mol/L, sachant que $K_{a(HCOOH)} = 1,8 \times 10^{-4}$.

SOLUTION

L'acide formique se dissocie dans l'eau selon l'équation:

$$HCOOH \ (aq) + H_2O \ (l) \rightleftharpoons HCOO^- \ (aq) + H_3O^+ \ (aq)$$

et l'équilibre est régi par la constante:

$$K_a = \frac{[HCOO^-][H_3O^+]}{[HCOOH]} = 1,8 \times 10^{-4}$$

Concentrations (mol/L)	HCOOH (aq) + H₂O (l) $\rightleftharpoons$ HCOO⁻ (aq) + H₃O⁺ (aq)		
initiales	0,0010	0	négligeable
Changement	-x	+x	+x
équilibre	0,0010 − x	x	x

Selon l'équation de la réaction, $[H_3O^+] = [HCOO^-] = x$ et l'on déduit que $[HCOOH] = 0,0010 - x$, puisque les coefficients stœchiométriques sont égaux.

$$K_a = \frac{[HCOO^-][H_3O^+]}{[HCOOH]} = \frac{x^2}{0,0010 - x} = 1,8 \times 10^{-4}$$

Puisque la concentration initiale, 0,0010 mol/L, n'est pas supérieure à $100\ K_a = 0,018$ mol/L, il n'est pas possible de négliger x par rapport à 0,0010 et de simplifier la dernière équation. On doit donc la résoudre systématiquement en la mettant sous la forme quadratique :

$$x^2 + (1,8 \times 10^{-4})x - (1,8 \times 10^{-7}) = 0$$

et en appliquant la formule $x = \dfrac{-b \pm \sqrt{b^2 - 4ac}}{2a}$ (*voir la section 3.4, page 115*).

$$x = [H_3O^+] = [HCOO^-] = 3,4 \times 10^{-4} \text{ mol/L}$$

Le pH de la solution est égal à :

$$pH = -\log(3,4 \times 10^{-4}) = 3,47$$

EXERCICE 4.12 **Le calcul du pH à l'aide de K_a et des concentrations**

Calculez les concentrations des espèces présentes dans une solution aqueuse contenant 0,10 mol/L d'acide acétique ($K_a = 1,8 \times 10^{-5}$). Quel est son pH ?

EXERCICE 4.13 **Le calcul du pH à l'aide de K_a et des concentrations**

Calculez les concentrations des espèces présentes dans une solution aqueuse contenant 0,015 mol/L d'acide fluorhydrique. Quel est son pH ?

Les bases, tout comme les acides, peuvent être des molécules ou des ions (*voir les figures 4.3 et 4.5, pages 145 et 148*). La plupart des molécules possédant un atome d'azote sont des bases, l'ammoniac étant la plus simple ; la caféine et la nicotine, deux produits naturels, sont bien connues. Les bases conjuguées des acides faibles HA sont des anions et constituent le deuxième type de bases. Les calculs de pH ou de concentrations à l'équilibre impliquant ces dernières s'effectuent de la même manière que pour les composés moléculaires.

EXEMPLE 4.7 **Le calcul du pH d'une solution saline d'une base faible, l'ion acétate**

Calculez le pH d'une solution aqueuse d'acétate de sodium (CH_3COONa) de concentration 0,015 mol/L, sachant que $K_a(CH_3COOH) = 1,8 \times 10^{-5}$.

SOLUTION

Une solution aqueuse d'acétate de sodium est basique, parce que l'ion acétate, base conjuguée de l'acide acétique, réagit avec l'eau pour former des ions OH^- et que l'ion Na^+ n'affecte pas le pH des solutions.

$$CH_3COO^- \text{ (aq)} + H_2O \text{ (l)} \rightleftharpoons CH_3COOH \text{ (aq)} + OH^- \text{ (aq)}$$

$$K_b = \frac{[CH_3COOH][OH^-]}{[CH_3COO^-]}$$

Puisque l'ion acétate est la base conjuguée de l'acide acétique, on peut calculer K_b en partant de K_a(CH₃COOH) à l'aide de l'équation 4.10, $K_a K_b = K_e$.

$$K_b = \frac{K_e}{K_a} = \frac{1,0 \times 10^{-14}}{1,8 \times 10^{-5}} = 5,6 \times 10^{-10}$$

Concentrations (mol/L)	CH₃COO⁻ (aq) + H₂O (l) $\rightleftharpoons$ CH₃COOH (aq) + OH⁻ (aq)		
initiales	0,015	0	négligeable
Changement	-x	+x	+x
équilibre	0,015 − x	x	x

$$K_b = \frac{[CH_3COOH][OH^-]}{[CH_3COO^-]} = 5,6 \times 10^{-10} = \frac{x^2}{0,015 - x}$$

L'ion acétate est une base très faible, comme l'indique la valeur très petite de K_b. Aussi, on estime que x, la concentration des ions OH⁻, est négligeable par rapport à la concentration initiale de l'acétate de sodium ($0,015 \gg 100\ K_b$).

$$5,6 \times 10^{-10} \approx \frac{x^2}{0,015}$$

$$x = [OH^-] = [CH_3COOH] = \sqrt{5,6 \times 10^{-10} \times 0,015} = 2,9 \times 10^{-6}\ \text{mol/L}$$

Cette valeur de [OH⁻] est effectivement bien plus petite que la concentration initiale des ions acétate, si bien que l'approximation est justifiée et ne modifie pas le résultat. On pouvait s'en douter puisque 0,015 est nettement plus grand que 100 K_b.

$$pOH = -\log [OH^-] = -\log (2,9 \times 10^{-6}) = 5,54$$

De l'équation 4.5, pH + pOH = 14,00, à 25 °C, on tire :

$$pH = 14,00 - 5,54 = 8,46$$

EXERCICE 4.14   **Le pH des solutions de bases conjuguées des acides faibles HA**

Calculez les concentrations des espèces présentes dans une solution aqueuse contenant 0,015 mol/L d'hypochlorite de sodium (NaClO), un composé utilisé comme désinfectant dans les piscines et dans le traitement des eaux (K_a(HClO) = $3,5 \times 10^{-8}$). Quel est son pH?

4.7.3   Le calcul du pH d'une solution résultant d'une réaction acidobasique

Dans la section 4.6 (*voir la page 156*), vous avez appris à prévoir de façon qualitative l'acidité des solutions résultant d'une réaction acidobasique. Les résultats ont été regroupés dans le tableau 4.6. À l'aide d'un exemple, on aborde maintenant la façon de calculer le pH après une telle réaction.

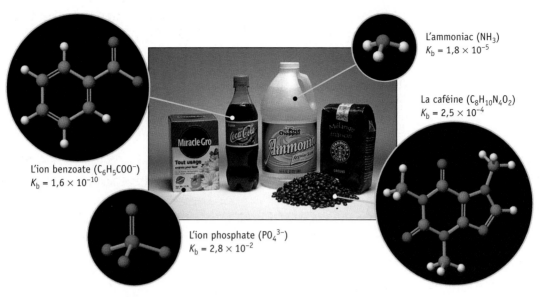

L'ammoniac (NH$_3$)
$K_b = 1,8 \times 10^{-5}$

La caféine (C$_8$H$_{10}$N$_4$O$_2$)
$K_b = 2,5 \times 10^{-4}$

L'ion benzoate (C$_6$H$_5$COO$^-$)
$K_b = 1,6 \times 10^{-10}$

L'ion phosphate (PO$_4^{3-}$)
$K_b = 2,8 \times 10^{-2}$

Figure 4.8 Les types de bases. Les molécules et les anions forment deux types de bases de Brønsted. Les bases moléculaires contiennent généralement au moins un atome d'azote susceptible d'accepter un proton. Les bases anioniques sont les bases conjuguées des acides faibles HA.
Charles D. Winters

trucs et astuces

Le calcul du pH

Le calcul du pH des solutions aqueuses s'effectue souvent en suivant une série d'étapes toutes simples.

1. Écrivez l'équation équilibrée.
2. Exprimez la constante d'équilibre.
3. Complétez le tableau iCé.
4. Substituez les valeurs dans l'expression de la constante d'équilibre.
5. Résolvez l'équation.
6. Vérifiez la validité des approximations.

EXEMPLE 4.8 **Le calcul du pH d'une solution issue de la réaction entre un acide fort et une base faible**

Calculez le pH de la solution résultant du mélange de 25 mL d'ammoniaque de concentration 0,016 mol/L et de 25 mL d'acide chlorhydrique de concentration 0,016 mol/L.

SOLUTION

Comme on l'a vu dans la section 4.6.2 (*voir la page 157*), on peut considérer que la réaction d'un acide fort et d'une base faible est totale.

$$H_3O^+ \text{ (aq)} + NH_3 \text{ (aq)} \longrightarrow NH_4^+ \text{ (aq)} + H_2O \text{ (l)}$$

H$_3$O$^+$ et NH$_3$ étant en quantités équimolaires (les mêmes volumes de solution et les mêmes concentrations), il ne reste en solution que des quantités égales d'ions Cl$^-$, qui n'ont pas d'effet sur le pH, et d'ions NH$_4^+$, une solution de chlorure d'ammonium. La solution est acide, puisque NH$_4^+$ est l'acide conjugué d'une base faible.

$$NH_4^+ \text{ (aq)} + H_2O \text{ (l)} \rightleftharpoons NH_3 \text{ (aq)} + H_3O^+ \text{ (aq)}$$

Pour résoudre quantitativement ce problème, on doit calculer dans un premier temps la concentration initiale des ions NH_4^+ et ensuite remplir un tableau iCé.

Quantité de NH_3 ou de HCl qui a réagi = $(0,016 \text{ mol/L})(0,025 \text{ L}) = 4,0 \times 10^{-4} \text{ mol}$

Quantité de NH_4^+ formé = $4,0 \times 10^{-4} \text{ mol de NH}_3 \times \dfrac{1 \text{ mol de NH}_4^+}{1 \text{ mol de NH}_3} = 4,0 \times 10^{-4} \text{ mol}$

En supposant que les volumes de solution sont additifs, on a 50 mL de solution après le mélange.

$$[NH_4^+] = \frac{4,0 \times 10^{-4} \text{ mol}}{0,050 \text{ L}} = 8,0 \times 10^{-3} \text{ mol/L}$$

Concentrations (mol/L)	NH_4^+ (aq) + H_2O (l) $\rightleftharpoons$	NH_3 (aq) +	H_3O^+ (aq)
initiales	0,0080	0	négligeable
Changement	-x	+x	+x
équilibre	0,0080 − x	x	x

$$K_a = \frac{[NH_3][H_3O^+]}{[NH_4^+]} = 5,6 \times 10^{-10} = \frac{x^2}{0,0080 - x}$$

L'ion ammonium est un acide très faible, comme l'indique la valeur très petite de K_a. Aussi, on peut en première approximation estimer que x, la concentration des ions H_3O^+, est très petite et qu'on peut la négliger devant la concentration initiale des ions ammonium (0,0080 est plus grand que 100 K_a).

$$5,6 \times 10^{-10} \approx \frac{x^2}{0,0080}$$

$$x = [H_3O^+] = [NH_3] = \sqrt{5,6 \times 10^{-10} \times 0,0080} = 2,1 \times 10^{-6} \text{ mol/L}$$

Cette valeur de $[H_3O^+]$ est effectivement bien plus petite que la concentration initiale des ions ammonium, si bien que l'approximation est justifiée.

$$pH = -\log [H_3O^+] = -\log (2,1 \times 10^{-6}) = 5,68$$

EXERCICE 4.15   **Le calcul du pH d'une solution issue de la réaction entre un acide faible et une base forte**

Calculez le pH de la solution résultant du mélange de 15 mL d'acide acétique de concentration 0,12 mol/L et de 15 mL d'hydroxyde de sodium de concentration 0,12 mol/L. ($K_a(CH_3COOH) = 1,8 \times 10^{-5}$). Déterminez les concentrations à l'équilibre des différentes espèces en solution.

Groupement acide

◆ **L'acide tartrique**

L'acide tartrique ($H_2C_4H_4O_6$) est un acide diprotique naturel. Il est présent, ainsi que son sel de potassium, dans de nombreux fruits. Charles D. Winters

4.8   LES ACIDES ET LES BASES POLYPROTIQUES

Quelques acides importants que l'on trouve dans les aliments, comme les acides oxalique dans la rhubarbe, citrique dans les agrumes, malique dans les pommes ou tartrique dans le raisin, peuvent libérer plusieurs protons ; ils sont polyprotiques (*voir le tableau 4.1, page 139*).

L'acide phosphorique fait aussi partie de cette catégorie. Il est couramment utilisé dans l'industrie alimentaire et ses anions hydrogénophosphate occupent une grande place en biochimie. Il peut libérer trois protons.

Première ionisation

$$H_3PO_4 \text{ (aq)} + H_2O \text{ (l)} \rightleftharpoons H_2PO_4^- \text{ (aq)} + H_3O^+ \text{ (aq)} \qquad K_{a1} = 7,5 \times 10^{-3}$$

Deuxième ionisation

$$H_2PO_4^- \text{ (aq)} + H_2O \text{ (l)} \rightleftharpoons HPO_4^{2-} \text{ (aq)} + H_3O^+ \text{ (aq)} \qquad K_{a2} = 6,2 \times 10^{-8}$$

Troisième ionisation

$$HPO_4^{2-} \text{ (aq)} + H_2O \text{ (l)} \rightleftharpoons PO_4^{3-} \text{ (aq)} + H_3O^+ \text{ (aq)} \qquad K_{a3} = 3,6 \times 10^{-13}$$

Remarquez que les valeurs de K_a diminuent à chacune des étapes: il est en effet plus difficile d'ôter H^+ d'un anion chargé -2 que d'un anion chargé -1 et que d'une molécule.

Pour beaucoup d'acides inorganiques, tels que H_3PO_4, H_2CO_3 ou H_2S, K_a baisse d'un facteur situé entre 10^4 et 10^6 à chacune des ionisations. Cela signifie que la première ionisation produit jusqu'à un million de fois plus de H_3O^+ que la deuxième. Pour cette raison, en pratique, on considère que *le pH d'une solution de ces acides ne dépend que de la première ionisation, la deuxième et* a fortiori *la troisième étant négligeables.* Ce même raisonnement s'applique aussi à leurs bases conjuguées, ce que l'on va illustrer à l'aide de l'exemple 4.9.

EXEMPLE 4.9 · Le calcul du pH d'une solution d'une base polyprotique

L'ion carbonate ayant un comportement basique dans l'eau, il peut se transformer en ions hydrogénocarbonate, qui peuvent donner à leur tour de l'acide carbonique.

$$CO_3^{2-} \text{ (aq)} + H_2O \text{ (l)} \rightleftharpoons HCO_3^- \text{ (aq)} + OH^- \text{ (aq)} \qquad K_{b1} = 2,1 \times 10^{-4}$$
$$HCO_3^- \text{ (aq)} + H_2O \text{ (l)} \rightleftharpoons H_2CO_3 \text{ (aq)} + OH^- \text{ (aq)} \qquad K_{b2} = 2,4 \times 10^{-8}$$

Calculez le pH d'une solution contenant 0,10 mol/L de carbonate de sodium.

SOLUTION

On calcule la concentration des ions OH^- en présumant que la deuxième ionisation est négligeable devant la première, K_{b2} étant environ 10 000 fois plus petite que K_{b1}.

Concentrations (mol/L)	CO_3^{2-} (aq)	+ H₂O (l) ⇌	HCO_3^- (aq)	+ OH^- (aq)
initiales	0,10		0	négligeable
Changement	-x		+x	+x
équilibre	0,10 − x		x	x

Donnée

$$K_{b1} = \frac{[HCO_3^-][OH^-]}{[CO_3^{2-}]} = 2,1 \times 10^{-4} = \frac{x^2}{0,10 - x}$$

Comme 0,10 est plus grand que 100 K_{b1}, on néglige x devant 0,10. On trouve alors:

$$x = [OH^-] = [HCO_3^-] = \sqrt{2,1 \times 10^{-4} \times 0,10} = 4,6 \times 10^{-3} \text{ mol/L}$$

◆ *L'acide malique*

L'acide malique, un acide diprotique, est présent dans les pommes. Un groupement —OH est porté par l'atome de carbone voisin de l'un des groupements terminaux —COOH (cette position est notée α). Les α-hydroxy acides constituent une grande classe d'acides organiques naturels, comprenant entre autres les acides lactique, citrique, ascorbique, etc. Ces acides, qui agissent en accélérant le processus naturel de remplacement des cellules des couches externes de la peau, ont servi d'agent de promotion des crèmes faciales aidant à « combattre le vieillissement ».

Charles D. Winters

$$pOH = \text{-log } [OH^-] = \text{-log } (4.6 \times 10^{-3}) = 2.34$$
$$pH = 14.00 - pOH = 14.00 - 2.34 = 11.66$$

Commentaire On peut se demander quelle est la concentration approximative de H_2CO_3 dans la solution. Si HCO_3^- réagissait substantiellement avec l'eau, le pH de la solution en serait affecté et il faudrait alors envisager une autre manière de résoudre le problème (*voir l'encadré* Pour en savoir +, *à la page 161*). On suppose que les concentrations des ions HCO_3^- et OH^- sont celles que l'on vient de calculer et l'on effectue les calculs subséquents de la façon habituelle.

Concentrations (mol/L)	HCO₃⁻ (aq)	+	H₂O (l)	⇌	H₂CO₃ (aq)	+	OH⁻ (aq)
initiales	4.6×10^{-3}				0		4.6×10^{-3}
Changement	-y				+y		+y
équilibre	$(4.6 \times 10^{-3}) - y$				y		$4.6 \times 10^{-3} + y$

$$K_{b2} = \frac{[H_2CO_3][OH^-]}{[HCO_3^-]} = 2.4 \times 10^{-8} = \frac{(0.0046 + y)\,y}{0.0046 - y}$$

En supposant que y est négligeable par rapport à 0,0046, on trouve que $y = [H_2CO_3] = 2.4 \times 10^{-8}$ mol/L. Cette valeur, nettement plus petite que 0,0046, confirme que l'approximation précédente était justifiée. La concentration de H_2CO_3 est environ 2×10^5 fois plus faible que celle de HCO_3^-: la réaction de HCO_3^- sur l'eau est si petite qu'elle ne produit pratiquement pas d'ions OH^-. Ce résultat confirme que ceux-ci proviennent essentiellement de la première ionisation.

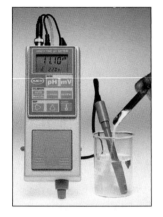

◆ *Le carbonate de sodium*

Les solutions aqueuses de ce sel courant sont basiques. Environ la moitié de sa production est utilisée dans l'industrie du verre. L'exploitation, à partir de 1950, des mines de trona ($Na_2CO_3 \cdot NaHCO_3 \cdot 2\,H_2O$) du Wyoming (États-Unis) supplante graduellement toute la production américaine de carbonate de sodium synthétique. Charles D. Winters

EXERCICE 4.16 **Le calcul du pH d'une solution d'un acide polyprotique**

Calculez le pH d'une solution d'acide oxalique ($H_2C_2O_4$) de concentration 0,10 mol/L ($K_{a1} = 5.9 \times 10^{-2}$, $K_{a2} = 6.4 \times 10^{-5}$). Déterminez les concentrations à l'équilibre de $HC_2O_4^-$ et de $C_2O_4^{2-}$.

4.9 LES ACIDES ET LES BASES SELON LA THÉORIE DE LEWIS

Le concept d'acide et de base développé par Brønsted et Lowry dans les années 1920 est bien adapté aux réactions impliquant un transfert de proton. Cependant, un concept plus englobant a été avancé par Gilbert N. Lewis (1875-1946) vers 1932: au lieu du transfert de proton, il propose le partage d'une paire d'électrons. Ainsi, un **acide de Lewis** est une substance susceptible *d'accepter une paire d'électrons* d'un autre atome en formant une liaison supplémentaire, tandis qu'une **base de Lewis** peut *céder une paire d'électrons à un autre atome*. Une réaction acido-basique se produit lorsqu'une molécule ou un ion partage un de ses doublets d'électrons libres avec une autre molécule ou un autre ion.

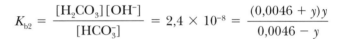

A   +   B: ⟶   B:A

Acide   Base   Composé d'addition

Le produit est souvent appelé le composé d'addition et l'on se souviendra que ce type de liaison est appelé la **liaison de coordinence** ou, quelquefois, la liaison de coordination (*voir la section 6.6.1 de* Chimie générale).

La formation de l'ion H_3O^+ à partir de H^+ et de l'eau est un bon exemple d'une telle réaction. L'orbitale $1s$ de l'ion H^+ est vide, l'atome d'oxygène de la molécule d'eau possède deux doublets libres logés dans ses orbitales sp^3. Un de ces doublets peut être partagé avec H^+, formant ainsi une liaison σ entre H et O, et un nouveau composé, l'ion H_3O^+. Une réaction similaire se produit entre H^+ et NH_3.

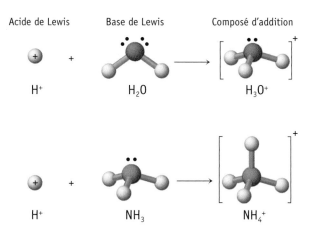

De telles réactions sont courantes. Elles se produisent généralement entre des cations ou des molécules possédant une orbitale périphérique vide (acide de Lewis) et des anions ou des molécules disposant d'au moins un doublet d'électrons libre (base de Lewis).

4.9.1 Les cations, acides de Lewis

Il est connu que les cations des métaux de transition interagissent avec les molécules d'eau pour former des espèces hydratées (figure 4.9), dans lesquelles des liaisons de coordinence sont formées entre le cation métallique et un doublet d'électrons porté par l'atome d'oxygène de chaque molécule d'eau.

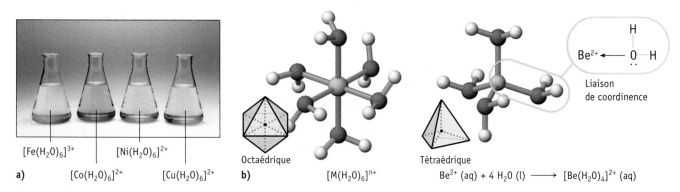

Figure 4.9 Les cations métalliques en solution aqueuse. a) Solutions de sels de fer (III), cobalt (II), nickel (II) et cuivre (II). Toutes ont des couleurs caractéristiques. **b)** Modèles d'ions complexes (composé d'addition) formés d'un cation métallique et de molécules d'eau. Les ions métalliques s'entourent généralement de six molécules d'eau disposées aux sommets d'un octaèdre, mais d'autres géométries existent aussi. Charles D. Winters

Par exemple, l'ion Fe^{2+} forme six liaisons de coordinence avec six molécules d'eau.

$$Fe^{2+} (aq) + 6\ H_2O (l) \longrightarrow [Fe(H_2O)_6]^{2+} (aq)$$

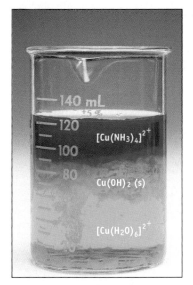

Figure 4.10 L'ion complexe **[Cu(NH$_3$)$_4$]$^{2+}$**. On a ajouté lentement de l'ammoniaque à une solution aqueuse de sulfate de cuivre (II) (la solution bleutée au fond du becher). La faible concentration des ions OH$^-$ présents dans la solution d'ammoniac fait précipiter initialement Cu(OH)$_2$ (le solide bleu blanchâtre en suspension au milieu du becher). Une addition supplémentaire d'ammoniaque dissout l'hydroxyde et transforme les ions cuivre (II) hydratés en ions complexes solubles [Cu(NH$_3$)$_4$]$^{2+}$ d'une couleur bleu intense (couche supérieure de la solution). Charles D. Winters

Ces ions issus de métaux de transition donnent généralement des solutions colorées (*voir la figure 4.9, page 169*) et sont connus sous le nom d'**ions complexes** ou, à cause du type de liaison, de **complexes de coordination.** On en a nommé quelques-uns dans le tableau 4.4 (*voir la page 147*). Les molécules ou les ions liés au cation métallique sont appelés les **ligands.**

Tout comme l'eau, l'ammoniac est une excellente base de Lewis et se combine avec des cations métalliques pour donner des complexes souvent très colorés. Par exemple, les ions cuivre (II), bleu pâle en solution aqueuse, réagissent avec NH_3 pour donner un ion complexe [Cu(NH$_3$)$_4$]$^{2+}$ d'un bleu intense (figure 4.10).

$$Cu^{2+} \text{ (aq)} + 4\ NH_3 \text{ (aq)} \longrightarrow [Cu(NH_3)_4]^{2+} \text{ (aq)}$$

bleu pâle   bleu intense

Liaison de coordinence

L'ion hydroxyde (OH$^-$) est aussi une excellente base de Lewis. Il se lie facilement aux cations métalliques pour former des hydroxydes métalliques, qui sont en général des composés amphotères (tableau 4.7).

Par exemple, en présence d'un excès d'ions OH$^-$, l'hydroxyde d'aluminium

TABLEAU 4.7   Quelques hydroxydes métalliques amphotères

Hydroxydes	Comportements basiques	Comportements acides
Al(OH)$_3$	Al(OH)$_3$ (s) + 3 H$_3$O$^+$ (aq) $\longrightarrow$ Al^{3+} (aq) + 6 H$_2$O (l)	Al(OH)$_3$ (s) + OH$^-$ (aq) $\longrightarrow$ [Al(OH)$_4$]$^-$ (aq)
Zn(OH)$_2$	Zn(OH)$_2$ (s) + 2 H$_3$O$^+$ (aq) $\longrightarrow$ Zn^{2+} (aq) + 4 H$_2$O (l)	Zn(OH)$_2$ (s) + 2 OH$^-$ (aq) $\longrightarrow$ [Zn(OH)$_4$]$^{2-}$ (aq)
Sn(OH)$_4$	Sn(OH)$_4$ (s) + 4 H$_3$O$^+$ (aq) $\longrightarrow$ Sn^{4+} (aq) + 8 H$_2$O (l)	Sn(OH)$_4$ (s) + 2 OH$^-$ (aq) $\longrightarrow$ [Sn(OH)$_6$]$^{2-}$ (aq)
Cr(OH)$_3$	Cr(OH)$_3$ (s) + 3 H$_3$O$^+$ (aq) $\longrightarrow$ Cr^{3+} (aq) + 6 H$_2$O (l)	Cr(OH)$_3$ (s) + OH$^-$ (aq) $\longrightarrow$ [Cr(OH)$_4$]$^-$ (aq)

(Al(OH)$_3$) se dissout pour donner l'ion complexe [Al(OH)$_4$]$^-$: il se comporte alors comme un acide de Lewis (figure 4.11).

$$Al(OH)_3 \text{ (s)} + OH^- \text{ (aq)} \longrightarrow [Al(OH)_4]^- \text{ (aq)}$$

      Acide   Base

Lorsqu'on ajoute des ions H$_3$O$^+$, l'hydroxyde se dissout aussi, se comportant cette fois comme une base.

$$Al(OH)_3 \text{ (s)} + 3\ H_3O^+ \text{ (aq)} \longrightarrow Al^{3+} \text{ (aq)} + 6\ H_2O \text{ (l)}$$

      Base   Acide

4.9.2   Les molécules, acides de Lewis

La théorie de Lewis rend parfaitement compte du comportement acide des oxydes non métalliques, parmi lesquels figurent les dioxydes de carbone et de soufre.

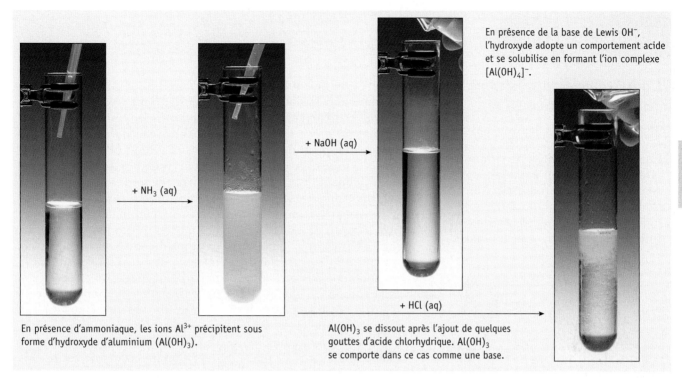

En présence de la base de Lewis OH⁻, l'hydroxyde adopte un comportement acide et se solubilise en formant l'ion complexe $[Al(OH)_4]^-$.

+ NH₃ (aq)

+ NaOH (aq)

+ HCl (aq)

En présence d'ammoniaque, les ions Al^{3+} précipitent sous forme d'hydroxyde d'aluminium ($Al(OH)_3$).

$Al(OH)_3$ se dissout après l'ajout de quelques gouttes d'acide chlorhydrique. $Al(OH)_3$ se comporte dans ce cas comme une base.

Figure 4.11 Le caractère amphotère de Al(OH)₃. Charles D. Winters

Les atomes d'oxygène plus électronégatifs que le carbone rendent ce dernier partiellement positif dans CO_2. Un ion OH⁻, base de Lewis, peut alors l'attaquer et donner finalement l'ion hydrogénocarbonate en partageant un de ses doublets d'électrons libres avec le carbone.

Cette réaction constitue la première étape de la précipitation de $CaCO_3$ par barbotage de CO_2 dans une solution saturée de $Ca(OH)_2$.

$$Ca(OH)_2 \text{ (s)} + CO_2 \text{ (aq)} \longrightarrow CaCO_3 \text{ (s)} + H_2O \text{ (l)}$$

EXERCICE 4.17 Les acides et les bases de Lewis

Les espèces suivantes sont-elles des acides ou des bases de Lewis?

a) PH_3 b) BCl_3 c) H_2S d)   HS⁻

(*Indice* Représentez chaque espèce en structure de Lewis. La présence de paires d'électrons sur l'atome central indique que l'espèce peut se comporter comme une base de Lewis. Par contre, un atome central à qui il manque une paire d'électrons est un acide de Lewis.)

perspectives

L'adrénaline et la sérotonine, deux bases de Brønsted et de Lewis

Peu avant un examen, votre rythme cardiaque augmente et vous commencez peut-être à transpirer. Ces réactions physiologiques sont provoquées par l'*épinéphrine,* connue dans le grand public sous le nom d'*adrénaline.* Cette hormone contient un groupement basique -NH$_2$ qui est protoné dans les conditions de pH ordinaires.

L'épinéphrine, produite dans l'organisme à la suite d'une chaîne de réactions débutant avec l'acide aminé phénylalanine, est surnommée par les Anglo-Saxons l'hormone *flight or fight,* que l'on pourrait traduire par « l'attaque ou la fuite » ou par « agir ou s'enfuir ». Elle provoque la libération de glucose et d'autres nutriments dans le sang et stimule le cerveau. Elle est maintenant utilisée dans le traitement des glaucomes et comme bronchodilatateur pour les asthmatiques.

L'épinéphrine fait partie des neurotransmetteurs, classe de composés parmi lesquels figure aussi la sérotonine, une autre base de Brønsted ou de Lewis. La dépression nerveuse est associée à de faibles taux de sérotonine, tandis que des niveaux trop élevés peuvent provoquer un état maniaque.

La sérotonine est dérivée du tryptophane, un acide aminé. Certaines personnes prennent du tryptophane parce qu'elles croient qu'il les aide à se sentir bien et à s'endormir. Les protéines du lait en contiennent beaucoup: serait-ce la raison pour laquelle un verre de lait ou un cornet de crème glacée est apprécié avant le coucher par bien des individus?

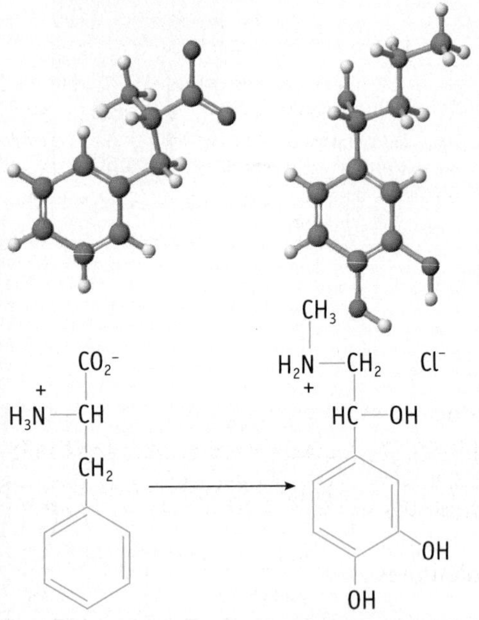

La phénylalanine

L'épinéphrine • HCl

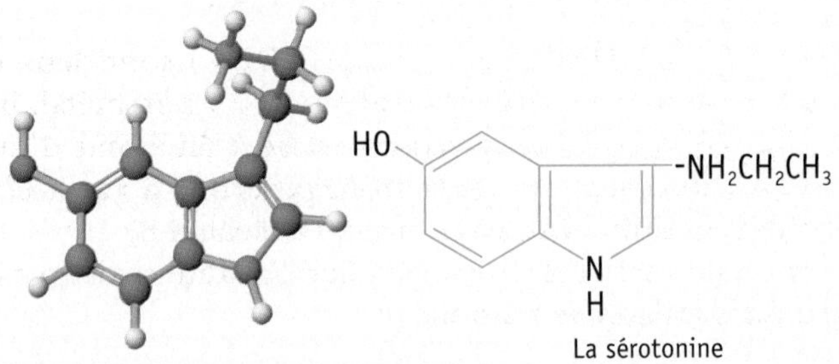

La sérotonine

4.10 LA STRUCTURE MOLÉCULAIRE, LES LIAISONS ET LES PROPRIÉTÉS ACIDOBASIQUES

On a souvent insisté dans ce manuel et dans celui de *Chimie générale* sur les relations existant entre, d'une part, les structures moléculaires et les liaisons et, d'autre part, les propriétés des éléments ou des composés. On revient une nouvelle fois sur ce sujet avec l'explication qualitative de la force relative des acides.

4.10.1 Pourquoi HF est-il un acide faible alors que HCl est fort?

L'acide fluorhydrique (HF) est un acide de Brønsted faible, tandis que HCl, HBr et HI sont forts.

$$HI\ (aq)\ +\ H_2O\ (l)\ \longrightarrow\ I^-\ (aq)\ +\ H_3O^+\ (aq)$$

De manière expérimentale, on détermine que la force de ces acides[1] croît dans l'ordre.

$$HF \ll HCl < HBr < HI$$

L'acidité dans ce groupe dépend de plusieurs facteurs, parmi lesquels figurent l'affinité électronique de l'halogène, les énergies d'hydratation de l'acide et de l'anion. Cependant, la force de la liaison entre l'atome d'hydrogène et l'halogène constitue dans cette série le facteur prédominant.

Augmentation de l'acidité →

	HF	HCl	HBr	HI
pK_a	3,14	-7	-9	-10
énergie de liaison (kJ/mol)	565	432	366	299

Plus la liaison intramoléculaire est forte, plus il est difficile d'extraire le proton de la molécule.

◆ **Les valeurs de pK_a des halogénures d'hydrogène**

Les valeurs des pK_a de HCl, HBr et HI sont négatives, ce qui signifie que les K_a sont plus grands que 1. L'acide est d'autant plus fort que son pK_a est plus négatif, ou que son K_a est plus élevé.

4.10.2 Pourquoi HNO_2 est-il un acide faible alors que HNO_3 est fort ?

Les acides nitreux (HNO_2) et nitrique (HNO_3) sont deux **oxacides,** composés contenant un atome central, généralement un non-métal, lié à un ou plusieurs atomes d'oxygène, dont au moins un est lié à un atome d'hydrogène. À côté de ces acides à base d'azote se trouvent ceux formés à partir d'un atome de soufre ou de chlore, dont on a souvent parlé (tableau 4.8).

Dans toutes les séries de composés liés, l'acidité croît avec le nombre d'atomes d'oxygène liés à l'atome central.

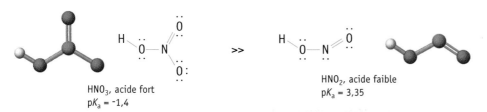

HNO₃, acide fort
pK_a = -1,4

\>\>

HNO₂, acide faible
pK_a = 3,35

Ainsi, l'acide nitrique est un acide nettement plus fort que l'acide nitreux et l'acidité des oxacides à base de chlore augmente selon la séquence :

$$HOCl < HOClO < HOClO_2 < HOClO_3$$

L'acidité est mesurée par l'ampleur de la réaction d'ionisation : plus l'équilibre est déplacé vers la droite, c'est-à-dire vers les produits H_3O^+ et la base conjuguée, plus l'acide est fort. Pour juger de la position de cet équilibre, il est nécessaire de supposer qu'il dépend à la fois des caractéristiques du réactif, l'acide, et des produits, H_3O^+ et base conjuguée.

TABLEAU 4.8
Les pK_a de quelques oxacides

Acides	pK_a
atome de chlore central	
HOCl (HClO)	7,46
HOClO (HClO₂)	≈ 2
HOClO₂ (HClO₃)	≈ -1
HOClO₃ (HClO₄)	≈ -10
atome de soufre central	
(HO)₂SO (H₂SO₃)	1,92 et 7,21
(HO)₂SO₂ (H₂SO₄)	≈ -3 et 1,92

---

1. Dans des solvants plus acides que l'eau.

Dans un oxacide, l'explication de l'acidité repose essentiellement sur deux facteurs : la liaison O—H et l'effet de son environnement sur celle-ci. À cause de la différence d'électronégativité entre O et H, la liaison O—H est polaire ($O^{\delta-}$—$H^{\delta+}$), mais l'ampleur de cette polarité est affectée par les autres atomes présents dans la molécule. On peut imaginer que les électrons de la liaison O—H sont attirés par d'autres atomes ou groupes d'atomes de la molécule, eux aussi électronégatifs, et qu'ils se rapprochent de ce fait de l'atome d'oxygène. La polarité de la liaison O—H augmente, ce qui signifie que la charge partielle positive portée par l'hydrogène est plus grande : il devient ainsi plus facile de le séparer de la molécule sous forme de H^+.

Cette attraction des électrons formant une liaison par des atomes ou groupements d'atomes électronégatifs faisant partie de la molécule est appelée l'**effet inductif** (ou attractif). Celui-ci explique beaucoup de propriétés des molécules et son effet sur l'acidité n'en est qu'un exemple. Dans le cas des acides nitreux et nitrique, on compare la faculté des groupements -NO, dans HONO, et -NO_2, dans $HONO_2$, d'attirer les électrons et d'accroître la polarité de la liaison O—H. Puisqu'il y a plus d'atomes d'oxygène électronégatifs dans -NO_2 que dans -NO, l'effet inductif de -NO_2 est plus fort que celui de -NO : -NO_2 polarise plus la liaison O—H que -NO et l'atome d'hydrogène est plus positif dans HNO_3 que dans HNO_2. HNO_3 est un acide plus fort que HNO_2.

La liaison hydrogène entre l'atome d'oxygène de l'eau et l'atome d'hydrogène portant une charge partielle positive élevée de HNO₃ conduit finalement à la rupture de la liaison O—H dans ce dernier.

Les électrons de la liaison O—H sont drainés vers les atomes d'oxygène électronégatifs à cause de l'effet inductif.

En outre, plus il y a d'atomes d'oxygène dans un oxacide, plus la **stabilisation de l'anion** formé par l'expulsion de H^+ est grande. Cet accroissement de la stabilité est dû au fait que la charge négative de l'anion est répartie sur plus d'atomes. Dans l'ion nitrate, par exemple, la charge négative est partagée également par les trois atomes d'oxygène, situation symbolisée par trois formes limites de résonance.

Seuls deux atomes d'oxygène partagent la charge négative de l'ion nitrite. Sa stabilisation par résonance est moins grande que celle de NO_3^-, si bien que ce facteur contribue moins à l'acidité dans HNO_2 que dans HNO_3.

En résumé, une molécule peut se comporter comme un acide de Brønsted si des atomes électronégatifs augmentent la polarisation de la liaison O—H et si l'anion créé par la perte de H^+ est stable et en mesure d'accepter la charge négative. Ces conditions sont réunies :

• lorsque des atomes électronégatifs sont liés à l'atome central ;
• lorsque des formes limites de résonance existent dans l'anion, produisant une délocalisation de la charge négative sur plusieurs atomes et créant ainsi un ion stable.

◆ *L'hydratation des anions*

En plus de la polarisation de la liaison O—H et de la stabilisation par résonance de l'anion créé par la perte de H^+, on peut aussi mentionner l'hydratation de cet anion comme facteur influant sur l'acidité d'une substance.

4.10.3 Pourquoi les acides carboxyliques sont-ils acides ?

On peut se demander d'où provient l'acidité des composés organiques contenant les groupements —COOH, appelés les **acides carboxyliques**. Les arguments avancés auparavant pour expliquer l'acidité des oxacides sont aussi valables pour ces composés, dont la liaison O—H est polaire, condition *sine qua non* de la réaction d'ionisation.

Liaisons non brisées dans l'eau

Liaison polaire O—H brisée par l'interaction de l'atome d'hydrogène partiellement positif et de l'atome d'oxygène partiellement négatif d'une molécule d'eau

L'ion carboxylate est en plus stabilisé par résonance, la charge négative étant délocalisée sur les deux atomes d'oxygène.

L'acidité des acides carboxyliques simples, RCOOH, dans lesquels -R représente un groupement alkyle issu d'un alcane (C_nH_{2n+2}) auquel on a ôté un atome d'hydrogène, diffère peu d'un acide à un autre : le pK_a de l'acide acétique (CH_3COOH), 4,74, est voisin de celui de l'acide propanoïque (CH_3CH_2COOH), 4,89. Par contre, l'augmentation de l'acidité est plus marquée lorsque des substituants électronégatifs prennent la place de l'hydrogène du groupe alkyle. Comparez, par exemple, les pK_a des dérivés chlorés de l'acide acétique.

Acides		pK_a
CH_3COOH	acide acétique	4,74
$ClCH_2COOH$	acide chloroacétique	2,85
$Cl_2CHCOOH$	acide dichloroacétique	1,49
Cl_3COOH	acide trichloroacétique	0,7

Acidité croissante

L'acidité augmente avec le nombre d'atomes de chlore : cette tendance s'explique par une augmentation de l'effet inductif dû à un plus grand nombre d'atomes de chlore plus électronégatifs que l'hydrogène.

Finalement, pourquoi les liaisons C—H ne se dissocient-elles pas elles aussi sous l'action de l'eau ? Souvenez-vous que la stabilité de l'anion produit est un facteur influant fortement sur le processus d'ionisation : dans ces acides, l'atome de carbone n'est pas suffisamment électronégatif pour accueillir la charge négative créée par la rupture éventuelle de la liaison C—H en C: H⁻ et H⁺ (*voir la figure 4.12, page 176*).

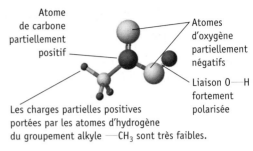

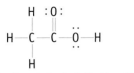

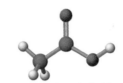

Atome
de carbone
partiellement
positif

Atomes
d'oxygène
partiellement
négatifs

Liaison O—H
fortement
polarisée

Les charges partielles positives
portées par les atomes d'hydrogène
du groupement alkyle —CH₃ sont très faibles.

a) Structure de Lewis de l'acide acétique   **b)** Modèle moléculaire de l'acide acétique   **c)** Charges partielles portées par les atomes de l'acide acétique (calculées par ordinateur).

Figure 4.12 L'acide acétique, un acide carboxylique. Dans le modèle **c)** dessiné par ordinateur, les atomes portant des charges partielles positives sont représentés par des sphères rouges et ceux portant des charges partielles négatives, par des sphères jaunes. Les rayons des atomes sont proportionnels aux charges partielles qu'ils portent. Les électrons de liaison sont drainés vers les atomes d'oxygène très électronégatifs : de ce fait, l'atome d'hydrogène de la liaison O —H acquiert une charge partielle positive élevée. Il peut alors être extrait par une molécule polaire d'eau.

4.10.4 Pourquoi les cations hydratés sont-ils des acides de Brønsted ?

Lorsqu'une liaison de coordinence se forme entre un cation métallique, un acide de Lewis, et une molécule d'eau, une base de Lewis, la charge positive du cation et sa petite taille font en sorte que les électrons de la liaison H_2O—M^{n+} sont fortement attirés par le métal. Cet effet inductif très fort se traduit par une polarisation élevée des liaisons O —H des molécules d'eau solvatantes, semblable à celle qui se produit dans un oxacide ou dans un acide carboxylique. Cela signifie qu'un atome d'hydrogène d'une molécule d'eau solvatante est plus facilement expulsé que celui d'une molécule d'eau non coordinée. Vis-à-vis de cette dernière, le cation hydraté se comporte comme un acide de Brønsted, un donneur de protons.

$$[Cu(H_2O)_6]^{2+} \text{ (aq)} + H_2O \text{ (l)} \rightleftharpoons [Cu(H_2O)_5(OH)]^+ \text{ (aq)} + H_3O^+ \text{ (aq)}$$

L'effet inductif augmente avec la charge du cation, si bien que l'acidité des cations hydratés chargés +3 comme Fe^{3+} (aq) et Al^{3+} (aq) est plus élevée que celle des cations +2 (Cu^{2+} (aq), Pb^{2+} (aq), Co^{2+} (aq), Fe^{2+} (aq) et Ni^{2+} (aq)). Les ions +1 tels que Na^+ et K^+ ne sont pas acides.

4.10.5 Pourquoi les anions sont-ils des bases de Brønsted ?

Les anions, plus particulièrement les oxanions tels que PO_4^{3-}, sont des bases de Brønsted : ils interagissent avec un atome d'hydrogène partiellement positif d'une molécule d'eau et l'accaparent.

Liaison hydrogène
entre un atome
d'oxygène de l'ion phosphate
et un atome d'hydrogène de l'eau.
H^+ migre de l'eau à l'ion.

Les données du tableau 4.9 montrent que la basicité augmente avec la charge dans une série d'ions ne différant que par le nombre d'atomes d'hydrogène.

4.10.6 Pourquoi les amines sont-elles des bases de Brønsted et de Lewis ?

On peut considérer les **amines** comme étant une molécule d'ammoniac (NH_3) dans laquelle un, deux ou même trois atomes d'hydrogène ont été remplacés par des groupements organiques plus ou moins complexes. L'ammoniac et les amines ont en commun un atome d'azote entouré de trois doublets d'électrons liants et d'un doublet libre.

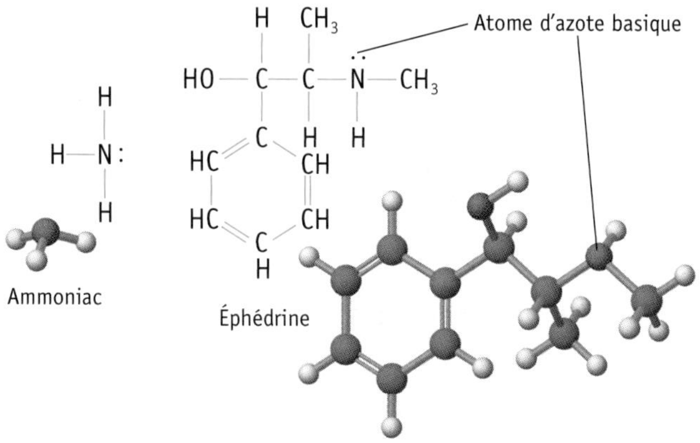

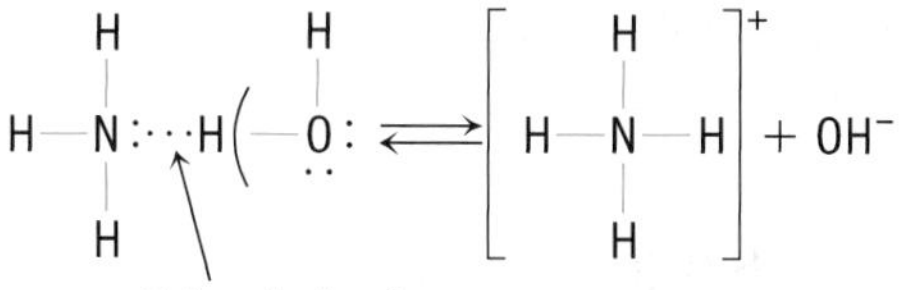

TABLEAU 4.9	
Les pK_b de quelques oxanions	
Anions	**pK_b**
$H_2PO_4^-$	11,89
HPO_4^{2-}	6,80
PO_4^{3-}	1,55
HCO_3^-	7,62
CO_3^{2-}	3,68
HSO_3^-	12,08
SO_3^{2-}	6,80

Ammoniac

Éphédrine

Atome d'azote basique

Dans chaque cas, un atome d'hydrogène partiellement positif d'une molécule polaire d'eau interagit avec le doublet libre porté par l'atome d'azote électronégatif. Cet atome d'hydrogène quitte la molécule d'eau sous forme d'un ion H^+ qui se lie à l'atome d'azote, un ion OH^- étant simultanément libéré en solution.

Liaison hydrogène.
Un ion H^+ migre vers l'atome d'azote.

EXERCICE 4.18 **La structure moléculaire, les acides et les bases**

a) Déterminez quel est l'acide le plus fort dans chacune des paires suivantes.

  1) H_2TeO_3 et H_2TeO_4.   2) $Fe(H_2O)_6^{2+}$ et $Fe(H_2O)_6^{3+}$.   3) $HClO$ et $HBrO$.

b) L'amphétamine, un médicament employé comme excitant du système nerveux central, est-elle un acide de Brønsted ou de Lewis, une base de Brønsted ou de Lewis ?

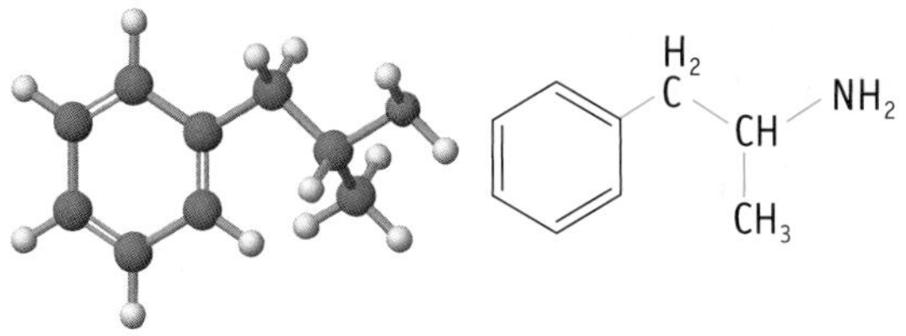

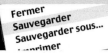

(SAUVEgarder)

LES DÉFINITIONS DES ACIDES ET DES BASES

Arrhenius	Brønsted-Lowry	Lewis
Acide Substance qui libère des ions H^+ en solution aqueuse. $HCl \xrightarrow{\text{Eau}} H^+ + Cl^-$	**Acide** Donneur de protons $HCl\ (aq) + H_2O\ (l) \rightleftharpoons$ $\qquad Cl^-\ (aq) + H_3O^+\ (aq)$	**Acide** Accepteur d'un doublet d'électrons $H^+ + OH^- \longrightarrow H_2O$
Base Substance qui libère des ions OH^- en solution aqueuse. $NaOH \xrightarrow{\text{Eau}} Na^+ + OH^-$	**Base** Accepteur de protons $NH_3\ (aq) + H_2O\ (l) \rightleftharpoons$ $\qquad NH_4^+\ (aq) + OH^-\ (aq)$	**Base** Donneur d'un doublet d'électrons $Ag^+ + NH_3 \rightleftharpoons Ag(NH_3)^+$
Réaction acidobasique $H^+ + OH^- \longrightarrow H_2O$	**Réaction acidobasique** acide 1 + base 2 $\rightleftharpoons$ $\qquad$ base 1 + acide 2	**Réaction acidobasique** acide + base $\rightleftharpoons$ $\qquad$ composé d'addition

LES CONSTANTES D'ÉQUILIBRE

Équilibre	Constante d'équilibre	
$HA\ (aq) + H_2O\ (l) \rightleftharpoons A^-\ (aq) + H_3O^+\ (aq)$ Acide et base conjugués	**Constante d'acidité**	$K_a = \dfrac{[A^-][H_3O^+]}{[HA]}$
$B\ (aq) + H_2O\ (l) \rightleftharpoons BH^+\ (aq) + OH^-\ (aq)$ Acide et base conjugués	**Constante de basicité**	$K_b = \dfrac{[BH^+][OH^-]}{[B]}$
$H_2O\ (l) + H_2O\ (l) \rightleftharpoons OH^-\ (aq) + H_3O^+\ (aq)$ Réaction d'autoprotolyse de l'eau	**Produit ionique de l'eau**	$K_e = [H_3O^+][OH^-]$ $= 1,0 \times 10^{-14}$, à 25 °C.

$$K_a K_b = K_e = 1,0 \times 10^{-14}, \text{ à 25 °C.}$$

La force des bases varie en sens inverse de la force de l'acide conjugué et vice versa.

LA NOTATION p

Notation	Exemples
$pH = -\log [H_3O^+]$ $pOH = -\log [OH^-]$ $pK_e = -\log K_e$ $pK_a = -\log K_a \qquad pK_b = -\log K_b$ $[H_3O^+] = 10^{-pH}$	• $[H_3O^+] = 1,6 \times 10^{-3}$ mol/L $\qquad pH = -\log (1,6 \times 10^{-3}) = -(-2,80) = 2,80$ • $pH = 2,80$ $\qquad [H_3O^+] = 10^{-pH} = 10^{-2,80} = 1,6 \times 10^{-3}$ mol/L
$pK_e = pH + pOH = 14,00$, à 25 °C.	$pH = 2,80 \qquad pOH = 14,00 - 2,80 = 11,20$
$pK_a + pK_b = pK_e = 14,00$, à 25 °C.	$pK_a = 4,18 \qquad pK_b = 14,00 - 4,18 = 9,82$

L'ACIDITÉ DES SOLUTIONS

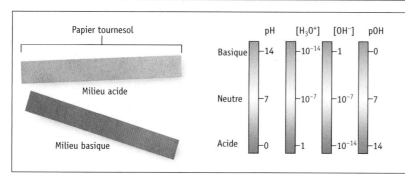

Plus un acide est fort, plus son K_a est élevé, plus son pK_a est faible.

Plus une base est forte, plus son K_b est élevé, plus son pK_b est faible.

LES IONS, LES SELS ET L'ACIDITÉ

	Neutres		Basiques			Acides
anions	Cl^-	NO_3^-	CH_3COO^-	CN^-	SO_4^{2-}	HSO_4^-
	Br^-	ClO_4^-	$HCOO^-$	PO_4^{3-}	HPO_4^{2-}	$H_2PO_4^-$
	I^-		CO_3^{2-}	HCO_3^-	SO_3^{2-}	HSO_3^-
			S^{2-}	HS^-	ClO^-	
			F^-	NO_2^-		
cations	Li^+	Mg^{2+}	$Al(H_2O)_5(OH)^{2+}$ et ions			$Al(H_2O)_6^{3+}$ et les cations
	Na^+	Ca^{2+}	analogues			hydratés des métaux
	K^+	Ba^{2+}				de transition, tels $Fe(H_2O)_6^{3+}$
						NH_4^+, $R\text{-}NH_3^+$

Cation provenant	Anion provenant	pH de la solution
d'une base forte (Na^+)	d'un acide fort (Cl^-)	= 7 (solution neutre).
d'une base forte (K^+)	d'un acide faible (CH_3COO^-)	> 7 (solution basique).
d'une base faible (NH_4^+)	d'un acide fort (Cl^-)	< 7 (solution acide).
d'une base faible (BH^+)	d'un acide faible (A^-)	dépend des forces relatives de l'acide et de la base.

LES RÉACTIONS ACIDOBASIQUES

Toute réaction acidobasique s'effectue de l'acide le plus fort vers le plus faible: l'équilibre favorise l'acide et la base les plus faibles.

Acide plus fort que CH_3COOH		Base plus forte que $H_2PO_4^-$		Base plus faible que CH_3COO^-		Acide plus faible que H_3PO_4
H_3PO_4 (aq)	+	CH_3COO^- (aq)	$\rightleftharpoons$	$H_2PO_4^-$ (aq)	+	CH_3COOH (aq)

Bases de Brønsted

Acides de Brønsted

LES FACTEURS DÉTERMINANTS DE L'ACIDITÉ

Les hydracides	
La force de la liaison	$HF \ll HCl < HBr < HI$
Les oxacides	
La polarité de la liaison $O-H$ et l'effet inductif	$HOCl < HOClO < HOClO_2 < HOClO_3$ L'acidité augmente avec le nombre d'atomes d'oxygène électronégatifs liés à l'atome de chlore central.
Stabilisation de l'anion par résonance	

LE CALCUL DU pH D'UNE SOLUTION D'UN ACIDE FAIBLE

Le pH d'une solution aqueuse d'acide formique de concentration 0,0010 mol/L ($K_{a(HCOOH)} = 1,8 \times 10^{-4}$)

Concentrations (mol/L)	$HCOOH$ (aq) $+$ H_2O (l) $\rightleftharpoons$ $HCOO^-$ (aq) $+$ H_3O^+ (aq)		
initiales	0,0010	0	négligeable
Changement	$-x$	$+x$	$+x$
équilibre	$0,0010 - x$	x	x

$$K_a = \frac{[HCOO^-][H_3O^+]}{[HCOOH]} = \frac{x^2}{0,0010 - x} = 1,8 \times 10^{-4}$$
$$x = [H_3O^+] = [HCOO^-] = 3,4 \times 10^{-4} \text{ mol/L}$$
$$pH = -\log(3,4 \times 10^{-4}) = 3,47$$

Revue des concepts importants

1. Expliquez pourquoi l'eau peut être à la fois une base de Brønsted et une base de Lewis. Peut-elle être un acide de Brønsted? Un acide de Lewis?

2. Définissez le terme *amphotère*. Quelles sont les conditions requises pour qu'une substance soit un amphotère?

3. Décrivez une expérience qui vous permettrait de classer les composés suivants par ordre croissant de basicité: $NaCl$, CH_3NH_2 et Na_2CO_3.

4. On a regroupé dans le tableau suivant les constantes d'acidité de l'acide acétique et des acides dérivés, dans lesquels on a remplacé un par un les atomes d'hydrogène du groupement $-CH_3$ par des atomes de chlore.

Acides	K_a
CH_3COOH	$1,8 \times 10^{-5}$
$ClCH_2COOH$	$1,4 \times 10^{-3}$
$Cl_2CHCOOH$	$3,3 \times 10^{-2}$
Cl_3CCOOH	$2,0 \times 10^{-1}$

a) Quelle tendance observez-vous lorsque les atomes d'hydrogène sont remplacés successivement par des atomes de chlore? Comment peut-on l'expliquer?

b) Si chacun de ces acides se retrouve en solution aqueuse de concentration 0,10 mol/L, lequel forme la solution ayant le pH le plus élevé? Le pH le plus faible?

5. Lequel des deux acides suivants est le plus fort, H_2SeO_4 ou H_2SeO_3? Justifiez votre réponse. Décrivez une expérience qui permettrait de vérifier votre hypothèse.

6. L'acide perchlorique se comporte comme un acide même lorsqu'il est dissous dans de l'acide sulfurique concentré.
   a) Équilibrez l'équation de cette réaction acidobasique.
   b) Représentez la structure de Lewis de l'acide sulfurique. Comment cet acide peut-il jouer le rôle d'une base?

Exercices

La théorie de Brønsted-Lowry

7. Donnez la formule et le nom des bases conjuguées des acides suivants.
   a) HCN
   b) HSO_4^-
   c) HF
   d) NH_3
   e) HCO_3^-

8. Quels sont les produits des réactions suivantes? Indiquez parmi les composés suivants l'acide et sa base conjuguée, ainsi que la base et son acide conjugué.
   a) $HNO_3 + H_2O \longrightarrow$
   b) $HSO_4^- + H_2O \rightleftarrows$
   c) $H_3O^+ + F^- \rightleftarrows$
   d) $HCO_3^- + OH^- \rightleftarrows$

9. Écrivez l'équation équilibrée représentant comment chacun des ions suivants peut être à la fois un acide et une base de Brønsted.
   a) Ion $HC_2O_4^-$
   b) Ion $H_2PO_4^-$

10. Dans chacune des réactions suivantes, placez l'acide et la base de Brønsted à gauche, et leurs espèces conjuguées à droite.
   a) $HCOOH\ (aq) + H_2O\ (l) \rightleftarrows$
   $$HCOO^-\ (aq) + H_3O^+\ (aq)$$
   b) $NH_3\ (aq) + H_2S\ (aq) \rightleftarrows NH_4^+\ (aq) + HS^-\ (aq)$
   c) $HSO_4^-\ (aq) + OH^-\ (aq) \rightleftarrows SO_4^{2-}\ (aq) + H_2O\ (l)$

11. Une solution aqueuse a un pH 3,75. Est-elle acide ou basique? Quelle est la concentration des ions hydronium?

12. Une solution saturée de lait de magnésie ($Mg(OH)_2$) possède un pH 10,52. Est-elle acide ou basique? Quelle est la concentration des ions hydronium et hydroxyde?

13. Quel est le pH d'une solution de NaOH de concentration $1,2 \times 10^{-4}$ mol/L? Quelle est la concentration en ions hydroxyde de cette solution?

14. Le pH d'une solution de $Ba(OH)_2$ est de 10,66, à 25 °C. Quelle est la concentration des ions hydroxyde? Quelle masse de $Ba(OH)_2$ a été nécessaire pour préparer 125 mL de cette solution?

15. À l'aide des données suivantes, identifiez:

$$C_6H_5OH\ (aq) + H_2O\ (l) \rightleftarrows H_3O^+\ (aq) + C_6H_5O^-\ (aq)$$
$$K_a = 1,3 \times 10^{-10}$$
$$HCOOH\ (aq) + H_2O\ (l) \rightleftarrows H_3O^+\ (aq) + HCOO^-\ (aq)$$
$$K_a = 1,8 \times 10^{-4}$$
$$HC_2O_4^-\ (aq) + H_2O\ (l) \rightleftarrows H_3O^+\ (aq) + C_2O_4^{2-}\ (aq)$$
$$K_a = 6,4 \times 10^{-5}$$

   a) l'acide le plus fort? Le plus faible?
   b) l'acide dont la base conjuguée est la plus faible?
   c) l'acide dont la base conjuguée est la plus forte?

16. En vous référant au tableau des constantes, lequel des ions ou des composés suivants possède la base conjuguée la plus forte? Expliquez brièvement votre choix.
   a) HSO_4^-
   b) CH_3COOH
   c) HOCl

17. La dissolution du bromure d'ammonium (NH_4Br) dans l'eau produit une solution acide. Équilibrez l'équation de la réaction qui explique cette affirmation.

18. Les sels suivants sont dissous de façon à former des solutions de concentration 0,10 mol/L. Quelle solution a le pH le plus élevé? Le pH le plus faible?
   a) Na_2S **e)** CH_3COONa
   b) Na_3PO_4 **f)** $AlCl_3$
   c) NaH_2PO_4 **g)** NaCl
   d) NaF   **h)** $NaNO_3$

Le pK_a, l'échelle logarithmique pour mesurer la force des acides

19. Un acide possède un K_a de $6,5 \times 10^{-5}$. Calculez son pK_a.

20. Le pK_a de l'adrénaline est égal à 9,53. Calculez sa constante d'acidité.

21. Lequel des acides suivants est le plus fort?
   a) Acide acétique (CH_3COOH), $K_a = 1,8 \times 10^{-5}$.
   b) Acide chloroacétique ($ClCH_2COOH$), p$K_a = 2,87$.

Le couple acidobasique, K_a versus K_b

22. L'acide chloroacétique ($ClCH_2COOH$) possède un K_a égal à $1,36 \times 10^{-3}$. Quelle est la valeur de K_b de l'ion chloroacétate ($ClCH_2COO^-$)?

23. Une base faible a un K_b $1,5 \times 10^{-9}$. Quelle est la valeur de K_a correspondant à son acide conjugué?

24. L'ion chrome (III) en solution aqueuse ($[Cr(H_2O)_6]^{3+}$) est un acide faible ayant un pK_a de 3,95. Quelle est la valeur de K_b de sa base conjuguée ($[Cr(H_2O)_5OH]^{2+}$)?

Les types de réactions acidobasiques

25. Pour chacune des solutions résultant d'un mélange de quantités équimolaires des espèces suivantes, écrivez les équations ioniques nettes et dites si la solution est acide, basique ou neutre.
   a) NaOH et Na_2HPO_4.   **c)** CH_3COOH et Na_2HPO_4.
   b) HCl et NaOCl.   **d)** NH_3 et NaH_2PO_4.

Le calcul de K à l'aide du pH et de la concentration

26. Une solution de cyanate d'hydrogène (HOCN) de concentration 0,0015 mol/L a un pH 2,67.
   a) Quelle est la concentration des ions hydronium de la solution?
   b) Quelle est la constante d'acidité (K_a) de cet acide?

27. Une solution d'hydoxylamine (HONH$_2$) de concentration 0,025 mol/L a un pH 9,11. Quelle est la constante de basicité (K_b) de la base?

$$HONH_2\ (aq) + H_2O\ (l) \rightleftharpoons HONH_3^+\ (aq) + OH^-\ (aq)$$

28. Une solution contenant $2,5 \times 10^{-3}$ mol/L d'un acide inconnu (HA) a un pH 3,80, à 25 °C.
   a) Quelle est la concentration des ions hydronium de la solution?
   b) Cet acide est-il un acide fort, faible (K_a d'environ 10^{-5}), ou très faible (K_a d'environ 10^{-10})?

Les constantes d'équilibre

29. Quelles sont les concentrations des ions hydronium, de l'ion acétate et de l'acide acétique dans une solution aqueuse d'acide acétique de concentration 0,20 mol/L?

30. Le phénol (C$_6$H$_5$OH) est un acide organique faible.

$$C_6H_5OH\ (aq) + H_2O\ (l) \rightleftharpoons H_3O^+\ (aq) + C_6H_5O^-\ (aq)$$
$$K_a = 1,3 \times 10^{-10}$$

Vous en dissolvez 0,195 g dans de l'eau pour obtenir 125 mL de solution. Quelle est la concentration des ions hydronium? Quel est le pH de la solution?

31. La méthylamine (CH$_3$NH$_2$) est une base faible ayant un K_b $4,2 \times 10^{-4}$. Celle-ci réagit avec l'eau selon l'équation suivante:

$$CH_3NH_2\ (aq) + H_2O\ (l) \rightleftharpoons OH^-\ (aq) + CH_3NH_3^+\ (aq)$$

Calculez la concentration des ions hydroxyde d'une solution contenant 0,25 mol/L de cette base. Quels sont les pH et pOH de cette solution?

32. Calculez le pH d'une solution aqueuse de HF de concentration 0,0010 mol/L.

33. Une solution d'acide fluorhydrique possède un pH 2,30. Calculez les concentrations de HF, F$^-$ et de H$_3$O$^+$ ainsi que la quantité initiale de HF dissous dans un litre.

Les propriétés acidobasiques des sels

34. Calculez la concentration des ions hydronium et le pH d'une solution de chlorure d'ammonium de concentration 0,20 mol/L.

35. On dissout 10,8 g de NaCN dans suffisamment d'eau pour obtenir 500 mL de solution. Calculez la concentration des espèces H$_3$O$^+$, OH$^-$, HCN et Na$^+$.

36. Quelle est la concentration des ions hydronium et le pH d'une solution préparée en mélangeant 50,0 mL d'une solution de NH$_3$ de concentration 0,40 mol/L et 50,0 mL d'une solution de HCl 0,40 mol/L?

Les acides et les bases polyprotiques

37. L'acide ascorbique ou vitamine C (C$_6$H$_8$O$_6$) est un acide diprotique ($K_{a1} = 6,8 \times 10^{-5}$ et $K_{a2} = 2,7 \times 10^{-12}$). Quel est le pH d'une solution contenant 5,0 mg de cet acide par millilitre de solution?

Acide ascorbique

38. L'hydrazine (N$_2$H$_4$) peut réagir avec l'eau en deux étapes.

$$N_2H_4\ (aq) + H_2O\ (l) \rightleftharpoons OH^-\ (aq) + N_2H_5^+\ (aq)$$
$$K_{b1} = 8,5 \times 10^{-7}$$
$$N_2H_5^+\ (aq) + H_2O\ (l) \rightleftharpoons OH^-\ (aq) + N_2H_6^{2+}\ (aq)$$
$$K_{b2} = 8,9 \times 10^{-16}$$

   a) Quelle est la concentration des ions OH$^-$, N$_2$H$_5^+$ et N$_2$H$_6^{2+}$ dans une solution d'hydrazine de concentration 0,010 mol/L?
   b) Quel est le pH de cette solution?

Les acides et les bases de Lewis

39. Déterminez si les substances suivantes sont des bases ou des acides de Lewis.
   a) BCl$_3$
   b) NH$_2$NH$_2$
   c) Les réactifs dans la réaction:

$$Ag^+\ (aq) + 2\ NH_3\ (aq) \rightleftharpoons [Ag(NH_3)_2]^+\ (aq)$$

40. Le triméthylamine ((CH$_3$)$_3$N) est un réactif très répandu. Celui-ci peut réagir avec BH$_3$ (produit formé lors de la dissociation de B$_2$H$_6$) pour former le complexe suivant: (CH$_3$)$_3$N $\longrightarrow$ BH$_3$. Le fragment BH$_3$ du complexe est-il un acide ou une base de Lewis?

La structure moléculaire, les liaisons et les propriétés acidobasiques

41. Lequel des deux acides est le plus fort, HOCN ou HCN? Expliquez votre réponse brièvement.

42. À l'aide de la structure de l'acide benzènesulfonique, expliquez pourquoi celui-ci est un acide de Brønsted.

Acide benzènesulfonique

Questions de révision

Ces questions peuvent combiner plusieurs concepts vus précédemment. Les numéros de couleur correspondent à des questions demandant plus de réflexion.

43. Parmi les ions suivants: NH_4^+, CO_3^{2-}, Br^-, S^{2-} et ClO_4^-,
 a) quels sont ceux qui peuvent former une solution basique et ceux qui peuvent former une solution acide?
 b) Lesquels de ces ions n'ont aucun effet sur le pH?
 c) Lequel est le plus basique?

44. Vous disposez de deux solutions de même concentration. La première est composée d'acide benzoïque (C_6H_5COOH), $K_a = 6,3 \times 10^{-5}$, et la seconde d'acide 4 chlorobenzoïque (ClC_6H_4COOH), $K_a = 1,0 \times 10^{-4}$. Laquelle des deux a le pH le plus élevé?

45. Pour chacune des réactions suivantes, déterminez si l'équilibre se déplace vers la gauche (réactifs) ou vers la droite (produits).
 a) HCO_3^- (aq) + SO_4^{2-} (aq) $\rightleftharpoons$
   CO_3^{2-} (aq) + HSO_4^- (aq)
 b) HSO_4^- (aq) + CH_3COO^- (aq) $\rightleftharpoons$
   SO_4^{2-} (aq) + CH_3COOH (aq)
 c) $[Co(H_2O)_6]^{2+}$ (aq) + CH_3COO^- (aq) $\rightleftharpoons$
   $[Co(H_2O)_5(OH)]^+$ (aq) + CH_3COOH (aq)

46. Le K_a d'un acide HX est $1,3 \times 10^{-3}$. Calculez le pH ainsi que la concentration de HX et de H_3O^+ d'une solution contenant 0,010 mol/L de cet acide.

47. On ne peut dissoudre, à 25 °C, que 0,50 g de $Ca(OH)_2$ dans 1 L d'eau. Quel est le pH d'une solution saturée d'hydroxyde de calcium.

48. Le *m*-nitrophénol est un acide faible pouvant être utilisé comme indicateur acidobasique. Calculez le pK_a de cette substance, sachant que le pH de sa solution de concentration 0,010 mol/L est de 3,44.

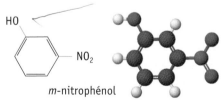
m-nitrophénol

49. L'ion anilinium ($C_6H_5NH_3^+$) est l'acide conjugué de l'aniline, une base organique faible. Sachant que son pK_a est de 4,60, quel est le pH d'une solution de $[C_6H_5NH_3]Cl$ de concentration 0,080 mol/L?

50. L'acide chloroacétique ($ClCH_2COOH$) est un acide organique relativement faible ($K_a = 1,4 \times 10^{-3}$). Si 94,5 mg de cet acide sont dissous dans 125 mL, quel est le pH de la solution résultante?

51. La pyridine est une base organique faible ($K_b = 1,5 \times 10^{-9}$), forme un sel avec l'acide chlorhydrique.

C_5H_5N (aq) + HCl (aq) $\longrightarrow$ $C_5H_5NH^+$ (aq) + Cl^- (aq)
Pyridine   Ion pyridinium

Quel est le pH d'une solution de chlorure de pyridium de concentration 0,025 mol/L?

52. Prévoyez le pH (inférieur, égal ou supérieur à 7) de chacune des solutions aqueuses des sels suivants.
 a) $NaHSO_4$ **f)** $NaNO_3$
 b) NH_4Br **g)** Na_2HPO_4
 c) $KClO_4$ **h)** $LiBr$
 d) Na_2CO_3 **i)** $FeCl_3$
 e) $(NH_4)_2S$

53. Classez les solutions des composés suivants de concentration 0,10 mol/L par ordre croissant de pH.
 a) $NaCl$
 b) NH_4Cl
 c) HCl
 d) CH_3COONa
 e) KOH

54. La nicotine ($C_{10}H_{14}N_2$) contient deux atomes d'azote à caractère basique. Chacun d'eux peut en effet réagir avec l'eau, formant ainsi une solution basique.

Nic (aq) + H_2O (l) $\rightleftharpoons$ $NicH^+$ (aq) + OH^- (aq)
$NicH^+$ (aq) + H_2O (l) $\rightleftharpoons$ $NicH_2^{2+}$ (aq) + OH^- (aq)

Calculez le pH d'une solution de nicotine de concentration 0,020 mol/L, sachant que K_{b1} vaut $7,0 \times 10^{-7}$ et K_{b2}, $1,1 \times 10^{-10}$.

55. Quel volume d'eau devez-vous ajouter à une solution de 100 mL d'un acide faible de concentration 0,20 mol/L pour doubler le degré d'ionisation de ce dernier?

56. La constante de dissociation en phase gazeuse (K_p) du composé d'addition $(CH_3)_2O$—BF_3 est de 17,2 à 25 °C.

$(CH_3)_2O$—BF_3 (g) $\rightleftharpoons$ BF_3 (g) + $(CH_3)_2O$ (g)

 a) Désignez chaque produit comme un acide ou une base de Lewis.
 b) On place 0,100 g de ce complexe dans un ballon de 565 mL préalablement mis sous vide. Quelle est la pression totale une fois l'équilibre établi, à 25 °C? Calculez les pressions partielles de chacun des gaz.

Applications du **concept** d'équilibre **aux** **réactions** **acidobasiques** et de **précipitation**

Pourquoi certaines fleurs sont-elles rouges et d'autres, bleues ou jaunes ?

Les roses sont rouges, les violettes... violettes et les hortensias, roses ou bleus

Aussi étrange que cela puisse paraître, la couleur de certaines fleurs change selon le pH du sol. C'est le cas en particulier des hortensias, que l'on trouve dans les jardins du Québec. Il est souvent écrit dans les livres d'horticulture que « pour être et rester bleues, leurs fleurs ont besoin d'aluminium [...] Dans les sols acides, l'aluminium est facilement assimilé [...] La meilleure manière de procéder consiste à ajouter du sulfate d'aluminium au sol [...] ». Comment le pH intervient-il dans la coloration des fleurs ? Quel est le rôle de l'aluminium ? Et qu'est-ce que tout cela a à voir avec les équilibres chimiques ?

Les pigments présents dans les fleurs d'hortensias appartiennent à une famille de molécules appelée les

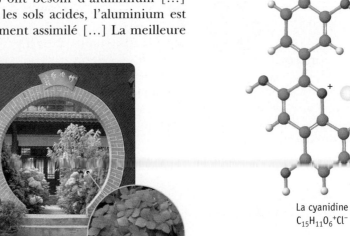

La cyanidine
$C_{15}H_{11}O_6{}^+Cl^-$

◀ Des hortensias en fleurs dans un temple bouddhiste de Kunming, en Chine.
John C. Kotz ; Terry Donnelly/Dembinsky Photo Associates

La cyanidine en solution acide = bleue

La cyanidine en solution basique = rouge

$-HCl$ / $+HCl$

▲ Quand la cyanidine se comporte comme un acide et perd un proton, la couleur vire du bleu au rouge.

anthocyanes et, plus particulièrement, au sous-groupe formé par les dérivés de la cyanidine.

Ceux-ci sont à l'origine du rouge des roses, des fraises, des framboises, de la pelure des pommes, de la rhubarbe et des cerises, et du bleu violacé des bleuets. Plus remarquable encore, leur couleur dépend du pH. En effet, le pigment est un acide qui peut libérer son proton : lors de l'augmentation du pH, la base conjuguée se forme et la couleur vire progressivement de celle de l'acide à celle de la base. Si l'on pouvait ajuster le pH, on pourrait contrôler la coloration.

Maintenant, de quelle façon agissent les ions aluminium (non l'aluminium comme on le mentionne souvent !) sur la couleur ? On pense que la forme acide de la cyanidine, de couleur bleue, est stabilisée par la formation d'un complexe avec Al^{3+}, résultant d'une interaction entre un acide et une base de Lewis.

▲ Les ions Al^{3+} stabilisent la forme bleue de la cyanidine.

Ils se lient facilement aux atomes d'oxygène appartenant à des molécules. Ils peuvent réagir non seulement avec ceux de la cyanidine, mais aussi avec ceux de l'eau pour former $Al(H_2O)_6^{3+}$ en milieu acide et l'hydroxyde insoluble $(Al(OH)_3)$ en milieu basique.

$$Al(H_2O)_6^{3+} \text{ (aq)} + 3 \text{ OH}^- \text{ (aq)} \rightleftarrows Al(OH)_3 \text{ (s)} + 6 \text{ H}_2O \text{ (l)}$$

Le sol doit être acide pour que les ions Al^{3+} soient en solution et puissent se lier à la cyanidine et lui conférer ainsi la couleur bleue : on constate en fait que le pH doit se situer idéalement entre 5 et 5,5. À pH plus élevé, entre 6 et 6,5, les hortensias sont roses. Les terres de rempotage, habituellement acides, produisent des hortensias bleus ; dans les régions très humides, cette couleur est aussi prédominante, probablement à cause de l'acidité de la pluie. Par contre, dans des régions plus arides, les sols sont plus alcalins (plus basiques) et les fleurs roses prédominent.

Cette série de photographies illustre quelques réactions des ions plomb (II) en solution aqueuse.

LA CHIMIE DU PLOMB

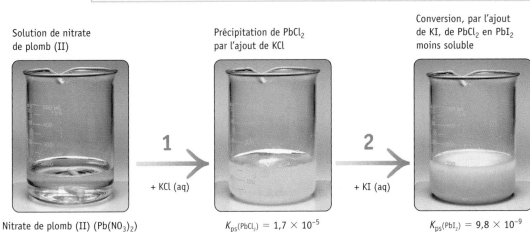

Solution de nitrate de plomb (II)

1 + KCl (aq)

Précipitation de $PbCl_2$ par l'ajout de KCl

2 + KI (aq)

Conversion, par l'ajout de KI, de $PbCl_2$ en PbI_2 moins soluble

Nitrate de plomb (II) ($Pb(NO_3)_2$)

$K_{ps(PbCl_2)} = 1,7 \times 10^{-5}$

$K_{ps(PbI_2)} = 9,8 \times 10^{-9}$

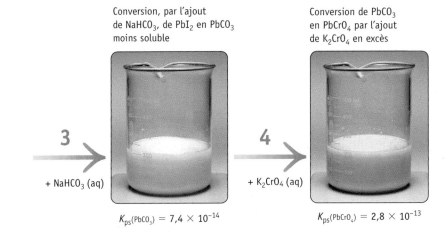

Conversion, par l'ajout de $NaHCO_3$, de PbI_2 en $PbCO_3$ moins soluble

3 + $NaHCO_3$ (aq)

Conversion de $PbCO_3$ en $PbCrO_4$ par l'ajout de K_2CrO_4 en excès

4 + K_2CrO_4 (aq)

$K_{ps(PbCO_3)} = 7,4 \times 10^{-14}$

$K_{ps(PbCrO_4)} = 2,8 \times 10^{-13}$

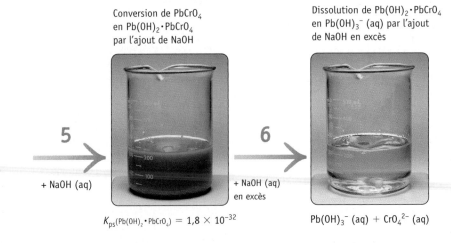

Conversion de $PbCrO_4$ en $Pb(OH)_2 \cdot PbCrO_4$ par l'ajout de NaOH

5 + NaOH (aq)

Dissolution de $Pb(OH)_2 \cdot PbCrO_4$ en $Pb(OH)_3^-$ (aq) par l'ajout de NaOH en excès

6 + NaOH (aq) en excès

$K_{ps(Pb(OH)_2 \cdot PbCrO_4)} = 1,8 \times 10^{-32}$

$Pb(OH)_3^-$ (aq) + CrO_4^{2-} (aq)

*D*ans la section 10.5 de Chimie générale, *nous avons décrit les quatre principaux types de réactions chimiques. Dans ce chapitre, on appliquera le concept d'équilibre pour approfondir l'étude de deux de ces types de réactions, à savoir les réactions acidobasiques et de précipitation.*

L'étude des réactions acidobasiques a été amorcée dans les sections 4.5 et 4.6 et l'on poursuivra de manière à pouvoir répondre aux questions suivantes :

- *Comment peut-on contrôler le pH d'une solution ?*
- *Que se passe-t-il lorsqu'on mélange un acide et une base en proportions quelconques ?*

Le concept d'équilibre s'applique aussi aux réactions de précipitation (voir l'encadré Point de mire*). Il permet de :*

- *prévoir si un précipité va apparaître lorsqu'on mélange deux composés ioniques ;*
- *connaître jusqu'où un composé apparemment insoluble se dissout réellement ;*
- *trouver un réactif pouvant redissoudre un précipité.*

5.1 L'EFFET D'ION COMMUN

Supposez que l'on ajoute 0,025 mol d'acide lactique, un acide faible présent dans les yogourts, les pommes, la bière, le vin et… les muscles endoloris, à une solution aqueuse contenant 0,025 mol de lactate de sodium.

$$CH_3-\underset{\underset{OH}{|}}{\overset{\overset{H}{|}}{C}}-\overset{\overset{O}{\|}}{C}-O-H\ (aq) + H_2O\ (l) \rightleftharpoons H_3O^+\ (aq) + CH_3-\underset{\underset{OH}{|}}{\overset{\overset{H}{|}}{C}}-\overset{\overset{O}{\|}}{C}-O^-\ (aq)$$

$K_{a(CH_3CHOHCOOH)} = 1,4 \times 10^{-4}$ Ion lactate ($CH_3CHOHCOO^-$)

L'amplitude de l'ionisation de l'acide lactique, et par conséquent le pH de la solution, est affectée par la présence des ions lactate, le principe de Le Chatelier s'appliquant évidemment à cet équilibre. La limitation de l'ionisation de cet acide par la présence de sa base conjuguée de concentration notable est appelée l'**effet d'ion commun,** l'ion lactate étant déjà présent dans la solution avant l'ionisation de l'acide qui libère ce même ion (figure 5.1). Les exemples 5.1 et 5.2 illustrent quantitativement cette situation (*voir les pages 188 et 189*).

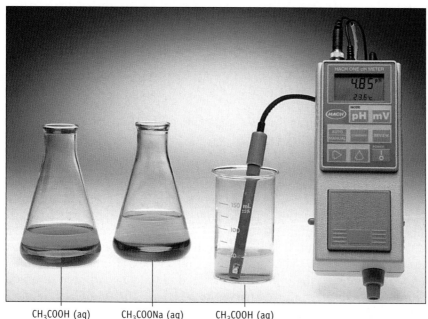

CH₃COOH (aq)   CH₃COONa (aq)   CH₃COOH (aq)
et CH₃COONa (aq)

Figure 5.1 L'effet d'ion commun. La concentration des ions H_3O^+ d'une solution contenant 0,25 mol/L d'acide acétique et 0,10 mol/L d'acétate de sodium, calculée à l'aide de la mesure de son pH (égal à 4,85), est inférieure à celle d'une solution d'acide acétique de même concentration (erlenmeyer de gauche, pH voisin de 2,7). Chaque récipient contient un indicateur universel de pH, dont la couleur rouge en milieu très acide vire au jaune en milieu faiblement acide et finalement au vert en solution neutre ou faiblement basique. Charles D. Winters

EXEMPLE 5.1   L'effet d'ion commun

Calculez le pH d'une solution contenant de l'acide acétique et de l'acétate de sodium, de concentrations respectives 0,25 et 0,10 mol/L (K_a(CH$_3$COOH) = $1,8 \times 10^{-5}$). Expliquez l'écart entre cette valeur et le pH de 2,67 d'une solution d'acide acétique de même concentration.

SOLUTION

L'acétate de sodium (CH$_3$COONa), un composé ionique, se dissocie totalement en solution en ions Na$^+$ et CH$_3$COO$^-$. Les premiers n'ont aucun effet sur le pH. Celui-ci dépend donc uniquement de l'acide acétique et de sa base conjuguée, les ions acétate. Ceux-ci proviennent de la dissociation de l'acétate de sodium et de la réaction d'ionisation de l'acide acétique, d'où leur qualitatif de « communs ».

$$CH_3COOH \ (aq) + H_2O \ (l) \rightleftharpoons CH_3COO^- \ (aq) + H_3O^+ \ (aq)$$

On pose que l'acide acétique s'ionise en libérant des ions CH$_3$COO$^-$ et H$_3$O$^+$ de concentrations égales à x. De ce fait, [CH$_3$COOH] diminue de x et [CH$_3$COO$^-$] augmente de la même quantité. Comme toutes les concentrations doivent satisfaire la constante d'acidité de l'acide acétique, on peut calculer x = [H$_3$O$^+$] (dans tout le raisonnement, on suppose comme d'habitude que l'autoprotolyse de l'eau n'a pas d'effet sur [H$_3$O$^+$]).

Concentrations (mol/L)	CH$_3$COOH (aq) + H$_2$O (l) ⟶	CH$_3$COO$^-$ (aq) +	H$_3$O$^+$ (aq)
initiales	0,25	0,10	négligeable
Changement	-x	+x	+x
équilibre	0,25 − x	0,10 + x	x

Donnée

$$K_a = \frac{[CH_3COO^-][H_3O^+]}{[CH_3COOH]} = \frac{(0,10 + x)x}{0,25 - x} = 1,8 \times 10^{-5}$$

On présume sans grand risque d'erreurs que x est négligeable par rapport à 0,25 et 0,10, puisque l'acide acétique est un acide faible, dont l'ionisation est de plus limitée par l'effet d'ion commun.

$$1,8 \times 10^{-5} = \frac{0,10x}{0,25} \qquad x = [H_3O^+] = 4,5 \times 10^{-5} \ mol/L$$

Cette faible valeur confirme que les approximations effectuées étaient justifiées.

$$pH = -\log (4,5 \times 10^{-5}) = -(-4,35) = 4,35$$

En l'absence de CH$_3$COONa, qui fournit l'ion commun CH$_3$COO$^-$, la concentration des ions H$_3$O$^+$ libérés par l'ionisation de l'acide acétique aurait été de $2,1 \times 10^{-3}$ mol/L (pH = 2,67). Le principe de Le Chatelier prévoit que, si l'on augmente la concentration des ions CH$_3$COO$^-$ (par l'ajout, dans cet exemple, de CH$_3$COONa), l'équilibre se déplace vers les réactifs de manière à tenter de la faire diminuer. La réaction qui se produit alors consomme un peu d'ions CH$_3$COO$^-$ et la même quantité d'ions H$_3$O$^+$, dont la concentration diminue par conséquent et chute, dans cet exemple, à $4,5 \times 10^{-5}$ mol/L. L'effet d'ion commun est la cause de ce fléchissement.

EXEMPLE 5.2 **La réaction entre un acide faible et l'hydroxyde de sodium (le réactif limitant)**

Calculez le pH de la solution résultant de l'ajout de 25,0 mL de solution d'hydroxyde de sodium de concentration 0,0500 mol/L à 25,0 mL d'une solution contenant 0,100 mol/L d'acide lactique ($K_a = 1,4 \times 10^{-4}$).

SOLUTION

On peut séparer ce problème en deux parties. Il s'agit tout d'abord de calculer les concentrations de l'acide lactique résiduel et des ions lactate présents en solution après la réaction acidobasique (problème de stœchiométrie). On calcule ensuite le pH de la solution en suivant le cheminement de l'exemple 5.1 (problème d'équilibre).

La base forte réagit sur l'acide faible (*voir la section 4.6.3, page 157*) selon l'équation :

$$CH_3CHOHCOOH \ (aq) + OH^- \ (aq) \longrightarrow CH_3CHOHCOO^- \ (aq) + H_2O \ (l)$$

Stœchiométrie

a) Quantité initiale de NaOH $= \dfrac{0,050 \text{ mol de NaOH}}{1 \ \cancel{L}} \times (25,0 \times 10^{-3}) \ \cancel{L}$

$\qquad\qquad\qquad\qquad\quad = 1,25 \times 10^{-3} \text{ mol}$

$\quad$ Quantité initiale d'acide $= \dfrac{0,100 \text{ mol d'acide}}{1 \ \cancel{L}} \times (25,0 \times 10^{-3}) \ \cancel{L}$

$\qquad\qquad\qquad\qquad\quad = 2,50 \times 10^{-3} \text{ mol}$

b) L'hydroxyde de sodium est le réactif limitant.

$\quad$ Quantité d'ions lactate formés

$\qquad = 1,25 \times 10^{-3} \ \cancel{\text{mol de NaOH}} \times \dfrac{1 \text{ mol d'ions lactate}}{1 \ \cancel{\text{mol de NaOH}}} = 1,25 \times 10^{-3} \text{ mol}$

c) Quantité consommée d'acide

$\qquad = 1,25 \times 10^{-3} \ \cancel{\text{mol de NaOH}} \times \dfrac{1 \text{ mol d'acide}}{1 \ \cancel{\text{mol de NaOH}}} = 1,25 \times 10^{-3} \text{ mol}$

d) Quantité résiduelle d'acide $=$ quantité initiale d'acide ($2,50 \times 10^{-3}$ mol) $-$
$\qquad\qquad\qquad\qquad$ quantité consommée d'acide ($1,25 \times 10^{-3}$ mol)
$\qquad\qquad\qquad\quad = 1,25 \times 10^{-3} \text{ mol}$

e) En supposant que les volumes sont additifs, la solution résultante est de 50,0 mL.

$$[\text{acide}] = \frac{1,25 \times 10^{-3} \text{ mol}}{50 \times 10^{-3} \text{ L}} = 2,50 \times 10^{-2} \text{ mol/L}$$

La concentration des ions lactate est identique.

Équilibre

Concentrations (mol/L)	CH$_3$CHOHCOOH (aq) $+$ H$_2$O (l) $\longrightarrow$ CH$_3$CHOHCOO$^-$ (aq) $+$ H$_3$O$^+$ (aq)		
initiales	0,0250	0,0250	négligeable
Changement	-x	+x	+x
équilibre	0,0250 $-$ x	0,0250 $+$ x	x

Donnée

$$K_a = \frac{[CH_3CHOHCOO^-][H_3O^+]}{[CH_3CHOHCOOH]} = \frac{(0,0250 + x)x}{0,0250 - x} = 1,4 \times 10^{-4}$$

En présumant comme dans l'exemple 5.1 que x est négligeable par rapport à 0,0250, on trouve :

$$x = [H_3O^+] = 1,4 \times 10^{-4} \text{ mol/L}$$

Cette faible valeur confirme que l'approximation effectuée était justifiée.

$$\text{pH} = -\log (1,4 \times 10^{-4}) = -(-3,85) = 3,85$$

Commentaire Le pH d'une solution contenant seulement 0,0250 mol/L d'acide lactique est de 2,73. La présence de la base conjuguée de même concentration diminue l'ionisation et le pH de la solution est plus élevé.

EXERCICE 5.1   **L'effet d'ion commun**

Vous ajoutez suffisamment de formiate de sodium (HCOONa (s)) à une solution d'acide formique de 0,30 mol/L pour obtenir une concentration de sel de 0,10 mol/L. Calculez le pH des solutions avant et après l'ajout de sel, en supposant que le volume de solution demeure constant (K_a(HCOOH) = 1,8 × 10^{-4}).

EXERCICE 5.2   **La réaction entre un acide faible et l'hydroxyde de sodium (le réactif limitant)**

Calculez le pH de la solution résultant de l'ajout de 30,0 mL de solution d'hydroxyde de sodium de concentration 0,100 mol/L à 45,0 mL d'une solution contenant 0,100 mol/L d'acide acétique (K_a = 1,8 × 10^{-5}).

5.2   LE CONTRÔLE DU pH : LES SOLUTIONS TAMPONS

Lorsqu'on ajoute à un litre de sang humain, dont le pH est normalement de 7,4, une petite quantité d'acide fort ou de base forte, disons 0,01 mol, le pH ne baisse que de 0,1 unité, alors que celui de l'eau passerait de 7 à 2 unités dans les mêmes conditions. On dit que le sang, de même que la plupart des autres fluides présents dans l'organisme humain, est tamponné. Une **solution tampon** possède la propriété d'absorber une certaine quantité d'ions hydronium ou hydroxyde tout en maintenant pratiquement constant son pH (figure 5.2).

Pour qu'une solution fonctionne comme un tampon, elle doit satisfaire à deux exigences :
• elle doit contenir un acide et une base capables respectivement de consommer des ions OH$^-$ ou H$_3$O$^+$ ajoutés ou formés *in vitro* ;
• l'acide et la base ne doivent pas réagir ensemble.

Ces conditions font en sorte qu'une solution tampon est généralement composée d'un couple acidobasique :
• un acide faible et sa base conjuguée (l'acide acétique et l'ion acétate par exemple) ou
• une base faible et son acide conjugué (l'ammoniac et l'ion ammonium par exemple).

Ainsi, un tampon n'est qu'une application particulière de l'effet d'ion commun. Le tableau 5.1 en répertorie quelques-uns couramment employés en laboratoire.

Pour comprendre son fonctionnement, considérez le mélange acide acétique et ion acétate. Si l'on y ajoute des ions OH$^-$, ils sont consommés par l'acide très peu dissocié CH$_3$COOH.

$$\text{CH}_3\text{COOH (aq)} + \text{OH}^- \text{(aq)} \longrightarrow \text{CH}_3\text{COO}^- \text{(aq)} + \text{H}_2\text{O (l)} \qquad K = 1,8 \times 10^9$$

État initial

État après l'ajout de HCl (aq)

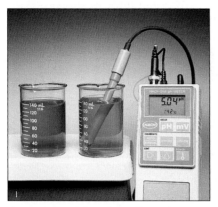

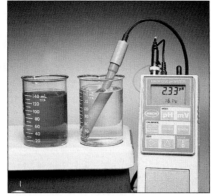

a) Le pH-mètre indique le pH d'une solution contenant un peu d'acide et une goutte d'un indicateur coloré. La solution de gauche est une solution tampon ayant un pH voisin de 7 : elle contient aussi une goutte du même indicateur.

b) Lorsqu'on ajoute dans chacun des bechers 5 mL d'acide chlorhydrique de concentration 0,10 mol/L, le pH de la solution de droite chute de 5,04 à 2,33, alors que celui de la solution tampon demeure presque constant, comme l'atteste la coloration de l'indicateur qui n'a pas changé.

Figure 5.2 Les solutions tampons. Charles D. Winters

TABLEAU 5.1 Quelques tampons courants

Acides faibles	Bases conjuguées	pK_a	Domaines tamponnés (pH)
acide phtalique ($C_6H_4(COOH)_2$)	ion hydrogénophtalate ($C_6H_4(COOH)(COO)^-$)	2,89	de 1,9 à 3,9
acide acétique (CH_3COOH)	ion acétate (CH_3COO^-)	4,74	de 3,7 à 5,7
ion dihydrogénophosphate ($H_2PO_4^-$)	ion hydrogénophosphate (HPO_4^{2-})	7,21	de 6,2 à 8,2
ion hydrogénophosphate (HPO_4^{2-})	ion phosphate (PO_4^{3-})	12,44	de 11,4 à 13,4

La constante d'équilibre de cette réaction est très élevée parce que OH^- est une base nettement plus forte que l'ion acétate. Cela signifie en pratique que les ions OH^- ajoutés à la solution sont tous consommés (la flèche simple de l'équation précédente).

De la même manière, des ions H_3O^+ ajoutés à la solution réagissent quantitativement avec les ions acétate selon la réaction :

$$CH_3COO^- \ (aq) + H_3O^+ \ (aq) \longrightarrow CH_3COOH \ (aq) + H_2O \ (l) \qquad K = 5,6 \times 10^4$$

que l'on considère complète, étant donné la valeur élevée de K (H_3O^+ est un acide bien plus fort que CH_3COOH).

5.2.1 Le calcul du pH d'une solution tampon

Maintenant que l'on sait comment fonctionne une solution tampon, on peut aborder l'aspect quantitatif de la question.

EXEMPLE 5.3 Le pH d'une solution tampon

Calculez le pH d'une solution contenant 0,700 mol/L d'acide acétique et 0,600 mol/L d'ions acétate ($K_a(CH_3COOH) = 1,8 \times 10^{-5}$).

SOLUTION

La solution, qui contient un acide faible et sa base conjuguée, est un tampon. Le calcul de son pH s'effectue de la même façon que dans l'exemple 5.1.

Concentrations (mol/L)	CH_3COOH (aq) + H_2O (l) $\longrightarrow$	CH_3COO^- (aq) +	H_3O^+ (aq)
initiales	0,700	0,600	négligeable
Changement	-x	+x	+x
équilibre	0,700 − x	0,600 + x	x

Donnée

$$K_a = \frac{[CH_3COO^-][H_3O^+]}{[CH_3COOH]} = \frac{(0,600 + x)x}{0,700 - x} = 1,8 \times 10^{-5}$$

On présume que x est négligeable par rapport à 0,700 et 0,600.

$$1,8 \times 10^{-5} = \frac{0,600x}{0,700} \qquad x = [H_3O^+] = 2,1 \times 10^{-5} \text{ mol/L}$$

Cette faible valeur confirme que les approximations effectuées étaient justifiées.

$$pH = -\log (2,1 \times 10^{-5}) = -(-4,68) = 4,68$$

EXERCICE 5.3 **Le pH d'une solution tampon**

Calculez le pH de la solution tampon constituée d'acide formique de concentration 0,50 mol/L et de formiate de sodium de 0,70 mol/L (K_a(HCOOH) $= 1,8 \times 10^{-4}$).

L'expression finale permettant de calculer le pH de la solution tampon de l'exemple 5.3 se réarrange en l'égalité :

$$[H_3O^+] = K_a \frac{0,700}{0,600}$$

dans laquelle le terme 0,700 représente la concentration initiale de l'acide et 0,600, celle de la base conjuguée. Ce résultat peut être généralisé et l'équation précédente devient, si l'on appelle C_a et C_b les concentrations initiales respectives de l'acide et de la base conjugués de la solution tampon :

$$[H_3O^+] = K_a \frac{C_a}{C_b} \qquad \text{(Équation 5.1)}$$

Transformée en logarithme et partiellement en notation p, l'équation 5.1 devient :

$$\log [H_3O^+] = \log K_a + \log \frac{C_a}{C_b} \qquad -\log [H_3O^+] = -\log K_a - \log \frac{C_a}{C_b}$$

$$-\log [H_3O^+] = -\log K_a + \log \frac{C_a}{C_b}$$

$$pH = pK_a + \log \frac{C_b}{C_a}$$

(Équation 5.2)

L'équation 5.2 est connue sous le nom d'**équation de Henderson-Hasselbalch.** Elle montre très clairement que le pH d'une solution tampon constituée d'un couple acidobasique dépend essentiellement de la force de l'acide, exprimée par son pK_a), le rapport entre les concentrations de l'acide et de la base ne servant qu'aux ajustements fins. Si ce rapport est égal à 1, le pH est alors égal au pK_a.

EXEMPLE 5.4 **L'équation de Henderson-Hasselbalch**

On dissout 20 g d'acide benzoïque (C_6H_5COOH) et 20 g de benzoate de sodium (C_6H_5COONa) dans suffisamment d'eau pour obtenir 1 L de solution. Calculez son pH à l'aide de l'équation de Henderson-Hasselbalch ($K_a(C_6H_5COOH) = 6,3 \times 10^{-5}$).

SOLUTION

Pour calculer le pH de la solution, il faut connaître les valeurs de $pK_a(C_6H_5COOH)$ et les concentrations initiales (C_a) et (C_b) de l'acide et de la base conjugués.

$$pK_a(C_6H_5COOH) = -\log(6,3 \times 10^{-5}) = 4,20$$

$$\text{Quantité d'acide} = 20 \text{ g d'acide} \times \frac{1 \text{ mol}}{122,1 \text{ g d'acide}} = \frac{20}{122,1} \text{ mol}$$

$$C_a = \frac{\frac{20}{122,1} \text{ mol}}{1 \text{ L}} = 0,164 \text{ mol/L}$$

$$\text{Quantité de base} = 20 \text{ g de base} \times \frac{1 \text{ mol}}{144,1 \text{ g de base}} = \frac{20}{144,1} \text{ mol}$$

$$C_b = \frac{\frac{20}{144,1} \text{ mol}}{1 \text{ L}} = 0,139 \text{ mol/L}$$

$$pH = pK_a + \log \frac{C_b}{C_a} = 4,20 + \log \frac{0,139}{0,164} = 4,20 + \log 0,8476 = 4,13$$

EXERCICE 5.4 **L'équation de Henderson-Hasselbalch**

On dissout 15,0 g d'hydrogénocarbonate de sodium et 18,0 g de carbonate de sodium dans suffisamment d'eau pour obtenir 1 L de solution. Calculez son pH ($K_a(HCO_3^-) = 4,8 \times 10^{-11}$).

5.2.2 La préparation des solutions tampons

Une solution tampon doit posséder deux caractéristiques principales.
- *Elle doit contrôler le pH à la valeur voulue.* L'équation 5.2 nous donne les moyens d'y parvenir.

$$pH = pK_a + \log \frac{C_b}{C_a}$$

Comme on désire souvent que la solution tampon puisse absorber autant que possible des quantités égales d'ions H_3O^+ et OH^-, le rapport C_b/C_a devra s'approcher de la valeur unitaire, si bien que l'on choisira un acide dont le pK_a est proche de la valeur de pH désirée. On joue ensuite sur le rapport C_b / C_a pour ajuster le pH à la valeur désirée. L'exemple 5.5 illustre ce procédé.

- *Son pH doit peu varier* lorsqu'on y ajoute des quantités « raisonnables » d'acide ou de base. En d'autres termes, les concentrations (C_a) et (C_b) du couple acidobasique constituant le tampon doivent être suffisamment élevées pour consommer la quantité d'ions hydronium ou hydroxyde ajoutés, sans que la valeur du terme $\log \dfrac{C_b}{C_a}$ de l'équation 5.2 en soit trop affecté (*voir l'exemple 5.6*). C'est pourquoi les concentrations des constituants des solutions tampons sont généralement élevées et peuvent atteindre 1 mol/L.

EXEMPLE 5.5　La préparation d'une solution tampon

Vous avez besoin d'un litre de solution tampon ayant un pH de 4,30 et vous disposez au laboratoire des couples acidobasiques suivants.
Choisissez le couple acidobasique le plus adéquat et calculez ensuite la valeur

Acides	Bases conjuguées	pK_a
HSO_4^-	SO_4^{2-}	1,92
CH_3COOH	CH_3COO^-	4,74
HCO_3^-	CO_3^{2-}	10,32

du rapport C_b / C_a vous permettant d'obtenir le pH voulu.

SOLUTION

Le pH d'une solution tampon est calculé à l'aide de l'équation de Henderson-Hasselbalch : $pH = pK_a + \log \dfrac{C_b}{C_a}$. Comme le pH désiré est de 4,30 et que le rapport C_b / C_a doit être le plus proche possible de 1, il faut sélectionner le couple dont le pK_a se rapproche le plus de 4,30. On choisit donc la paire acide acétique et ion acétate.

$$4,30 = 4,74 + \log \frac{C_b}{C_a} \quad \log \frac{C_b}{C_a} = 4,30 - 4,74 = -0,44 \quad \frac{C_b}{C_a} = 10^{-0,44} = 0,36$$

Si l'on ajoute
- 0,36 mol d'ions acétate (à partir d'acétate de sodium par exemple) et 1 mol d'acide acétique,
- ou toute autre combinaison des deux composés respectant la proportion molaire 0,36,

à suffisamment d'eau pour obtenir un litre de solution, celle-ci constitue un tampon, dont le pH est de 4,30.

EXERCICE 5.5　La préparation d'une solution tampon

Calculez le rapport C_b / C_a d'une solution tampon constituée du couple acide acétique et ion acétate, dont le pH est égal à 5,00 (pK_a(CH_3COOH) = 4,74). Expliquez comment on pourrait préparer 1,00 L d'une telle solution.

On peut relever un point important de l'exemple 5.5. Comme c'est le *rapport* des concentrations de l'acide et de la base conjugués qui affecte en partie le pH de la solution tampon et que ces deux constituants se trouvent dans la *même* solution (donc, dans le même volume), on peut remplacer dans l'équation de Henderson-Hasselbalch $\frac{C_b}{C_a}$ par n_b / n_a, le rapport des quantités (mol) d'acide et de base conjugués.

$$\frac{C_b}{C_a} = \frac{0,36 \text{ mol d'ions acétate}/1\!\!\!/\, L}{1 \text{ mol d'acide acétique}/1\!\!\!/\, L} = \frac{0,36 \text{ mol d'ions acétate}}{1 \text{ mol d'acide acétique}} = \frac{n_b}{n_a}$$

$$pH = pK_a + \log \frac{n_b}{n_a} \qquad \text{(Équation 5.3)}$$

Cela signifie que toute solution contenant des ions acétate et de l'acide acétique en proportion égale à 0,36 possède un pH de 4,30, quel que soit son volume. On peut dire aussi que *la dilution d'une solution tampon n'affecte pas son pH*, puisque cette opération n'affecte pas la valeur du rapport n_b / n_a. C'est pourquoi bon nombre de préparations commerciales se présentent sous la forme très pratique de sachets contenant le mélange d'ingrédients à l'état solide, qu'il ne reste plus qu'à dissoudre dans le volume d'eau désiré (figure 5.3).

5.2.3 Le maintien du pH

À l'aide d'un exemple, on va démontrer comment le pH d'une solution tampon demeure pratiquement constant malgré l'ajout d'une certaine quantité d'acide fort.

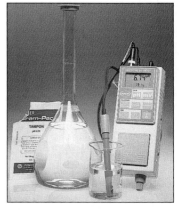

Figure 5.3 Une préparation commerciale d'un tampon. La dissolution de l'acide et de la base conjugués dans un volume quelconque d'eau, contenus tous deux à l'état solide dans un sachet vendu dans le commerce, donne une solution tampon dont le pH est indiqué sur l'emballage. La quantité d'eau utilisée importe peu puisque le rapport C_b/C_a ne dépend pas du volume final. Charles D. Winters

---

EXEMPLE 5.6 **Le maintien du pH**

Calculez la variation de pH lorsqu'on ajoute 1 mL d'acide chlorhydrique de concentration 1,00 mol/L à :

a) 1,000 L d'eau ;

b) 1,000 L de solution contenant de l'acide acétique et des ions acétate de concentrations respectives 0,700 mol/L et 0,600 mol/L, dont le pH, calculé dans l'exemple 5.3 (*voir la page 191*), est égal à 4,68.

SOLUTION

a) Quantité ajoutée de HCl $= \dfrac{1,00 \text{ mol de HCl}}{1\!\!\!/\, L} \times (1,00 \times 10^{-3}) \, 1\!\!\!/\, L = 1,00 \times 10^{-3} \text{ mol}$

$$[H_3O^+] = \frac{1,00 \times 10^{-3} \text{ mol}}{1,001 \text{ L}} = 0,999 \times 10^{-3} \text{ mol/L}$$

$$pH = -\log [H_3O^+] = -\log (0,999 \times 10^{-3}) = -(-3,00) = 3,00$$

Le pH a baissé de 7,00 à 3,00.

b) Les ions H_3O^+ ajoutés réagissent totalement avec les ions acétate selon l'équation :

$$CH_3COO^- \text{ (aq)} + H_3O^+ \text{ (aq)} \longrightarrow CH_3COOH \text{ (aq)} + H_2O \text{ (l)}$$

Quantité initiale d'ions acétate $= \dfrac{0,600 \text{ mol d'ions}}{1\!\!\!/\, L} \times 1\!\!\!/\, L = 0,600 \text{ mol}$

Quantité finale d'ions acétate $= n_b = 0,600 \text{ mol} - 0,00100 \text{ mol} = 0,599 \text{ mol}$

$$\text{Quantité initiale d'acide acétique} = \frac{0{,}700 \text{ mol d'acide}}{1 \cancel{L}} \times 1 \cancel{L} = 0{,}700 \text{ mol}$$

$$\text{Quantité finale d'acide acétique} = n_a = 0{,}700 \text{ mol} + 0{,}00100 \text{ mol} = 0{,}701 \text{ mol}$$

Quantités (mol)	CH_3COO^- (aq)	$+$ H_3O^+ (aq)	$\longrightarrow$	CH_3COOH (aq)	$+$ H_2O (l)
initiales	0,600			0,700	
ajoutées		0,00100			
finales	0,599	?		0,701	

Comme la quantité d'acide ajoutée est faible par rapport aux quantités initiales d'acide acétique et d'ions acétate, on peut utiliser l'équation 5.3 pour calculer le pH.

$$\text{pH} = \text{p}K_a + \log\frac{n_b}{n_a} = 4{,}74 + \log\frac{0{,}599}{0{,}701} = 4{,}74 - 0{,}068 = 4{,}67$$

Le pH de la solution est passé de 4,68 à 4,67, il n'a pratiquement pas varié. Contrairement à la première situation, dans laquelle le pH de l'eau a baissé de 4 unités à la suite de l'ajout de HCl, la solution acide acétique/ions acétate a parfaitement joué son rôle de tampon dans les mêmes conditions. Elle a consommé les ions H_3O^+ ajoutés et son pH est demeuré pratiquement constant.

EXERCICE 5.6   **Les solutions tampons**

Calculez le pH de la solution constituée d'acide formique de concentration 0,50 mol/L et de formiate de sodium 0,70 mol/L ($K_a(\text{HCOOH}) = 1{,}8 \times 10^{-4}$). Calculez le pH de la solution résultant de l'ajout de 10 mL d'acide chlorhydrique de concentration 1,0 mol/L à 0,500 L de la solution précédente.

---

trucs et **astuces**

Les solutions tampons

- Le pH d'une solution tampon varie très peu lors de l'ajout de petites quantités d'acide ou de base.
- Celle-ci est constituée d'un couple acidobasique.
- L'équation de Henderson-Hasselbalch permet de calculer son pH:

$$\text{pH} = \text{p}K_a + \log\frac{C_b}{C_a} = \text{p}K_a + \log\frac{n_b}{n_a}.$$

- Son pH dépend essentiellement du pK_a de l'acide et, secondairement, du rapport C_b/C_a.
- L'acide faible consomme les ions OH^- ajoutés ou produits *in vitro*, tandis que la base conjuguée capte les ions H_3O^+. Ces réactions modifient les concentrations de l'acide et de

la base. Cependant, le pH demeure pratiquement constant, car le rapport C_b/C_a est généralement peu affecté.

- Les concentrations de l'acide et de la base conjugués sont suffisamment élevées, pour que la solution absorbe des quantités raisonnables d'acide ou de base sans que le pH n'en soit trop affecté.

perspectives

La stabilité du pH des fluides présents dans tous les organismes vivants est essentielle au maintien en vie de leurs cellules parce que l'activité enzymatique en dépend. Le pH est maintenu aux alentours de 7,4 grâce à des systèmes tampons très efficaces comme les couples $H_2PO_4^-/HPO_4^{2-}$ et H_2CO_3/HCO_3^-.

Les ions phosphate sont abondants dans les cellules, en tant qu'ions, mais aussi en tant que substituants importants présents dans de nombreuses molécules organiques.

$$H_2PO_4^- \text{ (aq)} + H_2O \text{ (l)} \rightleftharpoons HPO_4^{2-} \text{ (aq)} + H_3O^+ \text{ (aq)}$$
$$pK_a = 7{,}20$$

Pour que ce système puisse contrôler le pH aux alentours de 7,4, il faut que le rapport $[HPO_4^{2-}]/[H_2PO_4^-]$ soit égal à 1,58 :

$$pH = pK_a + \log \frac{[HPO_4^{2-}]}{[H_2PO_4^-]} \quad 7{,}40 = 7{,}20 + \log \frac{[HPO_4^{2-}]}{[H_2PO_4^-]}$$

$$\log \frac{[HPO_4^{2-}]}{[H_2PO_4^-]} = 0{,}20 \quad \frac{[HPO_4^{2-}]}{[H_2PO_4^-]} = 10^{0{,}20} = 1{,}58$$

Comme la concentration typique totale des ions $H_2PO_4^-$ et HPO_4^{2-} d'une cellule est voisine de 0,020 mol/L, on calcule que $[H_2PO_4^-]$ et $[HPO_4^{2-}]$ doivent valoir respectivement 0,0076 et 0,012 mol/L.

Le dioxyde de carbone (CO_2) résultant de l'activité normale intervient largement dans la capacité tampon du sang. Il réagit avec l'eau présente dans le sang, établissant ainsi différents équilibres.

$$CO_2 \text{ (g)} \rightleftharpoons CO_2 \text{ (aq)}$$
$$CO_2 \text{ (aq)} + H_2O \text{ (l)} \rightleftharpoons H_2CO_3 \text{ (aq)}$$
$$H_2CO_3 \text{ (aq)} + H_2O \text{ (l)} \rightleftharpoons HCO_3^- \text{ (aq)} + H_3O^+ \text{ (aq)}$$

À la température du corps humain, environ 37 °C, le pK_a de l'équilibre correspondant à l'équation :

$$CO_2 \text{ (aq)} + 2 H_2O \text{ (l)} \rightleftharpoons HCO_3^- \text{ (aq)} + H_3O^+ \text{ (aq)}$$

vaut 6,3. L'application de l'équation de Henderson-Hasselbalch à ce système conduit à l'équation :

$$pH = pK_a + \log \frac{C_b}{C_a} \quad pH = 6{,}3 + \log \frac{[HCO_3^-]}{[CO_2]}$$

La pression partielle du dioxyde de carbone dans les alvéoles des poumons, environ 5,3 kPa, maintient à la température du corps une concentration de CO_2 dissous dans le sang voisine de $1{,}2 \times 10^{-3}$ mol/L et une concentration d'ions HCO_3^- de l'ordre de $1{,}5 \times 10^{-2}$ mol/L. Le pH de ce tampon est donc de :

$$pH = 6{,}3 + \log \frac{1{,}5 \times 10^{-2}}{1{,}2 \times 10^{-3}} = 7{,}4$$

Lorsque le pH sanguin atteint 7,45, vous pouvez ressentir les symptômes d'une alcalose, dont les effets ultimes conduisent à une surexcitation du système nerveux central, à des spasmes musculaires, à des convulsions… pouvant entraîner la mort. L'alcalose peut être causée par une hyperventilation, par l'anxiété aiguë ou par un manque d'oxygène dû à l'altitude. On y remédie souvent en faisant respirer dans un sac la personne en état d'alcalose : elle inspire son propre air exhalé, plus riche en CO_2 que l'air ambiant, faisant ainsi remonter la concentration de CO_2 dissous. Les équilibres mentionnés précédemment se déplacent alors vers la droite, vers les produits : $[H_3O^+]$ augmente et redevient normal.

▲ **Un remède simple à l'alcalose respiratoire.** Un pH sanguin trop élevé se traduit par une alcalose, qu'on peut inverser en respirant dans un sac. Charles D. Winters

À l'inverse, une mauvaise expulsion du dioxyde de carbone conduit à une acidose, qu'on peut contrecarrer en respirant rapidement et profondément. En effet, le doublement du rythme respiratoire fait monter le pH d'environ 0,23 unité.

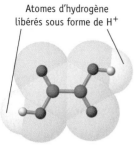

Atomes d'hydrogène
libérés sous forme de H$^+$

L'acide oxalique ($H_2C_2O_4$)

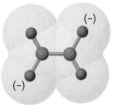

L'anion oxalate ($C_2O_4^{2-}$)

5.3 LES DOSAGES ACIDOBASIQUES

Un dosage constitue un des moyens les plus importants pour déterminer avec précision les quantités d'acide, de base ou de toute autre substance présente dans un mélange, ou pour évaluer la pureté d'un composé.

Supposez que l'on vous demande d'analyser un échantillon d'acide oxalique ($H_2C_2O_4$) pour en déterminer sa pureté. Cet acide réagit avec l'hydroxyde de sodium, une base, selon l'équation :

$$H_2C_2O_4 \text{ (aq)} + 2 \text{ OH}^- \text{ (aq)} \longrightarrow C_2O_4^{2-} \text{ (aq)} + 2 \text{ H}_2O \text{ (l)}$$
$$\text{Acide} \qquad\qquad\qquad\qquad\qquad \text{Base}$$

En partant de cette réaction, on peut calculer la quantité d'acide présente dans une masse connue d'échantillon si l'on est en mesure de connaître avec précision la quantité d'hydroxyde de sodium ajoutée correspondant à la quantité stœchiométrique d'acide. Cette condition est remplie dans un **dosage volumétrique,** ou **titrage,** une technique illustrée dans la figure 5.4.

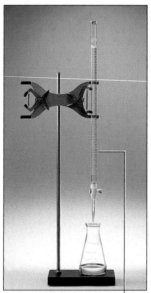
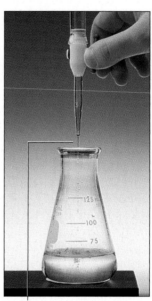
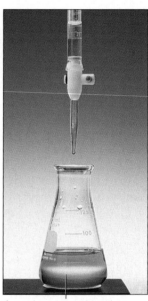

a) Une burette est remplie d'une solution étalon de base.

b) On ajoute lentement la solution étalon à l'échantillon d'acide agité régulièrement.

c) Le changement de couleur de l'indicateur coloré (la phénolphtaléine) indique la fin du dosage.

Figure 5.4 Le dosage volumétrique d'une solution acide par une solution basique.

Un volume, connu avec précision, de la solution d'acide oxalique à doser, appelé l'**échantillon** ou la **prise d'essai,** est placé dans un erlenmeyer. On y ajoute quelques gouttes d'une solution d'un indicateur coloré (*voir la section 4.3.3, page 144*). Ensuite, à l'aide d'une burette graduée, on ajoute lentement la solution de NaOH dont on connaît avec précision la concentration (**solution étalon**). Tant qu'il reste de l'acide oxalique, l'hydroxyde de sodium ajouté est totalement consommé et la couleur de l'indicateur ne change pas. Cependant, au **point équivalent,** la quantité totale de NaOH ajoutée correspond exactement à la quantité d'acide oxalique présente initialement, les deux réactifs sont alors en proportions stœchiométriques. Une goutte en excès de la solution étalon fait virer l'indicateur au rose violacé : on détecte ainsi la **fin du dosage** et le point équivalent. Le volume total de base ajouté à ce point s'appelle le **volume équivalent.**

Connaissant l'équation de la réaction de dosage, le volume initial de l'échantillon à doser, la concentration de la solution étalon et son volume équivalent, on peut calculer la quantité d'acide oxalique présente initialement dans l'échantillon. Ces calculs stœchiométriques ont été présentés dans la section 10.8.2 de *Chimie générale*.

Après avoir vu qualitativement dans la section 4.6 du chapitre précédent (*voir la page 156*) l'ordre de grandeur du pH de différentes solutions salines et, dans la section 5.2 (*voir la page 190*), le comportement des solutions tampons, on aborde maintenant l'évolution du pH au cours d'un dosage acidobasique.

5.3.1 Le dosage d'un acide fort par une base forte

La **courbe de dosage** de la figure 5.5 représente l'évolution du pH d'un échantillon (25,00 mL) d'acide chlorhydrique de concentration 0,100 mol/L en fonction du volume ajouté de solution d'hydroxyde de sodium 0,100 mol/L (solution étalon).

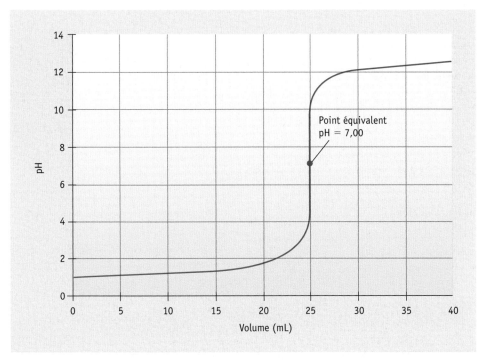

Figure 5.5 Une courbe de dosage d'un acide fort par une base forte. Un échantillon de 25,00 mL d'acide chlorhydrique de concentration $C_a = 0{,}100$ mol/L est dosé par une solution d'hydroxyde de sodium de concentration $C_b = 0{,}100$ mol/L.

$$HCl \ (aq) + NaOH \ (aq) \longrightarrow NaCl \ (aq) + H_2O \ (l)$$
$$H_3O^+ \ (aq) + OH^- \ (aq) \longrightarrow 2 \ H_2O \ (l)$$

Pour caractériser cette courbe et la décrire, on étudie habituellement:
- le pH initial;
- l'évolution du pH avant le point équivalent;
- le pH au point équivalent;
- l'évolution du pH après le point équivalent.

Le pH initial

L'acide chlorhydrique étant fort, une solution de concentration $C_a = 0{,}100$ mol/L a un pH de 1,00.

Avant le point équivalent ($v_{b,e} = 25,0$ mL)

L'ajout de NaOH à la solution acide a pour effet de consommer des ions H_3O^+, l'acide résiduel se trouvant dans un volume de solution plus grand que le volume initial. La concentration des ions H_3O^+ diminue ainsi au cours du dosage et le pH augmente lentement. À titre d'exemple, calculez le pH après l'ajout de 5,0 mL de solution de NaOH.

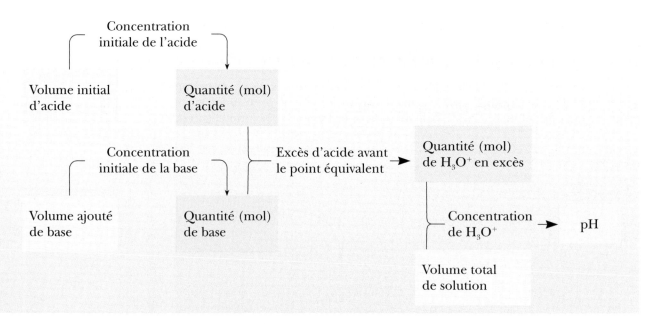

$$\text{Quantité initiale de } H_3O^+ = \frac{0,100 \text{ mol de } H_3O^+}{1 \text{ L}} \times (25,00 \times 10^{-3}) \text{ L} = 2,500 \times 10^{-3} \text{ mol}$$

$$\text{Quantité ajoutée de } OH^- = \frac{0,100 \text{ mol de } OH^-}{1 \text{ L}} \times (5,0 \times 10^{-3}) \text{ L} = 0,500 \times 10^{-3} \text{ mol}$$

$$\begin{aligned}\text{Quantité résiduelle de } H_3O^+ &= \text{quantité initiale de } H_3O^+ - \text{quantité ajoutée de } OH^- \\ &= (2,500 \times 10^{-3} \text{ mol}) - (0,500 \times 10^{-3} \text{ mol}) = 2,000 \times 10^{-3} \text{ mol}\end{aligned}$$

$$[H_3O^+] = \frac{2,000 \times 10^{-3} \text{ mol}}{(25,00 + 5,0) \times 10^{-3} \text{ L}} = 6,67 \times 10^{-2} \text{ mol/L}$$

$$pH = -\log(6,67 \times 10^{-2}) = 1,18$$

Quantités (mol)	H_3O^+ (aq) +	OH^- (aq) $\longrightarrow$	2 H_2O (l)
initiales	$2,500 \times 10^{-3}$	$0,500 \times 10^{-3}$	
Changement	$-0,500 \times 10^{-3}$	$-0,500 \times 10^{-3}$	
équilibre	$2,000 \times 10^{-3}$	négligeable	

Après avoir ajouté 24,9 mL d'hydroxyde de sodium, c'est-à-dire juste avant le point équivalent ($v_{b,e} = 25,0$ mL), le même genre de calcul démontre que la solution est toujours très acide, son pH étant égal à 3,70.

Au point équivalent ($v_{b,e} = 25,0$ mL)

Le milieu de la portion pratiquement à la verticale de toute courbe de dosage acidobasique correspond au point équivalent ($v_{b,e}$). La courbe de dosage de la figure 5.5

(*voir la page 199*) et les calculs théoriques indiquent que le pH croît rapidement avant et après ce point (pH = 7,00) : en fait, à un volume de 24,95 mL correspondant à $v_{b,e}$ moins une goutte de solution (0,05 mL), le pH est égal à 4,00 ; une goutte de plus que $v_{b,e}$ (v_b = 25,05 mL) et le pH atteint la valeur de 10,00. Ainsi, tout près du point équivalent, le pH fait un saut de quelque 6 unités, alors que le volume v_b n'a augmenté que de 0,1 mL !

> Le pH au point équivalent d'un dosage d'un acide fort par une base forte est égal à 7,00, à 25 °C.

Après le point équivalent ($v_{b,e}$ = 25,0 mL)

Quand tout l'acide chlorhydrique a été consommé, la solution devient basique avec un excès de solution de NaOH et le pH continue d'augmenter, rapidement au début, lentement ensuite. Par exemple, en transposant la méthode de calcul utilisée avant le point équivalent, on calcule un pH de 11,29 après l'ajout de 26,0 mL de solution d'hydroxyde de sodium.

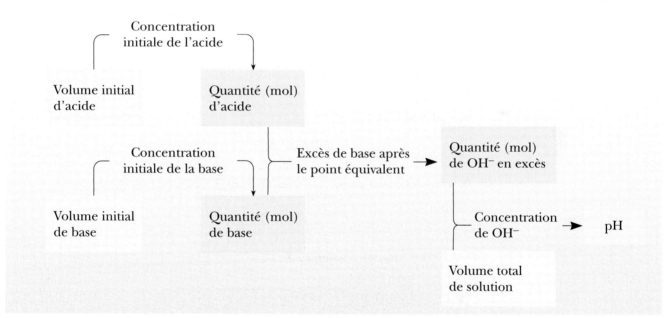

Quantité initiale de $H_3O^+ = \dfrac{0,100 \text{ mol de } H_3O^+}{1 \cancel{L}} \times (25,00 \times 10^{-3}) \cancel{L} = 2,500 \times 10^{-3}$ mol

Quantité ajoutée de $OH^- = \dfrac{0,100 \text{ mol de } OH^-}{1 \cancel{L}} \times (26,0 \times 10^{-3}) \cancel{L} = 2,600 \times 10^{-3}$ mol

Quantité résiduelle de OH^- = quantité ajoutée de OH^- − quantité initiale de H_3O^+
$= (2,600 \times 10^{-3} \text{ mol}) - (2,500 \times 10^{-3} \text{ mol}) = 1,00 \times 10^{-4}$ mol

$$[OH^-] = \dfrac{1,00 \times 10^{-4} \text{ mol}}{(25,00 + 26,0) \times 10^{-3} \text{ L}} = 1,96 \times 10^{-3} \text{ mol/L}$$

$$pOH = -\log(1,96 \times 10^{-3}) = 2,71 \qquad pH = 14,00 - 2,71 = 11,29$$

Quantités (mol)	H_3O^+ (aq)	+	OH^- (aq)	$\longrightarrow$	2 H_2O (l)
initiales	$2,500 \times 10^{-3}$		$2,600 \times 10^{-3}$		
Changement	$-2,500 \times 10^{-3}$		$-2,500 \times 10^{-3}$		
équilibre	négligeable		$1,00 \times 10^{-4}$		

EXERCICE 5.7 **Le dosage d'un acide fort par une base forte**

Calculez le pH des solutions résultant de l'ajout de 12,5 et de 25,25 mL d'une solution de NaOH de concentration 0,100 mol/L à 25,00 mL d'acide chlorhydrique 0,100 mol/L.

5.3.2 Le dosage d'un acide faible par une base forte

La courbe de dosage de 25,00 mL d'une solution d'un acide faible, l'acide acétique de concentration 0,100 mol/L, par une base forte, NaOH 0,100 mol/L, a la même forme que celle d'un acide fort (figure 5.6).

$$CH_3COOH \ (aq) + OH^- \ (aq) \longrightarrow CH_3COO^- \ (aq) + H_2O \ (l)$$

Toutefois, elle présente quelques particularités, que nous examinerons dans cette section.

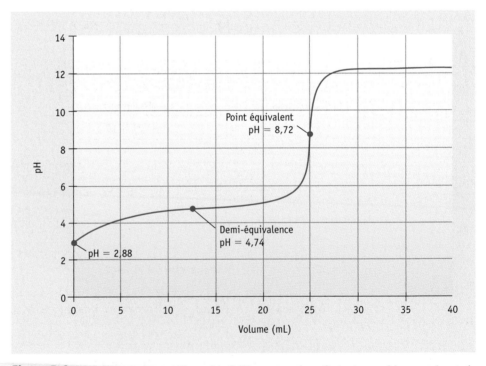

Figure 5.6 Une courbe de dosage d'un acide faible par une base forte. Le graphique représente la courbe de dosage de 25,00 mL d'une solution d'acide acétique de concentration 0,100 mol/L par une solution de NaOH 0,100 mol/L.

Le pH initial

Avant que ne débute le dosage, on est en présence d'une solution aqueuse d'un acide faible, dont le pH est calculé à l'aide de la concentration initiale et du pK_a de l'acide acétique (*voir la section 4.7.2, page 160*). On trouve dans ce cas, pH = 2,88.

Avant le point équivalent ($v_{b,e}$ = 25,00 mL)

L'équation du dosage indique que pratiquement tous les ions OH⁻ ajoutés donnent des ions acétate, alors qu'il reste en solution avant le point équivalent de l'acide acétique non dissocié. La présence simultanée de l'acide faible et de sa base conjuguée en quantité appréciable engendre une solution tampon, dont le pH ne varie que très lentement. On calcule son pH en appliquant l'équation 5.3, dans laquelle n_a et n_b représentent respectivement dans ce cas les quantités (mol) d'acide résiduel et de sa base conjuguée formée après l'ajout d'un certain volume de solution étalon de NaOH.

EXEMPLE 5.7 **Le dosage de l'acide acétique par l'hydroxyde de sodium**

Calculez le pH de la solution résultant de l'ajout de 20,0 mL d'une solution de NaOH de concentration 0,100 mol/L à 25,00 mL d'une solution d'acide acétique 0,100 mol/L (pK_a(CH₃COOH) = 4,74).

SOLUTION

$$CH_3COOH \ (aq) + OH^- \ (aq) \longrightarrow CH_3COO^- \ (aq) + H_2O \ (l)$$

$$\text{Quantité initiale de } CH_3COOH = \frac{0{,}100 \text{ mol de } CH_3COOH}{1 \, L} \times (25{,}00 \times 10^{-3}) \, L = 2{,}500 \times 10^{-3} \text{ mol}$$

$$\text{Quantité ajoutée de } OH^- = \frac{0{,}100 \text{ mol de } OH^-}{1 \, L} \times (20{,}0 \times 10^{-3}) \, L = 2{,}00 \times 10^{-3} \text{ mol}$$

Quantité résiduelle de CH₃COOH = n_a = quantité initiale de CH₃COOH − quantité ajoutée de OH⁻ = (2,500 × 10⁻³ mol) − (2,00 × 10⁻³ mol) = 5,00 × 10⁻⁴ mol

$$\text{Quantité formée de } CH_3COO^- = n_b = 2{,}00 \times 10^{-3} \text{ mol de } OH^- \times \frac{1 \text{ mol de } CH_3COO^-}{1 \text{ mol de } OH^-} = 2{,}00 \times 10^{-3} \text{ mol}$$

Quantités (mol)	CH₃COOH (aq) +	OH⁻ (aq) ⟶	CH₃COO⁻ (aq) +	H₂O (l)
initiales	2,500 × 10⁻³	2,00 × 10⁻³	négligeable	
Changement	-2,00 × 10⁻³	-2,00 × 10⁻³	+2,00 × 10⁻³	
équilibre	5,00 × 10⁻⁴	négligeable	2,00 × 10⁻³	

$$pH = pK_a + \log \frac{n_b}{n_a} = 4{,}74 + \log \frac{2{,}00 \times 10^{-3}}{5{,}00 \times 10^{-4}} = 4{,}74 + \log 4{,}00 = 5{,}34$$

EXERCICE 5.8 **Le dosage d'un acide faible par une base forte**

Calculez le pH de la solution résultant de l'ajout de 8,0 mL d'une solution de NaOH de concentration 0,100 mol/L à 25,00 mL d'une solution d'acide acétique 0,100 mol/L (K_a(CH₃COOH) = 1,8 × 10⁻⁵).

Qu'arrive-t-il lorsque la moitié de l'acide présent initialement a été consommée par la base forte ajoutée, c'est-à-dire lorsque le volume de NaOH est égal à la moitié du volume équivalent? À ce **point de demi-équivalence,** la quantité résiduelle d'acide (n_a) est égale à la quantité produite de sa base conjuguée (n_b), si bien que le pH de la solution est égal au pK_a de l'acide.

$$pH = pK_a + \log \frac{n_b}{n_a} = pK_a + \log 1 = pK_a$$

Dans le dosage de l'acide acétique par NaOH, le pH à la demi-équivalence est ainsi égal à 4,74, le pK_a de l'acide.

> À la demi-équivalence du dosage d'un acide faible par une base forte, pH = pK_a.

Au point équivalent ($v_{b,e}$ = 25,00 mL)

Au point équivalent, la solution ne contient que de l'acétate de sodium, l'acide acétique et l'hydroxyde de sodium ayant été totalement consommés. Le pH est déterminé par la concentration des ions acétate, la base conjuguée faible de l'acide acétique, puisque l'ion Na^+, un ion passif, ne réagit pas avec l'eau. Ce cas a été étudié dans la section 4.7.2 (*voir la page 160*) et démontré par l'exemple 4.7. Comme dans toute solution de base faible, le pH est supérieur à 7 (8,72 dans ce dosage).

> Le pH au point équivalent du dosage d'un acide faible par une base forte est toujours supérieur à 7, à 25 °C.

Après le point équivalent ($v_{b,e}$ = 25,00 mL)

Après le point équivalent, quand tout l'acide acétique a été consommé, le pouvoir tampon de la solution a disparu et les ions OH^- ajoutés la rendent très basique. Tout se passe comme si l'on ajoutait une base forte à de l'eau. Le pH augmente fortement juste après le point équivalent et ne dépend ensuite que de la quantité d'ions OH^- en excès et du volume de la solution, comme dans le cas du dosage d'un acide fort par une base forte : dans les mêmes conditions de dosage, les parties de la courbe après le point équivalent d'un dosage d'un acide, qu'il soit fort ou faible, sont semblables.

5.3.3 Le dosage d'un acide faible polyprotique par une base forte

On peut extrapoler les conclusions que l'on a tirées des exposés portant sur les dosages d'un acide monoprotique par une base forte aux dosages d'acides polyprotiques tels que l'acide oxalique ($H_2C_2O_4$).

$$H_2C_2O_4 \text{ (aq)} + H_2O \text{ (l)} \rightleftharpoons HC_2O_4^- \text{ (aq)} + H_3O^+ \text{ (aq)} \qquad pK_{a1} = 1,23$$
$$HC_2O_4^- \text{ (aq)} + H_2O \text{ (l)} \rightleftharpoons C_2O_4^{2-} \text{ (aq)} + H_3O^+ \text{ (aq)} \qquad pK_{a2} = 4,19$$

La courbe de dosage de 25,00 mL de solution contenant 0,100 mol/L de cet acide par l'hydroxyde de sodium de même concentration est donnée dans la figure 5.7.

Un premier saut de pH intervient autour de v_b = 25 mL de solution de NaOH ajoutée. Il indique que les protons issus de la première ionisation ont été dosés en totalité :

$$H_2C_2O_4 \text{ (aq)} + OH^- \text{ (aq)} \longrightarrow HC_2O_4^- \text{ (aq)} + H_2O \text{ (l)}$$

et son milieu correspond au premier volume équivalent (25,0 mL).

Quand tous les protons libérés par les ions $HC_2O_4^-$ (deuxième ionisation de l'acide oxalique) ont été dosés par NaOH, le pH augmente de nouveau très fortement.

$$HC_2O_4^- \text{ (aq)} + OH^- \text{ (aq)} \longrightarrow C_2O_4^{2-} \text{ (aq)} + H_2O \text{ (l)}$$

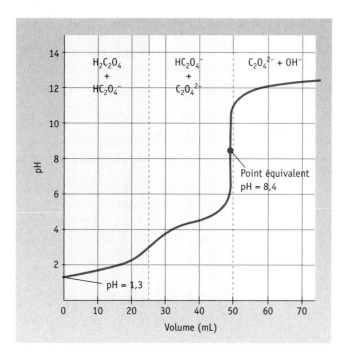

Figure 5.7 Une courbe de dosage d'un acide faible diprotique par une base forte. Le graphique représente la courbe de dosage de 25,00 mL d'une solution d'acide oxalique (faible, diprotique) de concentration 0,100 mol/L par une solution d'hydroxyde de sodium 0,100 mol/L. Le premier point équivalent (25,0 mL) arrive quand tous les ions H$^+$ libérés par la première ionisation de l'acide ont été dosés. Le second (50,0 mL) correspond à la fin du dosage des ions H$^+$ libérés par la deuxième ionisation.

Le milieu de ce deuxième saut de pH correspond au second volume équivalent (50,0 mL), le double du premier puisque les quantités d'ions H$^+$ libérés par chacune des ionisations de l'acide oxalique sont identiques.

Le pH au second point équivalent est fixé par la base conjuguée ($C_2O_4^{2-}$) de l'ion hydrogénooxalate ($HC_2O_4^-$).

$$C_2O_4^{2-} \text{ (aq)} + H_2O \text{ (l)} \rightleftharpoons HC_2O_4^- \text{ (aq)} + OH^- \text{ (aq)}$$

$$pK_b(C_2O_4^{2-}) + pK_a(HC_2O_4^-) = 14,00 \qquad pK_b(C_2O_4^{2-}) = 14,00 - 4,19 = 9,81$$

Le calcul de ce pH donne 8,36, que l'on observe effectivement.

5.3.4 Le dosage d'une base faible par un acide fort

Finalement, la figure 5.8 (*voir la page 206*) représente la courbe de dosage de 25,00 mL d'ammoniaque, une base faible, de concentration 0,100 mol/L par l'acide chlorhydrique de même concentration.

$$NH_3 \text{ (aq)} + H_3O^+ \text{ (aq)} \longrightarrow NH_4^+ \text{ (aq)} + H_2O \text{ (l)}$$

Le pH initial

Avant que ne débute le dosage, on est en présence d'une solution aqueuse d'une base faible, dont le pH peut être calculé à l'aide de la concentration initiale et du pK_b de l'ammoniac (*voir la section 4.7.2, page 160*). On trouve dans ce cas, pH = 11,13.

Avant le point équivalent ($v_{a,e}$ = 25,0 mL)

L'équation du dosage indique que pratiquement tous les ions H$_3$O$^+$ ajoutés donnent des ions ammonium, alors qu'il reste en solution avant le point équivalent de l'ammoniac non dissocié : on est en présence d'une solution tampon. On calcule son pH en appliquant l'équation 5.3, dans laquelle n_b et n_a représentent respectivement les quantités (mol) de base résiduelle et d'ions ammonium produits.

Au point de demi-équivalence, la quantité résiduelle de base (n_b) est égale à la quantité produite de son acide conjugué (n_a), si bien que le pH de la solution est égal au pK_a de l'acide conjugué.

Figure 5.8 Une courbe de dosage d'une base faible par un acide fort.
Le graphique représente la courbe de dosage de 25,00 mL d'ammoniaque, une base faible, de concentration 0,100 mol/L par l'acide chlorhydrique de même concentration. Le pH au point de demi-équivalence est égal au pK_a de l'acide conjugué (NH_4^+) de la base (NH_3) dosée, pH = p$K_{a(H_4^+)}$ = 9,26. Au point équivalent, la solution de NH_4Cl a un pH inférieur à 7.

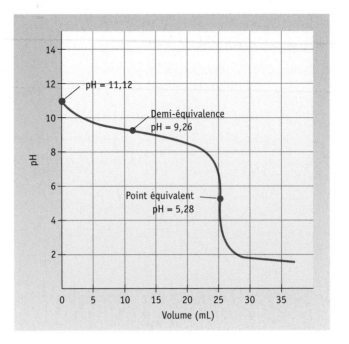

$$pH = pK_{a(NH_4^+)} + \log \frac{n_b}{n_a} = pK_a + \log 1 = pK_a = 9,26$$

> À la demi-équivalence du dosage d'une base faible par un acide fort, pH = p$K_{a(\text{acide conjugué})}$.

EXERCICE 5.9   **Le dosage d'une base faible par un acide fort**

Calculez le pH de la solution résultant de l'ajout de 20,0 mL d'acide chlorhydrique de concentration 0,100 mol/L à 25,00 mL d'ammoniaque 0,100 mol/L ($K_{b(NH_3)}$ = 1,8 × 10^{-5}).

Au point équivalent ($v_{a,e}$ = 25,0 mL)

Au point équivalent, la solution ne contient que du chlorure d'ammonium, NH_3 et HCl ayant été totalement consommés. Le pH est déterminé par la concentration de l'ion ammonium, l'acide conjugué faible de l'ammoniac, puisque l'ion Cl$^-$, un ion passif, ne réagit pas avec l'eau. Ce cas a été étudié dans la section 4.7.3 (*voir la page 164*) et démontré dans l'exemple 4.8. Comme dans toute solution d'acide faible, le pH est inférieur à 7 (5,28 dans ce dosage).

> Le pH au point équivalent du dosage d'une base faible par un acide fort est toujours inférieur à 7, à 25 °C.

Après le point équivalent ($v_{a,e}$ = 25,0 mL)

Après le point équivalent, le pouvoir tampon de la solution a disparu et les ions H_3O^+ ajoutés la rendent très acide. Tout se passe comme si l'on ajoutait un acide fort à de l'eau. Le pH diminue fortement juste après le point équivalent et ne dépend ensuite que de la quantité d'ions H_3O^+ en excès et du volume de la solution.

5.3.5 La comparaison des courbes de dosage acidobasique

Les figures 5.9 et 5.10 représentent les courbes de dosage de plusieurs acides ou bases obtenus dans des conditions identiques de volume et de concentration.

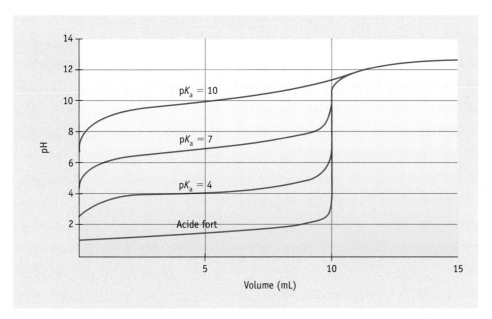

Figure 5.9 Les courbes de dosage d'acides de forces différentes. Le graphique représente les courbes de dosage de 10,00 mL d'une solution d'un monoacide HA 0,100 mol/L par une solution de base forte de même concentration.

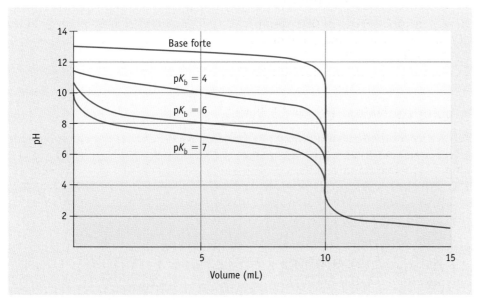

Figure 5.10 Les courbes de dosage de bases de forces différentes. Le graphique représente les courbes de dosage de 10,00 mL d'une solution d'une base B 0,100 mol/L par une solution d'acide fort de même concentration.

Plusieurs points retiennent l'attention.

- Le volume équivalent de base (figure 5.9) ou d'acide (figure 5.10) est identique, puisque la quantité d'acide ou de base à doser déterminée par la concentration initiale et le volume de l'échantillon sont identiques dans tous les cas. Il ne dépend pas de la force de l'acide ou de la base à doser.

- Après le point équivalent, toutes les courbes se confondent. Le pH est fixé seulement par l'excès d'ions OH$^-$ ou H$_3$O$^+$.
- À la demi-équivalence, le pH de la solution est égal au pK_a de l'acide du couple acidobasique.
- Le saut de pH autour du point équivalent est de plus en plus prononcé à mesure que la force de l'acide ou de la base à doser augmente.
- Au point équivalent, le pH n'est pas égal à 7, sauf dans le cas du dosage d'un acide fort par une base forte et de celui d'une base forte par un acide fort.

5.3.6   Les indicateurs de pH

Selon le pH, les fleurs d'hortensias sont roses ou bleues. Le pigment responsable de cette situation n'est pas unique en son genre : en fait, beaucoup de composés organiques, naturels ou synthétiques, voient leur coloration changer selon l'acidité du milieu. Cette propriété, en plus de contribuer à la beauté et à la variété de notre monde, est mise à profit en chimie.

Vous avez certainement déjà utilisé un indicateur coloré lors d'un dosage réalisé en laboratoire. C'est habituellement un composé organique, qui possède lui aussi des propriétés acidobasiques, comme les anthocyanes présentées en introduction (*voir la page 184*). En solution aqueuse, les formes acide et basique de l'indicateur, que l'on peut symboliser par HIn et In$^-$, ont des couleurs différentes[1] (figure 5.11).

$$HIn\ (aq)\ +\ H_2O\ (l)\ \rightleftharpoons\ In^-\ (aq)\ +\ H_3O^+\ (aq)$$

Couleur A   Couleur B

Forme acide de la phénolphtaléine (incolore)

Forme basique de la phénolphtaléine (rose violacé)

$$(aq)\ +\ 2\ H_2O\ (l)\ \rightleftharpoons\ 2\ H_3O^+\ (aq)\ +$$

CO_2^-

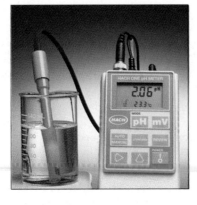 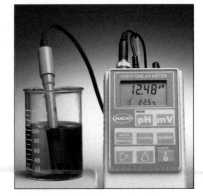

Figure 5.11 La phénolphtaléine, un indicateur coloré très utilisé. Sous sa forme acide, la phénolphtaléine est incolore. À mesure que le pH croît, la forme basique de couleur rose violacé prend de plus en plus d'importance et la couleur de la solution change. On perçoit visuellement ce changement de coloration aux alentours de pH = 9. (*Voir la figure 4.4, page 145, pour d'autres indicateurs colorés*) Charles D. Winters

1. Il existe aussi des indicateurs In et HIn$^+$.

Comme tout couple acidobasique, l'équilibre entre cette paire d'acide et de base conjugués est régi par la constante d'acidité,

$$K_a = \frac{[In^-][H_3O^+]}{[HIn]}$$

que l'on réarrange pour isoler le pH.

$$[H_3O^+] = K_a \frac{[HIn]}{[In^-]} \qquad pH = pK_a + \log \frac{[In^-]}{[HIn]}$$ (Équation 5.4)

Comme la concentration totale de l'indicateur est toujours très petite et négligeable par rapport aux concentrations des acides ou des bases que l'on dose, l'indicateur n'a aucun effet ni sur le volume équivalent ni sur le pH de la solution. Au contraire, il le subit: le rapport $[In^-]/[HIn]$ s'ajuste en tout point au dosage de manière à ce que la constante d'acidité de l'indicateur soit respectée.

En moyenne, l'œil constate le changement de coloration de l'indicateur lorsque le rapport $[HIn]/[In^-]$ passe approximativement de 10 à 0,1. Pour une valeur supérieure à 10, la couleur A imposée par la forme acide semble rester identique et l'on peut écrire qu'elle existe quand $\frac{[HIn]}{[In^-]} \geqslant 10$. De même, on peut écrire que la couleur B de la forme basique n'est perceptible que pour $\frac{[HIn]}{[In^-]} \leqslant 0,1$. Entre ces deux valeurs, la couleur est un mélange de A et de B en proportions variables. Le report des deux valeurs limites de ce rapport dans l'équation 5.4 définit les domaines d'« existence » des couleurs A et B. On perçoit A pour $pH \leqslant (pK_a - 1)$ et B pour $pH \geqslant (pK_a + 1)$: l'intervalle de pH situé entre $(pK_a - 1)$ et $(pK_a + 1)$ constitue sa **zone de virage.** Il va de soi que cette explication est un peu artificielle et qu'en réalité, la zone de virage dépend de l'acuité visuelle des individus et des couleurs mises en jeu.

Supposez maintenant que, lors du dosage d'un acide par une base, on utilise un indicateur coloré, dont le pK_a est égal au pH du point équivalent. Au début du dosage, la solution est acide et son pH est bas: la forme acide (HIn) de l'indicateur prédomine alors et l'on perçoit sa couleur A. Plus le dosage avance, plus le pH augmente: la forme acide de l'indicateur cède progressivement la place à la forme basique. À $pH = pK_a - 1$, la couleur de l'indicateur commence à changer (début de sa zone de virage). Au point équivalent ($pK_a = pH$, selon l'hypothèse de départ), les deux formes sont de concentrations égales et la couleur perçue est un mélange des deux colorations A et B. Un léger excès de base fait passer le pH au-dessus de $(pK_a + 1)$, correspondant à la fin de la zone de virage, et la concentration de In$^-$ devient plus de 10 fois supérieure à celle de HIn: la couleur B de la forme basique prend le dessus sur celle de HIn. Le changement de coloration commence à un pH inférieur d'une unité au pH du point équivalent et se termine à une unité supérieure. Comme le saut de pH lors d'un dosage peut être aussi grand que six unités, on comprend que le changement de coloration permet d'en détecter facilement la fin.

La figure 5.12 (*voir la page 210*) représente les courbes de dosage de l'acide chlorhydrique et de l'acide acétique par une base forte, ainsi que les zones de virage de deux indicateurs colorés: le rouge de méthyle (de pH 4,2 à 6,3) et la phénolphtaléine (de pH 8,3 à 10).

Le saut de pH voisin du point équivalent du dosage de l'acide chlorhydrique est si élevé qu'on peut utiliser l'un ou l'autre indicateur: le changement de coloration se produit très près du point équivalent et l'erreur sur la détection de la fin du dosage est très petite. On peut même la minimiser en prenant comme fin de dosage la fin du changement de coloration du rouge de méthyle (vers

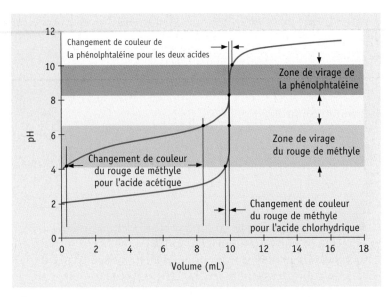

Figure 5.12 Les courbes de dosage acidobasique et les zones de virage des indicateurs colorés. Le rouge de méthyle ne convient pas pour détecter la fin du dosage de l'acide acétique, mais il peut être utilisé, tout comme la phénolphtaléine, dans le cas de l'acide chlorhydrique.

pH = 6,3) ou l'apparition de la couleur rose violacé de la phénolphtaléine (vers pH = 8,3).

Le rouge de méthyle ne convient pas au dosage de l'acide acétique, car son changement de coloration, qui s'effectue très progressivement tout le long de l'ajout de la solution de base forte, se situe nettement avant le point équivalent.

Il existe une vaste gamme d'indicateurs colorés (*voir la figure 4.4, page 145*), dont les zones de virage couvrent toute l'échelle de pH. Au cours du dosage d'un acide inconnu, il vaut mieux sélectionner un indicateur dont la zone de virage se situe autour de pH 8 ou 9: ce choix minimise les erreurs pour la plupart des acides faibles dont le pH au point équivalent se situe dans cette zone. Le même raisonnement s'applique au cas du dosage d'une base inconnue: la zone de virage de l'indicateur devrait se situer en milieu faiblement acide, entre pH 5 et pH 6.

EXERCICE 5.10   **Le choix d'un indicateur coloré**

Choisissez parmi les indicateurs colorés mentionnés à la figure 4.4 (*voir la page 145*) ceux qui conviendraient le mieux à la détection de la fin du dosage de l'ammoniac par l'acide chlorhydrique décrit par le graphique de la figure 5.8 (*voir la page 206*).

5.4 LA SOLUBILITÉ DES SELS

Les réactions de précipitation que vous avez étudiées dans la section 1.2.2 sont des réactions d'échange dans lesquelles se forme un composé insoluble (figure 5.13).

On peut anticiper qu'un précipité se formera à l'issue d'une réaction chimique en se référant aux règles empiriques exposées précédemment (*voir la section 1.2.2, page 9*). On va maintenant un peu plus loin en rendant plus quantitatives les estimations de solubilité et en explorant les conditions déclenchant ou non la précipitation.

a) Des sulfures métalliques dans les cheminées noires. National Oceanic et Atmospheric Administration

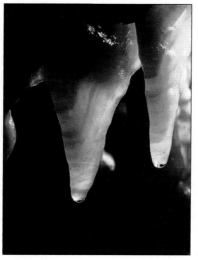

b) Des stalactites (carbonate de calcium). Arthur Palmer

c) Une coquille d'œuf (carbonate de calcium). Charles D. Winters

Figure 5.13 Quelques substances insolubles présentes dans la nature.

5.4.1 Le produit de solubilité (K_{ps})

Lorsqu'on ajoute du bromure d'argent, un des produits de base utilisés en photographie (figure 5.14), à de l'eau, une petite quantité se dissout et un équilibre s'établit entre la phase solide (AgBr non dissous) et ses ions en solution aqueuse.

$$AgBr \ (s) \rightleftharpoons Ag^+ \ (aq) + Br^- \ (aq)$$

Dans cette solution saturée (*voir la section 1.2.1, page 7*), il se trouve que la concentration des ions Ag^+ et Br^- est de l'ordre de $7{,}35 \times 10^{-7}$ mol/L, à 25 °C. Comme tout équilibre, celui-ci est régi par une constante appelée, dans ce cas, le **produit de solubilité (K_{ps}).**

$$K_{ps} = [Ag^+][Br^-]$$

À 25 °C, le K_{ps} de AgBr est égal à $(7{,}35 \times 10^{-7})(7{,}35 \times 10^{-7}) = 5{,}40 \times 10^{-13}$. Tout sel A_xB_y en solution aqueuse est en équilibre avec ses ions.

$$A_xB_y \ (s) \rightleftharpoons x \ A^{y+} \ (aq) + y \ B^{x-} \ (aq) \qquad K_{ps} = [A^{y+}]^x[B^{x-}]^y$$

La dissolution dans l'eau de, par exemple, CaF_2 ou de Ag_2SO_4 est décrite par :

$$CaF_2 \ (s) \rightleftharpoons Ca^{2+} \ (aq) + 2 \ F^- \ (aq) \qquad K_{ps} = [Ca^{2+}][F^-]^2$$
$$Ag_2SO_4 \ (s) \rightleftharpoons 2 \ Ag^+ \ (aq) + SO_4^{2-} \ (aq) \qquad K_{ps} = [Ag^+]^2[SO_4^{2-}]$$

Figure 5.14 La couche sensible à la lumière d'un film photographique contient du bromure d'argent, un composé insoluble dans l'eau. Charles D. Winters

◆ *L'expression du produit de solubilité*

Rappelez-vous que les solides n'apparaissent pas dans les constantes d'équilibre.

EXERCICE 5.11 **L'expression de K_{ps}**

Exprimez le produit de solubilité de chacun des sels suivants.

a) AgI   b) BaF_2 c) Ag_2CO_3

Les produits de solubilité de quelques composés ioniques sont présentés dans le tableau 5.2.

TABLEAU 5.2 Les produits de solubilité de quelques composés ioniques

Formules	Noms	K_{ps} (à 25 °C)	Noms usuels ou usages habituels
$CaCO_3$	carbonate de calcium	$3,4 \times 10^{-9}$	calcite, spath d'Islande
$MnCO_3$	carbonate de manganèse (II)	$2,3 \times 10^{-11}$	rhodochrosite (forme des cristaux roses)
$FeCO_3$	carbonate de fer (II)	$3,1 \times 10^{-11}$	sidérite
CaF_2	fluorure de calcium	$5,3 \times 10^{-11}$	fluorite (source de HF et d'autres fluorures inorganiques)
$AgCl$	chlorure d'argent	$1,8 \times 10^{-10}$	chlorargyrite
$AgBr$	bromure d'argent	$5,4 \times 10^{-13}$	industrie de la photographie
$CaSO_4$	sulfate de calcium	$4,9 \times 10^{-5}$	composé hydraté = gypse
$BaSO_4$	sulfate de baryum	$1,1 \times 10^{-10}$	barytine ; boue de forage, pigment minéral
$SrSO_4$	sulfate de strontium	$3,4 \times 10^{-7}$	célestite
$Ca(OH)_2$	hydroxyde de calcium	$5,5 \times 10^{-5}$	chaux éteinte

Il ne faut pas confondre la solubilité d'un composé [sa masse ou sa quantité (mol) présente dans un certain volume de solution aqueuse saturée] et son produit de solubilité (produit de concentrations exprimées en moles par litre). Néanmoins, les deux caractéristiques sont liées et l'on peut passer mathématiquement de l'une à l'autre.

5.4.2 Le produit de solubilité et la solubilité

Les produits de solubilité, comme toutes les constantes d'équilibre, sont calculés à l'aide des données numériques expérimentales.

EXEMPLE 5.8 Un calcul de K_{ps}

Calculez le K_{ps} de l'iodure d'argent, sachant que sa solubilité est $9,2 \times 10^{-9}$ mol/L, à 25 °C.

SOLUTION

$$AgI \text{ (s)} \rightleftharpoons Ag^+ \text{ (aq)} + I^- \text{ (aq)} \qquad K_{ps} = [Ag^+][I^-]$$

La solubilité de AgI est $9,2 \times 10^{-9}$ mol/L, à 25 °C. Comme 1 mol de AgI qui se dissout libère 1 mol d'ions Ag^+ et 1 mol d'ions I^-, les concentrations de ces derniers sont identiques et égales à $9,2 \times 10^{-9}$ mol/L.

$$K_{ps} = [Ag^+][I^-] = (9,2 \times 10^{-9})(9,2 \times 10^{-9}) = 8,5 \times 10^{-17}, \text{ à 25 °C.}$$

EXEMPLE 5.9 Un calcul de K_{ps}

Calculez le K_{ps} du fluorure de calcium, sachant que la concentration des ions Ca^{2+} à l'équilibre est égale à $2,4 \times 10^{-4}$ mol/L.

SOLUTION

$$CaF_2 \text{ (s)} \rightleftharpoons Ca^{2+} \text{ (aq)} + 2 F^- \text{ (aq)} \qquad K_{ps} = [Ca^{2+}][F^-]^2$$

L'équation de réaction indique que la concentration des ions F^- est le double de celle des ions Ca^{2+}.

$$K_{ps} = [Ca^{2+}][F^-]^2 = (2,4 \times 10^{-4})(2 \times 2,4 \times 10^{-4})^2 = 5,5 \times 10^{-11}$$

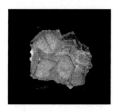

◀ **La fluorite.** Cette pierre minérale est essentiellement composée de CaF_2, un composé très peu soluble dans l'eau. Elle est incolore, mais des impuretés peuvent lui conférer de belles teintes allant du mauve au vert.

EXERCICE 5.12 **Un calcul de K_{ps}**

Calculez le K_{ps} du fluorure de baryum, sachant que la concentration des ions Ba^{2+} à l'équilibre est égale à $3,6 \times 10^{-3}$ mol/L.

La connaissance des K_{ps} est essentielle parce qu'elle permet de calculer la solubilité des sels ou de prévoir si un précipité va se former lors du mélange de solutions contenant des anions et des cations. On commence par exposer le calcul de la solubilité d'un sel à l'aide de son K_{ps}; on verra ensuite comment on peut utiliser les solubilités des sels pour isoler les ions d'une solution.

EXEMPLE 5.10 **Un calcul de solubilité à l'aide de K_{ps}**

Calculez la solubilité, à 25 °C, du sulfate de baryum (mol/L et g/L), sachant que son K_{ps} à cette température est égal à $1,1 \times 10^{-10}$.

SOLUTION

$$BaSO_4 \text{ (s)} \rightleftharpoons Ba^{2+} \text{ (aq)} + SO_4^{2-} \text{ (aq)} \qquad K_{ps} = [Ba^{2+}][SO_4^{2-}] = 1,1 \times 10^{-10}$$

Soit x la concentration des ions Ba^{2+} en solution. Puisque la dissolution de 1 mol de $BaSO_4$ conduit à 1 mol de Ba^{2+} et à 1 mol de SO_4^{2-}, la solubilité de $BaSO_4$ et la concentration des ions SO_4^{2-} sont aussi égales à x.

Concentrations (mol/L)	$BaSO_4$ (s) $\longrightarrow$	Ba^{2+} (aq) +	SO_4^{2-} (aq)
initiales		0	0
Changement		+x	+x
équilibre		x	x

$$K_{ps} = [Ba^{2+}][SO_4^{2-}] = 1,1 \times 10^{-10} = x^2 \qquad x = \sqrt{1,1 \times 10^{-10}} = 1,049 \times 10^{-5}.$$
La solubilité de $BaSO_4$ est égale à $1,0 \times 10^{-5}$ mol/L.

Pour passer aux masses (g), il suffit de multiplier le résultat précédent par la masse formulaire de $BaSO_4$ (233,39 g/mol)

$$\text{Solubilité} = (1,049 \times 10^{-5} \text{ mol/L})(233,39 \text{ g/mol}) = 2,4 \times 10^{-3} \text{ g/L}$$

◀ **Le sulfate de baryum.**
a) Un cristal de barytine, un minéral constitué en grande partie de sulfate de baryum.
b) Le sulfate de baryum, un solide blanc, est presque insoluble dans l'eau ($K_{ps} = 1,1 \times 10^{-10}$). Ainsi, si l'on ingurgite du $BaSO_4$ en suspension, il ne se dissout ni dans l'estomac ni dans les intestins et sa progression dans le système digestif peut être suivie par une analyse aux rayons X qu'il absorbe. La photographie montre le résultat obtenu. Heureusement qu'il est pratiquement insoluble, car les sels de baryum solubles sont toxiques.

a) Charles D. Winters

b) Susan Leavines/Science Source/ Photo Researchers, Inc.

EXEMPLE 5.11   **Un calcul de solubilité à l'aide de K_{ps}**

Calculez la solubilité, à 25 °C, du fluorure de magnésium (mol/L et g/L), sachant que son K_{ps} à cette température est égal à $5,2 \times 10^{-11}$.

SOLUTION

$$MgF_2 \text{ (s)} \rightleftharpoons Mg^{2+} \text{ (aq)} + 2\ F^- \text{ (aq)} \qquad K_{ps} = [Mg^{2+}][F^-]^2 = 5,2 \times 10^{-11}$$

Soit x la concentration des ions Mg^{2+} en solution. Puisque la dissolution de 1 mol de MgF_2 conduit à 1 mol de Mg^{2+} et à 2 mol de F^-, la solubilité de MgF_2 est égale à x et $[F^-]$ à $2x$.

Concentrations (mol/L)	MgF₂ (s) ⟶	Mg²⁺ (aq) +	2 F⁻ (aq)
initiales		0	0
Changement		+x	+2x
équilibre		x	2x

$$K_{ps} = [Mg^{2+}][F^-]^2 = 5,2 \times 10^{-11} = x(2x)^2 = 4x^3$$

$$x = \sqrt[3]{\frac{K_{ps}}{4}} = \sqrt[3]{\frac{5,2 \times 10^{-11}}{4}} = \sqrt[3]{1,30 \times 10^{-11}} = 2,35 \times 10^{-4}$$

La solubilité de MgF_2 est $2,4 \times 10^{-4}$ mol/L. Exprimée en g/L, elle devient :

$$(2,35 \times 10^{-4} \text{ mol/L})(62,30 \text{ g/mol}) = 0,015 \text{ g/L}$$

EXERCICE 5.13   **Un calcul de solubilité à l'aide de K_{ps}**

Calculez la solubilité, à 25 °C, de l'hydroxyde de calcium (mol/L et g/L), sachant que son K_{ps} à cette température est égal à $5,5 \times 10^{-5}$.

On peut souvent déduire les solubilités relatives des sels en comparant leurs produits de solubilité… à la condition d'être vigilant. Par exemple, les K_{ps} des chlorure et carbonate d'argent valent respectivement $1,8 \times 10^{-10}$ et $8,5 \times 10^{-12}$.

$$AgCl \ (s) \rightleftharpoons Ag^+ \ (aq) + Cl^- \ (aq) \qquad K_{ps} = [Ag^+][Cl^-] = 1,8 \times 10^{-10}$$

$$Ag_2CO_3 \ (s) \rightleftharpoons 2 \ Ag^+ \ (aq) + CO_3^{2-} \ (aq) \qquad K_{ps} = [Ag^+]^2[CO_3^{2-}] = 8,5 \times 10^{-12}$$

Le carbonate d'argent est 10 fois plus soluble que le chlorure, $1,3 \times 10^{-4}$ mol/L par rapport à $1,3 \times 10^{-5}$ mol/L, bien que son K_{ps} soit plus faible. La comparaison directe des K_{ps} dans ce cas n'est pas valable, car ces grandeurs ne possèdent pas les mêmes unités (bien que non exprimées, elles existent cependant!).

> La déduction directe des solubilités relatives de deux sels à l'aide de leurs K_{ps} n'est possible que si leurs ions sont dans le même rapport.

On peut ainsi comparer directement les solubilités des sels dont les ions sont dans le rapport 1/1 à l'aide de leurs K_{ps}.

$$\longrightarrow K_{ps} \text{ croissant et solubilité croissante} \longrightarrow$$

$$AgI \ (K_{ps} = 8,5 \times 10^{-17}) < AgBr \ (K_{ps} = 5,4 \times 10^{-13}) < AgCl \ (K_{ps} = 1,8 \times 10^{-10})$$

On peut faire la même comparaison avec des sels de type MX_2,

$$\longrightarrow K_{ps} \text{ croissant et solubilité croissante} \longrightarrow$$

$$PbI_2 \ (K_{ps} = 9,8 \times 10^{-9}) < PbBr_2 \ (K_{ps} = 6,6 \times 10^{-6}) < PbCl_2 \ (K_{ps} = 1,7 \times 10^{-5})$$

mais pas avec $AgCl$ et Ag_2CrO_4 par exemple.

EXERCICE 5.14 **La comparaison des solubilités à l'aide des K_{ps}**

Dans chacune des paires suivantes de composés ioniques, identifiez celui qui est le plus soluble dans l'eau.

a) $AgCl$ ($K_{ps} = 1,8 \times 10^{-10}$) et $AgCN$ ($K_{ps} = 6,0 \times 10^{-17}$).

b) $Mg(OH)_2$ ($K_{ps} = 5,6 \times 10^{-12}$) et $Ca(OH)_2$ ($K_{ps} = 5,5 \times 10^{-5}$).

c) $Ca(OH)_2$ ($K_{ps} = 5,5 \times 10^{-5}$) et $CaSO_4$ ($K_{ps} = 4,9 \times 10^{-5}$).

5.4.3 La solubilité des sels et l'effet d'ion commun

Le tube à essai de gauche de la figure 5.15 contient un précipité d'acétate d'argent (CH_3COOAg), des ions Ag^+ et CH_3COO^- en solution aqueuse, le tout étant en équilibre.

$$CH_3COOAg \ (s) \rightleftharpoons Ag^+ \ (aq) + CH_3COO^- \ (aq)$$

Figure 5.15 L'effet d'ion commun. Le tube de gauche contient une solution saturée d'acétate d'argent. Lorsqu'on y ajoute quelques millilitres d'une solution de nitrate d'argent de concentration 1 mol/L, l'équilibre

$$CH_3COOAg \ (s) \rightleftharpoons$$
$$Ag^+ \ (aq) + CH_3COO^- \ (aq)$$

se déplace vers la gauche en produisant une quantité supplémentaire de solide (tube de droite). Charles D. Winters

Que se passe-t-il si l'on augmente la concentration des ions Ag^+, en y ajoutant, par exemple, quelques millilitres d'une solution de nitrate d'argent relativement concentrée? En appliquant le principe de Le Chatelier, on prévoit, et c'est ce que l'on observe effectivement, qu'une quantité supplémentaire d'acétate d'argent précipite, parce que l'ion commun (Ag^+) ajouté fait en sorte que l'équilibre se déplace vers la gauche: *la solubilité de l'acétate d'argent diminue.*

> L'effet d'ion commun se traduit par une diminution de la solubilité des sels dans l'eau.

EXEMPLE 5.12   La solubilité des sels et l'effet d'ion commun

Calculez les solubilités, à 25 °C, du chlorure d'argent (mol/L):
a) dans l'eau;
b) dans une solution de NaCl de concentration 0,55 mol/L ($K_{ps}(AgCl) = 1,8 \times 10^{-10}$, à cette température).

SOLUTION

a) Dans l'eau, la solubilité du chlorure d'argent est égale à la concentration des ions Ag^+ ou des ions Cl^-.

$$AgCl\ (s) \rightleftharpoons Ag^+\ (aq) + Cl^-\ (aq) \qquad K_{ps} = [Ag^+][Cl^-] = 1,8 \times 10^{-10}$$

$$\text{Solubilité dans l'eau} = [Ag^+] \text{ ou } [Cl^-] = \sqrt{K_{ps}} = \sqrt{1,8 \times 10^{-10}}$$
$$= 1,3 \times 10^{-5} \text{ mol/L ou } 1,9 \text{ mg/L.}$$

b) Dans une solution contenant déjà des ions Cl^-, la solubilité de AgCl est donnée par la concentration des ions Ag^+. Quand AgCl (s) se dissout dans la solution aqueuse de NaCl, on peut considérer que la concentration des ions augmente de x mol/L.

Concentrations (mol/L)	AgCl (s) ⟶	Ag^+ (aq) +	Cl^- (aq)
initiales		0	0,55
Changement		+x	+x
équilibre		x	$0,55 + x$

$$K_{ps} = [Ag^+][Cl^-] = 1,8 \times 10^{-10} = x(0,55 + x)$$

Pour résoudre cette équation, on néglige x par rapport à 0,55, puisqu'on sait qu'il est inférieur à $1,3 \times 10^{-5}$, la solubilité dans l'eau pure, à cause de l'effet d'ion commun.

$$1,8 \times 10^{-10} = 0,55x \qquad x = 3,3 \times 10^{-10}$$

La solubilité de AgCl dans la solution de chlorure de sodium est $3,3 \times 10^{-10}$ mol/L (ou $4,7 \times 10^{-5}$ mg/L), très nettement inférieure à celle dans l'eau égale à $1,3 \times 10^{-5}$ mol/L (ou 1,9 mg/L).

EXERCICE 5.15   La solubilité des sels et l'effet d'ion commun

Calculez les solubilités, à 25 °C, du sulfate de baryum (mol/L):
a) dans l'eau;
b) dans une solution de nitrate de baryum de concentration 0,010 mol/L ($K_{ps} = 1,1 \times 10^{-10}$, à cette température).

EXEMPLE 5.13 **La solubilité des sels et l'effet d'ion commun**

Calculez la solubilité, à 25 °C, du chromate d'argent (Ag_2CrO_4) dans une solution de K_2CrO_4 de concentration 0,0050 mol/L ($K_{ps}(Ag_2CrO_4) = 1,1 \times 10^{-12}$, à cette température). Comparez-la à celle dans l'eau, qui est $6,5 \times 10^{-5}$ mol/L.

SOLUTION

$$Ag_2CrO_4 \text{ (s)} \rightleftharpoons 2\, Ag^+ \text{ (aq)} + CrO_4^{2-} \text{ (aq)} \quad K_{ps} = [Ag^+]^2[CrO_4^{2-}] = 1,1 \times 10^{-12}$$

Si x représente la solubilité (mol/L) du chromate d'argent, la concentration des ions Ag^+ en solution est égale à $2x$ et celle des ions chromate est augmentée de x.

Concentrations (mol/L)	Ag_2CrO_4 (s) ⟶	$2\, Ag^+$ (aq) +	CrO_4^{2-} (aq)
initiales		0	0,0050
Changement		+2x	+x
équilibre		2x	0,0050 + x

$$K_{ps} = [Ag^+]^2[CrO_4^{2-}] = 1,1 \times 10^{-12} = (2x)^2(0,0050 + x)$$

Comme x est inférieur à $6,5 \times 10^{-5}$ mol/L à cause de l'effet d'ion commun, on le néglige par rapport à 0,0050.

$$1,1 \times 10^{-12} = (2x)^2(0,0050) = 0,020x^2 \qquad x^2 = 55 \times 10^{-12} \qquad x = 7,4 \times 10^{-6}$$

La solubilité du chromate d'argent dans cette solution est $7,4 \times 10^{-6}$ mol/L, inférieure à ce qu'elle est dans l'eau ($6,5 \times 10^{-5}$ mol/L).

EXERCICE 5.16 **La solubilité des sels et l'effet d'ion commun**

Calculez les solubilités, à 25 °C, du cyanure de zinc (mol/L) :
a) dans l'eau ;
b) dans une solution de nitrate de zinc de concentration 0,10 mol/L ($K_{ps}(Zn(CN)_2)$ = $8,0 \times 10^{-12}$, à cette température).

5.4.4 La solubilité des sels en présence d'anions basiques

La prochaine fois que vous serez tenté d'expédier dans les égouts un sel supposément insoluble, vous feriez mieux d'y regarder à deux fois. Beaucoup de cations métalliques, comme ceux de plomb, de chrome ou de mercure, sont toxiques et empoisonnent l'environnement. Aussi, même si leurs sels au vu de leur K_{ps} semblent insolubles, leur solubilité dans l'eau peut être bien plus grande que vous ne l'imaginez, surtout si l'anion est une base faible. Le sulfure de plomb (II), présent à l'état naturel sous forme de galène (figure 5.16) illustre bien le propos.

Il ne se dissout que très peu dans l'eau, dans laquelle on trouve des ions Pb^{2+} et S^{2-} à l'état de traces.

$$PbS \text{ (s)} \rightleftharpoons Pb^{2+} \text{ (aq)} + S^{2-} \text{ (aq)}$$

Toutefois, l'ion S^{2-}, une base relativement forte, s'hydrolyse dans une proportion plus qu'appréciable,

Figure 5.16 Le sulfure de plomb (II). Ce sel, comme beaucoup d'autres sulfures métalliques, se dissout en plus grande quantité dans l'eau que ne le laisse prévoir son K_{ps}, en particulier à cause de la réaction des ions sulfure et de l'eau qui forme des ions HS^- et OH^-.

$$PbS \text{ (s)} + H_2O \text{ (l)} \rightleftharpoons$$
$$Pb^{2+} \text{ (aq)} + HS^- \text{ (aq)} + OH^- \text{ (aq)}$$

Le sulfure de plomb (II) cristallise dans un système cubique, qui se devine dans la forme de l'échantillon solide.

Charles D. Winters

$$S^{2-} \text{ (s)} + H_2O \text{ (l)} \rightleftharpoons HS^- \text{ (aq)} + OH^- \text{ (aq)} \qquad K_b = 1 \times 10^5$$

tant et si bien que la concentration des ions sulfure diminue fortement en solution. Pour tenter de rétablir l'équilibre, une quantité supplémentaire de sulfure de plomb (II) se dissout. L'équilibre représentant la dissolution de ce sel se déplace vers la droite et la concentration des ions Pb^{2+} est plus grande que ce à quoi conduit la simple réaction de dissociation régie par K_{ps}. On peut généraliser cette conclusion :

> Tout sel formé d'un anion basique (base conjuguée d'un acide faible) se dissout en plus grande quantité dans l'eau que ne le laisse prévoir son seul K_{ps}.

En poussant plus loin le raisonnement, on peut dire aussi :

> Les sels insolubles formés d'un anion basique (base conjuguée d'un acide faible) sont solubles en milieu fortement acide.

Les sels métalliques insolubles contenant les anions basiques acétate, carbonate, hydroxyde, phosphate, sulfure se dissolvent en présence d'acides forts. Par exemple, on a vu à plusieurs reprises que le carbonate de calcium insoluble dans l'eau se dissolvait dès que l'on ajoutait un acide fort au mélange hétérogène.

$$CaCO_3 \text{ (s)} + 2 H_3O^+ \text{ (aq)} \longrightarrow Ca^{2+} \text{ (aq)} + 3 H_2O \text{ (l)} + CO_2 \text{ (g)}$$

On peut décomposer cette réaction en plusieurs étapes.

$$CaCO_3 \text{ (s)} \rightleftharpoons Ca^{2+} \text{ (aq)} + CO_3^{2-} \text{ (aq)} \qquad K_{ps} = 3{,}4 \times 10^{-9}$$
$$CO_3^{2-} \text{ (aq)} + H_2O \text{ (l)} \rightleftharpoons HCO_3^- \text{ (aq)} + OH^- \text{ (aq)} \qquad K_{b1} = 2{,}1 \times 10^{-4}$$
$$HCO_3^- \text{ (aq)} + H_2O \text{ (l)} \rightleftharpoons H_2CO_3 \text{ (aq)} + OH^- \text{ (aq)} \qquad K_{b2} = 2{,}4 \times 10^{-8}$$
$$2 OH^- \text{ (aq)} + 2 H_3O^+ \text{ (aq)} \rightleftharpoons 4 H_2O \text{ (l)} \qquad K = \left(\frac{1}{K_e}\right)^2 = 1{,}0 \times 10^{28}$$

$$\overline{CaCO_3 \text{ (s)} + 2 H_3O^+ \text{ (aq)} \rightleftharpoons Ca^{2+} \text{ (aq)} + 2 H_2O \text{ (l)} + H_2CO_3 \text{ (aq)}}$$

$$K_{net} = K_{ps} K_{b1} K_{b2} \left(\frac{1}{K_e}\right)^2 = 1{,}7 \times 10^8$$

L'acide carbonique, un produit de la réaction, n'est pas stable,

$$H_2CO_3 \text{ (aq)} \rightleftharpoons H_2O \text{ (l)} + CO_2 \text{ (g)} \qquad K \approx 1 \times 10^5$$

si bien que le dioxyde de carbone qui s'échappe à l'état gazeux de la solution force encore plus l'équilibre ($CaCO_3$ (s) + 2 H_3O^+ (aq)...) à se déplacer vers la droite. Le carbonate de calcium se dissout complètement en présence d'un acide fort (en quantité suffisante bien sûr !).

Comme les carbonates, beaucoup de sulfures métalliques sont solubles en milieu acide fort.

$$FeS \text{ (s)} + 2 H_3O^+ \text{ (aq)} \rightleftharpoons Fe^{2+} \text{ (aq)} + 2 H_2O \text{ (l)} + H_2S \text{ (aq)}$$

Il en est de même pour les phosphates (figure 5.17)

$$Ag_3PO_4 \text{ (s)} + 3 H_3O^+ \text{ (aq)} \rightleftharpoons 3 Ag^+ \text{ (aq)} + 3 H_2O \text{ (l)} + H_3PO_4 \text{ (aq)}$$

et les hydroxydes.

$$Mg(OH)_2 \text{ (s)} + 2 H_3O^+ \text{ (aq)} \rightleftharpoons Mg^{2+} \text{ (aq)} + 4 H_2O \text{ (l)}$$

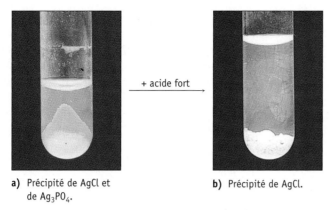

a) Précipité de AgCl et de Ag₃PO₄.

b) Précipité de AgCl.

Figure 5.17 La solubilité des sels et les anions. a) Un précipité de AgCl (blanc) et de Ag₃PO₄ (jaune). **b)** L'ajout d'un acide fort au tube à essai solubilise Ag₃PO₄ et laisse intact AgCl. L'anion basique PO₄³⁻ réagit avec H₃O⁺ pour donner H₃PO₄, tandis que Cl⁻ est trop faible pour se transformer en HCl. Charles D. Winters

En général, la solubilité d'un sel formé d'un anion provenant d'un acide faible augmente en milieu acide fort. Par contre, les sels possédant l'anion d'un acide fort ne sont pas plus solubles en milieu acide que dans l'eau. Par exemple, le chlorure d'argent n'entre pas en solution en milieu acide, parce que Cl⁻ est une base si faible (ion passif) qu'elle ne réagit pas avec l'eau et reste ainsi en solution (figure 5.17).

$$AgCl\ (s) \rightleftharpoons Ag^+\ (aq) + Cl^-\ (aq) \qquad K_{ps} = 1,8 \times 10^{-10}$$
$$Cl^-\ (aq) + H_3O^+\ (aq) \rightleftharpoons HCl\ (aq) + H_2O\ (l) \qquad K \ll 1$$

5.5 LES RÉACTIONS DE PRÉCIPITATION

Les minerais métallifères renferment le métal sous la forme d'un de ses sels insolubles (figure 5.18).

Ils contiennent souvent plus d'un élément métallique, ce qui rend les opérations d'extraction des métaux assez compliquées. En industrie, dans un premier temps, on procède généralement à une mise en solution du minerai concassé. Après la concentration de la solution contenant les ions métalliques, on isole sélectivement le cation désiré à l'aide d'un anion approprié en le transformant en un sel insoluble. Dans le cas du fer par exemple, les ions Fe²⁺ sont extraits de la solution concentrée par précipitation sous forme de sulfure ou de carbonate.

Figure 5.18 Les minéraux. Ce sont des sels insolubles présents à l'état naturel. À droite : l'hématite noire [oxyde de fer (III)] ; au centre : la fluorite mauve pâle (fluorure de calcium) ; à gauche : la goethite brun noirâtre [mélange d'oxyde et d'hydroxyde de fer (III)]. Charles D. Winters

$$Fe^{2+}\ (aq) + H_2O\ (l) + HS^-\ (aq) \rightleftharpoons FeS\ (s) + H_3O^+\ (aq) \qquad K = 1,7 \times 10^{18}$$
$$Fe^{2+}\ (aq) + CO_3^{2-}\ (aq) \rightleftharpoons FeCO_3\ (s) \qquad K = 3,2 \times 10^{10}$$

On réduit ensuite le cation métallique en son métal, chimiquement ou électrolytiquement (*voir le chapitre 6, page 234*).

Dans les sections suivantes, on examinera les conditions à satisfaire pour qu'un sel précipite.

5.5.1 K_{ps} et le quotient réactionnel (Q)

Le chlorure d'argent ne se dissout que très peu dans l'eau, situation reflétée par la faible valeur de K_{ps}.

$$AgCl\ (s) \rightleftharpoons Ag^+\ (aq) + Cl^-\ (aq) \qquad K_{ps} = 1,8 \times 10^{-10}$$

Examinez maintenant ce composé, non pas en termes de solubilité dans l'eau, mais plutôt en termes de précipitation: dans quelles conditions AgCl précipite-t-il à partir d'une solution contenant des ions Ag^+ et Cl^-? Cette question est semblable à celles posées dans la section 3.2 (*voir la page 106*) à propos des équilibres en général: Un mélange de réactifs et de produits est-il en équilibre? La réaction évolue-t-elle vers les produits ou, au contraire, la réaction inverse a-t-elle lieu? On a vu que la résolution passait par la comparaison entre la constante d'équilibre (K) et le quotient réactionnel (Q). Dans l'exemple du chlorure d'argent, Q s'écrit:

$$Q = [Ag^+]_i[Cl^-]_i$$

l'indice « i » rappelant qu'il s'agit des concentrations avant d'atteindre l'équilibre, bien souvent les conditions initiales. La transposition au chlorure d'argent des résultats énoncés dans la section 3.2.3 (*voir la page 111*) s'exprime ainsi:

1. $Q = K_{ps}$: il y a équilibre entre AgCl (s) et ses ions en solution.
2. $Q < K_{ps}$: la solution est **insaturée.** Si AgCl (s) est déjà présent dans le récipient, il continuera à se dissoudre jusqu'à atteindre l'équilibre ($Q = K_{ps}$); s'il n'y en avait pas au départ, il ne se passerait rien.
3. $Q > K_{ps}$: la réaction inverse se produit, il y a précipitation de AgCl jusqu'à ce que Q devienne égal à K_{ps}.

EXEMPLE 5.14   **La solubilité et le quotient réactionnel**

On dépose un peu de chlorure d'argent dans un becher d'eau. Au bout d'un certain temps, on trouve expérimentalement que la concentration des ions Ag^+ est égale à $1,2 \times 10^{-5}$ mol/L. Le système a-t-il atteint l'équilibre?

SOLUTION

$$AgCl\ (s) \rightleftharpoons Ag^+\ (aq) + Cl^-\ (aq) \qquad K_{ps} = 1,8 \times 10^{-10}$$

La concentration des ions Cl^- est égale à celle des ions Ag^+, puisque tous deux proviennent uniquement de la solubilité de AgCl.

$$Q = [Ag^+]_i[Cl^-]_i = (1,2 \times 10^{-5})(1,2 \times 10^{-5}) = 1,44 \times 10^{-10}$$

Q est plus petit que K_{ps}: le système n'est pas en équilibre et du chlorure d'argent continuera à se dissoudre jusqu'à ce que les concentrations des ions Ag^+ et Cl^- deviennent égales à $\sqrt{K_{ps}} = 1,34 \times 10^{-5}$ mol/L.

EXERCICE 5.17   **La solubilité et le quotient réactionnel**

On dépose un peu d'iodure de plomb ($K_{ps} = 9,8 \times 10^{-9}$) dans un becher d'eau. Au bout d'un certain temps, on trouve expérimentalement que la concentration des ions Pb^{2+} est égale à $1,1 \times 10^{-3}$ mol/L. Le système est-il en équilibre?

5.5.2 K_{ps}, le quotient réactionnel (Q) et la précipitation

La connaissance de K_{ps} et de Q permet de:
• savoir si un précipité se forme à partir d'une solution dont on connaît les concentrations des ions;
• calculer les concentrations des ions requises pour que débute la précipitation d'un sel.

EXEMPLE 5.15 **Précipitation ou pas?**

a) Démontrez que l'hydroxyde de magnésium ($Mg(OH)_2$) ne précipite pas lorsqu'on ajoute à une solution contenant $1,5 \times 10^{-6}$ mol/L d'ions Mg^{2+} de l'hydroxyde de sodium solide en quantité telle que sa concentration soit égale à $1,0 \times 10^{-4}$ mol/L ($K_{ps} = 5,6 \times 10^{-12}$).

b) Que se serait-il passé si $[OH^-]$ dans la solution avait été $1,0 \times 10^{-2}$ mol/L?

SOLUTION

$$Mg(OH)_2 \text{ (s)} \rightleftharpoons Mg^{2+} \text{ (aq)} + 2\ OH^- \text{ (aq)} \qquad K_{ps} = 5,6 \times 10^{-12}$$

a) $Q = [Mg^{2+}]_i[OH^-]_i^2 = (1,5 \times 10^{-6})(1,0 \times 10^{-4})^2 = 1,5 \times 10^{-14}$

Q est inférieur à K_{ps}: la solution est insaturée et l'hydroxyde de magnésium ne précipite pas.

b) $Q = [Mg^{2+}]_i[OH^-]_i^2 = (1,5 \times 10^{-6})(1,0 \times 10^{-2})^2 = 1,5 \times 10^{-10}$

Cette fois, Q est supérieur à K_{ps}: l'hydroxyde de magnésium précipite, de manière à ce que les concentrations des ions Mg^{2+} et OH^- diminuent et deviennent telles que Q soit égal à K_{ps}.

EXERCICE 5.18 **Précipitation ou pas?**

Le sulfate de strontium précipitera-t-il si l'on ajoute à une solution contenant $2,5 \times 10^{-4}$ mol/L d'ions Sr^{2+} une quantité de sulfate de sodium solide telle que la concentration des ions SO_4^{2-} soit égale à $2,5 \times 10^{-4}$ mol/L ($K_{ps} = 3,4 \times 10^{-7}$)?

Examinez maintenant le problème inverse de celui que l'on vient de résoudre. Combien faut-il d'un réactif donné, qu'on appelle dans ce cas un agent précipitant, pour amorcer la précipitation d'un ion de concentration connue?

EXEMPLE 5.16 **Le calcul des concentrations minimales nécessaires à la précipitation**

Une solution contient 0,010 mol/L d'ions Ba^{2+}.

a) À partir de quelle concentration des ions SO_4^{2-} la précipitation de $BaSO_4$ s'amorce-t-elle ($K_{ps} = 1,1 \times 10^{-10}$)?

b) Si, après la précipitation de $BaSO_4$, $[SO_4^{2-}]$ est égal à 0,015 mol/L, quelle est la concentration résiduelle des ions Ba^{2+}?

SOLUTION

$$BaSO_4 \text{ (s)} \rightleftharpoons Ba^{2+} \text{ (aq)} + SO_4^{2-} \text{ (aq)} \qquad K_{ps} = 1,1 \times 10^{-10}$$

a) $Q = [Ba^{2+}]_i[SO_4^{2-}]_i = 0{,}010[SO_4^{2-}]_i$

Pour que la précipitation de $BaSO_4$ se produise, il faut que Q soit supérieur à K_{ps}.

$$0{,}010[SO_4^{2-}]_i > 1,1 \times 10^{-10} \qquad [SO_4^{2-}]_i > 1,1 \times 10^{-8} \text{ mol/L}$$

b) $K_{ps} = [Ba^{2+}][SO_4^{2-}] = [Ba^{2+}]0{,}015 \qquad [Ba^{2+}] = \dfrac{1,1 \times 10^{-10}}{0{,}015} = 7,3 \times 10^{-9} \text{ mol/L}$

Dans ces conditions, la concentration résiduelle des ions Ba^{2+} est si minime qu'on considère à toutes fins pratiques la précipitation comme totale et que « tous » les ions Ba^{2+} ont été éliminés de la solution.

EXEMPLE 5.17 *K*ₚₛ **et la précipitation**

On mélange 100,0 mL d'une solution de $BaCl_2$ de concentration 0,0200 mol/L et 50,0 mL d'une solution de Na_2SO_4 0,0300 mol/L. Le sulfate de baryum ($K_{ps} = 1,1 \times 10^{-10}$) précipitera-t-il ?

SOLUTION

Dans cette situation courante en chimie analytique, on mélange deux solutions. Avant toute autre considération, on doit calculer les nouvelles concentrations des espèces dans le mélange.

Quantité d'ions Ba^{2+} dans sa solution initiale = 0,0200 mol/L̶ × 0,100 L̶ = $2,00 \times 10^{-3}$ mol

$$[Ba^{2+}] \text{ dans la solution finale} = \frac{2,00 \times 10^{-3} \text{ mol}}{0,1000 \text{ L} + 0,0500 \text{ L}} = 1,333 \times 10^{-2} \text{ mol/L}$$

Quantité d'ions SO_4^{2-} dans sa solution initiale = 0,0300 mol/L̶ × 0,0500 L̶ = $1,50 \times 10^{-3}$ mol

$$[SO_4^{2-}] \text{ dans la solution finale} = \frac{1,50 \times 10^{-3} \text{ mol}}{0,100 \text{ L} + 0,050 \text{ L}} = 1,000 \times 10^{-2} \text{ mol/L}$$

$$Q = [Ba^{2+}]_i[SO_4^{2-}]_i = (1,333 \times 10^{-2})(1,000 \times 10^{-2}) = 1,333 \times 10^{-4}$$

Comme Q est supérieur à K_{ps}, le sulfate de baryum précipite.

EXERCICE 5.19   **Le calcul des concentrations minimales nécessaires à la précipitation**

À partir de quelle concentration des ions I^- la précipitation de PbI_2 commence-t-elle dans une solution contenant 0,050 mol/L d'ions Pb^{2+} ($K_{ps} = 9,8 \times 10^{-9}$) ?

EXERCICE 5.20   *K*ₚₛ **et la précipitation**

Vous ajoutez 5,0 mL d'acide chlorhydrique de concentration 0,025 mol/L à 100,0 mL d'une solution de nitrate d'argent 0,0010 mol/L. Y a-t-il formation d'un précipité de AgCl ($K_{ps} = 1,8 \times 10^{-10}$) ?

Complexe des ions Ni^{2+}
avec la diméthylglyoxime

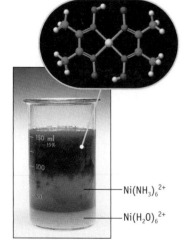

$Ni(NH_3)_6^{2+}$

$Ni(H_2O)_6^{2+}$

Figure 5.19 Les complexes. La solution verte au fond du becher contient des ions $[Ni(OH)_6]^{2+}$. Le bleu de la couche intermédiaire est dû à la présence d'ions complexes de Ni^{2+} avec NH_3. Le solide rouge en suspension dans la couche supérieure est un composé complexe des ions Ni^{2+} avec la diméthylglyoxime ($Ni(C_4H_7O_2N_2)_2$) : il est caractéristique des ions Ni^{2+} et sert à leur détection, et même à leur dosage, en solution aqueuse.

Charles D. Winters

5.6   LA SOLUBILITÉ ET LES IONS COMPLEXES

Le carbonate de calcium est insoluble dans l'eau, mais se dissout en milieu acide fort. Le chlorure d'argent n'est soluble ni dans l'eau ni en milieu acide, mais par contre se dissout dans l'ammoniaque. Comment peut-on expliquer ces observations et en tirer profit de manière pratique ?

On a déjà noté dans la section 4.9 (*voir la page 168*) que les cations métalliques existaient en solution aqueuse sous forme d'ions complexes (figure 5.19).

Ces ions complexes jouent un rôle important non seulement en chimie, mais aussi en biochimie : pour s'en convaincre, il suffit de penser à l'hémoglobine, à base de fer (II), ou à la vitamine B_{12}, à base de cobalt (III). Dans ce chapitre portant sur la solubilité, les ions complexes tirent leur importance du fait qu'ils peuvent se former au détriment d'un composé insoluble ou qu'ils peuvent solubiliser un sel « normalement » insoluble. Par exemple, l'ajout d'ammoniaque à une solution aqueuse contenant un précipité de chlorure d'argent solubilise ce dernier en le transformant en ions chlorure et en ions complexes $[Ag(NH_3)_2]^+$ (figure 5.20).

$$AgCl \text{ (s)} + 2 NH_3 \text{ (aq)} \rightleftharpoons [Ag(NH_3)_2]^+ \text{ (aq)} + Cl^- \text{ (aq)}$$

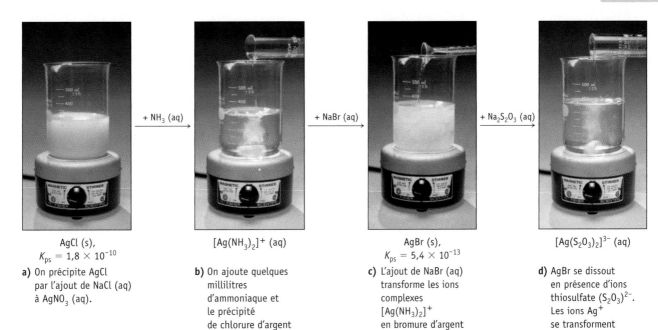

AgCl (s), $K_{ps} = 1,8 \times 10^{-10}$	$[Ag(NH_3)_2]^+$ (aq)	AgBr (s), $K_{ps} = 5,4 \times 10^{-13}$	$[Ag(S_2O_3)_2]^{3-}$ (aq)
a) On précipite AgCl par l'ajout de NaCl (aq) à AgNO₃ (aq).	**b)** On ajoute quelques millilitres d'ammoniaque et le précipité de chlorure d'argent se solubilise sous forme d'ions complexes $[Ag(NH_3)_2]^+$ et d'ions chlorure.	**c)** L'ajout de NaBr (aq) transforme les ions complexes $[Ag(NH_3)_2]^+$ en bromure d'argent qui précipite.	**d)** AgBr se dissout en présence d'ions thiosulfate $(S_2O_3)^{2-}$. Les ions Ag⁺ se transforment en $[Ag(S_2O_3)_2]^{3-}$.

Figure 5.20 La formation et la dissolution d'un précipité. Une séquence semblable d'opérations effectuées cette fois avec les ions Pb²⁺ est décrite dans la présentation de ce chapitre. Charles D. Winters

On peut représenter la dissolution de AgCl par NH₃ par les deux équilibres suivants.

$$AgCl \ (s) \rightleftharpoons Ag^+ \ (aq) + Cl^- \ (aq) \qquad\qquad K_{ps} = 1,8 \times 10^{-10}$$
$$Ag^+ \ (aq) + 2 \ NH_3 \ (aq) \rightleftharpoons [Ag(NH_3)_2]^+ \ (aq) \qquad K_{form} = 1,6 \times 10^7$$

Les ions Ag⁺ en équilibre avec AgCl solide se combinent avec NH₃ pour former l'ion $[Ag(NH_3)_2]^+$: la diminution de la concentration des ions Ag⁺ par la formation de ce complexe force le premier équilibre à se déplacer vers la droite, soit la solubilisation de AgCl. La valeur élevée de la **constante de formation (K_{form})** du complexe signifie que la position de cet équilibre se situe largement vers la droite; elle constitue la force motrice.

Le produit $K_{ps}K_{form}$ est égal à la constante d'équilibre de la dissolution de AgCl en présence d'ammoniac.

$$AgCl \ (s) + 2 \ NH_3 \ (aq) \rightleftharpoons [Ag(NH_3)_2]^+ \ (aq) + Cl^- \ (aq)$$
$$K_{ps}K_{form} = (1,8 \times 10^{-10})(1,6 \times 10^7) = 2,9 \times 10^{-3} = \frac{[Ag(NH_3)_2^+][Cl^-]}{[NH_3]^2}$$

Bien que la constante paraisse petite, il est malgré tout possible de dissoudre AgCl en utilisant une solution assez concentrée de NH₃.

Les constantes de formation ont été déterminées pour un très grand nombre de complexes, ce qui permet de comparer leur stabilité. Par exemple, dans le cas de l'argent, il s'avère que son complexe avec les ions cyanure soit le plus stable de ceux mentionnés à la page suivante (on peut comparer directement leur stabilité à l'aide de leurs constantes de formation parce que ces complexes possèdent la même stœchiométrie).

On a illustré dans la figure 5.20 une série de réactions impliquant des précipités et des ions complexes. L'ajout d'ammoniaque conduit à la dissolution d'un précipité de AgCl par la formation de l'ion complexe $[Ag(NH_3)_2]^+$; l'ajout d'ions bromure

Équilibre de formation	K_{form}
Ag^+ (aq) + 2 Cl^- (aq) $\rightleftarrows$ $[AgCl_2]^-$ (aq)	$2,5 \times 10^5$
Ag^+ (aq) + 2 NH_3 (aq) $\rightleftarrows$ $[Ag(NH_3)_2]^+$ (aq)	$1,6 \times 10^7$
Ag^+ (aq) + 2 $S_2O_3^{2-}$ (aq) $\rightleftarrows$ $[Ag(S_2O_3)_2]^{3-}$ (aq)	$2,0 \times 10^{13}$
Ag^+ (aq) + 2 CN^- (aq) $\rightleftarrows$ $[Ag(CN)_2]^-$ (aq)	$5,6 \times 10^{18}$

détruit ce complexe au profit de AgBr (s), nettement plus insoluble que AgCl; AgBr (s) disparaît sous l'action des ions $S_2O_3^{2-}$, dont le complexe $[Ag(S_2O_3)_2]^{3-}$ est très stable.

EXEMPLE 5.18   Les complexes et la solubilité

Calculez la constante d'équilibre correspondant à la dissolution de AgBr par les ions $S_2O_3^{2-}$ en solution aqueuse, sachant que $K_{ps}(AgBr) = 5,4 \times 10^{-13}$ et que $K_{form}([Ag(S_2O_3)_2]^{3-}) = 2,0 \times 10^{13}$.

SOLUTION

AgBr (s) $\rightleftarrows$ $\cancel{Ag^+}$ (aq) + Br^- (aq) $K_{ps} = 5,4 \times 10^{-13}$

$\cancel{Ag^+}$ (aq) + 2 $S_2O_3^{2-}$ (aq) $\rightleftarrows$ $[Ag(S_2O_3)_2]^{3-}$ (aq) $K_{form} = 2,0 \times 10^{13}$

AgBr (s) + 2 $S_2O_3^{2-}$ (aq) $\rightleftarrows$ $[Ag(S_2O_3)_2]^{3-}$ (aq) + Br^- (aq) $K = ?$

$$K = K_{ps}K_{form} = (5,4 \times 10^{-13})(2,0 \times 10^{13}) = 11 = \frac{[Ag(S_2O_3)_2^{3-}][Br^-]}{[S_2O_3^{2-}]^2}$$

La valeur supérieure à 1 de cette constante (K) montre que la réaction directe est favorisée et l'on peut anticiper que AgBr se dissoudra sous l'action des ions thiosulfate. L'expérience confirme cette assertion (*voir la figure 5.20, page 223*).

EXERCICE 5.21   Les complexes et la solubilité

Calculez la constante d'équilibre correspondant à la dissolution de $Cu(OH)_2$ par l'ammoniaque en solution aqueuse, sachant que $K_{ps}(Cu(OH)_2) = 2,2 \times 10^{-20}$ et que $K_{form}([Cu(NH_3)_4]^{2+}) = 6,8 \times 10^{12}$ (*voir la figure 4.9, page 169*).

5.7 LA SOLUBILITÉ, LA SÉPARATION DES IONS ET L'ANALYSE QUALITATIVE

L'analyse qualitative des ions en solution, c'est-à-dire leur identification, fait souvent partie du travail en laboratoire associé à un premier cours de chimie au collégial. Par ce moyen, on vise essentiellement à illustrer :
• les propriétés chimiques des ions les plus courants ;
• le principe de l'équilibre chimique.

Supposez que l'on vous demande d'isoler les ions Ag^+, Pb^{2+} et Cu^{2+} présents dans une solution aqueuse, c'est-à-dire de les séparer les uns des autres pour que chacun se retrouve seul dans une éprouvette. Une des meilleures façons de procéder consiste, dans un premier temps, à sélectionner un réactif qui pourrait faire précipiter un ou deux cations, en laissant les autres en solution (**précipitation sélective**). Pour ce faire, il suffit de comparer les produits de solubilité des composés de ces cations avec différents anions, comme Cl^-, S^{2-}, OH^- ou SO_4^{2-}, et de repérer celui qui forme un sel insoluble avec certains cations et pas d'autres (*voir l'annexe E, page 323*). On remarque que les trois cations de l'exemple forment des sulfures très insolubles (Ag_2S, CuS et PbS), mais aussi que seuls l'argent et le plomb (II) donnent des chlorures insolubles. En utilisant l'acide chlorhydrique comme réactif, on peut ainsi précipiter AgCl et $PbCl_2$, qui se déposent au fond de l'éprouvette après centrifugation, laissant les ions Cu^{2+} en solution (figure 5.21). Une première isolation vient d'être effectuée.

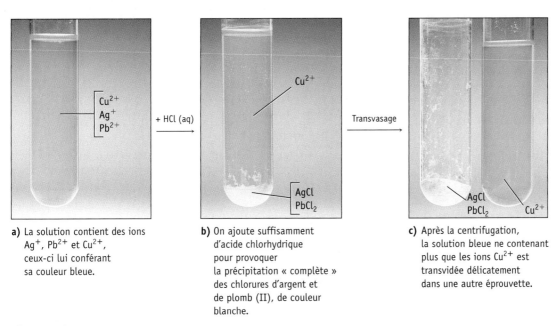

a) La solution contient des ions Ag^+, Pb^{2+} et Cu^{2+}, ceux-ci lui conférant sa couleur bleue.

b) On ajoute suffisamment d'acide chlorhydrique pour provoquer la précipitation « complète » des chlorures d'argent et de plomb (II), de couleur blanche.

c) Après la centrifugation, la solution bleue ne contenant plus que les ions Cu^{2+} est transvidée délicatement dans une autre éprouvette.

Figure 5.21 La séparation des ions par précipitation sélective. Charles D. Winters

Il s'agit maintenant de séparer AgCl de $PbCl_2$. Même si l'on ne peut *a priori* comparer directement les K_{ps} pour décider lequel des deux sels est le plus insoluble, les valeurs de K_{ps} sont cependant suffisamment éloignées l'une de l'autre pour que l'on s'aperçoive que $PbCl_2$ est plus soluble que AgCl. Le chlorure de plomb se dissout plus facilement dans l'eau chaude que ne le fait AgCl. Par chauffage de la solution contenant le mélange des deux précipités, on solubilise $PbCl_2$ et le chlorure d'argent reste au fond de l'éprouvette après la centrifugation. La solution chaude transvidée dans une autre éprouvette renferme les ions Pb^{2+} que l'on vient ainsi d'isoler. En général, après le refroidissement, $PbCl_2$ précipite de nouveau. Nous sommes en possession de trois tubes à essai, le premier contenant les ions Cu^{2+} en solution, le deuxième, un précipité de AgCl, et le troisième, $PbCl_2$ (s).

EXERCICE 5.22 **La précipitation sélective**

Chacune des deux solutions suivantes contient deux cations.
a) Ag^+ et Bi^{3+}.
b) Fe^{2+} et K^+.

Vous devez utiliser un seul réactif par solution pour précipiter un cation, non l'autre. En vous référant, au besoin, à la figure 1.3 (*voir la page 9*), déterminez parmi les anions suivants celui que vous privilégiez : Cl^-, S^{2-} ou OH^-.

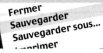

(**SAUVE**garder)

LES SOLUTIONS TAMPONS

Solution possédant la propriété d'absorber une certaine quantité d'ions hydronium ou hydroxyde tout en maintenant son pH pratiquement constant.

Composition	Exemples
Acide faible et sa base conjuguée	CH_3COOH et l'ion CH_3COO^-.
Base faible et son acide conjugué	NH_3 et l'ion NH_4^+.

Fonctionnement d'un tampon $\dfrac{HA}{A^-}$

Ajout de H_3O^+.	Ajout de OH^-.
A^- (aq) + H_3O^+ (aq) $\longrightarrow$ HA (aq) + H_2O (l)	HA (aq) + OH^- (aq) $\longrightarrow$ A^- (aq) + H_2O (l)

Fonctionnement d'un tampon BH^+/B

Ajout de H_3O^+.	Ajout de OH^-.
B (aq) + H_3O^+ (aq) $\longrightarrow$ BH^+ (aq) + H_2O (l)	BH^+ (aq) + OH^- (aq) $\longrightarrow$ B (aq) + H_2O (l)

Calcul du pH

Équation de Henderson-Hasselbalch	$pH = pK_a + \log \dfrac{C_b}{C_a} = pK_a + \log \dfrac{n_b}{n_a}$

LES DOSAGES ACIDOBASIQUES

Dosage de v_a (mL) d'un acide monoprotique de concentration (C_a) par une base forte de concentration connue (C_b)

Calcul de C_a à l'aide du volume équivalent ($v_{b,e}$)

Quantité d'ions OH^- au point équivalent = (C_b mol/Ł)($v_{b,e} \times 10^{-3}$ Ł) = $C_b v_{b,e} \times 10^{-3}$ mol

Quantité initiale d'acide monoprotique = (C_a mol/Ł)($v_a \times 10^{-3}$ Ł) = $C_a v_a \times 10^{-3}$ mol

$$C_b v_{b,e} \times 10^{-3} \text{ mol} = C_a v_a \times 10^{-3} \text{ mol} \qquad C_a = \dfrac{C_b v_{b,e}}{v_a} \text{ mol/L}$$

Courbe de dosage d'un acide fort monoprotique par une base forte

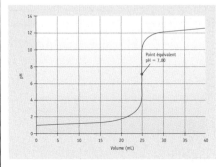

H_3O^+ (aq) + OH^- (aq) $\longrightarrow$ 2 H_2O (l)

- pH initial = $-\log C_a$
- Avant le point équivalent

$$[H_3O^+] = \dfrac{\text{quantité initiale de HA} - \text{quantité ajoutée de OH}^-}{v_a + v_b}$$

- pH au point équivalent = 7,00.
- Après le point équivalent

$$[OH^-] = \dfrac{\text{quantité ajoutée de OH}^- - \text{quantité initiale de HA}}{v_a + v_b}$$

LES DOSAGES ACIDOBASIQUES (*SUITE*)

Courbe de dosage d'un acide faible monoprotique (HA) par une base forte

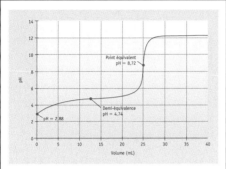

HA (aq) + OH⁻ (aq) ⟶ A⁻ (aq) + H₂O (l)

- pH initial (*voir le chapitre 4, page 134*)
- Avant le point équivalent

  n_a = quantité initiale de HA − quantité ajoutée de OH⁻

  n_b = quantité ajoutée de OH⁻

  $$pH = pK_a + \log \frac{n_b}{n_a}$$

- À la demi-équivalence: $pH = pK_a$.
- pH au point équivalent > 7 (*voir le chapitre 4*)
- Après le point équivalent

  $$[OH^-] = \frac{\text{quantité ajoutée de OH}^- - \text{quantité initiale de HA}}{v_a + v_b}$$

Courbe de dosage d'une base faible (B) par un acide fort

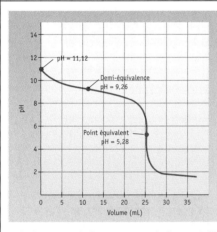

B (aq) + H₃O⁺ (aq) ⟶ BH⁺ (aq) + H₂O (l)

- pH initial (*voir le chapitre 4*)
- Avant le point équivalent

  n_b = quantité initiale de B − quantité ajoutée de H₃O⁺

  n_a = quantité ajoutée de H₃O⁺

  $$pH = pK_a + \log \frac{n_b}{n_a}$$

- À la demi-équivalence: $pH = pK_{a \, (\text{acide conjugué})}$.
- pH au point équivalent < 7 (*voir le chapitre 4*)
- Après le point équivalent

  $$[H_3O^+] = \frac{\text{quantité ajoutée de H}_3\text{O}^+ - \text{quantité initiale de B}}{v_a + v_b}$$

LES INDICATEURS COLORÉS DE pH

Composé présentant des propriétés acidobasiques, dont les formes acide et basique ont des couleurs différentes.

Fonctionnement

	$pK_a - 2$	$pK_a - 1$	pK_a	$pK_a + 1$	$pK_a + 2$

pH

Couleur de la forme acide   Zone de virage   Couleur de la forme basique

$$\frac{[HIn]}{[In^-]} \geqslant 10 \qquad\qquad \frac{[HIn]}{[In^-]} \leqslant 0{,}10$$

LE PRODUIT DE SOLUBILITÉ (K_{ps})

$$A_xB_y \text{ (s)} \rightleftharpoons x\ A^{y+} \text{ (aq)} + y\ B^{x-} \text{ (aq)} \qquad K_{ps} = [A^{y+}]^x[B^{x-}]^y$$

Exemples

$$CaF_2 \text{ (s)} \rightleftharpoons Ca^{2+} \text{ (aq)} + 2\ F^- \text{ (aq)} \qquad K_{ps} = [Ca^{2+}][F^-]^2$$

$$Ag_2SO_4 \text{ (s)} \rightleftharpoons 2\ Ag^+ \text{ (aq)} + SO_4^{2-} \text{ (aq)} \qquad K_{ps} = [Ag^+]^2[SO_4^{2-}]$$

Exemples de calculs

- Solubilité de AgI $= 9{,}2 \times 10^{-9}$ mol/L, à 25 °C. K_{ps} ?

  $$AgI \text{ (s)} \rightleftharpoons Ag^+ \text{ (aq)} + I^- \text{ (aq)} \qquad K_{ps} = [Ag^+][I^-] = (9{,}2 \times 10^{-9})(9{,}2 \times 10^{-9}) = 8{,}5 \times 10^{-17}$$

- $K_{ps}(\text{BaSO}_4) = 1{,}1 \times 10^{-10}$. Solubilité (mol/L) ?

  $$BaSO_4 \text{ (s)} \rightleftharpoons Ba^{2+} \text{ (aq)} + SO_4^{2-} \text{ (aq)}$$

  $[Ba^{2+}] = [SO_4^{2-}] = x \qquad K_{ps} = [Ba^{2+}][SO_4^{2-}] = 1{,}1 \times 10^{-10} = x^2 \qquad x = 1{,}049 \times 10^{-5}$

  Solubilité de $BaSO_4 = 1{,}0 \times 10^{-5}$ mol/L

- Solubilité, à 25 °C, du chlorure d'argent (mol/L) dans une solution de NaCl de concentration 0,55 mol/L.

Concentrations (mol/L)	AgCl $\longrightarrow$	Ag$^+$ (aq)	+	Cl$^-$ (aq)
initiales		0		0,55
Changement		+x		+x
équilibre		x		0,55 + x

$K_{ps} = [Ag^+][Cl^-] = 1{,}8 \times 10^{-10} = x(0{,}55 + x) \approx 0{,}55x \qquad x = 3{,}3 \times 10^{-10}$

Solubilité de AgCl $= 3{,}3 \times 10^{-10}$ mol/L

LA SOLUBILITÉ DES SELS FORMÉS D'UN ANION BASIQUE

- Tout sel formé d'un anion basique (base conjuguée d'un acide faible) se dissout en plus grande quantité dans l'eau que ne le laisse prévoir son seul K_{ps}, à cause de l'hydrolyse de l'anion.

  $$PbS \text{ (s)} \rightleftharpoons Pb^{2+} \text{ (aq)} + S^{2-} \text{ (aq)}$$

  $$S^{2-} \text{ (s)} + H_2O \text{ (l)} \rightleftharpoons HS^- \text{ (aq)} + OH^- \text{ (aq)}$$

- Les sels insolubles formés d'un anion basique (base conjuguée d'un acide faible) sont solubles en milieu fortement acide.

  $$CaCO_3 \text{ (s)} + 2\ H_3O^+ \text{ (aq)} \longrightarrow Ca^{2+} \text{ (aq)} + 2\ H_2O \text{ (l)} + H_2CO_3 \text{ (aq)}$$

LES IONS COMPLEXES

Espèce chargée formée par un cation métallique lié par coordinence à un ou plusieurs ions ou molécules.

$$Ag^+ \text{ (aq)} \quad + \quad 2\ NH_3 \text{ (aq)} \quad \rightleftharpoons \quad [Ag(NH_3)_2]^+ \text{ (aq)} \qquad K_{form} = 1,6 \times 10^7$$

| Cation | Ligand | Complexe | Constante de formation |

Les complexes très stables (K_{form} élevé) peuvent empêcher la précipitation de sels insolubles ou provoquer leur solubilisation.

$$AgBr \text{ (s)} \rightleftharpoons Ag^+ \text{ (aq)} + Br^- \text{ (aq)} \qquad K_{ps} = 5,4 \times 10^{-13}$$

$$Ag^+ \text{ (aq)} + 2\ S_2O_3^{2-} \text{ (aq)} \rightleftharpoons [Ag(S_2O_3)_2]^{3-} \text{ (aq)} \qquad K_{form} = 2,0 \times 10^{13}$$

$$AgBr \text{ (s)} + 2\ S_2O_3^{2-} \text{ (aq)} \rightleftharpoons [Ag(S_2O_3)_2]^{3-} \text{ (aq)} + Br^- \text{ (aq)} \qquad K = ?$$

$$K = K_{ps}K_{form} = 11 = \frac{[Ag(S_2O_3)_2^{3-}][Br^-]}{[S_2O_3^{2-}]^2}$$

▲ Un précipité de AgBr.

▲ AgBr (s) se dissout sous l'action des ions $S_2O_3^{2-}$, dont le complexe $[Ag(S_2O_3)_2]^{3-}$ est très stable.

5

Revue des concepts importants

1. Déterminez, pour chacun des mélanges suivants en quantités équimolaires, si le pH est égal, inférieur ou supérieur à 7.

a) Une base faible et un acide fort.

b) Une base forte et un acide fort.

c) Une base forte et un acide faible.

2. Décrivez brièvement comment une solution tampon maintient son pH lorsque:

a) un acide fort y est ajouté. Utilisez le système tampon NH_3/NH_4Cl pour illustrer la réaction;

b) une base forte y est ajoutée. Utilisez le système tampon acide acétique/acétate de sodium pour illustrer la réaction.

3. Une réaction acidobasique peut être suivie à l'aide d'un indicateur coloré. Le changement de couleur se produit-il exactement au point correspondant au volume équivalent?

4. À l'aide de l'équation ci-dessous, présentez les similitudes et les différences entre l'expression du quotient réactionnel et de la constante d'équilibre, ainsi que la signification de leurs valeurs respectives.

$$AgCl\ (s) \rightleftharpoons Ag^+\ (aq) + Cl^-\ (aq)$$

5. Expliquez l'effet d'ion commun à l'aide de l'équilibre.

$$Fe(OH)_2\ (s) \rightleftharpoons Fe^{2+}\ (aq) + 2\ OH^-\ (aq)$$

6. Expliquez pourquoi la solubilité de Ag_3PO_4 dans l'eau est plus élevée que celle calculée à l'aide de son K_{ps}.

Exercices

L'effet d'ion commun

7. Prévoyez si le pH augmente, diminue ou demeure constant lorsque vous ajoutez:

a) du chlorure d'ammonium solide à une solution diluée d'ammoniac;

b) de l'oxalate de sodium solide ($Na_2C_2O_4$) à 50,0 mL d'une solution d'acide oxalique ($H_2C_2O_4$) de concentration 0,015 mol/L;

c) du chlorure de sodium solide à une solution aqueuse diluée de NaOH;

d) du chlorure d'ammonium solide à 75 mL d'acide chlorhydrique de concentration 0,016 mol/L.

8. Calculez le pH d'une solution contenant de l'ammoniac (NH_3) de concentration 0,20 mol/L et du chlorure d'ammonium (NH_4Cl) de même concentration.

9. Calculez le pH des solutions préparées:

a) en dissolvant 1,56 g d'acétate de sodium (CH_3COONa) dans 100,0 mL d'une solution d'acide acétique de concentration 0,15 mol/L;

b) en ajoutant 25,0 mL d'une solution de HCl de concentration 0,12 mol/L à 25,0 mL d'une solution de NH_3 0,43 mol/L.

Les solutions tampons

10. Vous dissolvez 2,2 g de chlorure d'ammonium dans 250 mL d'ammoniaque 0,12 mol/L. Calculez le pH de cette solution tampon. Ce pH est-il inférieur ou supérieur au pH de la solution initiale d'ammoniac?

11. Quelle masse d'acétate de sodium doit-on dissoudre dans 1,00 L d'une solution d'acide acétique de concentration 0,10 mol/L pour préparer une solution tampon de pH 4,50?

12. Quelle masse de NH_4Cl faut-il dissoudre dans 500 mL d'une solution contenant 0,10 mol/L de NH_3 pour préparer une solution tampon de pH 9,00?

L'équation de Henderson-Hasselbalch

13. Calculez le pH d'une solution contenant du chlorure d'ammonium et de l'ammoniac de concentrations respectives 0,050 mol/L et 0,045 mol/L.

14. Une solution tampon est formée d'acide formique et de sa base conjuguée, l'ion formiate.

a) Quel est le pH de la solution dont la concentration en acide formique est 0,050 mol/L et celle du formiate de sodium, 0,035 mol/L?

b) Calculez le rapport C_b/C_a permettant d'augmenter le pH de 0,5 unité.

15. Une solution tampon est formée de 1,360 g de KH_2PO_4 et de 5,677 g de Na_2HPO_4.

a) Quel est son pH?

b) Quelle masse de KH_2PO_4 doit-on ajouter pour diminuer le pH de 0,5 unité?

La préparation des solutions tampons

16. Lequel des couples acidobasiques suivants utiliseriez-vous pour préparer une solution tampon ayant un pH d'environ 9?

a) HCl et NaCl.

b) NH_3 et NH_4Cl.

c) CH_3COOH et CH_3COONa.

17. Le volume d'une solution tampon de pH 12,00 constituée de Na_3PO_4 et de Na_2HPO_4 est de 200,0 mL.

a) Calculez la valeur du rapport C_b/C_a de la solution et déterminez l'espèce prépondérante.

b) Quelle masse de Na_2HPO_4 trouve-t-on dans la solution sachant que la concentration de Na_3PO_4 est 0,400 mol/L?

c) Quelle espèce du tampon faut-il ajouter pour augmenter le pH à 12,25? Calculez la masse nécessaire.

L'ajout d'un acide ou d'une base à une solution tampon

18. On prépare une solution tampon en dissolvant 4,95 g d'acétate de sodium dans 250 mL d'une solution d'acide acétique de concentration 0,150 mol/L.

a) Calculez son pH.

b) Calculez le pH de la solution résultant de l'ajout de 82 mg de NaOH à 100 mL de la solution tampon.

19. Vous dissolvez 0,425 g de NaOH dans 2,00 L d'une solution dans laquelle $[H_2PO_4^-] = [HPO_4^{2-}] = 0,132$ mol/L. Calculez le pH avant et après l'ajout de NaOH.

20. Déterminez la variation de pH lorsque 20,0 mL d'une solution de NaOH de concentration 0,100 mol/L sont ajoutés à 80,0 mL d'une solution tampon formée de NH_3 0,169 mol/L et de NH_4Cl 0,183 mol/L.

Les dosages acidobasiques

21. On dissout 0,515 g de phénol (C_6H_5OH), un acide organique faible, dans 125 mL d'eau. On dose cet échantillon par une solution de NaOH de concentration 0,123 mol/L.

$$C_6H_5OH\ (aq) + OH^-\ (aq) \longrightarrow C_6H_5O^-\ (aq) + H_2O\ (l)$$

a) Calculez le pH de la solution initiale de phénol.
b) Calculez les concentrations des ions suivants au point équivalent: Na^+, H_3O^+, OH^- et $C_6H_5O^-$.
c) Calculez le pH au point équivalent.

22. Il a fallu 36,8 mL d'une solution de HCl de concentration 0,0105 mol/L pour atteindre le point équivalent lors du dosage de 25,0 mL d'ammoniac.
a) Quelle était la concentration d'ammoniac dans sa solution initiale?
b) Quelles sont les concentrations de H_3O^+, OH^- et NH_4^+ au point équivalent?
c) Quel est le pH au point équivalent?

Les courbes de dosage et les indicateurs

23. Sans effectuer de calcul détaillé, tracez la courbe générale de dosage lorsque:
a) 25,0 mL d'une solution de NaOH 0,10 mol/L sont dosés par une solution de HCl de concentration 0,10 mol/L;
b) 50,0 mL d'une solution de pyridine, (C_5H_5N, $K_b = 1,5 \times 10^{-9}$), de concentration 0,050 mol/L sont dosés par une solution de HCl 0,10 mol/L.
Pour chacun de ces dosages, déterminez approximativement le pH initial, le pH au point équivalent et le volume total de solution au point équivalent.

24. Tracez le graphique pH = f(volume de base ajoutée) représentant le dosage de 25,0 mL d'une solution de HCN de concentration 0,050 mol/L par une solution de NaOH de concentration 0,075 mol/L.
a) Écrivez l'équation de la réaction du dosage.
b) Calculez le pH de la solution initiale de HCN.
c) Calculez le pH au point de demi-équivalence.
d) Calculez le pH lorsque 95 % de la solution de NaOH nécessaire à la neutralisation est ajoutée.
e) Calculez le volume équivalent.
f) Calculez le pH au point équivalent.
g) À l'aide de la figure 4.4, choisissez l'indicateur approprié pour ce dosage.
h) Calculez le pH lorsque 105 % du volume équivalent est ajouté.

25. Choisissez parmi les indicateurs colorés mentionnés dans la figure 4.4 ceux qui conviendraient le mieux pour chacun des dosages suivants:
a) la pyridine, une base faible, est dosée par HCl;
b) l'acide formique est titré par NaOH;
c) l'hydrazine, une base faible diprotique, est dosée par HCl.

L'expression de K_{ps}

26. Équilibrez l'équation représentant la dissolution dans l'eau de chacun des sels suivants et exprimez K_{ps}.
a) AgCN
b) $NiCO_3$
c) $AuBr_3$
d) Ag_3PO_4

Le calcul de K_{ps}

27. À 20 °C, une solution aqueuse saturée d'acétate d'argent contient 1,0 g de ce composé dans 100,0 mL de solution. Calculez le K_{ps} de l'acétate d'argent.

$$CH_3COOAg\ (s) \rightleftharpoons Ag^+\ (aq) + CH_3COO^-\ (aq)$$

28. Lorsqu'on ajoute 250 mg de SrF_2 à 1,00 L d'eau, très peu de sel se dissout. Calculez le K_{ps} du fluorure de strontium, sachant que la concentration des ions Sr^{2+} à l'équilibre est égale à $1,03 \times 10^{-3}$ mol/L.

29. Calculez le K_{ps} de l'hydroxyde de calcium, sachant que sa solubilité est 1,04 g/L, à 25 °C.

30. Calculez le K_{ps} de $Pb(OH)_2$, sachant que le pH d'une solution dans laquelle 0,979 g de $Pb(OH)_2$ sont dissous dans 1,00 L d'eau, à 25 °C, est 9,15.

Le calcul de la solubilité à l'aide de K_{ps}

31. Calculez la solubilité, à 25 °C, du bromure de plomb (II) (mol/L et g/L), sachant que son K_{ps} à cette température est égal à $6,6 \times 10^{-6}$.

32. Vous ajoutez 25 mg de sulfate de radium ($RaSO_4$) dans 100 mL d'eau. Le sel se dissout-il complètement? Sinon, combien de grammes se dissolvent? ($K_{ps}(RaSO_4) = 3,7 \times 10^{-11}$)

33. Dans chacune des paires suivantes de composés ioniques, déterminez, à l'aide des valeurs de K_{ps}, celui qui est le plus soluble dans l'eau.
a) $PbCl_2$ ou $PbBr_2$.
b) HgS ou FeS.
c) $Fe(OH)_2$ ou $Zn(OH)_2$.
d) AgI ou PbI_2.

L'effet d'ion commun et la solubilité des sels

34. Calculez les solubilités (mol/L), à 25 °C, du bromure d'argent:
a) dans l'eau;
b) dans 225 mL d'une solution aqueuse contenant 0,15 g de bromure de sodium.

35. Comparez les solubilités (mg/mL), à 25 °C, de l'io-dure d'argent:
  a) dans l'eau;
  b) dans une solution de nitrate d'argent de concentration 0,020 mol/L.

36. Calculez les solubilités (mg/mL), à 25 °C, du fluorure de baryum:
  a) dans l'eau;
  b) dans une solution de fluorure de potassium de concentration 5,0 mg/mL.

La solubilité des sels en présence d'anions basiques

37. Dans chacune des paires de composés insolubles suivantes, choisissez celui dont la solubilité est plus élevée dans l'acide nitrique que dans l'eau.
  a) $PbCl_2$ ou PbS.   **c)** $Al(OH)_3$ ou AgCl.
  b) Ag_2CO_3 ou AgI.

38. Dans chacune des paires suivantes, quel composé se dissout dans l'eau en plus grande quantité que ne le laisse prévoir son seul K_{ps}?
  a) AgI ou Ag_2CO_3.   **c)** AgCl ou AgCN.
  b) $PbCO_3$ ou $PbCl_2$.

Les réactions de précipitation

39. Le carbonate de nickel (II) précipite-t-il si l'on ajoute à une solution contenant 0,0024 mol/L d'ions Ni^{2+} une quantité de carbonate de sodium solide telle que la concentration des ions CO_3^{2-} soit:
  a) égale à $1,0 \times 10^{-6}$ mol/L?
  b) 100 fois plus élevée ($1,0 \times 10^{-4}$ mol/L)?

$$NiCO_3 \ (s) \rightleftharpoons Ni^{2+} \ (aq) + CO_3^{2-} \ (aq)$$

40. L'hydroxyde de zinc précipite-t-il si l'on ajoute 4,0 mg de NaOH à 10 mL d'une solution dont la concentration en ions Zn^{2+} est $1,6 \times 10^{-4}$ mol/L?

41. L'eau de mer contient des ions Mg^{2+} de concentration 1350 mg/L. Calculez la concentration minimale des ions OH^- nécessaire pour amorcer la précipitation de $Mg(OH)_2$.

42. On mélange 25,0 mL d'une solution de NaOH de concentration 0,010 mol/L et 75,0 mL d'une solution de chlorure de magnésium de 0,10 mol/L. L'hydroxyde de magnésium précipite-t-il?

La solubilité et les ions complexes

43. L'iodure d'argent (AgI) peut se dissoudre dans une solution aqueuse de cyanure de sodium.

$$AgI \ (s) + 2 \ CN^- \ (aq) \rightleftharpoons [Ag(CN)_2]^- \ (aq) + I^- \ (aq)$$

Montrez que cette équation résulte de la somme de deux autres équations, l'une représentant la dissociation de AgI en ses ions et l'autre, la formation de l'ion $[Ag(CN)_2]^-$ à partir des ions Ag^+ et CN^-. Calculez la constante d'équilibre de la réaction ci-dessus, sachant que $K_{form}([Ag(CN)_2]^-) = 5,6 \times 10^{18}$.

44. Calculez la constante d'équilibre correspondant à la dissolution de AuCl par les ions CN^- en solution aqueuse, sachant que $K_{form}([Au(CN)_2]^-) = 2,0 \times 10^{38}$. Pourquoi le précipité AuCl, insoluble dans l'eau, se dissout-il dans une solution d'ions CN^-?

La séparation des ions

45. En vous référant à l'annexe E, trouvez un moyen de séparer par précipitation ces ions en solution, en n'utilisant qu'un seul réactif.
  a) Ba^{2+} et Na^+.   **c)** Cu^{2+} et Ag^+.
  b) Ni^{2+} et Pb^{2+}.   **d)** Al^{3+} et Fe^{3+}.

Questions de révision

Ces questions peuvent combiner plusieurs des concepts vus précédemment. Les numéros de couleur correspondent à des questions demandant plus de réflexion.

46. Vous mélangez 50,0 mL d'une solution de NH_3 0,40 mol/L avec 50,0 mL d'une solution de HCl 0,40 mol/L. Calculez la concentration des ions hydronium, ainsi que le pH de cette solution.

47. Calculez le pH des solutions résultantes suivantes.
  a) Volumes égaux d'acide acétique et d'hydroxyde de potassium, tous deux de concentration 0,10 mol/L.
  b) 25 mL d'une solution de NH_3 0,015 mol/L avec 12 mL d'une solution de HCl 0,015 mol/L.
  c) 150 mL d'une solution de HNO_3 0,20 mol/L avec 75 mL d'une solution de NaOH 0,40 mol/L.
  d) 25 mL d'une solution d'acide sulfurique 0,45 mol/L avec 25 mL d'une solution d'hydroxyde de sodium 0,90 mol/L.

48. La fluoration de l'eau, qui aide à la prévention de la carie dentaire, consiste à y ajouter un sel soluble contenant des ions F^- tel NaF. Si un échantillon d'eau dure contient environ $2,0 \times 10^{-3}$ mol/L d'ions Ca^{2+}, quelle concentration maximale de F^- peut-on ajouter avant que CaF_2 ne précipite?

▲ **Sources d'ions fluorure.** L'ajout d'ions fluorure à l'eau de consommation (ou au dentifrice) prévient la formation de la carie dentaire. Charles D. Winters

49. Calculez le pH d'une solution tampon préparée en dissolvant 5,15 g de NH_4NO_3 dans 0,10 L d'une solution de NH_3 de concentration 0,15 mol/L. Calculez le pH de la solution si celle-ci est diluée avec de l'eau jusqu'à ce que le volume soit de 500 mL.

50. On dose 25,0 mL d'une solution d'éthanolamine ($HOCH_2CH_2NH_2$) ($K_b = 3,2 \times 10^{-5}$) de concentration 0,010 mol/L par une solution de HCl 0,0095 mol/L.
   a) Écrivez l'équation de la réaction du dosage.
   b) Calculez le pH de la solution d'éthanolamine avant que le dosage commence.
   c) Calculez le pH au point équivalent.
   d) Calculez le pH au point de demi-équivalence.
   e) À l'aide de la figure 4.4, choisissez l'indicateur approprié.
   f) Calculez le pH après l'ajout de 5,00, de 10,0, de 20,0 et de 30,0 mL d'acide.
   g) Tracez la courbe de dosage à l'aide des résultats obtenus.

51. Vous ajoutez 5,0 mg de carbonate de strontium dans 1,0 L d'eau. La dissolution est-elle complète ? Sinon, combien de milligrammes se dissolvent-ils ?

52. Quel volume d'une solution de NaOH 0,150 mol/L faut-il ajouter à 100 mL d'une solution de H_3PO_4 0,230 mol/L pour préparer un tampon de pH 2,50 ?

53. Quelle masse de Na_3PO_4 doit-on dissoudre dans 80,0 mL d'une solution de HCl 0,200 mol/L pour préparer une solution tampon de pH 7,75 ?

54. Quel volume d'une solution de NaOH 0,120 mol/L faut-il ajouter à 100 mL d'une solution de $NaHC_2O_4$ de concentration 0,100 mol/L pour que la solution ait un pH 4,70 ?

55. Décrivez l'effet sur le pH lors de :
   a) l'ajout de CH_3COONa à une solution de CH_3COOH 0,100 mol/L ;
   b) l'ajout de $NaNO_3$ à une solution de HNO_3 0,100 mol/L.
   Pourquoi ces effets sont-ils différents ?

56. On prépare une solution tampon en dissolvant 1,50 g d'acide benzoïque (C_6H_5COOH) et 1,50 g de benzoate de sodium (C_6H_5COONa) dans 150,0 mL d'eau.
   a) Quel est son pH ?
   b) Quelle espèce du tampon faut-il lui ajouter pour que le pH soit 4,00 ? Calculez la masse nécessaire.
   c) Quel volume d'une solution de NaOH 2,0 mol/L ou d'une solution de HCl 2,0 mol/L doit-on ajouter à la solution tampon initiale pour que le pH soit 4,00 ?

57. Quel volume d'une solution de HCl 0,200 mol/L faut-il ajouter à 500,0 mL d'une solution de NH_3 0,250 mol/L pour préparer un tampon de pH 9,00 ?

58. Calculez la constante d'équilibre de la réaction :

$$Zn(OH)_2 \ (s) + 2 \ CN^- \ (aq) \rightleftharpoons Zn(CN)_2 \ (s) + 2 \ OH^- \ (aq)$$

L'équilibre favorise-t-il la réaction vers la droite ou vers la gauche ? L'hydroxyde de zinc peut-il se transformer en cyanure de zinc lorsqu'on lui ajoute un sel soluble formé d'un ion cyanure ?

59. Une solution contient 0,10 mol/L d'ions iodure et 0,10 mol/L d'ions carbonate.
   a) Si l'on ajoute lentement $Pb(NO_3)_2$ à la solution, quel sel précipitera en premier, PbI_2 ou $PbCO_3$?
   b) Quelle est la concentration résiduelle du premier ion précipité, CO_3^{2-} ou I^-, lorsque le second commence à précipiter ?

CHAPITRE 6

L'entropie et l'énergie de **Gibbs**

On n'a rien pour rien.

Le mouvement perpétuel

Par l'expression courante « Rien n'est gratuit », les économistes veulent signifier que toute chose estimable nécessite un effort, de l'argent ou de l'énergie pour l'obtenir. Cependant, bien des personnes ont essayé de contourner cet adage !

Ne serait-ce pas en effet formidable de posséder une machine à mouvement perpétuel, qui une fois mise en marche continuerait à fournir un travail utile et ne puiserait à aucune source extérieure d'énergie? Au cours des siècles, beaucoup de personnes se sont attaquées à ce problème, sans savoir, comme vous le verrez dans ce chapitre, qu'un tel engin contrevient aux lois fondamentales de la thermodynamique.

La machine imaginée par Robert Fludd dans les années 1600 figure parmi les plus connues de cette époque. Fludd était un scientifique renommé, qui prônait que le Soleil, non la Terre, était le centre de l'Univers, que le sang véhiculait dans notre organisme des gaz nécessaires à la vie, mais qui croyait aussi que les éclairs étaient la manifestation de Dieu.

En 1812, Charles Redheffer, de Philadelphie, mit au point une machine, qui selon ses dires ne requérait aucune énergie pour fonctionner. Il s'adressa aux autorités municipales pour se faire subventionner la construction d'un modèle plus grand, mais n'autorisa pas les conseillers à s'approcher de trop près de son prototype. Suspicieux, ils demandèrent à un ingénieur de leur ville, Isaiah Lukens, de bâtir une machine qui fonctionnerait selon le même principe que celui envisagé par Redheffer. Quand celui-ci vit la réplique fabriquée par Lukens, il décida qu'il valait mieux quitter la ville. Il se retrouva à New York, toujours à la recherche d'investisseurs. Il fut alors accusé de charlatanisme, cette fois par l'inventeur Robert Fulton, qui, invité à voir la machine, remarqua qu'elle fonctionnait de façon irrégulière et saccadée. Fulton paria avec Redheffer qu'il arriverait à percer le secret de sa source d'énergie et s'offrit même de le dédommager si son accusation n'était pas fondée. Redheffer n'aurait jamais dû accepter le défi ! Quand Fulton enleva quelques panneaux d'un mur proche de l'engin, il découvrit une cordelette dont l'extrémité se trouvait dans une autre pièce. Là, il trouva un homme âgé, mangeant d'une main un morceau de pain et, de l'autre… tournant une manivelle, mais pas assez régulièrement pour transmettre un mouvement continu stable à la mécanique. On ne revit plus Redheffer !

La majorité des prétendues machines à mouvement perpétuel contreviennent à la première loi de la thermodynamique. La chute d'eau de la machine de Fludd peut effectivement produire un travail mécanique utilisable, mais elle ne possède pas suffisamment d'énergie pour remonter l'eau dans le réservoir du haut et ainsi commencer un nouveau cycle. En outre, à cause de la friction, toute machine perd de l'énergie, généralement sous forme de chaleur dissipée dans l'atmosphère.

Dans les années 1880, John Gamgee inventa un « moteur à ammoniac » et tenta de persuader la Marine américaine de l'adopter comme moyen de propulsion des navires. Même le président Garfield prit le temps de l'inspecter ! La chaleur fournie par l'eau de mer ferait évaporer l'ammoniac liquide, la vapeur en expansion actionnerait un piston, tout comme dans un moteur à combustion actuel utilisant l'essence ou le diesel comme carburant. Sous l'effet de l'expansion, l'ammoniac se refroidirait et retournerait à l'état liquide. La réserve d'ammoniac liquide serait ainsi reconstituée et le cycle pourrait recommencer. Toute l'explication semble plausible, mais, comme toutes les autres machines, le moteur de Gamgee ne respecte pas les lois de la thermodynamique, le sujet de ce chapitre.

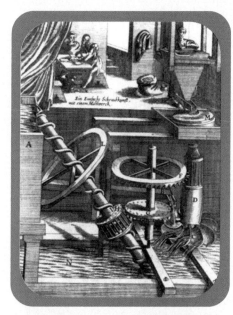

Une version de la fin du XVIIe siècle de la machine à mouvement perpétuel proposée par Fludd. L'eau s'écoulant d'un réservoir (à droite) actionne une roue à aubes, qui fournit ainsi du travail. Une partie de celui-ci sert à actionner une vis d'Archimède (l'axe oblique de gauche) : elle remonte l'eau, qui pourrait ainsi de nouveau s'écouler. Bibliothèque de l'université du Kentucky/Collection spéciale

6

Cascade de M. C. Escher, 1961. Cette lithographie est une réminiscence de la machine à mouvement perpétuel de Fludd. M. C. Escher's « Waterfall »
©Cardon Art B. V.–Baarn, Holland. Tous droits réservés

POINT DE MIRE

La spontanéité et l'évolution des réactions Les photographies ci-dessous illustrent le thème principal de ce chapitre : à quelles conditions un processus chimique est-il spontané ? Qu'est-ce qui fait qu'un changement chimique ou physique se produit dans une direction plutôt que dans l'autre et peut-on prévoir cette direction ?

LE TRANSFERT DE CHALEUR

▲ La chaleur se transfère spontanément d'un objet chaud à un objet plus froid.

UNE RÉACTION EXOTHERMIQUE FAVORISANT LES PRODUITS

▲ La réaction du sodium et du chlore

UNE RÉACTION ENDOTHERMIQUE FAVORISANT LES RÉACTIFS

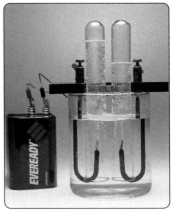

▲ La décomposition de l'eau par électrolyse

UN PROCÉDÉ ENDOTHERMIQUE FAVORISANT LES PRODUITS

▲ La chaleur dégagée par la main fait fondre le gallium.

PROCESSUS N'IMPLIQUANT AUCUN TRANSFERT D'ÉNERGIE

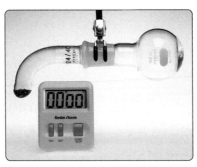

▲ Un gaz diffuse spontanément de l'endroit où il est produit dans tout le récipient.

Charles D. Winters

Dans le manuel *Chimie générale, il a été question à plusieurs reprises d'énergie. On y a exposé en particulier les différentes formes qu'elle peut prendre, sa conservation (premier principe de la thermodynamique), ses unités, les notions de chaleur et de température, la définition du système et du milieu extérieur, le transfert de chaleur, l'enthalpie. Dans ce chapitre, on se propose de revenir sur la notion d'énergie, mais de manière un peu plus théorique. On y explicitera les trois principes sur lesquels repose la thermodynamique chimique, de même que les différentes fonctions d'état les traduisant. Cet ensemble permet d'expliquer la spontanéité des changements physiques et chimiques de la matière, les forces motrices qui poussent un système à atteindre un état d'équilibre et de prévoir la direction de l'évolution d'une réaction.*

6.1 RAPPELS SUCCINCTS DES NOTIONS DE THERMOCHIMIE

6.1.1 L'énergie

L'**énergie** est la capacité d'effectuer du travail ou de fournir de la chaleur. Elle se présente sous différentes formes, appartenant à l'une ou l'autre des deux catégories suivantes: cinétique ou potentielle. La première découle du mouvement, la seconde est celle que possède la matière du fait de sa position ou de sa condition. Elle se transforme, tout en étant conservée: elle n'est ni créée ni détruite.

6.1.2 La chaleur et la température

La **chaleur** est un processus par lequel de l'énergie est transférée d'un corps à un autre à cause d'une différence de température. La **température** est liée à l'état d'une substance en termes de vitesse moyenne à laquelle se déplacent les particules la constituant. L'énergie thermique d'une substance dépend à la fois de sa quantité et de sa température.

6.1.3 Le système et le milieu extérieur

Un **système chimique fermé** est un ensemble de substances susceptibles ou non de réagir entre elles: il représente l'objet d'étude. La matière qu'il contient reste confinée à l'intérieur et seule l'énergie peut être échangée avec le **milieu extérieur (ou milieu ambiant, ou environnement)**.

6.1.4 Le transfert de chaleur et l'équilibre thermique

La chaleur se déplace toujours de l'objet le plus chaud vers celui le plus froid et le transfert s'arrête lorsque tous deux atteignent la même température (équilibre thermique). La quantité de chaleur perdue par l'objet le plus chaud est numériquement égale à celle gagnée par l'objet le plus froid.

6.1.5 Processus exothermique ou endothermique

Dans un **processus exothermique,** le système perd de la chaleur (q) au profit du milieu extérieur et sa température baisse. Une valeur négative est alors attribuée à q. À l'inverse, lors d'un **processus endothermique,** le système gagne de la chaleur fournie par le milieu extérieur et sa température augmente; q est alors affecté d'un signe positif.

Figure 6.1 L'équivalence entre le travail et la chaleur. Cette photographie montre l'appareil utilisé par Benjamin Thompson (1753-1814), comte de Rumford, pour décrire la relation existant entre le travail et la chaleur. Thompson a mesuré l'élévation de la température de l'eau d'un récipient (peu visible ici), conséquence directe du travail mécanique fourni pour faire tourner la manivelle.

6.2   LE PREMIER PRINCIPE DE LA THERMODYNAMIQUE

En *Chimie générale*, il n'a été question que de chaleur et il est temps d'aborder l'autre composante de l'énergie, le **travail**. Si un système fournit du travail à son environnement, une partie de son énergie est dépensée ; au contraire, on augmente le contenu énergétique d'un système en lui fournissant du travail (figure 6.1).

6.2.1   Le travail

Tout comme la chaleur, le travail effectué par un système ou par son environnement a pour conséquence une variation de l'énergie contenue dans le système (figure 6.2).

Une petite quantité de glace sèche, du dioxyde de carbone (CO_2) à l'état solide, est enfermée dans un sac en plastique, sur lequel on a déposé un livre.

a) De la glace sèche à -78 °C est déposée dans un sac en plastique. Sous l'effet de la chaleur fournie par le milieu extérieur, elle subit un changement d'état et devient gazeuse (sublimation).

b) Le gaz issu de la sublimation gonfle le sac en plastique, qui soulève le livre.

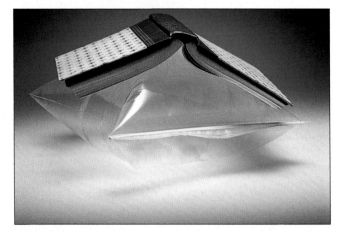

Figure 6.2 La variation d'énergie lors de la sublimation de la glace sèche. De la chaleur est absorbée par la glace sèche (CO_2 (s)) lors de sa sublimation. Le système effectue un travail contre la force de gravité en soulevant le livre.

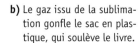

$$CO_2\ (s) \xrightarrow{\text{+ chaleur}} CO_2\ (g)$$

Le milieu ambiant continuant de fournir de la chaleur, le dioxyde de carbone gazeux prend de l'expansion, le sac se gonfle et le livre est soulevé. Tout travail est effectué dès que l'on déplace un objet quelconque contre une force qui s'y oppose :

c'est le cas dans cette expérience, la force gravitationnelle s'opposant à l'élévation du livre. Le système a donc dépensé de l'énergie pour effectuer ce travail.

Même si aucun objet n'avait été placé sur le sac, il y aurait eu malgré tout du travail, parce que le gaz doit combattre la pression atmosphérique pour prendre de l'expansion. Au lieu de déplacer un livre, le gaz repousse l'air et prend sa place.

6.2.2 L'énergie interne d'un système

Tout bilan énergétique d'un système doit tenir compte des deux quantités, la chaleur et le travail qu'il fournit ou reçoit entre son état initial et son état final. Il est assez logique d'admettre que l'énergie d'un système s'accroît de la chaleur ou du travail reçu ou, inversement, qu'elle diminue de la chaleur ou du travail fourni au milieu extérieur. Cela se traduit explicitement par l'égalité :

$$\Delta E = E_f - E_i = q + w$$

(Équation 6.1)

dans laquelle ΔE représente la variation de l'**énergie interne** (E) du système, E_f et E_i, respectivement l'énergie finale et l'énergie initiale, q et w, la chaleur et le travail échangés par le système. Les fonctions qui, comme E, ne dépendent que de l'état initial et de l'état final du système sont dites **fonctions d'état** : elles sont indépendantes de la façon dont le changement se produit entre ces deux situations.

L'équation 6.2 est l'expression mathématique du **premier principe de la thermodynamique** : *la variation d'énergie d'un système est égale à la somme de la chaleur et du travail échangés avec son environnement.* D'une autre façon, le premier principe affirme que *la somme de toutes les énergies d'un système qui n'échange ni chaleur (q = 0) ni travail (w = 0) avec l'extérieur est constante ($\Delta E = 0$).* L'énergie peut se transformer, mais elle ne peut être créée ou détruite : on rejoint ici le principe de la conservation de l'énergie.

L'énergie interne (E) représente toutes les énergies sous quelque forme que ce soit possédées par le système. Sa valeur ne peut être connue expérimentalement, mais fort heureusement ce n'est pas nécessaire. Comme l'indique l'équation 6.1, seule sa variation (ΔE) est importante et l'on peut la calculer à l'aide des valeurs expérimentales de q et de w.

En dehors du travail électrique, le travail w apparaissant dans l'équation 6.1 s'apparente souvent à un travail PV (pression, volume), travail mécanique associé au changement de volume (ΔV) résultant de l'effet d'une pression externe (P) (*voir l'encadré* Pour en savoir +... Le travail PV, page 240). Lorsque la pression externe est constante, la valeur du travail PV est donnée par l'équation 6.2 :

$$w = -P\Delta V$$

(Équation 6.2)

et lorsque ce travail est le seul mis en jeu, l'équation 6.1 devient :

$$\Delta E = q + w = q - P\Delta V$$

(Équation 6.3)

6

Le travail PV

Le travail mécanique est le produit de l'intensité (F) d'une force par la distance (d) parcourue dans sa direction par son point d'application.

$$w = \text{force} \times \text{distance} = Fd$$

Un système contenant un gaz échange du travail avec le milieu ambiant lorsque ce gaz se détend contre la pression extérieure (P_{ext}) ou lorsqu'il est comprimé par une pression extérieure plus élevée. Pour évaluer cet échange, considérez un gaz (le système) contenu dans un cylindre hypothétique fermé par un piston de surface (S). On suppose que la masse du piston est nulle et que son déplacement s'effectue sans frottement. La pression extérieure (P_{ext}) est constante (pression atmosphérique par exemple). Si la pression du gaz à l'intérieur du système est différente de la pression externe, le piston se déplace spontanément jusqu'à ce que les pressions deviennent égales.

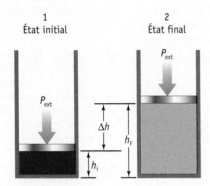

▲ Figure 1 L'expansion d'un gaz.

La force qu'exerce le milieu ambiant sur le piston est égale au produit de la pression extérieure par la surface du piston.

$$F = P_{ext}S$$

La distance dans l'expression du travail est représentée par la course du piston, $\Delta h = h_f - h_i$, h_f et h_i étant les hauteurs finale et initiale.

Le travail est alors égal à:

$$w = P_{ext}S\Delta h$$

Le volume occupé par le gaz dans le cylindre est égal au produit de la section (S) par la hauteur (h). Sa variation est égale à:

$$\Delta V = V_f - V_i = Sh_f - Sh_i = S(h_f - h_i) = S\Delta h$$

En remplaçant dans l'expression du travail $S\Delta h$ par la valeur ΔV, on aboutit à l'égalité:

$$w = P_{ext}\Delta V$$

Rappelez-vous les signes de convention appliqués à la chaleur: on affecte le signe « + » à la chaleur absorbée et le signe « - » à la chaleur dégagée. Cette même convention appliquée au travail conduit à introduire un signe « - » dans l'expression démontrée précédemment.

$$w = -P_{ext}\Delta V$$

En effet, lorsque le système accomplit un travail ($w < 0$), son volume s'accroît et ΔV est positif. Pour que w soit négatif, on doit introduire un signe « - » dans la formule.

À l'inverse, le travail mis en jeu lors de la compression d'un gaz par une force extérieure est positif: le système « absorbe » cette énergie. Dans ce cas, ΔV étant négatif, le signe « - » de la formule rétablit le signe positif pour w.

On a rassemblé dans le tableau 6.1 les signes de convention et leurs interprétations.

TABLEAU 6.1 Les signes de convention pour q et w de l'équation 6.1

Changements	Signes	Effets sur E et ΔE
Le système absorbe de la chaleur.	$q > 0$ (+)	E augmente, $\Delta E > 0$.
Le système dégage de la chaleur.	$q < 0$ (-)	E diminue, $\Delta E < 0$,
Le système reçoit du travail.	$w > 0$ (+)	E augmente, $\Delta E > 0$.
Le système effectue un travail.	$w < 0$ (-)	E diminue, $\Delta E < 0$.

6.2.3 L'énergie interne et l'enthalpie

La plupart des réactions chimiques effectuées en laboratoire ont généralement lieu dans des récipients ouverts soumis à la pression atmosphérique réputée constante. Il en est de même pour les processus biochimiques. Ces réactions à pression constante prennent tellement d'importance qu'il est pratique d'avoir une mesure particulière des échanges de chaleur soumis à cette condition.

Soit q_p la chaleur échangée lors d'un processus chimique se produisant à une pression constante (P). L'équation 6.3 devient dans ce cas:

$$\Delta E = q_p - P\Delta V$$

d'où l'on tire:

$$q_p = \Delta E + P\Delta V$$

En remplaçant ΔE et ΔV par leurs valeurs exprimées en fonction des états initial et final, on obtient:

$$q_p = (E_f - E_i) + P(V_f - V_i)$$

que l'on réarrange en:

$$q_p = (E_f + PV_f) - (E_i + PV_i)$$

En appelant l'**enthalpie** (H) l'expression ($E + PV$),

$$\boxed{H = E + PV}$$ (Équation 6.4)

on obtient finalement:

$$q_p = H_f - H_i = \Delta H$$

Ainsi, *la variation d'enthalpie d'un système* (ΔH) *représente la chaleur échangée avec l'environnement, à une pression constante.*

L'enthalpie, tout comme l'énergie interne, ne peut être mesurée, par contre ses variations sont mesurables expérimentalement. Le même signe de convention s'applique aux deux types d'énergies (E) et (H):
- des valeurs négatives de ΔH et ΔE veulent dire que le système a cédé de l'énergie à l'extérieur,
- et, évidemment, des valeurs positives signifient que de l'énergie a été transférée du milieu ambiant au système.

Si q_v représente la chaleur dégagée par une réaction effectuée à un volume constant, on déduit facilement de l'équation 6.3 que q_v est égal à ΔE.

$$\Delta E = q_v + w = q_v - P\Delta V = q_v - (P \times 0) = q_v$$

La variation d'énergie interne d'un système (ΔE) *représente la chaleur échangée avec l'environnement, à un volume constant.*

Pour différentes raisons, il n'est pas toujours possible de mesurer directement par calorimétrie les ΔH de réaction. On peut y arriver de façon détournée en utilisant le fait que H est une fonction d'état et en appliquant la **loi de Hess,** qui stipule simplement que *si une réaction est la somme de plusieurs réactions, sa variation d'enthalpie* (ΔH) *est égale à la somme des variations d'enthalpie de chacune des étapes.*

On appelle l'**enthalpie standard de formation** (ΔH_f^0) la variation d'enthalpie accompagnant la formation de 1 mol de composé à partir de ses éléments, toutes les substances se trouvant dans leur **état standard,** défini comme leur forme la

◆ *L'énergie interne et l'enthalpie*
La chaleur transférée à pression constante (q_p) équivaut à ΔH. Celle échangée à volume constant (q_v) équivaut à ΔE. Les deux grandeurs sont reliées par l'égalité $\Delta H = \Delta E - w$.

plus stable qui existe à la pression de 1 bar (exactement 100 kPa) et à la température spécifiée (généralement 298 K). Dans leur état standard, on a posé arbitrairement que l'enthalpie des éléments était égale à zéro. Pour une réaction quelconque, on démontre que :

$$\Delta H^0 = \sum[\Delta H_f^0(\text{produits})] - \sum[\Delta H_f^0(\text{réactifs})]$$

(Équation 6.5)

(*voir l'encadré* Pour en savoir +..., *page 172 de* Chimie générale).

6.2.4 L'équivalence entre le travail et la chaleur

L'énergie interne étant une fonction d'état, le premier principe énonce *l'équivalence entre le travail et la chaleur*, en plus de la conservation de l'énergie. Supposez, en effet, qu'un système subisse une série de changements qui le ramènent à son état initial : dans ce cas, $\Delta E = q + w = 0$, que l'on peut réarranger en $q = -w$. Le travail fourni par le système (négatif) est égal à la chaleur qu'il a reçue (positive) ou, inversement, le travail reçu par le système (positif) est égal à la chaleur libérée (négative). On doit toutefois remarquer que, si l'on peut transformer de la chaleur en travail, le premier principe ne dit pas que l'on peut réaliser cette transformation en totalité.

◆ *Les coefficients stœchiométriques fractionnaires*

Comme la plupart des grandeurs thermodynamiques s'appliquent à 1 mol de composé, il est courant de rencontrer des coefficients stœchiométriques fractionnaires dans les équations chimiques. Par exemple, pour définir le ΔH de la décomposition de 1 mol d'eau en ses éléments, on doit écrire l'équation sous la forme :

$$H_2O\ (l) \longrightarrow H_2\ (g) + \frac{1}{2}\ O_2\ (g)$$

6.3 LES RÉACTIONS SPONTANÉES ET L'ÉQUILIBRE

En plus d'évaluer les échanges énergétiques se produisant entre un système fermé et son environnement, la thermodynamique fournit la base pour déterminer la spontanéité des transformations, qu'elles soient chimiques (les réactions) ou physiques (la formation des mélanges, l'expansion des gaz, les changements d'état, pour n'en nommer que quelques-unes). *Un changement est dit **spontané** quand il se produit de lui-même sans aucune intervention extérieure.* La spontanéité ne renseigne en aucune façon sur la vitesse à laquelle il se passe, elle signifie seulement que le changement se produit naturellement et sans aide. De plus, une réaction spontanée conduit invariablement à un état d'équilibre.

Lorsqu'on immerge un morceau de métal chaud dans un becher d'eau froide, de la chaleur est transférée du métal à l'eau. L'échange se poursuit jusqu'à ce que l'équilibre thermique soit atteint. De la même manière, les réactions chimiques évoluent jusqu'à atteindre un équilibre. Certaines favorisent grandement les produits, comme celle du sodium et du chlore, et d'autres, les réactifs, comme la dissolution d'un sel « insoluble » tel $PbCl_2$. Ajoutez une pincée de ce sel dans un peu d'eau : il se dissout spontanément jusqu'à ce que l'équilibre soit atteint ($Q = K_{ps}$), mais la majeure partie reste à l'état solide.

Lorsqu'on considère les processus chimiques et physiques, on s'attarde toujours sur les transformations qui doivent se produire pour que l'équilibre soit réalisé. Les facteurs qui déterminent la direction empruntée pour réaliser le changement feront l'objet des sections suivantes.

6.4 LA CHALEUR ET LA SPONTANÉITÉ

Dans les chapitres précédents, il a été beaucoup question de réactions évoluant favorablement vers les produits : O_2 et H_2 se combinent pour former de l'eau, la combustion du méthane dégage de l'eau et du dioxyde de carbone, Na réagit avec Cl_2 en donnant NaCl, HCl (aq) et NaOH (aq) réagissent en formant de l'eau et NaCl (aq). Toutes ces transformations ont lieu spontanément et sont pratiquement totales lorsque l'état d'équilibre est atteint. Toutes ces réactions et bien d'autres ont un point commun : elles sont exothermiques. Ainsi, il serait tentant de conclure que l'échange de chaleur est le facteur déterminant de la spontanéité des réactions. Ce ne serait cependant pas exact : pour s'en rendre compte, il suffit d'examiner quelques transformations physiques endothermiques ou à échange d'énergie nul.

- *L'expansion d'un gaz dans le vide.* Lorsqu'on ouvre le robinet séparant un flacon rempli de gaz d'un autre dans lequel on a fait le vide, le gaz envahit spontanément le second récipient jusqu'à ce que la pression devienne uniforme. Ce processus d'expansion d'un gaz idéal ne met en jeu aucune énergie.

- *Les changements d'état.* La fonte de la glace est endothermique, elle nécessite environ 6 kJ/mol. À des températures supérieures à 0 °C, la transformation est spontanée. Cependant, sous 0 °C, elle ne fond pas : le processus n'est alors pas spontané. À 0 °C, l'état d'équilibre est atteint. Cet exemple illustre le fait que la température joue un rôle dans la spontanéité des réactions : on reviendra sur ce fait dans les sections 6.7.4 et 6.8.5.

- *Le transfert de chaleur.* La température d'une boisson fraîche s'élève jusqu'à atteindre celle de son environnement, la chaleur requise pour faire cela étant fournie par le milieu externe. Le transfert de chaleur d'un objet à un autre objet plus froid est spontané.

- *La dissolution de NH_4Cl.* Le chlorure d'ammonium se dissout spontanément dans l'eau selon un processus endothermique ($\Delta H^0 = 14{,}89$ kJ/mol).

On peut pousser plus loin l'investigation de la spontanéité en examinant la réaction :

$$H_2\ (g)\ +\ I_2\ (g)\ \rightleftharpoons\ 2\ HI\ (g)$$

L'équilibre du système peut être atteint à partir des réactifs ou des produits (*voir la section 3.2, page 106*). La réaction directe est endothermique ; malgré cela, elle se produit de façon spontanée jusqu'à l'établissement d'un état d'équilibre entre H_2, I_2 et HI. La réaction inverse de décomposition de HI en ses éléments jusqu'à l'équilibre est elle aussi spontanée, mais, cette fois, la transformation dégage de la chaleur. L'état d'équilibre s'établit spontanément quelle que soit la direction de l'évolution du système.

On conclut de ces exemples que l'échange de chaleur n'est pas un critère suffisant pour déterminer si un processus est spontané ou non. Il faut donc chercher plus loin que le transfert de chaleur et le premier principe de la thermodynamique pour trouver une explication à la spontanéité des réactions.

6.5 L'ENTROPIE ET LE DEUXIÈME PRINCIPE DE LA THERMODYNAMIQUE

La recherche d'une manière de prévoir la spontanéité d'une transformation a conduit à une nouvelle fonction thermodynamique, l'**entropie (*S*)** associée au désordre et à l'énoncé du **deuxième principe** : *dans tout processus spontané, l'entropie de l'univers s'accroît.* Ce principe permet de prévoir les conditions régnant à l'équilibre aussi bien que la direction de l'évolution d'une transformation vers cet équilibre. Finalement, on en déduit une autre fonction liant l'ampleur de l'écart à la position d'équilibre et l'ampleur de la tendance à s'y rendre.

L'entropie est un concept édifié autour de l'idée que *les transformations spontanées se traduisent par une dispersion de la matière et de l'énergie.* Son traitement théorique, qui repose entièrement sur les statistiques avancées, déborde le cadre de ce manuel. On peut néanmoins en saisir la signification et l'illustrer à l'aide de quelques exemples.

6.5.1 La dispersion de la matière

L'expansion d'un gaz dans le vide illustre très bien la dispersion de la matière. Imaginez deux ballons identiques reliés par une tubulure munie d'un robinet (figure 6.3 **a**). Initialement, le ballon de gauche A est rempli d'un gaz considéré comme parfait, tandis que l'on a fait le vide dans celui de droite B. Lorsqu'on ouvre le robinet, il est hautement probable que le gaz se déplace de A vers B jusqu'à égalisation de la pression. La probabilité que le processus inverse, à savoir le regroupement de toutes les molécules dans l'un ou l'autre des flacons, se produise est extrêmement faible. De la même façon, les chances qu'un composé soluble dans l'eau se distribue dans toute la solution au bout d'un certain temps sont très élevées (figure 6.3 **b**).

Pour comprendre comment on manipule les probabilités pour expliquer ces situations, supposez que le flacon A contienne à l'origine deux molécules identifiées 1 et 2, qui se déplacent au hasard dans tout le volume une fois le robinet ouvert. À n'importe quel instant, les molécules se trouvent dans une des quatre possibilités suivantes: les deux molécules dans A, les deux molécules dans B, un dans A et deux dans B, ou encore un dans B et deux dans A (figure 6.3 **b**). La probabilité de trouver une seule molécule dans chacun des ballons est de 50 %, celle de trouver les deux dans A, 25 %, et dans B, 25 %.

Si maintenant on considérait à l'origine trois molécules dans A au lieu de deux, on trouverait qu'il y a une chance sur huit qu'elles restent dans A. Avec 10 molécules, les chances tomberaient à 1 sur 1024. Dans un système à deux ballons, on démontre que la probabilité de n molécules de rester dans le flacon initial est égale à $\left(\dfrac{1}{2}\right)^{n}$. Si le flacon A contenait 1 mol de molécules, la probabilité qu'elles se trouvent uniquement dans le flacon initial serait de $\left(\dfrac{1}{2}\right)^{N}$, nombre si petit qu'on ne peut même l'imaginer! Une quantité égale de molécules dans chacun des deux ballons constitue, selon les calculs théoriques, la situation la plus probable.

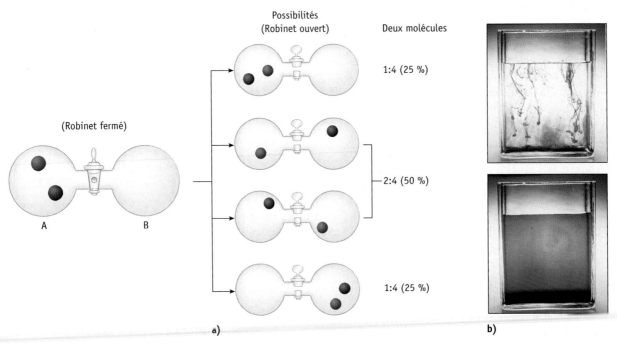

Figure 6.3 La dispersion de la matière. a) L'expansion d'un gaz dans le vide. Il existe dans ce système quatre possibilités de répartition de deux molécules. Il y a 50 % de chances qu'il y ait à tout instant une molécule dans chacun des ballons. **b)** On laisse tomber quelques cristaux de permanganate de potassium de couleur violette dans un aquarium rempli d'eau (en haut). Avec le temps, tout le solide se dissout et les ions très colorés MnO_4^-, de même que K^+, se dispersent dans toute la solution. Charles D. Winters

On peut appliquer ce même raisonnement au mélange de deux gaz. Lorsqu'on ouvre le robinet reliant deux ballons, l'un contenant initialement de l'oxygène et l'autre, de l'azote par exemple, les deux gaz diffusent l'un dans l'autre et le résultat final est un mélange homogène d'oxygène et d'azote remplissant les deux flacons. Ces deux gaz ne se séparent pas, sans aucune intervention extérieure, en oxygène d'un côté et en azote de l'autre. On note un point important : mélanger de l'oxygène et de l'azote donne toujours un système final moins ordonné.

La tendance d'un système à se transformer en un autre moins ordonné explique aussi la dispersion totale à la longue des cristaux de KMnO$_4$ dissous dans un certain volume d'eau (figure 6.3 **b**). Le changement conduit à un mélange, un système moins ordonné.

On constate aussi à partir de ces exemples de dispersion de la matière que, si l'on veut rassembler toutes les molécules de la figure 6.3 dans un des deux ballons ou récupérer KMnO$_4$ sous forme cristalline, il faut agir sur le système. On pourrait, par exemple, utiliser un piston pour forcer toutes les molécules de gaz à se déplacer vers un des deux flacons ou abaisser radicalement la température (figure 6.4). Dans ce dernier cas, l'énergie cinétique des molécules décroît considérablement.

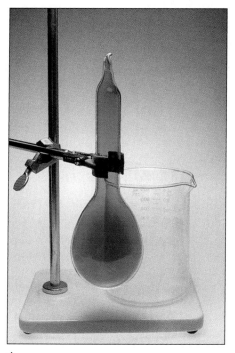

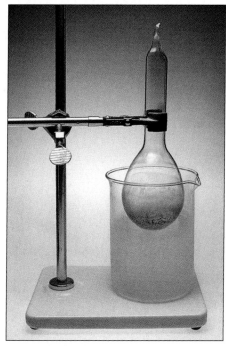

a) b)

Figure 6.4 L'inversion du processus de dispersion de la matière. a) Le dioxyde d'azote (NO$_2$), de couleur brun rougeâtre, est dispersé de façon homogène dans toute la fiole. **b)** L'immersion de la fiole dans l'azote liquide (-196 °C) fait en sorte que l'énergie cinétique des molécules de NO$_2$ diminue tellement qu'elles passent à l'état solide et se déposent sur la paroi. Charles D. Winters

La formation d'un mélange se traduit-elle toujours par un plus grand désordre ? À l'état gazeux, la réponse est positive. C'est généralement vrai aussi à l'état liquide ou solide, mais pas toujours. Il existe des exceptions, principalement dans les solutions aqueuses. Par exemple, les ions Li$^+$ et OH$^-$, faisant partie d'une structure cristalline très ordonnée à l'état solide (*voir le chapitre 8 de* Chimie générale), deviennent libres en solution aqueuse et le désordre est alors plus grand. Cependant, la dissolution s'accompagne d'une solvatation, au cours de laquelle des molécules d'eau se lient aux ions. De ce fait, celles-ci sont forcées de subir un arrangement plus ordonné que celui qui existe dans l'eau pure. Les deux effets sont opposés : augmentation du désordre pour les ions Li^+ et OH^- lors de l'effondrement du réseau cristallin et augmentation de l'ordre dans les molécules d'eau à cause de la solvatation (figure 6.5). L'effet de la solvatation prédomine dans ce cas, si bien que la solution est plus ordonnée que le système initial.

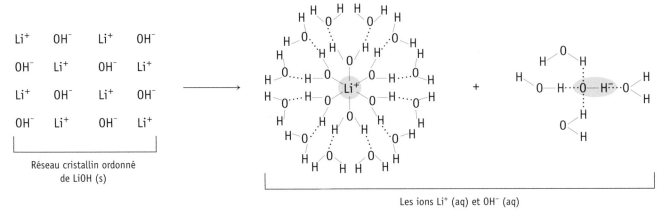

Li^+	OH^-	Li^+	OH^-
OH^-	Li^+	OH^-	Li^+
Li^+	OH^-	Li^+	OH^-
OH^-	Li^+	OH^-	Li^+

Réseau cristallin ordonné
de LiOH (s)

Les ions Li^+ (aq) et OH^- (aq)

Figure 6.5 L'ordre et le désordre dans les solides et les solutions. L'hydroxyde de lithium est un solide cristallin. Il se dissout dans l'eau et ses ions interagissent avec les molécules du solvant. Il en résulte un arrangement plus ordonné dans la solution que dans l'eau pure.

6.5.2 La dispersion de l'énergie

La dispersion de l'énergie sur le plus grand nombre possible de molécules ou d'atomes favorise aussi les processus. Imaginez le transfert de chaleur entre deux échantillons contenant des atomes à l'état gazeux, à des températures différentes (figure 6.6). Des collisions entre atomes chauds et atomes froids, inévitables à cause de leur déplacement erratique, rendent possible le transfert de chaleur. Ces impacts obéissent à la loi de la conservation de l'énergie : celle qui est perdue par l'un est gagnée par l'autre. À la longue, le système se stabilise à une température intermédiaire : dans cette situation d'équilibre thermique, tout échantillon de gaz possède la même distribution énergétique (*voir la section 9.5 de* Chimie générale).

Les statistiques viennent de nouveau en aide pour expliquer la distribution de l'énergie dans un système. Supposez que le système initial contienne deux atomes chauds, 1 et 2 (jaunes), et deux atomes froids, 3 et 4 (mauves). Les collisions entraînent des transferts énergétiques, tels que les deux quantités d'énergie initiales portées par les atomes chauds se trouvent finalement réparties sur les quatre atomes. Il existe 10 manières de les distribuer entre 4 atomes (figure 6.7). Dans seulement 3 des 10 possibilités, (les cas 1,1, 1,2 et 2,2), l'énergie reste associée aux atomes initiaux 1 et 2. Dans cet exemple à 4 atomes, il y a 70 % de chances que cette énergie soit transférée en tout ou en partie des atomes 1 et 2 à l'atome 3 ou 4.

Plus nombreux sont les atomes et les quantités d'énergie à échanger entre eux, plus grande est la probabilité de dispersion de l'énergie sur tous les atomes. Dans 1 mol, sa dispersion sur le plus grand nombre d'atomes constitue la situation la plus probable.

6.5.3 Résumé : dispersion de la matière et de l'énergie

L'état final d'un système devient plus probable que son état initial si l'une ou l'autre de ces conditions, ou les deux, sont posées : 1) le désordre augmente, 2) l'énergie ou la matière est répartie sur un plus grand nombre d'atomes ou de molécules :

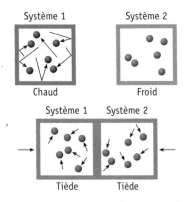

Système 1   Système 2

Chaud   Froid

Système 1   Système 2

Tiède   Tiède

Figure 6.6 Le transfert d'énergie entre molécules en phase gazeuse.

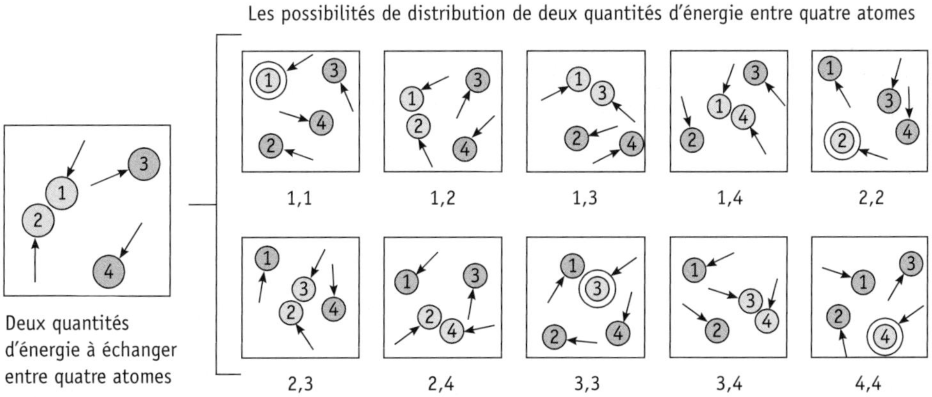

Les possibilités de distribution de deux quantités d'énergie entre quatre atomes

Figure 6.7 La dispersion de l'énergie. Les 10 possibilités de distribution de 2 quantités d'énergie entre 4 atomes.

- si l'énergie et la matière sont toutes deux plus dispersées, la transformation envisagée est à coup sûr spontanée;
- si seulement la matière ou seulement l'énergie est plus dispersée, on ne peut *a priori* décider de la spontanéité de la transformation;
- si ni la matière ni l'énergie ne sont pas plus dispersées à la fin du processus envisagé, on peut conclure que celui-ci ne sera jamais spontané.

6.6 L'ENTROPIE ET LE TROISIÈME PRINCIPE DE LA THERMODYNAMIQUE

L'entropie (S) sert à évaluer le degré de désordre résultant de la dispersion de l'énergie et de la matière. Plus grand est le désordre d'un système, plus grande est son entropie.

Tout comme l'énergie interne (E) et l'enthalpie (H), l'entropie est une fonction d'état. Cela signifie que sa variation accompagnant toute transformation dépend uniquement de l'état initial du système et de son état final: ce point est important, car il est à la base de la détermination des valeurs de S, comme on le verra plus loin.

6.6.1 Le troisième principe de la thermodynamique

Le **troisième principe de la thermodynamique** énoncé par Ludwig Boltzmann fixe le point de référence de l'entropie: *l'entropie des solides cristallins est nulle à 0 K*. L'entropie d'un élément ou d'un composé dans des conditions quelconques représente donc l'entropie gagnée lors de la conversion de la substance de 0 K aux conditions spécifiées. L'entropie d'une substance à n'importe quelle température peut être obtenue en mesurant la chaleur fournie pour élever la température à partir de 0 K, à condition que la transformation soit conduite de manière **réversible,** ou idéale. Une transformation réversible est, par définition, infiniment lente et constituée d'une succession d'états d'équilibre: on peut s'en approcher en y ajoutant lentement de toutes petites quantités de chaleur. À chaque ajout, l'entropie augmente de:

$$\Delta S = \frac{q_{\text{rév}}}{T}$$

(Équation 6.6)

Ludwig Boltzmann (1844-1906)

L'équation qui porte son nom, $S = k \log W$, est gravée sur la tombe de Ludwig Boltzmann, à Vienne (Autriche). Dans cette égalité, k porte de nos jours le nom de constante de Boltzmann, tandis que W représente le nombre d'arrangements possibles dans l'espace des atomes ou des molécules dans un état donné. Collection Oesper dans l'*Histoire de la chimie*, Université de Cincinnati

$q_{rév}$ symbolisant la chaleur absorbée de façon réversible et T la température Kelvin à laquelle la transformation se produit. L'addition de tous ces incréments (ΔS) donne l'entropie totale de la substance (l'entropie de toutes les substances à $T > 0$ K est positive, puisqu'il faut fournir de la chaleur pour augmenter la température).

L'**entropie molaire standard (S^0)** d'une substance est son gain d'entropie lors du passage de 1 mol de l'état cristallin parfait à 0 K aux conditions standards (1 bar, $T > 0$ K; cas des solutions: 1 m, $T > 0$ K). Elle a pour unité SI le J/(K·mol) ou J·K^{-1}·mol^{-1}. Quelques valeurs, à $T = 298$ K, sont données dans le tableau 6.2.

TABLEAU 6.2 Les valeurs de S^0 de quelques éléments et composés, à 298 K

Éléments	S^0 (J·K^{-1}·mol^{-1})	Composés	S^0 (J·K^{-1}·mol^{-1})
C (graphite)	5,6	CH_4 (g)	186,3
C (diamant)	2,377	C_2H_6 (g)	229,2
C (vapeur)	158,1	C_3H_8 (g)	270,3
Ca (s)	41,59	CH_3OH (l)	127,2
Ar (g)	154,9	CO (g)	197,7
H_2 (g)	130,7	CO_2 (g)	213,7
O_2 (g)	205,1	H_2O (g)	188,84
N_2 (g)	191,6	H_2O (l)	69,95
F_2 (g)	202,8	HCl (g)	186,2
Cl_2 (g)	223,1	NaCl (s)	72,11
Br_2 (l)	152,2	MgO (s)	26,85
I_2 (s)	116,1	$CaCO_3$ (s)	91,7

De ce tableau, on peut tirer les généralisations suivantes.
- Pour une même substance ou pour des substances similaires, les entropies à l'état gazeux sont plus élevées qu'à l'état liquide, elles-mêmes plus élevées qu'à l'état solide. Dans un solide, les particules occupent des positions fixes à l'intérieur du réseau. Quand il fond, ses particules ont plus de latitude pour occuper différentes positions: cela se traduit par un plus grand désordre (figure 6.8). Lors de l'évaporation du liquide, les restrictions dans le déplacement dues aux forces intermoléculaires disparaissent presque complètement, si bien que l'entropie croît considérablement. Par exemple, les entropies de I_2 (s), Br_2 (l) et de Cl_2 (g) sont respectivement égales à 116,1, 152,2 et 223,1 J·K^{-1}·mol^{-1}; celle du carbone passe de 5,6 dans le graphite solide à 158,1 à l'état gazeux.
- Généralement, les grosses molécules et celles possédant des structures complexes ont des entropies plus élevées que les molécules plus petites ou plus simples. Dans les composés relativement complexes, il existe plus de possibilités de vibration, de rotation et de déformation que dans les composés plus simples: dans la série des alcanes par exemple, l'entropie passe de 186,3 J·K^{-1}·mol^{-1} pour le méthane (CH_4) à 229,2 pour l'éthane (C_2H_6) et à 270,3 pour le propane (C_3H_8). L'effet de la structure moléculaire peut être entrevu en comparant les entropies de trois composés de masse molaire voisine: l'entropie augmente de l'argon (Ar), 154,9 J·K^{-1}·mol^{-1}, au dioxyde de carbone (CO_2), 213,7, et au propane (C_3H_8), 270,3.

L'entropie d'une substance augmente avec la température et la variation est grande lors des changements d'état (figure 6.9).

S^0 (J·K^{-1}·mol^{-1})

186,3

Méthane

229,2

Éthane

270,3

Propane

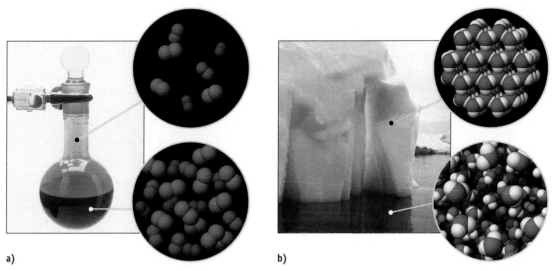

a)   b)

Figure 6.8 L'entropie et les états de la matière. a) L'entropie standard du brome passe de 152,2 J·K^{-1}·mol^{-1} à l'état liquide à 175,0 J·K^{-1}·mol^{-1} à l'état gazeux. **b)** L'entropie standard de la glace, un composé très ordonné, est plus petite que celle de l'eau liquide moins organisée. Charles D. Winters

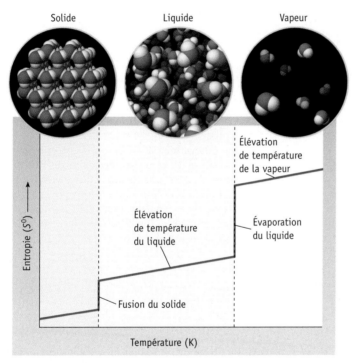

Figure 6.9 L'entropie et la température. Dans chacun des trois états, l'entropie augmente avec la température. Une variation particulièrement grande accompagne les changements de phase.

EXEMPLE 6.1 **La comparaison des entropies**

Pour chacune des paires suivantes de composés, déterminez celui qui possède l'entropie la plus élevée. Justifiez votre réponse et vérifiez-la à l'aide des données qui se trouvent en annexe G (*voir la page 324*).

a) NO_2 (g) et N_2O_4 (g)   b) I_2 (g) et I_2 (s)

SOLUTION

L'entropie décroît dans l'ordre : gaz > liquide > solide ; les molécules plus grosses ont généralement une entropie plus élevée que les plus petites.

pour en savoir+...

Les transformations réversible et irréversible

La quantité de chaleur déterminant le changement d'entropie d'une substance ou d'un système doit être mesurée selon un *processus réversible*. Qu'entend-on par ce qualificatif et pourquoi est-il important?

La fonte de la glace ou la congélation de l'eau à 0 °C est un exemple d'un processus réversible. L'ajout de chaleur par petites portions successives fait fondre la glace; par contre, un refroidissement graduel et lent reconvertit l'eau en glace. On dit qu'un processus est réversible si, après avoir apporté un changement à un système selon un processus donné (dans ce cas, un apport de chaleur), il est possible de revenir à l'état initial par le même procédé (refroidissement) sans que l'environnement en soit altéré.

La réversibilité est associée étroitement à la notion d'équilibre. Partant d'un système eau-glace en équilibre, on peut y apporter des changements en ne le perturbant que très peu et en le laissant se réajuster constamment. Pour faire cela, on ajoute ou on extrait de la chaleur par petits incréments.

Les transformations spontanées ne sont pas réversibles: le changement ne peut s'effectuer que dans un seul sens. Prenez l'exemple de l'expansion spontanée d'un gaz dans le vide. Aucun travail n'est fourni dans ce changement parce qu'aucune force ne résiste à l'expansion. Pour revenir à l'état initial, il est nécessaire de comprimer le gaz, mais, en faisant cela, on fournit du travail au système. Le contenu énergétique de l'environnement diminue alors. On peut ainsi revenir à l'état original du système, mais uniquement en modifiant l'état du milieu extérieur.

En résumé:

- à chaque étape d'un processus réversible entre un état initial et un état final, le système est toujours en équilibre;

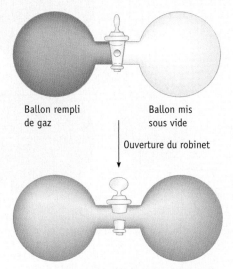

Ballon rempli de gaz   Ballon mis sous vide

Ouverture du robinet

Le gaz se dilate de façon irréversible et occupe tout le volume.

▲ **L'expansion d'un gaz dans le vide est un phénomène irréversible.** Pour revenir aux conditions initiales de pression et de volume, on doit fournir du travail au système.

- les transformations spontanées sont irréversibles et hors équilibre.

Pour déterminer la variation d'entropie accompagnant une transformation, il est nécessaire de suivre un chemin réversible. Ce n'est que lorsque cette condition est satisfaite, ou très proche de l'être, que l'entropie peut être calculée en partant de la chaleur échangée mesurée lors du processus ($q_{rév}$) et de la température (T) à laquelle le changement se produit.

---

a) NO_2 et N_2O_4 sont tous deux des gaz. Puisque la molécule de N_2O_4 est plus grosse que celle de NO_2, on s'attend à ce que son entropie soit plus élevée que celle de NO_2. C'est effectivement le cas: 304,4 J·K⁻¹·mol⁻¹ pour la première et 240,0 pour la seconde.

b) L'entropie des gaz est plus élevée que celle des solides: S^0 de I_2 (g), 260,7 J·K⁻¹·mol⁻¹ est plus grande que S^0 de I_2 (s), 116,1.

EXERCICE 6.1 **La comparaison des entropies**

Pour chacune des paires suivantes de composés, déterminez celui qui possède l'entropie la plus élevée. Justifiez votre réponse.

a) O_2 (g) et O_3 (g).   b) $SnCl_4$ (l) et $SnCl_4$ (g).

6.6.2 La variation d'entropie lors des transformations physiques ou chimiques

On peut calculer la variation d'entropie (ΔS^0) d'une transformation quelconque d'un système dans les conditions standards de la même façon que l'on calcule sa variation d'enthalpie (ΔH^0).

$$\Delta S^0 = \sum[S^0(\text{produits})] - \sum[S^0(\text{réactifs})] \qquad \text{(Équation 6.7)}$$

À titre d'exemple, calculez la variation d'entropie standard de la réaction d'oxydation de NO (g) par O_2 (g).

$$2\ NO\ (g) + O_2\ (g) \longrightarrow 2\ NO_2\ (g)$$

$\Delta S^0 = (2\ \text{mol de}\ NO_2 \times 240{,}0\ \text{J·K}^{-1}\text{·mol}^{-1}) - [(2\ \text{mol de}\ NO \times 210{,}8\ \text{J·K}^{-1}\text{·mol}^{-1}) +$
$\qquad (1\ \text{mol de}\ O_2 \times 205{,}1\ \text{J·K}^{-1}\text{·mol}^{-1})]$

$\quad = \text{-146,7 J·K}^{-1}$

ou -73,35 J·K^{-1} par mole de NO_2 formé. Remarquez que l'entropie du système diminue, comme on peut s'y attendre d'une réaction qui transforme trois molécules en deux nouvelles, toutes dans le même état (gazeux).

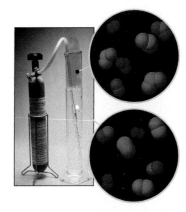

▲ **La réaction entre NO et O₂.**
L'entropie du système décroît parce que trois moles de gaz n'en produisent que deux.
Charles D. Winters

6

trucs et astuces

Les transformations favorisées par l'entropie

À ce stade de l'étude, on peut résumer les quelques résultats concernant les variations d'entropie.
- Le désordre, donc l'entropie, augmente lorsqu'une substance passe de l'état solide à l'état liquide et à l'état gazeux.

- L'entropie d'une substance augmente avec la température. Comme il faut fournir de la chaleur à un système pour augmenter sa température ($q > 0$), $\frac{q_{\text{rév}}}{T}$ est nécessairement positif.

- L'entropie d'un gaz augmente avec son volume. Un espace plus vaste procure plus de places de « position-

nement » des molécules à l'état gazeux.

- À l'issue d'une réaction à l'état gazeux, lorsque le nombre final de molécules de produits est supérieur au nombre initial de molécules de réactifs, l'entropie du système a augmenté.

EXEMPLE 6.2 **Le calcul de la variation d'entropie standard (ΔS^0)**

Calculez les variations d'entropie standard des transformations suivantes. Reflètent-elles ce à quoi on peut s'attendre des considérations théoriques?

a) Évaporation de 1 mol d'éthanol (C_2H_5OH).

b) Oxydation de 1 mol d'éthanol en dioxyde de carbone et eau, à l'état gazeux.

SOLUTION
a) Évaporation de l'éthanol.

$$C_2H_5OH\ (l) \longrightarrow C_2H_5OH\ (g) \qquad \Delta S^0 = \sum[S^0(\text{produits})] - \sum[S^0(\text{réactifs})]$$

$\Delta S^0 = S^0(C_2H_5OH\ (g)) - S^0(C_2H_5OH\ (l))$

$\quad = (1\ \text{mol} \times 282{,}7\ \text{J·K}^{-1}\text{·mol}^{-1}) - (1\ \text{mol} \times 160{,}7\ \text{J·K}^{-1}\text{·mol}^{-1})$

$\quad = 122\ \text{J·K}^{-1}$

L'entropie augmente beaucoup, puisque le système passe de l'état liquide relativement ordonné à l'état gazeux très désordonné.

b) C_2H_5OH (g) + 3 O_2 (g) $\longrightarrow$ 2 CO_2 (g) + 3 H_2O (g)

$\Delta S^0 = 2\ S^0(CO_2\ (g)) + 3\ S^0(H_2O\ (g)) - [S^0(C_2H_5OH\ (g)) + 3\ S^0(O_2\ (g))]$
$= (2\ \text{mol} \times 213{,}7\ \text{J·K}^{-1}\text{·mol}^{-1}) + (3\ \text{mol} \times 188{,}8\ \text{J·K}^{-1}\text{·mol}^{-1}) -$
$[(1\ \text{mol} \times 282{,}7\ \text{J·K}^{-1}\text{·mol}^{-1}) + (3\ \text{mol} \times 205{,}1\ \text{J·K}^{-1}\text{·mol}^{-1})] = 95{,}80\ \text{J·K}^{-1}$

On pouvait prévoir un résultat positif, puisque la réaction fait passer le nombre de moles de gaz de 4 à 5.

EXERCICE 6.2   **Le calcul de la variation d'entropie standard (ΔS^0)**

Calculez les variations d'entropie standard des transformations suivantes. Reflètent-elles ce à quoi on peut s'attendre des considérations théoriques?

a) Dissolution de 1 mol de NH_4Cl (s) dans l'eau.

b) Formation de 2 mol de NH_3 (g) à partir de N_2 (g) et H_2 (g).

S^0 (J/(K·mol)), à 298 K:

NH_4Cl (s): 94,85	NH_4Cl (aq): 169,9	
NH_3 (g): 192,77	N_2 (g): 191,56	H_2 (g): 130,7

6.7   LES VARIATIONS D'ENTROPIE

Comment peut-on prévoir qu'une transformation s'effectue de manière spontanée? L'entropie fait partie de la réponse à cette question, mais, comme on l'a vu précédemment, elle peut diminuer (oxydation de NO) ou augmenter (évaporation et oxydation de l'éthanol). Le deuxième principe fournit la réponse: *un changement spontané est toujours accompagné d'un accroissement de l'entropie de l'univers.* Cet énoncé implique qu'il faut mettre en relation la variation d'entropie du système et celle de son milieu extérieur. L'univers (univ) est composé de deux parties: le système (sys) et son milieu extérieur (ext) (*voir la section 6.1.3, page 237*). La variation d'entropie de l'univers est égale à la somme de la variation d'entropie du système et de celle de son environnement.

$$\Delta S_{\text{univ}} = \Delta S_{\text{sys}} + \Delta S_{\text{ext}} \qquad \text{(Équation 6.8)}$$

Le deuxième principe stipule que ΔS_{univ} est positif pour une transformation spontanée. Une valeur négative signifie que le processus tel que décrit par l'équation chimique ne peut être spontané. Une valeur nulle veut dire que le système est en équilibre.

On peut écrire une équation similaire à la précédente lorsque la transformation envisagée se produit dans les conditions standards.

$$\Delta S^0_{\text{univ}} = \Delta S^0_{\text{sys}} + \Delta S^0_{\text{ext}} \qquad \text{(Équation 6.9)}$$

ΔS^0_{univ} de l'équation 6.9 représente la variation d'entropie de l'univers lorsque tous les réactifs et les produits sont considérés dans leur état standard. On décrira dans les sections suivantes les calculs aboutissant à la détermination de ΔS^0_{univ}, à l'aide de l'exemple de la synthèse industrielle du méthanol.

$$CO\ (g) + 2\ H_2\ (g) \longrightarrow CH_3OH\ (l)$$

◆ *La spontanéité et le deuxième principe*

Une augmentation d'entropie de l'univers accompagne toujours une transformation spontanée. Ce comportement diffère de l'enthalpie et de l'énergie interne. Selon le premier principe, l'énergie de l'univers reste constante.

◆ *La signification de ΔS^0_{univ}*

Changement spontané: $\Delta S^0_{\text{univ}} > 0$.

Système en équilibre: $\Delta S^0_{\text{univ}} = 0$.

Changement non spontané: $\Delta S^0_{\text{univ}} < 0$.

6.7.1   Le calcul de ΔS^0_{sys}

Ce type de calculs a été explicité dans l'exemple 6.2 (*voir la page 251*).

$$\Delta S^0_{sys} = \sum [S^0 (\text{produits})] - \sum [S^0 (\text{réactifs})]$$

$$\Delta S^0_{sys} = S^0 (CH_3OH \ (l)) - [S^0 (CO \ (g)) + 2 \ S^0 (H_2 \ (g))] = (1 \ mol \times 127,2 \ J \cdot K^{-1} \cdot mol^{-1}) - $$
$$[(1 \ mol \times 197,7 \ J \cdot K^{-1} \cdot mol^{-1}) + (2 \ mol \times 130,7 \ J \cdot K^{-1} \cdot mol^{-1})]$$
$$= -331,9 \ J \cdot K^{-1}$$

L'entropie du système décroît parce que 3 mol de gaz se transforment en 1 mol de liquide.

6.7.2   Le calcul de ΔS^0_{ext}

La variation d'entropie du milieu extérieur résultant de la dispersion de l'énergie dégagée par cette réaction exothermique est calculée à l'aide de la variation d'enthalpie du système, à savoir ΔH^0_{sys}. Comme on considère que la réaction s'effectue à température constante (toutes les données thermodynamiques sont ramenées à 298 K), la chaleur dégagée par la réaction est totalement transférée à l'environnement: ainsi, $q_{ext} = -\Delta H^0_{sys}$ et

$$\Delta S^0_{ext} = \frac{q_{ext}}{T} = -\frac{\Delta H^0_{sys}}{T}$$

Une réaction exothermique ($\Delta H^0_{sys} < 0$) est accompagnée d'une augmentation de l'entropie du milieu extérieur.

On calcule la variation d'enthalpie standard de la réaction à l'aide des enthalpies standards de formation des réactifs et des produits (*équation 6.5 et annexe G, à la page 324*).

$$\Delta H^0_{sys} = \sum [\Delta H^0_f (\text{produits})] - \sum [\Delta H^0_f (\text{réactifs})]$$

$$\Delta H^0_{sys} = \Delta H^0_f (CH_3OH \ (l)) - [\Delta H^0_f (CO \ (g)) + 2 \ \Delta H^0_f (H_2 \ (g))]$$
$$= 1 \ mol \times (-238,4 \ kJ \cdot mol^{-1}) - [(1 \ mol \times (-110,5 \ kJ \cdot mol^{-1})) + (2 \ mol \times 0 \ kJ \cdot mol^{-1})]$$
$$= -127,9 \ kJ$$

En supposant que la transformation est faite de façon réversible et à température constante, la variation d'entropie du milieu extérieur de la réaction de synthèse du méthanol est égale à:

$$\Delta S^0_{ext} = -\frac{\Delta H^0_{sys}}{T} = -\frac{-127,9 \ kJ}{298 \ K} \times \frac{1000 \ J}{1 \ kJ} = 429,2 \ J \cdot K^{-1}$$

6.7.3   Le calcul de ΔS^0_{univ}

Il est maintenant possible de calculer ΔS^0_{univ}.

$$\Delta S^0_{univ} = \Delta S^0_{sys} + \Delta S^0_{ext} = -331,9 \ J \cdot K^{-1} + 429,2 \ J \cdot K^{-1} = 97,3 \ J \cdot K^{-1}$$

La variation d'entropie de l'univers est positive: en vertu du deuxième principe, la réaction de synthèse du méthanol est spontanée.

EXEMPLE 6.3 **La prévision de la spontanéité d'un processus**

Montrez que ΔS^0_{univ} augmente lors de la dissolution du chlorure de sodium dans l'eau.

SOLUTION

Pour calculer ΔS^0_{univ}, on doit évaluer ΔS^0_{sys} et ΔS^0_{ext}, à l'aide respectivement des entropies standards et des variations standards d'enthalpies de formation des réactifs et des produits.

$$NaCl\ (s) \longrightarrow NaCl\ (aq)$$

$\Delta S^0_{sys} = \sum[S^0(\text{produits})] - \sum[S^0(\text{réactifs})] \qquad \Delta S^0_{sys} = S^0(NaCl\ (aq)) - S^0(NaCl\ (s))$

$\qquad = (1\ mol \times 115,5\ J\cdot K^{-1}\cdot mol^{-1}) - (1\ mol \times 72,11\ J\cdot K^{-1}\cdot mol^{-1})$

$\qquad = 43,4\ J\cdot K^{-1}$

$\Delta H^0_{sys} = \sum[\Delta H^0_f(\text{produits})] - \sum[\Delta H^0_f(\text{réactifs})] \quad \Delta H^0_{sys} = \Delta H^0_f(NaCl\ (aq)) - \Delta H^0_f(NaCl\ (s))$

$\qquad = 1\ mol \times (-407,27\ kJ\cdot mol^{-1}) - (1\ mol \times (-411,12\ kJ\cdot mol^{-1})) = 3,85\ kJ$

$$\Delta S^0_{ext} = -\frac{\Delta H^0_{sys}}{T} = -\frac{3,85\ kJ}{298\ K} \times \frac{1000\ J}{1\ kJ} = -12,9\ J\cdot K^{-1}$$

$$\Delta S^0_{univ} = \Delta S^0_{sys} + \Delta S^0_{ext} = 43,4\ J\cdot K^{-1} + (-12,9\ J\cdot K^{-1}) = 30,5\ J\cdot K^{-1}$$

L'entropie de l'univers augmente lors de la dissolution de NaCl dans l'eau: la transformation est spontanée. Remarquez cependant que le processus est favorisé par la dispersion de la matière ($\Delta S^0_{sys} > 0$), mais défavorisé par la dispersion de l'énergie thermique ($\Delta S^0_{ext} < 0$, réaction endothermique).

6.7.4 Résumé: processus spontané ou non?

Dans les exemples précédents, les prévisions concernant la spontanéité des réactions ont été effectuées à l'aide des valeurs de ΔH^0_{sys} et de ΔS^0_{sys}. Quand on couple ces deux valeurs, quatre possibilités se présentent (tableau 6.3) selon le signe algébrique qu'elles possèdent. Dans deux d'entre elles (1 et 4), les effets de ΔH^0_{sys} et de ΔS^0_{sys} vont dans le même sens et se complètent; dans les deux autres (2 et 3), leurs effets sont opposés.

TABLEAU 6.3 La prévision de la spontanéité des processus

Types	ΔH^0_{sys}	ΔS^0_{sys}	Spontanéité
1	< 0 (exothermique)	> 0 (moins ordonné)	spontané dans n'importe quelles conditions: $\Delta S^0_{univ} > 0$
2	< 0 (exothermique)	< 0 (plus ordonné)	spontanéité dépendante des grandeurs relatives de ΔH et de ΔS favorisée par des *températures plus basses*
3	> 0 (endothermique)	> 0 (moins ordonné)	spontanéité dépendante des grandeurs relatives de ΔH et de ΔS favorisée par des *températures plus élevées*
4	> 0 (endothermique)	< 0 (plus ordonné)	non spontané dans n'importe quelles conditions: $\Delta S^0_{univ} < 0$

Les processus favorisés par la dispersion de la matière ($\Delta S^0_{sys} > 0$) et par la dispersion de l'énergie ($\Delta H^0_{sys} < 0$) sont toujours spontanés (type 1). À l'inverse, ceux défavorisés à la fois par la dispersion de la matière et de l'énergie ne le sont jamais (type 4). Quelques exemples illustrent ces deux situations.

Les réactions de combustion sont toujours exothermiques et conduisent souvent à la production d'un plus grand nombre de molécules qu'au point de départ. La variation standard d'enthalpie de la réaction du butane et de l'oxygène:

$$2 \ C_4H_{10} \ (g) \ + \ 13 \ O_2 \ (g) \ \longrightarrow \ 8 \ CO_2 \ (g) \ + \ 10 \ H_2O \ (g)$$

est égale à -5315,1 kJ, tandis que sa variation d'entropie standard est de 310,8 J·K^{-1}. Les signes de ces deux valeurs (- pour ΔH^0 et + pour ΔS^0) indiquent que cette réaction, comme toutes les réactions de combustion, est spontanée.

La synthèse, à partir de ses éléments, de l'hydrazine (N_2H_4), un composé utilisé comme combustible dans certaines fusées, paraît attrayante à première vue, puisque les réactifs sont bon marché.

$$N_2 \ (g) \ + \ 2 \ H_2 \ (g) \ \longrightarrow \ N_2H_4 \ (l)$$

Cependant, ni la dispersion de la matière ni celle de l'énergie ne favorisent cette réaction (type 4). Elle est endothermique, $\Delta H^0 = 50,63$ kJ·mol^{-1}, et sa variation d'entropie standard est négative, $\Delta S^0 = -331,4$ J·K^{-1}, car 3 mol de gaz disparaissent pour ne former que 1 mol de liquide.

Dans les deux autres possibilités, 2 et 3, les dispersions de la matière et de l'énergie agissent en sens contraire. Un processus peut être favorisé par la dispersion de l'énergie, mais pas par celle de la matière (type 2) ou l'inverse (type 3). Dans chacun de ces cas, la spontanéité de la réaction dépend des grandeurs relatives de ΔH^0 et de ΔS^0.

La température joue un rôle important dans cette détermination de la spontanéité de ces cas, puisqu'elle intervient dans la valeur de ΔS^0_{univ}.

$$\Delta S^0_{univ} \ = \ \Delta S^0_{sys} \ + \ \Delta S^0_{ext} \quad \text{et} \quad \Delta S^0_{ext} \ = \ -\frac{\Delta H^0_{sys}}{T}$$

Parce que ΔH^0_{sys} est divisé par la température pour aboutir à ΔS^0_{ext}, la valeur de ΔS^0_{ext} est plus petite en valeur absolue aux températures élevées. Comme ΔS^0_{sys} ne dépend pas de T, ΔS^0_{ext} prend moins d'importance par rapport à ΔS^0_{sys} aux températures élevées. En d'autres termes, *plus les températures sont élevées, plus le facteur de dispersion de la matière prend de l'importance au détriment de la dispersion de l'énergie.* Cette constatation se traduit par les tendances suivantes.

Type 2 : processus favorisé par la dispersion de l'énergie thermique (réaction exothermique), mais *défavorisé par la dispersion de la matière*. De tels processus sont encore plus défavorisés à haute température, la dispersion de la matière devenant de plus en plus importante.

Type 3 : processus défavorisé par la dispersion de l'énergie thermique (réaction endothermique), mais *favorisé par la dispersion de la matière*. Une température plus élevée favorise de tels processus, la dispersion de la matière devenant de plus en plus importante.

Deux exemples illustrent ce comportement. On a souvent parlé de la synthèse de l'ammoniac à partir de ses éléments.

$$N_2 \ (g) \ + \ 3 \ H_2 \ (g) \ \longrightarrow \ 2 \ NH_3 \ (g)$$

La réaction est exothermique, donc favorisée par la dispersion de l'énergie ; par contre, sa variation d'entropie lui est défavorable, puisque 4 mol de réactifs (g) se transforment en 2 mol de produits (g). Cette synthèse correspond au type 2 : pour maximiser le rendement en ammoniac, on a intérêt d'un point de vue thermodynamique à opérer à la plus basse température possible, compte tenu des autres facteurs, tels que la vitesse de la réaction et l'efficacité du catalyscur.

La décomposition thermique du chlorure d'ammonium illustre le type 3. À température ambiante, c'est un solide cristallin stable. Par contre, il se décompose thermiquement en NH$_3$ (g) et HCl (g). La réaction est endothermique (facteur enthalpique défavorable), mais produit 2 mol de gaz à partir de 1 mol de solide (facteur entropique favorable) : dans le type 3, la réaction envisagée est favorisée à des températures élevées (figure 6.10).

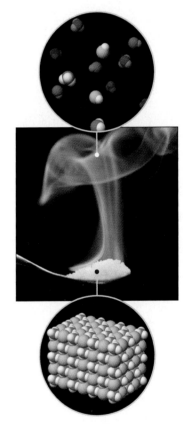

Figure 6.10 La décomposition thermique de NH$_4$Cl (s). On chauffe du chlorure d'ammonium solide dans une cuillère. Il se décompose spontanément vers 340 °C en NH$_3$ (g) et HCl (g). À une température plus basse, la réaction inverse est spontanée : lorsque les vapeurs se refroidissent au contact de l'air plus frais que le solide chauffé, NH$_3$ (g) et HCl (g) se recombinent en NH$_4$Cl (s), la fumée blanche de la photographie. Charles D. Winters

EXERCICE 6.3 **La spontanéité des réactions**

Attribuez à chacune des réactions suivantes le type correspondant décrit dans le tableau 6.3 (*voir la page 254*).

Réactions	ΔH^0_{sys}, à 298 K (kJ)	ΔS^0_{sys}, à 298 K (J·K^{-1})
a) CH_4 (g) + 2 O_2 (g) ⟶ 2 H_2O (l) + CO_2 (g)	-890,6	-242,8
b) 2 Fe_2O_3 (s) + 3 C (graphite) ⟶ 4 Fe (s) + 3 CO_2 (g)	467,9	560,7
c) C (graphite) + O_2 (g) ⟶ CO_2 (g)	-393,5	3,1
d) N_2 (g) + 3 F_2 (g) ⟶ 2 NF_3 (g)	-264,2	-277,8

▲ **La production d'acier.** Pour obtenir de l'acier en partant de la réduction du minerai de fer par le carbone, il est nécessaire d'opérer à de très hautes températures pour que ΔS^0_{univ} devienne positif (*voir l'exercice 6.5*). Avec l'aimable permission de Bethlehem Steel

EXERCICE 6.4 **La spontanéité des réactions**

S'attend-on à ce que la réaction entre l'hydrogène et le chlore soit spontanée?

$$H_2 \text{ (g)} + Cl_2 \text{ (g)} \longrightarrow 2 \text{ HCl (g)}$$

Indice Calculez ΔS^0_{sys}, ΔS^0_{ext} et ΔS^0_{univ}, à 298 K, à l'aide des données de l'annexe G (*voir la page 324*).

EXERCICE 6.5 **La température et la spontanéité des réactions**

Dans les hauts fourneaux, on réduit l'oxyde de fer (III) par le carbone pour produire du fer.

$$2 \text{ Fe}_2O_3 \text{ (s)} + 3 \text{ C (graphite)} \longrightarrow 4 \text{ Fe (s)} + 3 \text{ CO}_2 \text{ (g)}$$

Sachant que $\Delta H^0_{sys} = 467,9$ kJ et que $\Delta S^0_{sys} = 560,7$ J·K^{-1} à 298 K, montrez qu'il est nécessaire d'élever la température pour que cette réaction soit spontanée.

6.8 L'ÉNERGIE DE GIBBS

Pour savoir si une transformation est spontanée, on doit considérer à la fois les variations d'entropie du système et de son milieu extérieur. Cette détermination serait plus simple si l'on pouvait ne s'en tenir qu'à une seule fonction thermodynamique, qui ne dépend que du seul système. J. Willard Gibbs, un chimiste américain, montra que le deuxième principe pouvait être récrit de manière à ce que la spontanéité puisse être exprimée par une nouvelle fonction d'état du système seul, qu'il nomma l'**énergie libre**, mais que l'on appelle maintenant, en son honneur, l'**énergie de Gibbs** ou la **fonction de Gibbs** (*G*):

$$G = H - TS$$

(Équation 6.10)

dans laquelle *H* est l'enthalpie, *T*, la température Kelvin, et *S*, l'entropie, le tout s'appliquant au système. Puisque *G* est issue de la combinaison de deux fonctions d'état, *H* et *S*, *G* est aussi une fonction d'état.

Toutes les substances possèdent une certaine quantité d'énergie de Gibbs, rarement connue, mais cela a peu d'importance puisque seule la connaissance de ses variations se produisant au cours des transformations chimiques ou physiques est utile. La fonction de Gibbs ressemble sur ce point à l'enthalpie, dont la connaissance n'est pas nécessaire pour calculer ou utiliser ΔH.

6.8.1 L'énergie de Gibbs et la spontanéité

On a vu à la section 6.7 (*voir la page 252*) que ΔS_{univ} était égale à la somme de ΔS_{sys} et de ΔS_{ext} (équation 6.8).

$$\Delta S_{univ} = \Delta S_{sys} + \Delta S_{ext}$$

On a aussi montré que la variation d'entropie du milieu extérieur était égale à la variation d'enthalpie du système, de signes contraires et divisée par la température T.

$$\Delta S_{ext} = \frac{q_{ext}}{T} = -\frac{\Delta H_{sys}}{T}$$

Le remplacement de ΔS_{ext} par sa nouvelle expression dans l'équation 6.7 conduit à l'égalité :

$$\Delta S_{univ} = \Delta S_{sys} - \frac{\Delta H_{sys}}{T}$$

La multiplication des deux termes par T donne :

$$T\Delta S_{univ} = T\Delta S_{sys} - \Delta H_{sys}$$

que l'on réarrange sous la forme :

$$-T\Delta S_{univ} = \Delta H_{sys} - T\Delta S_{sys}$$

En définissant G de telle sorte que $\Delta G_{sys} = -T\Delta S_{univ}$, l'égalité précédente devient :

$$\Delta G_{sys} = \Delta H_{sys} - T\Delta S_{sys}$$

Puisque $\Delta G_{sys} = -T\Delta S_{univ}$, on peut transposer facilement les conclusions dépendant du signe de ΔS_{univ} à celui de ΔG_{sys} :

- si ΔG_{sys} est négatif, la réaction est spontanée ;
- si ΔG_{sys} est nul, le système est en équilibre ;
- si ΔG_{sys} est positif, la réaction n'est pas spontanée.

Comme les variations d'énergie de Gibbs (ΔG_{sys}) sont reliées aux ΔH_{sys} et aux ΔS_{sys}, il est aussi possible de les définir dans les conditions standards.

$$\Delta G^0_{sys} = \Delta H^0_{sys} - T\Delta S^0_{sys}$$

(Équation 6.11)

ΔG^0_{sys} est d'une très grande utilité : en plus d'être associé à la spontanéité des réactions, il est lié, comme on le verra plus loin, *aux constantes d'équilibre et, ainsi, à la détermination des conditions favorisant la formation des produits.*

6.8.2 La signification de l'énergie de Gibbs

Le qualificatif *libre* associé autrefois à l'énergie de Gibbs n'avait pas été choisi arbitrairement. Dans tout processus, ΔG représente à quelques nuances près l'énergie maximale disponible pour effectuer un travail ($\Delta G = w_{max}$)[1]. Dans ce contexte, le terme *libre* signifiait « disponible ».

Pour démontrer de façon qualitative cette conclusion, considérez la réaction exothermique suivante, dont la variation d'entropie est négative.

$$C \text{ (graphite)} + 2 \text{ H}_2 \text{ (g)} \longrightarrow CH_4 \text{ (g)}$$
$$\Delta H^0 = \text{-74,9 kJ} \qquad \Delta S^0 = \text{-80,7 J·K}^{-1} \qquad \Delta G^0 = \text{-50,9 kJ}$$

La variation d'enthalpie ΔH^0 représente la chaleur produite par la réaction. À première vue, on pourrait penser que toute cette énergie est transférée à l'environnement et qu'elle peut être utilisée pour fournir un travail quelconque, mais ce n'est pas vrai. Puisque la variation d'entropie de la réaction est négative, une partie de l'énergie dégagée est utilisée pour créer un système plus ordonné. Seule la portion résiduelle, soit 50,9 kJ, est *libre* et disponible pour effectuer un travail.

Ce raisonnement s'applique à toute combinaison de ΔH^0 et de ΔS^0. ΔG^0 est la différence (algébrique) entre les énergies provenant de la dispersion de l'énergie, le facteur enthalpique, et de celle de la matière, le facteur entropique. Dans un processus favorisé à la fois par ces deux facteurs, l'énergie libre est plus élevée que l'énergie thermique dégagée (en valeurs absolues).

6.8.3 Le calcul de la variation d'énergie de Gibbs standard (ΔG^0)

Puisqu'on sait calculer les variations d'enthalpie et d'entropie standards des réactions, on peut calculer les variations de l'énergie de Gibbs correspondantes en appliquant simplement l'équation 6.11.

EXEMPLE 6.4   Le calcul de ΔG^0 à l'aide de ΔH_f^0 et de S^0

Calculez la variation d'énergie de Gibbs standard, à 298 K, de la réaction de formation du méthane.

$$C \text{ (graphite)} + 2 \text{ H}_2 \text{ (g)} \longrightarrow CH_4 \text{ (g)}$$

SOLUTION

Les valeurs de ΔH_f^0 et de S^0 sont extraites de l'annexe G (*voir la page 324*).

	C (graphite)	+	2 H₂ (g)	⟶	CH₄ (g)
ΔH_f^0 (kJ·mol⁻¹)	0		0		-74,9
S^0 (J·K⁻¹·mol⁻¹)	5,6		130,7		186,3

$$\Delta H^0 = \Delta H_f^0 \text{ (CH}_4 \text{ (g))} - [\Delta H_f^0 \text{ (graphite)} + 2 \Delta H_f^0 \text{ (H}_2 \text{ (g))}]$$
$$= [1 \text{ mol} \times \text{(-74,9 kJ·mol}^{-1})] - (0 + 0)$$
$$= \text{-74,9 kJ}$$

$$\Delta S^0 = S^0 \text{(CH}_4 \text{ (g))} - [S^0 \text{ (graphite)} + 2S^0 \text{(H}_2 \text{ (g))}] = (1 \text{ mol} \times 186,3 \text{ J·K}^{-1} \text{·mol}^{-1}) -$$
$$[(1 \text{ mol} \times 5,6 \text{ J·K}^{-1} \text{·mol}^{-1}) + (2 \text{ mol} \times 130,7 \text{ J·K}^{-1} \text{·mol}^{-1})]$$
$$= \text{-80,7 J·K}^{-1}$$

---

1. En réalité, travail maximal diminué du travail d'expansion PV que l'on peut obtenir d'une réaction s'effectuant à une température et une pression constantes.

Les variations de ces deux fonctions sont négatives (type 2 du tableau 6.3) (*voir la page 254*). On sait qu'une température basse favorise cette réaction, mais les valeurs isolées de ΔH^0 et de ΔS^0 ne permettent pas de savoir si la température de 298 K est suffisamment basse pour que la réaction soit spontanée. Par contre, le calcul de l'énergie de Gibbs permet d'en connaître son signe algébrique et de statuer sur l'évolution de la réaction.

$$\Delta G^0 = \Delta H^0 - T\Delta S^0 = \text{-}74{,}9 \text{ kJ} - \left[(298 \text{ K})(\text{-}80{,}7 \text{ J·K}^{-1})\left(\frac{1 \text{ kJ}}{1000 \text{ J}} \right) \right] = \text{-}50{,}9 \text{ kJ}$$

ΔG^0 est négatif, si bien que l'on prévoit une réaction spontanée à 298 K.

Commentaire Dans cet exemple, $T\Delta S^0$ est négatif et sa valeur absolue est plus petite que celle de ΔH^0, parce que le changement d'entropie est relativement faible. Dans ce cas, on dit que le facteur enthalpique est prépondérant et qu'il constitue la force motrice de la réaction: il surpasse et contrecarre le décroissement de l'entropie de la réaction.

EXERCICE 6.6 Le calcul de ΔG^0 à l'aide de ΔH_f^0 et de S^0

À l'aide des données de l'annexe G (*voir la page 324*), calculez la variation de l'énergie de Gibbs standard, à 298 K, de la réaction de synthèse de l'ammoniac.

$$\text{N}_2 \text{ (g)} + 3 \text{ H}_2 \text{ (g)} \longrightarrow 2 \text{ NH}_3 \text{ (g)}$$

6.8.4 L'énergie de Gibbs standard de formation (ΔG_f^0)

L'**énergie de Gibbs standard de formation** (ΔG_f^0) d'un composé quelconque représente la variation de l'énergie de Gibbs lors de la formation de 1 mol de ce composé à partir de ses éléments, toutes les substances se trouvant dans leur état standard. Définie de cette façon, *l'énergie de Gibbs standard de formation d'un élément est égale à 0* (tableau 6.4).

On peut calculer la variation de l'énergie de Gibbs standard d'une réaction (ΔG^0) à l'aide des énergies de Gibbs standards de formation des réactifs et des produits (ΔG_f^0) tout comme on le fait pour les calculs de ΔH^0 ou de ΔS^0, en appliquant une équation similaire aux équations 6.5 et 6.7

$$\Delta G^0 = \sum[\Delta G_f^0 \text{ (produits)}] - \sum[\Delta G_f^0 \text{ (réactifs)}] \qquad \text{(Équation 6.12)}$$

TABLEAU 6.4 Les énergies de Gibbs standards de formation de quelques éléments ou composés, à 298 K

Éléments ou composés	ΔG_f^0 (kJ·mol^{-1})	Éléments ou composés	ΔG_f^0 (kJ·mol^{-1})
H$_2$ (g)	0	CO$_2$ (g)	-394,4
O$_2$ (g)	0	CH$_4$ (g)	-50,87
N$_2$ (g)	0	H$_2$O (g)	-228,6
C (graphite)	0	H$_2$O (l)	-237,2
C (diamant)	2,900	NH$_3$ (g)	-16,4
CO (g)	-137,2	Fe$_2$O$_3$ (s)	-742,2

EXEMPLE 6.5   Le calcul de ΔG^0 à l'aide des ΔG_f^0

Calculez la variation d'énergie de Gibbs standard, à 298 K, de la réaction de combustion du méthane, à l'aide des ΔG_f^0 des produits et des réactifs.

$$CH_4 \text{ (g)} + 2\ O_2 \text{ (g)} \longrightarrow 2\ H_2O \text{ (g)} + CO_2 \text{ (g)}$$

SOLUTION

$$\Delta G^0 = \sum[\Delta G_f^0 \text{ (produits)}] - \sum[\Delta G_f^0 \text{ (réactifs)}]$$

$$\Delta G^0 = [2\ \Delta G_f^0 \text{ (H}_2\text{O (g))} + \Delta G_f^0 \text{ (CO}_2\text{ (g))}] - [\Delta G_f^0 \text{ (CH}_4\text{ (g))} + 2\ \Delta G_f^0 \text{ (O}_2\text{ (g))}]$$
$$= [(2\ \text{mol} \times (\text{-228,6 kJ·mol}^{-1})) + (1\ \text{mol} \times (\text{-394,4 kJ·mol}^{-1}))] -$$
$$[(1\ \text{mol} \times (\text{-50,87 kJ·mol}^{-1})) + (2\ \text{mol} \times (0\ \text{kJ·mol}^{-1}))]$$
$$= \text{-800,7 kJ}$$

La valeur largement négative de ΔG^0 indique que la réaction est spontanée dans les conditions standards, à 298 K.

Commentaire Prêtez attention, dans vos calculs, aux signes des grandeurs et des opérations, ainsi qu'aux nombres de moles impliquées (les coefficients stœchiométriques).

EXERCICE 6.7   Le calcul de ΔG^0 à l'aide des ΔG_f^0

Calculez ΔG^0, à 298 K, de la réaction d'oxydation de SO_2 (g) en SO_3 (g) par l'oxygène.

6.8.5   L'effet de la température sur l'énergie de Gibbs

De par sa définition, $G = H - TS$, l'énergie de Gibbs est fonction de la température et ses variations en sont aussi dépendantes. En conséquence, il se peut qu'à une certaine température une réaction soit spontanée, mais qu'à une autre elle ne le soit pas (figure 6.11). Cela arrive quand les termes ΔH^0 et ΔS^0 des réactions agissent en sens contraire.

- $\Delta S^0 > 0$, facteur entropique favorable, et $\Delta H^0 > 0$, facteur enthalpique défavorable;
- $\Delta H^0 < 0$, facteur enthalpique favorable, et $\Delta S^0 < 0$, facteur entropique défavorable.

Considérez le cas de la conversion du carbonate de calcium (s) en oxyde de calcium (s) et en dioxyde de carbone (g). De l'annexe G (*voir la page 324*), on extrait les données suivantes:

	CaCO₃ (s)	⟶	CaO (s)	+	CO₂ (g)
ΔG_f^0 (kJ·mol⁻¹)	-1129,2		-603,4		-394,4
ΔH_f^0 (kJ·mol⁻¹)	-1207,6		-635,1		-393,5
S^0 (J·K⁻¹·mol⁻¹)	91,7		38,2		213,7

à l'aide desquelles on calcule:

$$\Delta H^0 = 179{,}0 \text{ kJ}, \ \Delta S^0 = 160{,}2 \text{ J·K}^{-1} \text{ et } \Delta G^0 = 131{,}4 \text{ kJ}$$

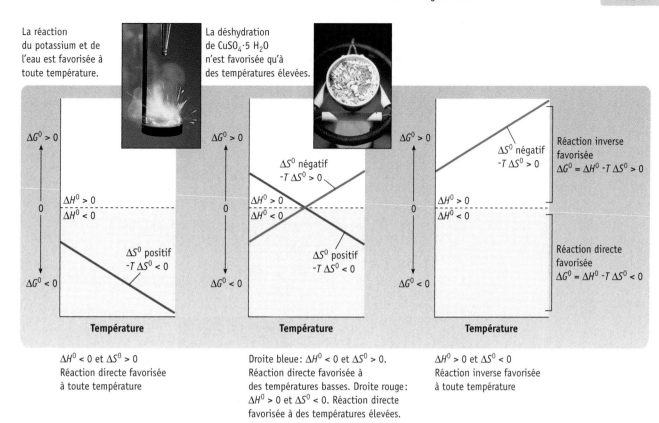

La réaction du potassium et de l'eau est favorisée à toute température.

La déshydration de CuSO$_4$·5 H$_2$O n'est favorisée qu'à des températures élevées.

$\Delta G^0 > 0$

$\Delta H^0 > 0$
$\Delta H^0 < 0$

ΔS^0 positif
$-T \Delta S^0 < 0$

$\Delta G^0 < 0$

Température

$\Delta G^0 > 0$

ΔS^0 négatif
$-T \Delta S^0 > 0$

$\Delta H^0 > 0$
$\Delta H^0 < 0$

ΔS^0 positif
$-T \Delta S^0 < 0$

$\Delta G^0 < 0$

Température

$\Delta G^0 > 0$

ΔS^0 négatif
$-T \Delta S^0 > 0$

Réaction inverse favorisée
$\Delta G^0 = \Delta H^0 - T \Delta S^0 > 0$

$\Delta H^0 > 0$
$\Delta H^0 < 0$

Réaction directe favorisée
$\Delta G^0 = \Delta H^0 - T \Delta S^0 < 0$

$\Delta G^0 < 0$

Température

$\Delta H^0 < 0$ et $\Delta S^0 > 0$
Réaction directe favorisée à toute température

Droite bleue : $\Delta H^0 < 0$ et $\Delta S^0 > 0$.
Réaction directe favorisée à des températures basses. Droite rouge : $\Delta H^0 > 0$ et $\Delta S^0 < 0$. Réaction directe favorisée à des températures élevées.

$\Delta H^0 > 0$ et $\Delta S^0 < 0$
Réaction inverse favorisée à toute température

Figure 6.11 La variation de ΔG^0 en fonction de la température. Charles D. Winters

Le facteur entropique positif favorise la réaction directe, mais la valeur élevée positive de ΔH^0 l'emporte à cette température. Ainsi, ΔG^0 est positif, à 298 K et à une pression de 1 bar (100 kPa), et la décomposition de CaCO$_3$ (s) n'est pas spontanée. Cependant, elle peut le devenir si l'on joue sur la température. Comme l'entropie est favorable (la formation d'un gaz en est la raison principale), une élévation de température rend le facteur $T \Delta S^0$ de plus en plus grand, tant et si bien qu'il va devenir supérieur à ΔH^0 et rendre ΔG^0 négatif. Jusqu'où la température doit-elle monter pour que la réaction devienne spontanée ? On peut en avoir un ordre de grandeur en calculant T à l'aide de l'équation 6.11, en posant $\Delta G^0 = 0$. Au-dessus de cette température approximative, ΔG^0 est négatif et la réaction devient spontanée.

$$\Delta G^0 = 0 = \Delta H^0 - T\Delta S^0 \quad T = \frac{\Delta H^0}{\Delta S^0} = \frac{179,1 \ \cancel{kJ} \times \dfrac{1000 \ \cancel{J}}{1 \ \cancel{kJ}}}{160,2 \ \cancel{J} \cdot K^{-1}} = 1118 \ K \ \text{ou} \ 845 \ °C$$

Cette valeur est-elle exacte ? Non, parce qu'elle suppose que ΔH^0 et ΔS^0 sont indépendants de la température, ce qui n'est pas rigoureusement exact. Cependant, leurs variations en fonction de T ne sont pas suffisamment marquantes pour affecter substantiellement l'ordre de grandeur de la valeur recherchée. En fait, la pression de CO$_2$ en équilibre avec les deux solides, CaCO$_3$ et CaO, atteint 1 bar (100 kPa) à une température d'environ 880 °C, valeur très proche de la valeur approximative calculée.

EXEMPLE 6.6 **L'effet de la température sur ΔG^0**

Estimez le point d'ébullition normal du méthanol à l'aide des données thermodynamiques courantes.

SOLUTION

Au point d'ébullition normal ($P = 101,325$ kPa), les phases liquide et gazeuse du méthanol sont en équilibre: ΔG^0 est alors égal à 0. On calcule T à l'aide de l'équation 6.11 et des données thermodynamiques de l'annexe G (*voir la page 324*).

	CH$_3$OH (l) $\rightleftharpoons$	CH$_3$OH (g)
ΔG_f^0 (kJ·mol^{-1})	-166,1	-162,0
ΔH_f^0 (kJ·mol^{-1})	-238,4	-201
S^0 (J·K^{-1}·mol^{-1})	127,2	239,9

$$\Delta G^0 = [1 \text{ mol} \times (-162,0 \text{ kJ·mol}^{-1})] - [1 \text{ mol} \times (-166,1 \text{ kJ·mol}^{-1})] = 4,1 \text{ kJ}$$
$$\Delta H^0 = [1 \text{ mol} \times (-201 \text{ kJ·mol}^{-1})] - [1 \text{ mol} \times (-238,4 \text{ kJ·mol}^{-1})] = 37,4 \text{ kJ}$$
$$\Delta S^0 = (1 \text{ mol} \times 239,9 \text{ J·K}^{-1}\text{·mol}^{-1}) - (1 \text{ mol} \times 127,2 \text{ J·K}^{-1}\text{·mol}^{-1}) = 112,7 \text{ J·K}^{-1}$$

Le processus est endothermique (il faut fournir de la chaleur pour transformer un liquide en gaz), la variation d'entropie le favorise (un gaz est plus désordonné qu'un liquide): ces deux facteurs s'opposent. Dans les conditions standards, la valeur positive de la variation de l'énergie de Gibbs indique que la transformation n'est pas spontanée. Par contre, au-dessus du point d'ébullition normal, correspondant à $\Delta G^0 = 0$, elle le devient.

$$\Delta G^0 = 0 = \Delta H^0 = T\Delta S^0 \qquad T = \frac{\Delta H^0}{\Delta S^0} = \frac{37,4 \text{ kJ} \times \dfrac{1000 \text{ J}}{1 \text{ kJ}}}{112,7 \text{ J·K}^{-1}} = 332 \text{ K ou } 59 \text{ °C}$$

Commentaire Cette valeur est assez proche de la valeur exacte, soit 65 °C.

EXERCICE 6.8 **L'effet de la température sur ΔG^0**

Par chauffage de l'oxyde de mercure (HgO), Joseph Priestley (1733-1804) a été le premier chercheur à isoler l'oxygène. À l'aide des données thermodynamiques de l'annexe G (*voir la page 324*), estimez la température requise pour décomposer cet oxyde en ses éléments Hg (l) et O$_2$ (g).

6.9 ΔG^0, K ET LA DIRECTION DES TRANSFORMATIONS CHIMIQUES

Dans le dernier chapitre du manuel *Chimie générale*, on a abordé la notion de force motrice des réactions, alors définie sommairement comme étant la force qui fait se produire une réaction.

Dans le chapitre 3 de ce manuel, on a vu qu'une valeur élevée de la constante d'équilibre (K) favorisait la réaction directe, soit la formation des produits, et qu'à l'inverse une valeur faible signifiait la prépondérance de la réaction inverse, les réactifs restant en quantités plus grandes que les produits.

Dans cette section, on approfondira ces notions en les liant à la variation de l'énergie de Gibbs standard (ΔG^0).

6.9.1 Le lien entre ΔG^0 et K

ΔG^0 représente la variation de l'énergie de Gibbs lorsque les réactifs dans leur état standard sont transformés totalement en produits, eux aussi considérés dans leur état standard. Mais, en réalité, les transformations totales sont peu courantes. Les processus favorisant les réactions directes conduisent à une grande quantité de produits, mais il reste, en équilibre, des réactifs en quantités plus ou moins appréciables. À l'inverse, une transformation favorisant les réactifs n'évolue que très partiellement vers les produits une fois l'équilibre atteint. Pour découvrir qualitativement le lien entre ΔG^0 et K, considérez la figure 6.12. L'intersection de la courbe rouge et de l'axe vertical gauche représente l'énergie de Gibbs des réactifs dans leur état standard ; l'intersection de l'axe vertical droit représente celle des produits. Comme celle-ci est moins élevée que celle des réactifs, ΔG^0 est négatif et le graphique représente donc une réaction favorisant la réaction directe.

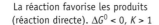

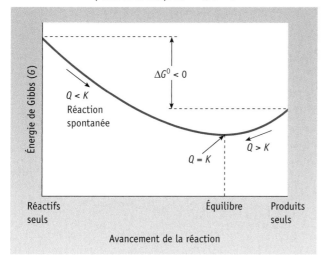

Figure 6.12 L'évolution de ΔG à l'approche de l'équilibre. L'état d'équilibre du système est atteint lorsque son énergie de Gibbs est minimale. Ce graphique montre une transformation favorisant la réaction directe ($\Delta G^0 < 0$, $K > 1$).

Lorsqu'on mélange les réactifs, le système évolue spontanément vers une position d'énergie de Gibbs plus faible et atteint finalement un état d'équilibre. Tout le long de ce cheminement, les réactifs et les produits ne sont pas dans leur état standard, mais on peut démontrer que les grandeurs ΔG, ΔG^0 sont liées par l'égalité

$$\Delta G = \Delta G^0 + RT\ln Q \qquad \text{(Équation 6.13)}$$

dans laquelle R est la constante des gaz parfaits, T, la température Kelvin, et Q, le quotient de la réaction. Il est utile de se rappeler à ce stade de l'étude que le quotient de la réaction :

$$a\,A + b\,B \rightleftharpoons c\,C + d\,D$$

Réactifs   Produits

est égal à $Q = \dfrac{[C]_i^c[D]_i^d}{[A]_i^a[B]_i^b}$ (équation 3.2), l'indice « i » affecté à chacun des facteurs signifiant qu'il s'agit des concentrations à un moment donné.

Lorsque l'équilibre est atteint, les concentrations des réactifs et des produits demeurent constantes, Q est alors égal à K et ΔG doit être égal à 0. La substitution de ces valeurs dans l'équation 6.13 conduit au lien :

$$\Delta G^0 = -RT\ln K \qquad \text{(Équation 6.14)}$$

L'équation 6.14 montre que, *lorsque* ΔG^0 *est négatif,* K *est obligatoirement plus grand que 1.* En outre, plus ΔG^0 est négatif, plus K est élevé et plus *la transformation favorise les produits*: on dit aussi parfois que les produits sont plus stables que les réactifs.

Au contraire, *pour une transformation qui favorise les réactifs,* ΔG^0 *est positif et* K *est plus petit que 1.*

La figure 6.12 (*voir la page 263*) illustre aussi le fait que le mélange à l'équilibre est plus stable que les réactifs seuls ou les produits seuls. Quelle que soit la direction de la transformation qui conduit à l'équilibre, l'énergie de Gibbs du mélange réactionnel diminue jusqu'à atteindre un minimum, auquel cas $Q = K$. La position de l'équilibre dépend de ΔG^0 et de T.

trucs et astuces

ΔG^0, ΔG, K *et* Q

- L'énergie de Gibbs d'un système en équilibre est inférieure à celle des réactifs seuls ou à celle des produits seuls.
- La constante d'équilibre (K) peut être calculée à l'aide de la relation $\Delta G^0 = -RT \ln K$.

- ΔG^0 peut être calculé à l'aide de
$$\Delta G^0 = \sum[\Delta G_f^0 \text{(produits)}] - \sum[\Delta G_f^0 \text{(réactifs)}]$$
ou de $\Delta G^0 = \Delta H^0 - T\Delta S^0$.
- On peut déterminer la direction de l'évolution d'une transformation vers l'équilibre à l'aide de ΔG, calculé à l'aide de l'équation $\Delta G = \Delta G^0 + RT \ln Q$.

- $\Delta G < 0$, $Q < K$: la réaction directe favorisant les produits s'effectue spontanément jusqu'à atteindre l'équilibre.
- $\Delta G = 0$, $Q = K$: le système est en équilibre.
- $\Delta G > 0$, $Q > K$: la réaction inverse favorisant les réactifs s'effectue spontanément jusqu'à atteindre l'équilibre.

6.9.2 Quelques calculs impliquant ΔG^0 et K

On utilise l'équation 6.14 pour calculer la variation de l'énergie de Gibbs standard à l'aide des constantes d'équilibre déterminées expérimentalement. À l'inverse, on peut aussi s'en servir pour calculer une constante d'équilibre à l'aide des données thermodynamiques publiées.

EXEMPLE 6.7 **Le calcul de K_p à l'aide de ΔG^0**

Évaluez la variation de l'énergie de Gibbs standard (ΔG^0) de la réaction de synthèse de l'ammoniac à partir de ses éléments et calculez sa constante d'équilibre (K_p).

SOLUTION

En écrivant la réaction de synthèse sous la forme:

$$\frac{1}{2} N_2 \text{ (g)} + \frac{3}{2} H_2 \rightleftharpoons NH_3 \text{ (g)}$$

la variation de l'énergie de Gibbs standard de la réaction (ΔG^0) est égale à l'énergie de Gibbs standard de formation de l'ammoniac ($\Delta G_f^0 \text{(NH}_3)$). Celle-ci est égale, à 298 K, à -16,4 kJ (*voir l'annexe G, page 324*).

Pour utiliser correctement l'équation 6.14, toutes les unités doivent être cohérentes: la valeur de R étant égale en unités SI à 8,314 kg·s^{-2}·m^2·mol^{-1}·K^{-1} (*voir la section 9.5.1 de* Chimie générale), soit 8,314 J·mol^{-1}·K^{-1}, la valeur de ΔG_f^0 doit être exprimée en J·mol^{-1} et non pas en kJ·mol^{-1}. De plus, puisqu'il s'agit d'un équilibre en phase gazeuse, la constante apparaissant dans l'équation 6.14 est K_p.

$$-16\ 400\ \text{J·mol}^{-1} = -(8,314\ \text{J·mol}^{-1}\text{·K}^{-1})(298\ \text{K})\ln K_p$$

$$\ln K_p = 6,619 \qquad K_p = 750 = \frac{P_{NH_3}}{\left(P_{N_2}\right)^{\frac{1}{2}}\left(P_{H_2}\right)^{\frac{3}{2}}}$$

La valeur relativement élevée de la constante d'équilibre signifie que le système favorise la formation des produits, soit l'ammoniac que l'on cherche à obtenir.

EXEMPLE 6.8   **Le calcul de ΔG^0 à l'aide de K**

Le produit de solubilité (K_{ps}) du chlorure d'argent est égal à $1,8 \times 10^{-10}$, à 25 °C. À cette température, évaluez la variation de l'énergie de Gibbs standard (ΔG^0) de la réaction :

$$Ag^+\ (aq)\ +\ Cl^-\ (aq)\ \longrightarrow\ AgCl\ (s)$$

SOLUTION

L'équation de la réaction est l'inverse de l'équation utilisée pour définir le produit de solubilité (*voir la section 5.4.1, page 211*). De ce fait, sa constante d'équilibre est égale à $\dfrac{1}{K_{ps}}$ (*voir la section 3.5, page 118*).

$$\Delta G^0 = -RT \ln \frac{1}{K_{ps}} = RT \ln K_{ps} = (8,314\ \text{J·mol}^{-1}\text{·K}^{-1})(298\ \text{K})\ln 1,8 \times 10^{-10}$$

$$= 8,314 \times 298 \times (-22,44)\ \text{J·mol}^{-1}$$

$$= -56\ \text{kJ·mol}^{-1}$$

La précipitation de AgCl à partir de ses ions en solution aqueuse est spontanée, à 25 °C.

EXERCICE 6.9   **Le calcul de K_p à l'aide de ΔG^0**

Évaluez la variation de l'énergie de Gibbs standard (ΔG^0) de la réaction :

$$C\ (s)\ +\ CO_2\ (g)\ \longrightarrow\ 2\ CO\ (g)$$

et calculez sa constante d'équilibre (K_p).

EXERCICE 6.10   **Le calcul de ΔG^0 à l'aide de K**

À 25 °C, calculez ΔG^0 de la réaction :

$$Ag^+\ (aq)\ +\ 2\ NH_3\ (aq)\ \longrightarrow\ [Ag(NH_3)_2]^+\ (aq)$$

sachant que la constante de formation du complexe est égale à $K_{form} = 1,6 \times 10^7$, à cette température.

(SAUVEgarder)

LES FONCTIONS THERMODYNAMIQUES D'ÉTAT

Fonctions	Équations	Signification
Énergie interne (E)	$\Delta E = q + w$ q et w : respectivement, chaleur et travail échangés avec l'environnement. Dans le cas du seul travail d'expansion, $\Delta E = q - P\Delta V$.	E = toute l'énergie, sous quelque forme que ce soit, possédée par un système. ΔE = chaleur échangée avec l'environnement, à volume constant.
Enthalpie (H)	Dans le cas du seul travail d'expansion, $H = E + PV$ et, à pression constante, $\Delta H = q_p$.	ΔH = chaleur échangée avec l'environnement, à pression constante.
Entropie (S)	$$S = \frac{q_{rév}}{T}$$ Quantité de chaleur ajoutée de façon réversible à une substance cristalline parfaite pour la faire passer de 0 K à la température T.	Évaluation du degré de désordre résultant de la dispersion de l'énergie et de la matière d'un système : plus l'entropie est élevée, plus grand est le désordre.
Énergie de Gibbs (G)	$G = H - TS$ $\Delta G = \Delta H - \Delta TS$	$\Delta G_{sys} < 0$: réaction spontanée. $\Delta G_{sys} = 0$: système en équilibre. $\Delta G_{sys} > 0$: réaction non spontanée.

État standard d'une substance

Substance dans son état le plus stable, à la pression de 1 bar (exactement 100 kPa), à la température spécifiée (généralement 298 K).

Dans les conditions standards, les fonctions sont affectées d'un exposant 0 (zéro) : H^0, S^0, G^0.

LES TROIS PRINCIPES DE LA THERMODYNAMIQUE

Premier principe

L'énergie totale de l'univers, ou d'un système fermé, est constante.

Pour un système : $\Delta E = q + w$

La variation d'énergie d'un système est égale à la somme de la chaleur et du travail échangés avec son environnement.

La somme de toutes les énergies d'un système qui n'échange ni chaleur ($q = 0$) ni travail ($w = 0$) avec l'extérieur est constante ($\Delta E = 0$).

Deuxième principe

Dans tout processus spontané, l'entropie de l'univers s'accroît.

Un processus est qualifié de spontané quand il se produit de lui-même sans intervention de l'extérieur.

Troisième principe

L'entropie des solides cristallins à 0 K est nulle.

LE CALCUL DES VARIATIONS STANDARDS DES FONCTIONS D'ÉTAT LORS D'UNE RÉACTION

Variation d'enthalpie standard

$$\Delta H^0 = \sum[\Delta H_f^0 \text{(produits)}] - \sum[\Delta H_f^0 \text{(réactifs)}]$$

ΔH_f^0 = enthalpie standard de formation = variation d'enthalpie lors de la formation de 1 mol de substance à partir de ses éléments, tous les composés se trouvant dans leur état standard.

Variation d'entropie standard

$$\Delta S^0 = \sum[S^0 \text{(produits)}] - \sum[S^0 \text{(réactifs)}]$$

Variation de l'énergie de Gibbs standard

$$\Delta G^0 = \Delta H^0 - T\Delta S^0$$

$$\Delta G^0 = \sum[\Delta G_f^0 \text{(produits)}] - \sum[\Delta G_f^0 \text{(réactifs)}]$$

ΔG_f^0 = énergie de Gibbs standard de formation = variation de l'énergie de Gibbs lors de la formation de 1 mol de substance à partir de ses éléments, tous les composés se trouvant dans leur état standard.

L'ÉNERGIE DE GIBBS ET LA SPONTANÉITÉ

- si ΔG est négatif, la réaction est spontanée.
- si ΔG est nul, le système est en équilibre.
- si ΔG est positif, la réaction n'est pas spontanée.

L'ÉNERGIE DE GIBBS ET LA TEMPÉRATURE

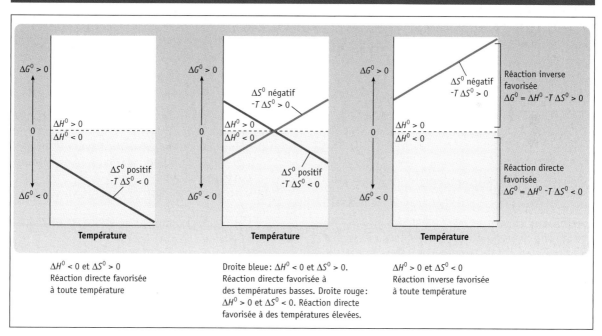

$\Delta H^0 < 0$ et $\Delta S^0 > 0$
Réaction directe favorisée
à toute température

Droite bleue : $\Delta H^0 < 0$ et $\Delta S^0 > 0$.
Réaction directe favorisée à
des températures basses. Droite rouge :
$\Delta H^0 > 0$ et $\Delta S^0 < 0$. Réaction directe
favorisée à des températures élevées.

$\Delta H^0 > 0$ et $\Delta S^0 < 0$
Réaction inverse favorisée
à toute température

LA FONCTION DE GIBBS, LE QUOTIENT RÉACTIONNEL ET LA CONSTANTE D'ÉQUILIBRE

$$\Delta G = \Delta G^0 + RT \ln Q \qquad \Delta G^0 = -RT \ln K$$

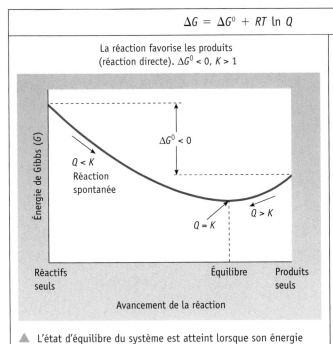

La réaction favorise les produits (réaction directe). $\Delta G^0 < 0$, $K > 1$

Énergie de Gibbs (G)

$\Delta G^0 < 0$

$Q < K$
Réaction spontanée

$Q = K$

$Q > K$

Réactifs seuls   Équilibre   Produits seuls

Avancement de la réaction

- $\Delta G < 0$, $Q < K$: la réaction directe favorisant les produits s'effectue spontanément jusqu'à atteindre l'équilibre.
- $\Delta G = 0$, $Q = K$: le système est en équilibre.
- $\Delta G > 0$, $Q > K$: la réaction inverse favorisant les réactifs s'effectue spontanément jusqu'à atteindre l'équilibre.

▲ L'état d'équilibre du système est atteint lorsque son énergie de Gibbs est minimale (dans le cas illustré, $\Delta G^0 < 0$ et $K > 1$, réaction favorisant les produits).

Les données thermodynamiques nécessaires à la résolution de ces problèmes se trouvent à l'annexe G.

Revue des concepts importants

1. Énoncez les trois principes de la thermodynamique.

2. Que signifient les termes *spontané* et *non spontané* lors des réactions chimiques et des processus physiques ? Donnez un exemple de chaque cas pour les réactions chimiques et pour les processus physiques.

3. Définissez les termes suivants : *système, milieu extérieur, univers, condition standard* et *fonction d'état*.

4. En partant de considérations uniquement théoriques, prévoyez si les réactions suivantes favorisent les produits ou les réactifs, dans les conditions standards et à 25 °C.
- **a)** Hg (l) $\longrightarrow$ Hg (s)
- **b)** H_2O (g) $\longrightarrow$ H_2O (l)
- **c)** 2 HgO (s) $\longrightarrow$ 2 Hg (l) + O_2 (g)
- **d)** NaCl (s) $\longrightarrow$ NaCl (aq)
- **e)** $CaCO_3$ (s) $\longrightarrow$ Ca^{2+} (aq) + CO_3^{2-} (aq)

5. Les énoncés suivants sont-ils vrais ou faux ? Rectifiez, au besoin.
- **a)** L'entropie d'une substance augmente lors de son passage de l'état liquide à l'état vapeur, à toute température.
- **b)** Une réaction exothermique favorise toujours les produits.
- **c)** Les réactions pour lesquelles ΔH^0 et ΔS^0 sont positifs ne sont jamais spontanées.
- **d)** La constante d'équilibre d'une réaction est supérieure à 1 lorsque ΔG^0 est négatif.

6. Dans quelles conditions l'entropie d'une substance est-elle égale à $0\ J \cdot K^{-1} \cdot mol^{-1}$? Une substance dans les conditions standards peut-elle avoir une entropie égale à $0\ J \cdot K^{-1} \cdot mol^{-1}$? Une substance dans les conditions standards peut-elle avoir une entropie négative ? Dans quelles conditions, s'il y en a, une substance peut-elle avoir une entropie négative ? Expliquez votre réponse.

7. Considérez comme système l'oxydation de C_2H_6 par O_2.
- **a)** Équilibrez l'équation de la réaction.

b) Prévoyez les signes de ΔS_{sys}^0, ΔS_{ext}^0, ΔS_{univ}^0, ΔH^0 et ΔG^0. Justifiez vos réponses.

c) La valeur de K_p est-elle très élevée, très petite ou près de 1? Serait-elle plus grande ou plus petite à des températures supérieures à 298 K? Justifiez votre réponse.

Exercices

La comparaison des entropies

8. Pour chacune des paires suivantes, identifiez l'espèce dont l'entropie est la plus élevée.
   a) La glace sèche (CO_2 (s)) à -78 °C ou CO_2 (g) à 0 °C.
   b) L'eau liquide à 25 °C ou l'eau liquide à 50 °C.
   c) L'alumine pure (Al_2O_3 (s)) ou le rubis. (Le rubis est constitué de Al_2O_3 dans lequel quelques ions Cr^{3+} remplacent des ions Al^{3+}.)
   d) Une mole de N_2 (g) sous une pression de 1 bar ou 1 mol de N_2 (g) sous une pression de 10 bars (les deux à 298 K).

9. Pour chacun des énoncés suivants, identifiez l'espèce dont l'entropie standard est la plus élevée.
   a) O_2 (g) ou CH_3OH (g).
   b) HF (g), HCl (g) ou HBr (g).
   c) NH_4Cl (s) ou NH_4Cl (aq).
   d) HNO_3 (g), HNO_3 (l) ou HNO_3 (aq).
   e) H_2SO_4 (l) ou H_2SO_4 (aq).

Le calcul de ΔS^0

10. Calculez les variations d'entropie standard (ΔS^0) des transformations suivantes. Reflètent-elles ce à quoi on peut s'attendre des considérations théoriques?
    a) KOH (s) $\longrightarrow$ KOH (aq)
    b) Na (g) $\longrightarrow$ Na (s)
    c) Br_2 (l) $\longrightarrow$ Br_2 (g)
    d) HCl (g) $\longrightarrow$ HCl (aq)

11. Calculez la variation d'entropie standard accompagnant la formation de 1 mol d'éthane gazeux, à 25 °C.

    $$2\text{ C (graphite)} + 3\text{ }H_2\text{ (g)} \longrightarrow C_2H_6\text{ (g)}$$

12. Calculez la variation d'entropie standard des réactions suivantes, à 25 °C. Le signe de ΔS^0 correspond-il à ce que l'on pourrait attendre des considérations théoriques?
    a) 2 Al (s) + 3 Cl_2 (g) $\longrightarrow$ 2 $AlCl_3$ (s)
    b) 2 CH_3OH (l) + 3 O_2 (g) $\longrightarrow$ 2 CO_2 (g) + 4 H_2O (g)

ΔS_{univ}^0 et la spontanéité

13. Calculez ΔS_{sys}^0, ΔS_{ext}^0 et ΔS_{univ}^0 de la réaction ci-dessous. Est-elle spontanée?

    $$\text{Si (s)} + 2\text{ }Cl_2\text{ (g)} \longrightarrow SiCl_4\text{ (g)}$$

14. Calculez les variations d'enthalpie et d'entropie standards lors de la décomposition de l'eau liquide en hydrogène et en oxygène gazeux. Cette réaction est-elle spontanée? Justifiez votre réponse.

15. Attribuez à chacune des réactions suivantes un des quatre types décrits dans le tableau 6.3.
    a) MgO (s) + C (graphite) $\longrightarrow$ Mg (s) + CO (g)
       $$\Delta H_{sys}^0 = 490,7\text{ kJ} \qquad \Delta S_{sys}^0 = 197,9\text{ J·K}^{-1}$$
    b) Fe_2O_3 (s) + 2 Al (s) $\longrightarrow$ 2 Fe (s) + Al_2O_3 (s)
       $$\Delta H_{sys}^0 = -851,5\text{ kJ} \qquad \Delta S_{sys}^0 = -375,2\text{ J·K}^{-1}$$
    c) N_2 (g) + 2 O_2 (g) $\longrightarrow$ 2 NO_2 (g)
       $$\Delta H_{sys}^0 = 66,2\text{ kJ} \qquad \Delta S_{sys}^0 = -121,6\text{ J·K}^{-1}$$

16. Le chauffage de quelques carbonates de métal, tel le carbonate de magnésium, mène à leur décomposition.

    $$MgCO_3\text{ (s)} \longrightarrow MgO\text{ (s)} + CO_2\text{ (g)}$$

    a) Calculez ΔH^0 et ΔS^0 de cette réaction, à 298 K.
    b) Est-elle spontanée à cette température?
    c) Serait-elle spontanée à une température plus élevée?

Le calcul de ΔG^0
(*Utilisez* $\Delta G^0 = \Delta H^0 - T\Delta S^0$.)

17. À l'aide des valeurs de ΔH_f^0 et de S^0, calculez ΔG^0 des réactions suivantes.
    a) 2 Pb (s) + O_2 (g) $\longrightarrow$ 2 PbO (s)
    b) NH_3 (g) + HNO_3 (aq) $\longrightarrow$ NH_4NO_3 (aq)
    c) 6 C (graphite) + 3 H_2 (g) $\longrightarrow$ C_6H_6 (l)
    Ces réactions favorisent-elles les produits? De quel facteur, enthalpique ou entropique, la force motrice de la réaction provient-elle?

18. À l'aide des valeurs de ΔH_f^0 et de S^0, calculez l'énergie de Gibbs standard de formation (ΔG_f^0) des composés suivants.
    a) CS_2 (g)   b) NaOH (s)   c) ICl (g)
    Comparez les valeurs calculées de ΔG_f^0 avec celles de l'annexe G.

L'énergie de Gibbs de formation
(*Utilisez* $\Delta G^0 = \sum[\Delta G_f^0(\text{produits})] - \sum[\Delta G_f^0(\text{réactifs})]$.)

19. Pour chacune des réactions suivantes, calculez la variation d'énergie de Gibbs standard (ΔG^0), à 298 K, et dites si la réaction favorise les produits.
    a) 2 K (s) + Cl_2 (g) $\longrightarrow$ 2 KCl (s)
    b) 2 CuO (s) $\longrightarrow$ 2 Cu (s) + O_2 (g)
    c) HgS (s) + O_2 (g) $\longrightarrow$ Hg (l) + SO_2 (g)
    d) 4 NH_3 (g) + 7 O_2 (g) $\longrightarrow$ 4 NO_2 (g) + 6 H_2O (g)

20. Calculez ΔG_f^0
    a) de $BaCO_3$;
       BaCO$_3$ (s) $\longrightarrow$ BaO (s) + CO_2 (g) $\Delta G^0 = 219,7$ kJ
    b) de $TiCl_2$.
       $TiCl_2$ (s) + Cl_2 (g) $\longrightarrow$ $TiCl_4$ (l) $\Delta G^0 = -272,8$ kJ

L'effet de la température sur ΔG^0

21. Déterminez si les réactions suivantes sont spontanées à 25 °C. Dans quel sens (direct ou inverse) les facteurs enthalpique et entropique favorisent-ils la réaction? Expliquez comment une hausse de température affecte la direction de la réaction.
    a) N_2 (g) + 2 O_2 (g) $\longrightarrow$ 2 NO_2 (g)
    b) 2 C (s) + O_2 (g) $\longrightarrow$ 2 CO (g)

c) $CaO\ (s) + CO_2\ (g) \longrightarrow CaCO_3\ (s)$

d) $2\ NaCl\ (s) \longrightarrow 2\ Na\ (s) + Cl_2\ (g)$

e) $SiCl_4\ (g) + 2\ H_2O\ (l) \longrightarrow SiO_2\ (s) + 4\ HCl\ (g)$

22. Estimez la température requise pour décomposer :

a) $HgS\ (s)$ en ses éléments $Hg\ (l)$ et $S\ (g)$.

b) $CaSO_4\ (s)$ en $CaO\ (s)$ et $SO_3\ (g)$.

L'énergie de Gibbs et la constante d'équilibre

(*Utilisez* $\Delta G^0 = -RT \ln K$.)

23. La valeur de l'énergie de Gibbs standard de formation (ΔG_f^0) de NO est de 86,58 kJ/mol, à 25 °C. Calculez K_p à cette température. Commentez la relation entre le signe de ΔG^0 et la grandeur de K_p.

$$\frac{1}{2}\ N_2\ (g) + \frac{1}{2}\ O_2\ (g) \longrightarrow NO\ (g)$$

24. Calculez ΔG^0 et K_p, à 25 °C, de la réaction suivante.

$$C_2H_4\ (g) + H_2\ (g) \longrightarrow C_2H_6\ (g)$$

Commentez la relation entre le signe de ΔG^0 et la grandeur de K_p. La réaction favorise-t-elle les produits ?

25. La constante d'équilibre de la réaction d'isomérisation du butane en isobutane (ou 2-méthylpropane) vaut 2,5, à 25 °C. À cette température, calculez la variation de l'énergie de Gibbs standard (ΔG^0).

Butane $\rightleftarrows$ Isobutane

$$CH_3CH_2CH_2CH_3 \rightleftarrows \begin{matrix} CH_3 \\ | \\ CH_3CHCH_3 \end{matrix}$$

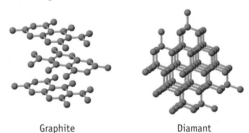

$$K = \frac{[\text{isobutane}]}{[\text{butane}]} = 2{,}5, \text{ à } 298\ K.$$

Questions de révision

Ces questions peuvent combiner plusieurs des concepts vus précédemment. Les numéros de couleur correspondent à des questions demandant plus de réflexion.

26. Calculez la variation d'entropie standard des réactions suivantes.

1. $C\ (s) + 2\ H_2\ (g) \longrightarrow CH_4\ (g)$ $\Delta S_1^0 = ?$

2. $CH_4\ (g) + \frac{1}{2}\ O_2\ (g) \longrightarrow CH_3OH\ (l)$
   $\Delta S_2^0 = ?$

3. $C\ (s) + 2\ H_2\ (g) + \frac{1}{2}\ O_2\ (g) \longrightarrow CH_3OH\ (l)$
   $\Delta S_3^0 = ?$

Montrez que ces valeurs respectent l'équation $\Delta S_1^0 + \Delta S_2^0 = \Delta S_3^0$. L'entropie est-elle une fonction d'état ?

27. Les mets préparés autoréchauffants contiennent leur propre source d'énergie thermique. Il suffit d'ajouter de l'eau dans l'unité chauffante et d'attendre quelques minutes.

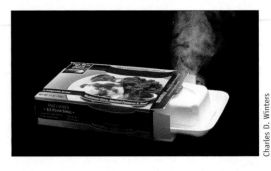

La chaleur est fournie par la réaction du magnésium et de l'eau.

$$Mg\ (s) + 2\ H_2O\ (l) \longrightarrow Mg(OH)_2\ (s) + H_2\ (g)$$

Démontrez que cette réaction est spontanée.

28. Équilibrez l'équation symbolisant la formation de 1 mol de $Fe_2O_3\ (s)$ à partir de ses éléments. Calculez son énergie de Gibbs standard de formation. Calculez la variation d'énergie de Gibbs standard de la réaction formant 450 g de Fe_2O_3.

29. La décomposition thermique de HgO (s) a permis à Priestley de découvrir et d'isoler l'oxygène.

$$2\ HgO\ (s) \longrightarrow 2\ Hg\ (l) + O_2\ (g)$$

a) Prévoyez le signe de ΔS_{sys}^0, ΔS_{ext}^0, ΔS_{univ}^0, ΔH^0 et ΔG^0, et justifiez vos réponses. À l'aide des données de l'annexe G, calculez ces cinq valeurs et vérifiez la justesse de vos prévisions.

b) Quelle est la valeur de K_p, à 25 °C ? Cette réaction favorise-t-elle les produits ?

30. La formation de diamant à partir de graphite est un processus important.

Graphite   Diamant

a) Calculez ΔS_{univ}^0, ΔH^0 et ΔG^0 de cette réaction.

b) D'après les calculs obtenus, cette réaction est impossible. Pourtant, elle est utilisée commercialement. Comment pouvez-vous expliquer cette contradiction ? (*Indice* Dans quelles conditions de pression et de température la synthèse peut-elle se faire ?)

31. Calculez ΔS_{sys}^0, ΔS_{ext}^0 et ΔS_{univ}^0 de chacune des réactions suivantes.

a) $NaCl\ (s) \longrightarrow NaCl\ (aq)$

b) $NaOH\ (s) \longrightarrow NaOH\ (aq)$

En quoi ces deux systèmes sont-ils différents ?

32. Le méthanol est largement utilisé comme carburant dans les voitures de course comme celles qui participent aux 500 milles d'Indianapolis. Considérez que l'on peut synthétiser le méthanol selon la réaction suivante :

$$C \text{ (graphite)} + \frac{1}{2} O_2 \text{ (g)} + 2 H_2 \text{ (g)} \longrightarrow CH_3OH \text{ (l)}$$

a) Calculez K_p à 25 °C et vérifiez que sa grandeur est cohérente avec le signe de ΔG^0.

b) La réaction se ferait-elle mieux à une autre température ?

33. À son point d'ébullition normal de 35,0 °C, l'enthalpie molaire de vaporisation de l'éthoxyéthane ($(C_2H_5)_2O$) est de 26,0 kJ/mol. À cette température, calculez ΔS^0 lors du passage de l'état :

a) liquide à l'état vapeur ;

b) vapeur à l'état liquide.

34. À l'aide des données thermodynamiques, estimez le point d'ébullition normal de l'éthanol (C_2H_5OH) et comparez-le à son point d'ébullition réel de 78 °C.

35. Devriez-vous augmenter ou diminuer la température pour rendre spontanée la réaction suivante, sachant qu'elle ne l'est pas à la température ambiante ?

$$COCl_2 \text{ (g)} \longrightarrow CO \text{ (g)} + Cl_2 \text{ (g)}$$

36. Prévoyez le signe des symboles ci-dessous dans le cas de la fusion du benzène (C_6H_6), sachant qu'il fond à 5,5 °C.

a) ΔH^0 **c)** ΔG^0 à 5,5 °C.   **e)** ΔG^0 à 25,0 °C.

b) ΔS^0 **d)** ΔG^0 à 0,0 °C.

37. Prévoyez sans effectuer de calcul le signe de ΔH^0, ΔS^0 et ΔG^0 pour chacun des processus suivants.

a) La décomposition de l'eau liquide en oxygène et en hydrogène gazeux nécessite une quantité considérable d'énergie.

b) La dynamite est un mélange de nitroglycérine ($C_3H_5N_3O_9$ (l)) et de terre de diatomée. La décomposition explosive de la nitroglycérine mène à des produits gazeux (H_2O, CO_2 entre autres) et dégage beaucoup d'énergie.

c) La combustion de l'essence, restreinte ici à l'octane, dans les moteurs à combustion interne.

$$2 C_8H_{18} \text{ (g)} + 25 O_2 \text{ (g)} \longrightarrow 16 CO_2 \text{ (g)} + 18 H_2O \text{ (g)}$$

38. On obtient l'alcool (l'éthanol) de la plupart des boissons alcoolisées par la fermentation du glucose ($C_6H_{12}O_6$) à l'aide de levures.

$$C_6H_{12}O_6 \text{ (aq)} \longrightarrow 2 C_2H_5OH \text{ (l)} + 2 CO_2 \text{ (g)}$$

L'énergie de Gibbs permet-elle de dire que cette réaction est spontanée ?

39. Calculez la valeur de ΔG^0 de la réaction ci-dessous et comparez-la avec celle obtenue à l'aide des valeurs de ΔG_f^0.

$$N_2O_4 \text{ (g)} \rightleftharpoons 2 NO_2 \text{ (g)} \qquad K_p = 0,14, \text{ à } 25 \text{ °C.}$$

40. L'iode se dissout facilement dans le tétrachlorure de carbone. Sachant que sa variation d'enthalpie standard de dissolution dans CCl_4 est de 0 kJ/mol, quel est le signe de ΔG^0 ? Cette dissolution est-elle favorisée par la dispersion de la matière (facteur entropique) ou de l'énergie (facteur enthalpique) ? Justifiez votre réponse.

$$I_2 \text{ (s)} \longrightarrow I_2 \text{ (CCl}_4)$$

41. Le trioxyde de soufre se décompose en dioxyde de soufre et en oxygène.

a) Calculez la variation d'énergie de Gibbs standard à 25 °C. La réaction favorise-t-elle les produits ?

b) Si la réaction directe n'est pas favorisée à 25 °C, à quelle température pourrait-elle le devenir ?

c) Calculez la constante d'équilibre de la réaction à 1500 °C.

42. Les oxydes de certains métaux peuvent se décomposer en leur métal et en oxygène dans des conditions relativement douces. La décomposition de l'oxyde d'argent (I) est-elle favorisée à 25 °C ?

$$2 Ag_2O \text{ (s)} \longrightarrow 4 Ag \text{ (s)} + O_2 \text{ (g)}$$

Dans la négative, une élévation de température peut-elle la favoriser ? À quelle température cette réaction pourrait-elle devenir spontanée ?

43. Le soufre subit une transition de phase entre 80 et 100 °C.

$$S_8 \text{ (orthorhombique)} \longrightarrow S_8 \text{ (monoclinique)}$$
$$\Delta H^0 = 3,213 \text{ kJ/mol} \qquad \Delta S^0 = 8,7 \text{ J·K}^{-1}\text{·mol}^{-1}$$

a) Estimez ΔG^0 pour cette transition, à 80 °C et à 110 °C. Quelle est la forme la plus stable à chacune de ces deux températures ?

b) Calculez la température pour laquelle $\Delta G^0 = 0$. Que représente cette température ?

44. Considérez la formation de NO (g) à partir de ses éléments.

$$N_2 \text{ (g)} + O_2 \text{ (g)} \longrightarrow 2 NO \text{ (g)}$$

a) Calculez K_p à 25 °C. La réaction favorise-t-elle la formation des produits ?

b) À 700 °C, calculez ΔG^0 en supposant que ΔH^0 et ΔS^0 sont indépendants de la température, et estimez K_p. La réaction directe est-elle favorisée à 700 °C ?

c) Calculez, à l'aide de K_p à 700 °C, les pressions partielles à l'équilibre des trois espèces gazeuses après avoir mélangé N_2 et O_2 à une pression de 1,00 bar chacun.

45. Calculez ΔG_f^0 de HI (g) à 350 °C, sachant que les pressions partielles à l'équilibre de H_2, I_2 et HI sont respectivement de 0,132 bar, 0,295 bar et 1,61 bar (I_2 est gazeux à 350 °C et à une pression de 1 bar).

46. On peut préparer de l'oxyde d'argent (I) en faisant réagir l'argent et l'oxygène.

a) Calculez ΔH^0, ΔS^0 et ΔG^0 de cette réaction, à 25 °C.

b) À 25 °C, calculez la pression de O_2 à l'équilibre.

c) Déterminez la température à laquelle la pression de O_2 à l'équilibre est de 1,00 bar.

47. Tracez un graphique semblable à celui de la figure 6.12 qui décrirait une transformation favorisant la réaction inverse (formation des réactifs).

Applications du concept d'équilibre aux réactions d'oxydoréduction

Les gaz dissous dans le sang

De nos jours, dans la majorité des hôpitaux, les analyses des gaz du sang sont monnaie courante. Une investigation complète comprend généralement la mesure du pH sanguin et des pressions partielles de l'oxygène et du dioxyde de carbone régnant dans les artères.

Le pH renseigne sur l'état des équilibres acidobasiques du corps, tandis que la pression artérielle de O_2 mesure le degré d'oxygénation du sang et celle de CO_2, la capacité de l'organisme d'éliminer ce gaz. Une pression de CO_2 élevée peut résulter d'un mauvais fonctionnement des poumons ; par contre, une pression faible peut révéler des problèmes de métabolisme.

Le sang doit contenir des substances capables de transporter l'oxygène vers les tissus, car la solubilité de ce gaz dans l'eau, et dans le plasma sanguin, est trop faible pour combler à elle seule le besoin : l'hémoglobine joue ce rôle. La myoglobine remplit cette même fonction dans les muscles, qui « respirent » intensément. Ces deux composés sont des protéines centrées sur un groupement hème, comprenant un ion fer (II) auquel se lie l'oxygène.

Ces deux protéines n'ont pas la même affinité pour l'oxygène, ce fait reflétant en soi leurs fonctions physio-

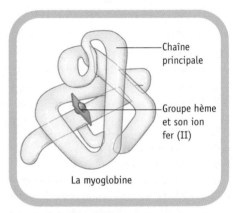

Chaîne principale

Groupe hème et son ion fer (II)

La myoglobine

▲ **La myoglobine, la protéine chargée d'emmagasiner l'oxygène dans les muscles.** L'oxygène se lie à l'ion fer (II) du groupement hème situé au centre de la protéine. La forme oxygénée confère au muscle sa couleur rouge.

logiques différentes. La myoglobine en emmagasine plus que l'hémoglobine, quelle que soit la pression partielle de ce gaz. L'hémoglobine se sature en oxygène dans les poumons, à une pression voisine de 13 kPa. Dans les tissus capillaires, la pression partielle de l'oxygène chute et l'hémoglobine libère son gaz. Une partie est emmagasinée par la myoglobine et ne sera utilisée qu'ultérieurement selon la demande, lors d'un exercice musculaire intense par exemple.

Le contrôle de la quantité d'oxygène dans l'organisme est important, en particulier chez les nouveau-nés. Son

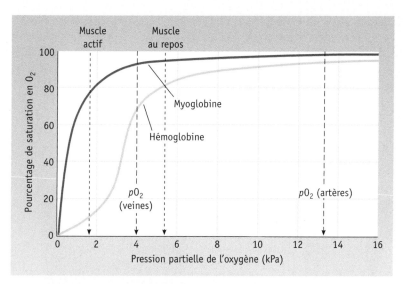

L'oxygène lié à la myoglobine et à l'hémoglobine a un pH 7,4, chez un adulte moyen. Fait notable, la pression de l'oxygène dans le sang d'un fœtus est très faible, voisine de 4 kPa. C'est comme si l'on vivait à une altitude de 7800 m !

7

taux doit être maintenu aussi bas que possible, car des concentrations trop élevées peuvent endommager les poumons et les yeux. Aussi, au fil des ans, on a mis au point des instruments permettant de le doser, parmi lesquels une toute petite cellule électrochimique occupe une place prépondérante. Elle est constituée de deux demi-cellules, l'une contenant une électrode de référence et l'autre, une électrode sensible à la concentration d'oxygène. On applique une petite tension à la cellule plongée dans un échantillon de sang artériel. L'oxygène dissous est alors réduit selon la demi-équation :

$$O_2 \, (aq) + 2 \, H_2O \, (l) + 4 \, e^- \longrightarrow 4 \, OH^- \, (aq)$$

et l'appareil « compte » les électrons émis dans le circuit électrique. On en déduit la quantité d'oxygène qui a réagi. De nos jours, l'instrument est si miniaturisé qu'il se loge dans la tête d'un cathéter étroit insérable facilement dans une artère : cette technique permet ainsi une mesure directe de la concentration de l'oxygène dans l'organisme.

Ce protocole est largement implanté dans les laboratoires depuis quelque temps. Cependant, son application à des mélanges aussi complexes que le

sang a posé beaucoup de problèmes à cause de l'interférence de nombreux autres composés présents en solution. La solution trouvée par le biochimiste L. C. Clark fils est incroyablement simple : il a simplement recouvert l'électrode d'une membrane de polyéthylène. Elle laisse passer l'oxygène, qui seul peut entrer en contact avec l'électrode, les autres constituants du sang ne pouvant la traverser. En 1956, Clark a obtenu un brevet pour son dispositif, et son électrode ainsi modifiée est encore de nos jours à la base de la principale technique de mesure de la concentration d'oxygène dans l'organisme.

Appareil d'analyse des gaz du sang et de mesure de son pH. Hank Morgan/Photo Researchers, Inc.

Les réactions d'oxydoréduction Un transfert d'électrons a lieu dans les réactions spontanées d'oxydoréduction favorables aux produits: de telles réactions sont à la base des batteries d'accumulateurs. Il se produit aussi lors d'une électrolyse rendue possible grâce à une source extérieure d'énergie.

L'OXYDATION DU CUIVRE PAR LES IONS ARGENT

Un fil de cuivre dans une solution de nitrate d'argent.

Avec le temps, le cuivre réduit les ions Ag^+ en argent et est oxydé en ions cuivre (II).

La couleur bleue atteste la présence des ions Cu^{2+} (aq).

$+ Ag^+$ (aq)

Au bout de quelques jours

Ag^+ (aq)

Cu^{2+} (aq)

Surface du fil de cuivre

LA RÉDUCTION D'UN CATION CONTENANT DU VANADIUM (V) PAR LE ZINC

L'ion VO_2^+ (aq) est jaune en solution aqueuse acide.

L'ion jaune VO_2^+ (aq) est d'abord réduit en VO^{2+} (aq) de couleur bleue.

Avec le temps, l'ion VO^{2+} (aq) est réduit en V^{3+} (aq) de couleur verte.

Finalement, on arrive à l'ion violet V^{2+} (aq).

$+ Zn$

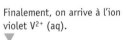

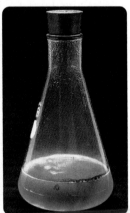

VO_2^+ (aq)

VO^{2+} (aq)

V^{3+} (aq)

V^{2+} (aq)

Une expérience toute simple permet de définir l'**électrochimie** et ce que l'on entend par transfert d'électrons. On immerge un fil de cuivre dans une solution aqueuse de nitrate d'argent. En peu de temps, de l'argent métallique se dépose sur le fil et la solution se colore en bleu (voir l'encadré Point de mire). La réaction d'oxydoréduction suivante s'est produite :

$$Cu\ (s)\ +\ 2\ Ag^+\ (aq)\ \longrightarrow\ Cu^{2+}\ (aq)\ +\ 2\ Ag\ (s)$$

Au niveau submicroscopique, les ions Ag^+ présents en solution entrent en contact avec la surface du cuivre. Deux électrons d'un atome de cuivre le quittent et sont transférés à deux ions Ag^+. L'ion Cu^{2+} formé passe en solution, tandis que les deux atomes d'argent se déposent sur la surface du cuivre. Cette réaction se poursuit jusqu'à ce qu'un des deux réactifs soit totalement consommé.

On peut utiliser cette réaction entre le cuivre et les ions Ag^+ pour engendrer un courant électrique, à condition toutefois de la réaliser d'une autre manière pour éviter le contact direct entre les réactifs. En effet, lorsqu'ils sont en contact, les électrons passent directement de l'un à l'autre, de Cu à Ag^+, et l'énergie est produite sous forme de chaleur plutôt que d'électricité. Pour obtenir de l'électricité, il faut s'arranger pour que les électrons passent de Cu à Ag^+ par l'intermédiaire d'un circuit électrique : ce flux d'électrons constitue le courant électrique, qui sert à alimenter un moteur ou à rendre incandescent le filament d'une ampoule électrique. De tels montages qui engendrent un courant électrique constituent des piles électrochimiques, encore appelées les piles voltaïques ou les piles galvaniques, en l'honneur des scientifiques italiens Alessandro Volta (1745-1827) et Luigi Galvani (1737-1798).

Dans une pile électrochimique, l'énergie chimique est transformée en énergie électrique. Le processus inverse, l'utilisation de l'énergie électrique pour effectuer une réaction chimique, est aussi possible : on l'appelle l'électrolyse. La décomposition de l'eau en ses éléments par le passage d'un courant électrique en est un exemple classique. L'électrolyse est la technique utilisée industriellement pour plaquer un métal sur un autre, pour extraire l'aluminium de son oxyde Al_2O_3 et pour préparer de nombreux autres composés métalliques ou non (magnésium, sodium, chlore, etc.).

Comme tous les processus électrochimiques reposent sur des réactions d'oxydoréduction, on commence l'étude de ce sujet par l'équilibrage de ces dernières.

7.1 LES RÉACTIONS D'OXYDORÉDUCTION

Rappelons tout d'abord le vocabulaire de l'oxydoréduction explicité en partie dans le manuel *Chimie générale*.

7.1.1 Les demi-réactions

Soit la **réaction d'oxydoréduction** suivante :

$$Cu\ (s)\ +\ 2\ Ag^+\ (aq)\ \longrightarrow\ Cu^{2+}\ (aq)\ +\ 2\ Ag\ (s)$$

La substance qui *accepte des électrons est réduite* (Ag^+ est réduit), celle qui les *perd est oxydée* (Cu est oxydé).

La *substance réduite est un* **oxydant** (Ag^+ oxyde Cu), tandis que *celle qui est oxydée est un* **réducteur** (Cu réduit Ag^+).

Pour savoir si une espèce a été oxydée ou réduite, on fait appel au concept de l'**état d'oxydation** (*voir les sections 6.7.4 et 10.5.5 du manuel* Chimie générale) : *un élément est oxydé si son état d'oxydation augmente, est réduit s'il diminue.*

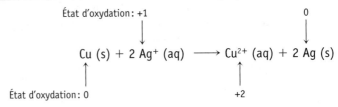

Ag⁺ accepte 1 e⁻ de Cu et est réduit en Ag. Ag⁺ est l'oxydant.

$$\text{État d'oxydation: +1} \qquad\qquad\qquad 0$$

$$Cu\ (s) + 2\ Ag^+\ (aq) \longrightarrow Cu^{2+}\ (aq) + 2\ Ag\ (s)$$

$$\text{État d'oxydation: 0} \qquad\qquad\qquad +2$$

Cu donne des e⁻ aux ions Ag⁺ et est oxydé en Cu²⁺. Cu est le réducteur.

Afin de mettre le transfert d'électrons en évidence, on décompose l'équation de réaction en deux **demi-réactions.** Ainsi, l'équation:

$$Cu\ (s) \longrightarrow Cu^{2+}\ (aq) + 2\ e^-$$

représente la demi-réaction d'**oxydation** (perte d'électrons) du cuivre de l'exemple précédent. L'équation:

$$Ag^+\ (aq) + e^- \longrightarrow Ag\ (s)$$

décrit la demi-réaction de **réduction** (gain d'électrons) des ions argent.

7.1.2 L'équilibre redox

On constate expérimentalement que le fer est oxydé par les ions Cu^{2+} (aq) selon

$$Fe\ (s) \longrightarrow Fe^{2+}\ (aq) + 2\ e^-$$

et que les ions Fe^{2+} (aq) sont réduits par le zinc.

$$Fe^{2+}\ (aq) + 2\ e^- \longrightarrow Fe\ (s)$$

Ces deux types de comportements du couple Fe^{2+}/Fe se résument ainsi:

$$Fe^{2+}\ (aq) + 2\ e^- \rightleftharpoons Fe\ (s)$$

La position de cet **équilibre redox** dépend du deuxième composé mis en présence (Cu^{2+} ou Zn par exemple). Une paire telle que Fe^{2+} (aq)/Fe (s) qui s'échange des électrons est dite **couple redox** ou couple oxydoréducteur. Fe^{2+} (aq) est la **forme oxydée** de ce couple, tandis que Fe (s) en est la **forme réduite.** La forme oxydée Fe^{2+} (aq) est réduite en Fe (s) en gagnant des électrons; à l'inverse, la forme réduite Fe (s) est oxydée en Fe^{2+} (aq) en perdant des électrons. Par convention, la forme oxydée du couple apparaît dans le membre de gauche de l'équation de la demi-réaction et est nommée avant la forme réduite.

Les demi-réactions ne sont pas toutes aussi simples que celles que l'on vient de voir. En solution aqueuse, il arrive souvent que des ions hydroxyde ou hydronium et des molécules d'eau apparaissent dans les équations. C'est ainsi, par exemple, que l'équilibre redox entre les ions $Cr_2O_7^{2-}$ (aq) et Cr^{3+} (aq) s'écrit:

$$Cr_2O_7^{2-}\ (aq) + 14\ H^+\ (aq) + 6\ e^- \rightleftharpoons 2\ Cr^{3+}\ (aq) + 7\ H_2O\ (l)$$

En oxydoréduction, on emploie H^+ (aq) plutôt que H_3O^+ (aq) pour symboliser l'ion hydronium.

7.1.3 L'équilibrage des équations des réactions d'oxydoréduction

En plus des atomes, les charges électriques doivent être équilibrées dans les réactions d'oxydoréduction. Cet équilibre de charges garantit que le nombre d'électrons produits par l'oxydation est égal à celui gagné lors de la réduction.

L'équilibrage des réactions d'oxydoréduction est parfois difficile, mais il existe des méthodes qui facilitent la tâche. L'exemple suivant décrit les différentes étapes de la **méthode des demi-réactions,** quelle que soit l'acidité du milieu réactionnel.

EXEMPLE 7.1 **L'équilibrage des équations des réactions d'oxydoréduction**

Équilibrez l'équation :

$$Al\ (s)\ +\ H_2O\ (l)\ \longrightarrow\ Al(OH)_4^-\ (aq)\ +\ H_2\ (g)$$

qui se produit en milieu basique. Identifiez le réducteur et l'oxydant, l'espèce réduite et l'espèce oxydée.

SOLUTION

1. *Identifiez les demi-réactions.*
   L'aluminium est oxydé en $Al(OH)_4^-$ (aq), puisque son état d'oxydation passe de 0 à +3, tandis que l'hydrogène de l'eau est réduit en H_2 (g), son état d'oxydation diminue de +1 à 0. L'aluminium est donc le réducteur, l'eau étant l'oxydant.

$$Al\ (s)\ \longrightarrow\ Al(OH)_4^-\ (aq)$$
$$H_2O\ (l)\ \longrightarrow\ H_2\ (g)$$

2. *Équilibrez les atomes qui subissent l'oxydation ou la réduction.*
   Les demi-réactions satisfont déjà à ce critère.

$$Al\ (s)\ \longrightarrow\ Al(OH)_4^-\ (aq)$$
$$H_2O\ (l)\ \longrightarrow\ H_2\ (g)$$

3. *Équilibrez les atomes d'oxygène en y ajoutant le nombre approprié de molécules d'eau.*

$$Al\ (s)\ +\ 4\ H_2O\ (l)\ \longrightarrow\ Al(OH)_4^-\ (aq)$$
$$H_2O\ (l)\ \longrightarrow\ H_2\ (g)\ +\ H_2O\ (l)$$

4. *Équilibrez les atomes d'hydrogène en y ajoutant le nombre approprié d'ions H^+ (aq).*

$$Al\ (s)\ +\ 4\ H_2O\ (l)\ \longrightarrow\ Al(OH)_4^-\ (aq)\ +\ 4\ H^+\ (aq)$$
$$H_2O\ (l)\ +\ 2\ H^+\ (aq)\ \longrightarrow\ H_2\ (g)\ +\ H_2O\ (l)$$

5. *Équilibrez les charges en y ajoutant le nombre approprié d'électrons.*

$$Al\ (s)\ +\ 4\ H_2O\ (l)\ \longrightarrow\ Al(OH)_4^-\ (aq)\ +\ 4\ H^+\ (aq)\ +\ 3\ e^-$$
$$H_2O\ (l)\ +\ 2\ H^+\ (aq)\ +\ 2\ e^-\ \longrightarrow\ H_2\ (g)\ +\ H_2O\ (l)$$

6. *Multipliez, si c'est nécessaire, les demi-réactions de manière à obtenir le même nombre d'électrons dans chacune.*

$$2\ [Al\ (s)\ +\ 4\ H_2O\ (l)\ \longrightarrow\ Al(OH)_4^-\ (aq)\ +\ 4\ H^+\ (aq)\ +\ 3\ e^-]$$
$$3\ [H_2O\ (l)\ +\ 2\ H^+\ (aq)\ +\ 2\ e^-\ \longrightarrow\ H_2\ (g)\ +\ H_2O\ (l)]$$

7. *Additionnez les demi-réactions en éliminant les électrons.*

$$2\ Al\ (s)\ +\ 11\ H_2O\ (l)\ +\ 6\ H^+\ (aq)\ \longrightarrow\ 2\ Al(OH)_4^-\ (aq)\ +\ 8\ H^+\ (aq)\ +\ 3\ H_2\ (g)\ +\ 3\ H_2O\ (l)$$

8. *Simplifiez l'équation.*

$$2\ Al\ (s)\ +\ 8\ H_2O\ (l)\ \longrightarrow\ 2\ Al(OH)_4^-\ (aq)\ +\ 2\ H^+\ (aq)\ +\ 3\ H_2\ (g)$$

9. *En milieu basique, ajoutez de chaque côté de l'équation autant de OH^- (aq) qu'il y a de H^+ (aq) et simplifiez de nouveau l'équation en tenant compte de la réaction H^+ (aq) $+\ OH^-$ (aq) $\longrightarrow H_2O$ (l).*

$$2\,Al\,(s) + 8\,H_2O\,(l) + 2\,OH^-\,(aq) \longrightarrow 2\,Al(OH)_4^-\,(aq) + 2\,H^+\,(aq) + 3\,H_2\,(g) + 2\,OH^-\,(aq)$$

$$2\,Al\,(s) + 8\,H_2O\,(l) + 2\,OH^-\,(aq) \longrightarrow 2\,Al(OH)_4^-\,(aq) + 2\,H_2O\,(l) + 3\,H_2\,(g)$$

$$2\,Al\,(s) + 6\,H_2O\,(l) + 2\,OH^-\,(aq) \longrightarrow 2\,Al(OH)_4^-\,(aq) + 3\,H_2\,(g)$$

10. *Vérifiez l'équation.*

De part et d'autre, on dénombre 2 Al, 8 O, 14 H et 2 charges négatives.

EXERCICE 7.1 **L'équilibrage des équations des réactions d'oxydoréduction**

Équilibrez l'équation :

$$MnO_4^-\,(aq) + Fe^{2+}\,(aq) \longrightarrow Mn^{2+}\,(aq) + Fe^{3+}\,(aq)$$

qui se produit en milieu acide. Identifiez le réducteur et l'oxydant, l'espèce réduite et l'espèce oxydée.

EXERCICE 7.2 **L'équilibrage des équations des réactions d'oxydoréduction**

Équilibrez l'équation :

$$Al\,(s) + S\,(s) \longrightarrow Al(OH)_3\,(s) + HS^-\,(aq)$$

qui se produit en milieu basique et que l'on tente de mettre en application dans des piles. Identifiez le réducteur et l'oxydant, l'espèce réduite et l'espèce oxydée.

---

trucs et astuces

L'équilibrage des équations des réactions d'oxydoréduction

- N'équilibrez jamais les atomes d'hydrogène avec l'ajout de H ou de H_2.
- N'équilibrez jamais les atomes d'oxygène avec O ou O_2, ou O^{2-}.

- Les ions H^+ (aq), en milieu acide, ou les ions OH^- (aq), en milieu basique, peuvent être présents dans une équation équilibrée, mais pas les deux à la fois.
- Le nombre d'électrons mis en jeu dans une demi-réaction correspond à la variation de l'état d'oxydation d'un des éléments.

- Les électrons font partie des demi-réactions, mais n'apparaissent pas dans l'équation de la réaction d'oxydoréduction.
- N'oubliez pas de noter les charges des ions.
- Et... exercez-vous !

7.1.4 Les dosages par oxydoréduction

Beaucoup de réactions d'oxydoréduction sont considérées à toutes fins utiles comme totales (*voir les sections 7.2.5 et 7.4.2, pages 286 et 299*). On imagine alors aisément qu'elles peuvent être utilisées dans des dosages tout comme les réactions acidobasiques : les techniques et les calculs stœchiométriques sont identiques dans les deux cas, à condition de remplacer *acide* et *base* par « oxydant » et « réducteur ».

EXEMPLE 7.2 **Les dosages par oxydoréduction**

Par un traitement à l'acide, on transforme quantitativement en ions Fe^{2+} (aq) le fer contenu dans 1,026 g d'un échantillon de minerai. Le dosage des ions fer (II) nécessite 24,3 mL de solution de permanganate de potassium ($KMnO_4$) de concentration 0,0195 mol/L. Quelle est la teneur en fer de ce minerai (fraction massique) ?

SOLUTION

En solution acide, $KMnO_4$ oxyde les ions Fe^{2+} selon l'équation équilibrée :

$$MnO_4^- \ (aq) + 5 \ Fe^{2+} \ (aq) + 8 \ H^+ \ (aq) \longrightarrow Mn^{2+} \ (aq) + 5 \ Fe^{3+} \ (aq) + 4 \ H_2O \ (l)$$

a)

b)

▲ **a)** On ajoute à l'échantillon d'ions fer (II) jaune pâle une solution étalon de $KMnO_4$. Lors de l'agitation, les ions Fe^{2+} réduisent les ions MnO_4^- et la couleur violette de ces derniers disparaît. **b)** En solution diluée, la coloration des ions Fe^{3+} et Mn^{2+} formés dans l'erlenmeyer est peu perceptible, et une goutte en excès de la solution de $KMnO_4$ teinte cette solution en violet, marquant ainsi la fin du dosage.

$$\text{Quantité de } MnO_4^- \text{ au point équivalent} = 24,3 \ \text{mL} \times \frac{0,0195 \ \text{mol}}{1000 \ \text{mL}}$$
$$= 24,3 \times 0,0195 \times 10^{-3} \ \text{mol}$$

$$\text{Quantité de } Fe^{2+} = (24,3 \times 0,0195 \times 10^{-3}) \ \text{mol de } MnO_4^- \times \frac{5 \ \text{mol de } Fe^{2+}}{1 \ \text{mol de } MnO_4^-}$$
$$= (24,3 \times 0,0195 \times 5 \times 10^{-3}) \ \text{mol}$$

$$\text{Masse de Fe} = (24,3 \times 0,0195 \times 5 \times 10^{-3}) \ \text{mol de Fe} \times \frac{55,845 \ \text{g}}{1 \ \text{mol de Fe}}$$
$$= (24,3 \times 0,0195 \times 5 \times 10^{-3} \times 55,845) \ \text{g}$$

$$\text{Teneur en fer de l'échantillon} =$$
$$\frac{24,3 \times 0,0195 \times 5 \times 10^{-3} \times 55,845 \ \text{g}}{1,026 \ \text{g}} = 0,129 \ \text{ou} \ 12,9 \ \%$$

EXERCICE 7.3 | **Les dosages par oxydoréduction**

L'acide ascorbique ($C_6H_8O_6$) ou vitamine C, un réducteur, réagit avec un excès de I_2, un oxydant, selon l'équation :

$$C_6H_8O_6 \ (aq) + I_2 \ (aq) \longrightarrow C_6H_6O_6 \ (aq) + 2 \ H^+ \ (aq) + 2 \ I^- \ (aq)$$

L'iode qui n'a pas réagi est dosé à l'aide d'une solution étalon de thiosulfate de sodium ($Na_2S_2O_3$).

$$I_2 \ (aq) + 2 \ S_2O_3^{2-} \ (aq) \longrightarrow 2 \ I^- \ (aq) + S_4O_6^{2-} \ (aq)$$

Lors d'un dosage, on ajoute 50,00 mL d'une solution d'iode de concentration 0,0520 mol/L à un échantillon d'acide ascorbique. Il a fallu 20,3 mL d'une solution de $Na_2S_2O_3$ de concentration 0,196 mol/L pour doser l'iode résiduel. Calculez la masse d'acide ascorbique contenu dans l'échantillon dosé.

7.2 LES PILES ÉLECTROCHIMIQUES

7.2.1 La description et le fonctionnement d'une pile

Pour expliquer le fonctionnement d'une **pile électrochimique** et le décrire, revenez à l'exemple de l'oxydation du cuivre par les ions Ag^+ (aq). Les réactifs de chaque demi-réaction sont placés dans des bechers séparés. Ce dispositif empêche le transfert direct des électrons du cuivre vers les ions Ag^+ (aq) : les électrons doivent emprunter un circuit extérieur, ce qui permet éventuellement de produire un travail (figure 7.1).

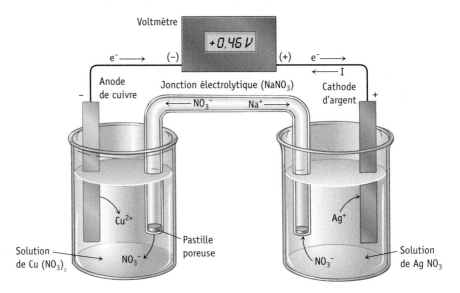

$$Cu \ (s) + 2 \ Ag^+ \ (aq) \longrightarrow Cu^{2+} \ (aq) + 2 \ Ag \ (s)$$

Figure 7.1 **La pile électrochimique Cu (s)|Cu²⁺ (aq)‖Ag⁺ (aq)|Ag (s).** Les électrons se déplacent dans le circuit extérieur de l'anode, l'électrode de cuivre, vers la cathode, l'électrode d'argent. Dans la jonction électrolytique constituée de nitrate de sodium, les ions négatifs NO_3^- (aq) migrent vers la demi-cellule Cu (s)/Cu²⁺ (aq), tandis que les ions positifs se déplacent en sens inverse vers la demi-cellule Ag⁺ (aq)/Ag (s). Lorsque les concentrations en ions Cu²⁺ (aq) et Ag⁺ (aq) sont égales à 1 mol/L, la différence de potentiel aux bornes (la tension) est 0,46 V.

Une lamelle de cuivre trempe dans une solution d'ions cuivre (II) contenue dans le becher de gauche. Dans celui de droite contenant une solution d'ions argent (I) baigne une lamelle d'argent. Ces pièces métalliques, en contact avec une solution de leurs ions respectifs, sont des **électrodes** et l'ensemble électrode/solution constitue une **demi-cellule.** Un fil métallique relie les deux pièces de métal, assurant le transfert d'électrons du cuivre vers l'argent.

Une **jonction électrolytique** ferme le circuit. Elle contient des ions qui ne réagissent pas avec les réactifs des demi-cellules. Dans l'exemple, on a choisi le nitrate de sodium. Elle permet le déplacement des cations et des anions d'un becher à l'autre : les cations migrent vers la cathode et les anions, vers l'anode. En effet, lorsque la pile fonctionne (débite du courant), la concentration des ions Cu²⁺ (aq) contenus dans le becher de gauche augmente, celle des ions Ag⁺ (aq) diminue dans celui de droite, alors que la concentration des ions négatifs demeure constante. Il y a donc excès de charges positives dans la demi-cellule de gauche et excès de charges négatives dans celle de droite. Pour respecter l'électroneutralité des deux solutions, il faut que des charges négatives portées par des anions présents dans la jonction et dans le becher de droite arrivent dans le compartiment du cuivre et que des charges positives migrent en sens inverse vers le compartiment de l'argent. Ainsi, le passage du courant électrique est assuré par les électrons dans les fils reliant les électrodes, à l'extérieur de la pile, et par le déplacement des ions entre les deux solutions et dans chacune des solutions, à l'intérieur de la pile. Pour que le courant puisse circuler, il faut que le circuit soit complet (circuit fermé). Si l'on enlève la jonction électrolytique, on ouvre le circuit et les réactions aux électrodes s'arrêtent.

L'électrode où se produit la demi-réaction d'oxydation, le cuivre, est l'**anode** et l'oxydation est dite **anodique.** La deuxième électrode, l'argent, est la **cathode,** où se produit la **réduction cathodique.**

Le passage d'un courant électrique dans le circuit extérieur de la pile signifie qu'il existe une différence de potentiel entre les deux électrodes. Dans l'exemple, le potentiel de l'électrode d'argent est plus élevé que celui de l'électrode de cuivre, *le sens du courant étant, par convention, inverse à la circulation des électrons.* Dans toute pile, l'anode constitue son pôle négatif (-), la réaction d'oxydation produisant des électrons lui conférant une charge négative, et la cathode, son pôle positif (+). Les électrons se déplaçant, *dans le circuit extérieur,* de l'anode négative vers la cathode positive constituent le courant électrique.

Deux réactions peuvent *a priori* avoir lieu dans cette pile, soit la réduction des ions Ag^+ par le cuivre,

$$2\ Ag^+\ (aq)\ +\ Cu\ (s)\ \longrightarrow\ 2\ Ag\ (s)\ +\ Cu^{2+}\ (aq)$$

Oxydant   Réducteur

auquel cas l'électrode de cuivre serait l'anode (négative), soit la réduction des ions Cu^{2+} par l'argent,

$$2\ Ag\ (s)\ +\ Cu^{2+}\ (aq)\ \longrightarrow\ 2\ Ag^+\ (aq)\ +\ Cu\ (s)$$

Réducteur   Oxydant

auquel cas l'électrode de cuivre serait la cathode (positive). Toutes les espèces nommées dans ces deux équations sont présentes dans la pile. On imagine facilement que la réaction qui se produit effectivement met en jeu le réactif oxydant le plus fort et le réactif réducteur le plus fort. Dans les faits, ce sont les ions Ag^+ (aq) qui oxydent le cuivre en ions Cu^{2+} (aq) : on déduit donc de cet exemple que *le couple redox le plus oxydant se situe à la cathode et possède le potentiel le plus élevé.* Cette constatation est importante comme on le verra dans la section 7.2.5.

Dans la figure 7.1, les électrodes sont reliées par un fil métallique à un voltmètre. On aurait pu les connecter à une ampoule ou à tout autre appareil utilisant l'électricité pour fonctionner. L'oxydation du cuivre produit des ions Cu^{2+}, qui passent en solution, et des électrons qui empruntent le circuit extérieur pour se rendre à l'électrode d'argent et réduire les ions Ag^+ qui entrent en contact. Pour équilibrer leur production et leur consommation, deux ions Ag^+ (aq) sont réduits, tandis qu'un atome de cuivre est oxydé en Cu^{2+}.

La pile schématique de la figure 7.2 (*voir la page 282*) résume tous ces faits.

◆ *Mnémotechnique*

Oxydation anodique : deux voyelles.

Réduction cathodique : deux consonnes.

◆ *Le déplacement des électrons et des anions*

Dans une pile, remarquez que les électrons et les anions, tous deux chargés négativement, se déplacent dans le même sens, les premiers dans le circuit extérieur et les seconds dans les solutions et la jonction électrolytique. Les charges négatives forment une boucle.

◆ *Le déplacement des électrons et le sens du courant électrique*

Attention ! Par convention, le sens du courant électrique identifié par son intensité (I) est le sens inverse du déplacement des électrons.

7

EXEMPLE 7.3 **Les piles électrochimiques**

Une pile met en jeu la réaction suivante.

$$Fe\ (s)\ +\ Cu^{2+}\ (aq)\ \longrightarrow\ Fe^{2+}\ (aq)\ +\ Cu\ (s)$$

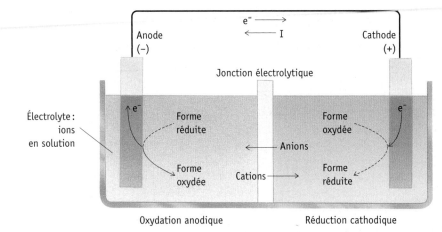

Figure 7.2 Résumé du vocabulaire des piles et des déplacements des espèces. Les électrons se déplacent, dans le circuit extérieur de la pile, de l'anode, le site de l'oxydation, vers la cathode où a lieu la réduction. L'équilibre des charges dans les demi-cellules est assuré par la migration des ions dans la jonction électrolytique : les anions se déplacent vers le compartiment anodique, les cations vers le compartiment cathodique.

Équilibrez les équations des demi-réactions et notez sur un schéma l'anode, la cathode, la circulation des électrons, le sens du courant électrique, la migration des ions dans la jonction électrolytique constituée d'une solution de nitrate de potassium.

SOLUTION
Vous devez tout d'abord identifier les demi-réactions. Ensuite, vous nommez les demi-cellules correspondantes et trouvez le sens de déplacement des électrons dans le circuit extérieur et le sens du courant.

Première demi-réaction $\quad$ $Fe \; (s) \longrightarrow Fe^{2+} \; (aq) + 2 \; e^-$

Seconde demi-réaction $\quad$ $Cu^{2+} \; (aq) + 2 \; e^- \longrightarrow Cu \; (s)$

La première correspond à une oxydation (le fer perd des électrons) et, évidemment, la seconde, à une réduction [Cu^{2+} (aq) gagne des électrons]. L'électrode de fer est l'anode négative, oxydation anodique, tandis que la cathode positive est constituée de cuivre, réduction cathodique.

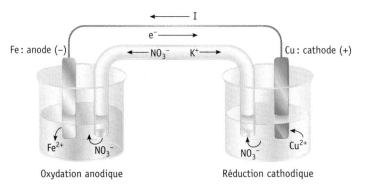

Dans le circuit extérieur, les électrons se déplacent du fer vers le cuivre, le courant de la cathode vers l'anode. La concentration des ions Fe^{2+} augmente dans le compartiment anodique : pour conserver l'électroneutralité, des ions négatifs (NO_3^- (aq)) doivent provenir de la jonction électrolytique. Les ions positifs de la jonction (K^+ (aq)) migrent en sens inverse et vont vers le compartiment cathodique, et compensent la disparition des ions positifs Cu^{2+} (aq).

EXERCICE 7.4 **Les piles électrochimiques**

Décrivez la pile mettant en jeu les demi-réactions suivantes.

$$Ag^+ (aq) + e^- \longrightarrow Ag (s)$$
$$Ni (s) \longrightarrow Ni^{2+} (aq) + 2 e^-$$

Notez sur un schéma l'anode, la cathode, la circulation des électrons, le sens du courant électrique, la migration des ions dans la jonction électrolytique constituée d'une solution de nitrate de potassium.

perspectives

Galvani, Volta, les piles… et les grenouilles

Les premières études de Galvani (1737-1798) sur ce qu'il appelait l'*électricité animale* nous ont laissé deux adjectifs nouveaux: « galvanique » et « galvanisé ». Aux alentours de 1780, il observe que le courant issu d'un générateur d'électricité statique provoque la contraction des muscles des pattes de grenouille. Reprenant l'idée de Benjamin Franklin que les éclairs sont en fait une étincelle électrique, Galvani observe qu'une patte de grenouille attachée par un crochet de cuivre à un fil métallique durant un orage se contracte. Il montre ensuite que la contraction se produit aussi lorsqu'il pique le muscle avec les pointes d'un compas faites de deux métaux différents. Dans ce cas, aucune source d'électricité extérieure n'est mise à contribution, aussi Galvani conclut-il que les muscles engendrent leur propre électricité. Cela est la preuve, selon lui, de l'existence d'une « énergie vitale » ou

d'une « électricité animale », analogue à l'« électricité naturelle » produite par les machines ou les éclairs, mais cependant différente.

Alessandro Volta (1745-1827) répète avec succès les expériences de Galvani, mais en propose une explication différente. Pour Volta, le courant est produit par les deux métaux différents mis en contact, ce que nous acceptons maintenant comme vrai, et le muscle de grenouille n'agit que comme détecteur. Pour étayer son hypothèse, en 1800, il met au point la première « pile électrique »: dans sa version verticale, elle se compose d'une série de disques d'argent et de zinc placés en alternance l'un sur l'autre et séparés par une cloison de carton imbibé d'une solution saline ou acide.

Peu après l'annonce de la découverte de Volta, Carlisle et Nicholson, en Angleterre, décomposent l'eau en oxygène et hydrogène au moyen d'une « pile ». Un peu plus tard, le grand chimiste anglais Humphry Davy, à l'aide d'une pile nettement plus puissante, isole par

électrolyse le potassium et le sodium.

En 1797, Alexander von Humboldt (1769-1859) montre que Galvani a en fait découvert la bioélectricité, le fait qu'un muscle d'une grenouille se contracte au contact d'un nerf d'un autre muscle. On sait maintenant qu'il existe de faibles différences de potentiel électrique de part et d'autre d'une membrane cellulaire, cet effet étant causé par une distribution inégale d'ions tels que Na^+, K^+ ou Mg^{2+} entre l'intérieur et l'extérieur de la cellule.

▲ Luigi Galvani en train d'effectuer une expérience sur l'effet de l'électricité sur les muscles (1792). Archivo Iconografico, S. A./Corbis

7.2.2 Les électrodes inertes

Dans la description précédente d'une pile, le métal utilisé comme électrode est aussi un réactif ou un produit de la réaction d'oxydoréduction. Cela ne constitue qu'un cas particulier, car toutes les demi-réactions n'impliquent pas forcément

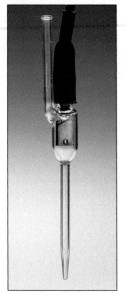

Figure 7.3 L'électrode à hydrogène. L'hydrogène barbote autour d'une électrode de platine plongée dans une solution contenant des ions H^+ (aq). De telles électrodes fonctionnent bien lorsque la surface d'adsorption du gaz est très grande. Aussi, pour accroître la superficie de contact, on utilise un treillis de fils très fins ou une lamelle soumise à un abrasif à gros grains, ou encore recouverte de platine finement divisé (platiné par électrolyse ou recouverte de noir de platine). Charles D. Winters

un métal. À l'exception du graphite, la plupart des non-métaux ne peuvent servir d'électrode puisqu'ils ne conduisent pas l'électricité. Il n'est pas possible d'en fabriquer une avec un gaz ou une solution, ni même avec un solide ionique, ses ions imbriqués fortement dans un réseau cristallin ne pouvant se déplacer et ainsi conduire l'électricité.

Dans les piles où les réactifs et les produits ne peuvent servir d'électrodes, comme dans celle mettant en jeu la réaction :

$$2 \, (Fe^{3+} \, (aq) + e^- \longrightarrow Fe^{2+} \, (aq))$$
$$\underline{H_2 \, (g) \longrightarrow 2 \, H^+ \, (aq) + 2 \, e^-}$$
$$2 \, Fe^{3+} \, (aq) + H_2 \, (g) \longrightarrow 2 \, Fe^{2+} \, (aq) + 2 \, H^+ \, (aq)$$

on se doit d'utiliser des **électrodes inertes,** constituées d'un matériau qui conduit l'électricité, mais qui ne peut être réduit ou oxydé en fonctionnement normal. Le graphite est fréquemment employé à cette fin : c'est un conducteur électrique bon marché, une qualité appréciée pour les piles commerciales, qui résiste très bien à l'oxydation dans les conditions rencontrées dans la plupart des piles. En laboratoire, l'or et le platine sont couramment utilisés, car ils sont quasi inertes chimiquement dans la plupart des conditions expérimentales ; ils sont cependant exclus des piles commerciales à cause de leur prix élevé.

L'**électrode à hydrogène** revêt une importance spéciale, puisqu'elle constitue la référence en électrochimie (*voir la section 7.4, page 296*). L'électrode elle-même est constituée de platine, choisi à cause de sa capacité élevée d'adsorber l'hydrogène à sa surface. Elle baigne dans une solution d'ions H^+ (aq), saturée d'hydrogène qui barbote sous une pression constante (figure 7.3). Il se produit à l'interface l'une des deux demi-réactions suivantes.

$$H_2 \, (g) \longrightarrow 2 \, H^+ \, (aq) + 2 \, e^- \quad \text{ou} \quad 2 \, H^+ \, (aq) + 2 \, e^- \longrightarrow H_2 \, (g)$$

Le platine, conducteur, achemine les électrons dans le circuit extérieur ou vers les ions H^+ (aq) de la solution.

On peut aussi créer une demi-cellule avec une électrode de platine plongeant dans une solution aqueuse d'ions Fe^{3+} (aq) ou d'ions Fe^{2+} (aq), ou les deux à la fois. Le transfert d'électrons entre les deux espèces se produit là encore à la surface de l'électrode inerte. Le dispositif mettant en jeu la réduction des ions Fe^{3+} (aq) en ions Fe^{2+} (aq), tous deux de concentration 1 mol/L, par l'hydrogène est représenté à la figure 7.4.

7.2.3 La représentation schématique d'une pile

Pour décrire succinctement une pile, on utilise une représentation schématique simple. Par exemple, la réduction des ions argent (I) par le cuivre, dans une pile

$$Cu \, (s) + 2 \, Ag^+ \, (aq, \, 1 \, mol/L) \longrightarrow Cu^{2+} \, (aq, \, 1 \, mol/L) + 2 \, Ag \, (s)$$

est symbolisée par :

$$Cu \, (s) | Cu^{2+} \, (aq, \, 1 \, mol/L) \| Ag^+ \, (aq, \, 1 \, mol/L) | Ag \, (s)$$

et la réduction des ions Fe^{3+} (aq) à l'aide de l'hydrogène dans la pile de la figure 7.4 par :

$$2 \, Fe^{3+} \, (aq) + H_2 \, (g) \longrightarrow 2 \, Fe^{2+} \, (aq) + 2 \, H^+ \, (aq)$$
$$Pt | H_2 \, (g, \, 1 \, bar) | H^+ \, (aq, \, 1 \, mol/L) \| Fe^{2+} \, (aq, \, 1 \, mol/L), \, Fe^{3+} \, (aq, \, 1 \, mol/L) | Pt$$

Par convention, le comportement anodique est noté en premier, à la gauche de la symbolisation, une barre verticale représente une interface entre deux

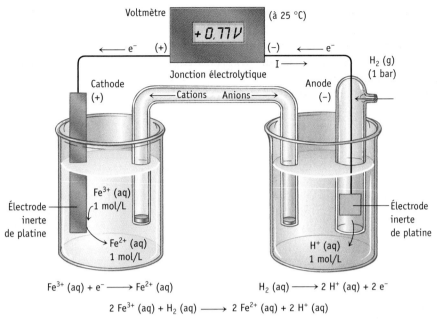

Fe³⁺ (aq) + e⁻ ⟶ Fe²⁺ (aq)   H₂ (aq) ⟶ 2 H⁺ (aq) + 2 e⁻

2 Fe³⁺ (aq) + H₂ (aq) ⟶ 2 Fe²⁺ (aq) + 2 H⁺ (aq)

Figure 7.4 Une pile possédant une électrode à hydrogène. La tension aux bornes de cette pile est de 0,77 V, à 25 °C. Son compartiment cathodique contient une solution d'ions Fe³⁺ (aq) et d'ions Fe²⁺ (aq), tous deux de concentration 1 mol/L, dans laquelle plonge une électrode inerte de platine. Une électrode à hydrogène constitue la demi-cellule anodique (H₂ (g) à une pression de 1 bar et [H⁺] = 1 mol/L).

phases et la double barre verticale, la jonction électrolytique. Cependant, comme on utilise aussi cette écriture lorsqu'on ne connaît pas la polarité des bornes, il est préférable de ne pas trop s'y fier et de faire appel aux potentiels des électrodes pour les distinguer.

7.2.4 L'équation de Nernst

L'**équation de Nernst**, ainsi nommée en mémoire du physicien et chimiste allemand Walther Nernst, dans sa forme la plus couramment utilisée,

$$E = E^0 + \frac{RT}{nF} \ln \frac{[Ox]^a[Esp_1]^u}{[Red]^b[Esp_2]^v}$$

définit le **potentiel d'électrode** (E) d'un couple redox :

$$a\ Ox + u\ Esp_1 + n\ e^- \rightleftharpoons b\ Red + v\ Esp_2$$

où R est la constante des gaz parfaits, T, la température Kelvin, n, le nombre d'électrons présents dans l'équation de la demi-réaction, **F,** le **faraday** (charge électrique d'une mole d'électrons : ≈ 96 500 C), [Ox]ᵃ et [Red]ᵇ, les concentrations respectives des formes oxydée et réduite du couple élevées à la puissance de leur coefficient stœchiométrique, [Esp₁]ᵘ et [Esp₂]ᵛ les concentrations respectives des espèces non impliquées dans le transfert d'électrons, mais présentes dans l'équation et élevées respectivement à la puissance de leur coefficient, et E⁰ le **potentiel standard d'électrode,** valeur que prend E lorsque toutes les espèces se trouvent dans leur état standard, auquel cas le terme logarithmique est nul.

Si les potentiels sont mesurés à 298 K, la formule de Nernst devient :

$$E = E^0 + \frac{0,059}{n} \log \frac{[Ox]^a[Esp_1]^u}{[Red]^b[Esp_2]^v}$$

les valeurs de E et E⁰ étant exprimées en volts (V).

Walther Hermann Nernst (1864-1941)
Ses travaux sur la thermodynamique valurent à ce scientifique allemand le prix Nobel de chimie de l'année 1920.
Francis Simon/AIP Niels Bohr Library

Comme dans toutes les constantes d'équilibre, les solides et les liquides purs n'apparaissent pas dans l'équation de Nernst. Le potentiel d'électrode du couple Cu^{2+} (aq)/Cu (s) s'échangeant deux électrons par mole se calcule ainsi à l'aide de :

$$E = E^0 + \frac{0,059}{2} \log [Cu^{2+}]$$

tandis que

$$E = E^0 + \frac{0,059}{5} \log \frac{[MnO_4^-][H^+]^8}{[Mn^{2+}]}$$

permet de calculer celui d'une électrode inerte plongeant dans la demi-cellule où se produit l'équilibre redox.

$$MnO_4^- \text{ (aq)} + 8\ H^+ \text{ (aq)} + 5\ e^- \rightleftharpoons Mn^{2+} \text{ (aq)} + 4\ H_2O \text{ (l)}$$

7.2.5 L'électrode standard à hydrogène

Les électrons libérés à l'anode d'une pile se déplacent vers la cathode dans le conducteur métallique externe sous l'effet d'une **force électromotrice (fém.).** La fém. est liée à la différence de potentiel, ou **tension** (V), qui existe entre les électrodes de la pile : ces deux valeurs tendent à se confondre lorsque la résistance interne de la pile est très faible ou lorsque la pile débite un courant extrêmement petit. Dans ce manuel, on emploie indifféremment les deux appellations, impliquant donc un courant nul entre les deux électrodes.

La fém. et la tension s'expriment en volts (V) : 1 V est la différence de potentiel nécessaire pour fournir une énergie de 1 J à une charge électrique de 1 C (1 J = 1 V × 1 C). Rappelons que 1 C est la quantité d'électricité qui passe en un point d'un circuit électrique quand un courant de 1 A circule pendant 1 s (1 C = 1 A × 1 s).

On pourrait calculer théoriquement la tension des piles si l'on pouvait attribuer une valeur de potentiel à l'électrode de chaque demi-cellule : le problème est qu'on ne peut déterminer cette dernière, car la mesure implique automatiquement une autre demi-cellule. On mesure toujours une différence de potentiel. Le problème est identique à celui rencontré avec l'enthalpie et l'énergie de Gibbs. On peut mesurer leurs variations ΔH et ΔG, mais les valeurs de H et de G pour une substance spécifique ne sont généralement pas connues. Les valeurs de ΔH_f^0 et de ΔG_f^0 ont été calculées en faisant appel à un point de référence, leur état standard.

En électrochimie, le couple redox H^+ (aq)/H_2 (g) a été choisi comme référence :

$$H^+ \text{ (aq)} + e^- \rightleftharpoons \frac{1}{2} H_2 \text{ (g)}$$

et il a été convenu que son potentiel, donné par l'équation de Nernst,

$$E = E^0 + \frac{RT}{F} \ln \frac{[H^+]}{P_{H_2}^{1/2}}$$

est égal à *0, à toute température, lorsque la concentration des ions H^+ est égale à exactement 1 mol/L et que la pression de l'hydrogène est de 1 bar* (exactement 100 kPa)[1]. Les potentiels d'électrode de n'importe quel autre couple redox sont déterminés par rapport à cette référence commune qu'est l'**électrode standard à hydrogène.**

◆ *Les relations entre les unités électriques*

Énergie (J) = fém. (V) × quantité de charges (C) = VQ

Quantité de charges (C) = intensité (A) × temps (s) = $Q = It$

Énergie (J) = fém. (V) × intensité (A) × temps (s) = VIt

---

1. La plupart des données existantes ont été mesurées à une pression de 1 atm (101,325 kPa).

La tension (V) de la pile, une grandeur toujours positive, est ainsi la différence entre le potentiel de la cathode (E_{cat}) et celui de l'anode (E_{an}), le premier étant plus élevé que le second.

$$V = E_{cat} - E_{an}$$

7.2.6 Le potentiel standard d'électrode

On a regroupé dans le tableau 7.1 (*voir la page 289*) les potentiels standards de quelques couples redox courants classés par ordre décroissant.

Dans la section 7.2.1 (*voir la page 280*), on a vu que la forme oxydée Ag^+ (aq) du couple Ag^+ (aq)/Ag (s), qui possède le potentiel le plus élevé, oxyde spontanément la forme réduite Cu (s) du second couple Cu^{2+} (aq)/Cu (s) constituant la pile. La généralisation de cette observation déduite de l'étude des piles s'énonce souvent sous l'une ou l'autre des formes suivantes.

- Plus le potentiel standard d'électrode est élevé, plus le système est oxydant.
- Plus le potentiel standard d'électrode est faible, plus le système est réducteur.

La disposition des couples redox du tableau 7.1 dans l'ordre décroissant de leur potentiel standard d'électrode permet une visualisation rapide de leur pouvoir oxydant ou réducteur. Le pouvoir oxydant des formes oxydées décroît de haut en bas du tableau, tandis que le pouvoir réducteur des formes réduites augmente (figure 7.5).

Les réactions spontanées se produisent entre la forme oxydée d'un couple et la forme réduite d'un second couple situé plus bas que celui-ci dans la liste: elles s'effectuent dans la direction de haut en bas et de gauche à droite (nord-ouest et sud-est). Par exemple,

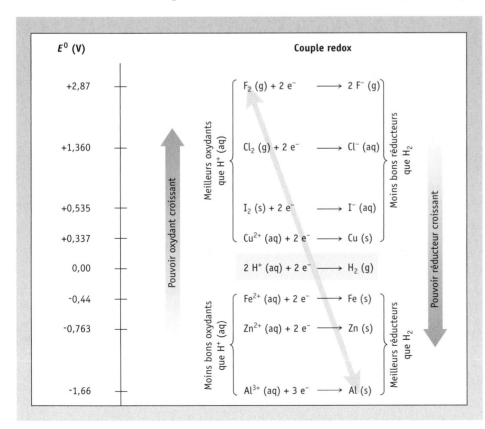

Figure 7.5 La force relative des oxydants et des réducteurs. Les positions relatives des couples redox classés par ordre décroissant de potentiel d'électrode reflètent le pouvoir oxydant de leur forme oxydée (à la gauche de la flèche de l'équation de la demi-réaction). Les couples situés de plus en plus haut dans la liste sont de plus en plus oxydants. À l'inverse, les couples situés de plus en plus bas sont de plus en plus réducteurs. Une réaction spontanée se produit entre la forme oxydée d'un couple et la forme réduite d'un second couple situé plus bas que celui-ci dans la liste : flèche bleue.

Zn peut réduire Fe^{2+} (aq), H^+ (aq), Cu^{2+} (aq) et I_2 (s), mais pas Al^{3+} (aq). Les ions H^+ (aq) peuvent oxyder le fer et le zinc, mais pas le cuivre ni les ions I^- (aq).

Le fluor est l'oxydant le plus puissant du tableau 7.1 et peut oxyder toutes les formes réduites mentionnées. Quant au lithium, le réducteur le plus énergique, il peut réduire toutes les formes oxydées.

EXEMPLE 7.4   La force relative des oxydants et des réducteurs

À l'aide des données du tableau 7.1 :

a) classez les halogènes en fonction de leur pouvoir oxydant ;

b) déterminez qui de H_2O_2 en solution acide ou de Cl_2 (g) est le plus oxydant ;

c) déterminez quel halogène est capable d'oxyder l'or en ions Au^{3+}.

SOLUTION

Les réactions spontanées se produisent entre la forme oxydée d'un couple et la forme réduite d'un second couple situé plus bas que celui-ci dans le tableau 7.1.

a) F_2 meilleur oxydant que $Cl_2 > Br_2 > I_2$.

b) Le couple H_2O_2 (aq)/H_2O (l) est situé plus haut dans le tableau 7.1 que Cl_2 (g)/Cl^- (aq) : H_2O_2 est un meilleur oxydant que Cl_2.

c) Seul F_2 (g)/F^- (aq) parmi les halogènes est situé plus haut que le couple Au^{3+} (aq)/Au : F_2 est le seul halogène en mesure d'oxyder l'or.

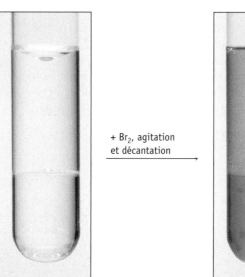

$+ Br_2$, agitation et décantation

a) Cette éprouvette contient du tétrachlorure de carbone (CCl_4) sur lequel surnage une solution aqueuse de KI.

b) On ajoute quelques gouttes d'eau de brome (Br_2 (aq)) à la solution aqueuse de KI, on agite et on laisse reposer : l'iode produit se dissout dans le tétrachlorure de carbone et lui confère sa couleur violacée (le jaune de la solution aqueuse est dû à un excès de brome).

▲ **La réaction du brome et de l'iode.** Cette expérience montre que Br_2 est un meilleur oxydant que I_2. Charles D. Winters

EXERCICE 7.5   La force relative des oxydants et des réducteurs

Déterminez parmi les métaux suivants : Fe, Ag, Zn, Mg, Au,

a) lequel est le plus facile à oxyder ;   b) lequel est le moins facile à oxyder.

EXEMPLE 7.5   La prévision de la direction des réactions d'oxydoréduction

a) Quels métaux de la liste suivante réagissent spontanément avec les ions H^+ (aq) : Cu, Al, Ag, Fe, Zn ?

b) Trouvez trois espèces pouvant oxyder Cl^- (aq) en Cl_2 (g).

TABLEAU 7.1 Les potentiels standards, à 25 °C, de quelques couples redox

Couples redox	E^0 (V)
F_2 (g) + 2 e$^-$ $\rightleftharpoons$ 2 F$^-$ (aq)	2,87
H_2O_2 (aq) + 2 H$^+$ (aq) + 2 e$^-$ $\rightleftharpoons$ 2 H$_2$O (l)	1,77
PbO_2 (s) + SO$_4^{2-}$ (aq) + 4 H$^+$ (aq) + 2 e$^-$ $\rightleftharpoons$ PbSO$_4$ (s) + 2 H$_2$O (l)	1,685
Ce^{4+} (aq) + e$^-$ $\rightleftharpoons$ Ce^{3+} (aq)	1,61
MnO$_4^-$ (aq) + 8 H$^+$ (aq) + 5 e$^-$ $\rightleftharpoons$ Mn^{2+} (aq) + 4 H$_2$O (l)	1,52
Au^{3+} (aq) + 3 e$^-$ $\rightleftharpoons$ Au (s)	1,50
ClO$_3^-$ (aq) + 6 H$^+$ (aq) + 6 e$^-$ $\rightleftharpoons$ Cl$^-$ (aq) + 3 H$_2$O (l)	1,45
Cl$_2$ (g) + 2 e$^-$ $\rightleftharpoons$ 2 Cl$^-$ (aq)	1,36
Cr$_2$O$_7^{2-}$ (aq) + 14 H$^+$ (aq) + 6 e$^-$ $\rightleftharpoons$ 2 Cr^{3+} (aq) + 7 H$_2$O (l)	1,33
MnO$_2$ (s) + 4 H$^+$ (aq) + 2 e$^-$ $\rightleftharpoons$ Mn^{2+} (aq) + 2 H$_2$O (l)	1,23
O$_2$ (g) + 4 H$^+$ (aq) + 4 e$^-$ $\rightleftharpoons$ 2 H$_2$O (l)	1,229
Br$_2$ (l) + 2 e$^-$ $\rightleftharpoons$ 2 Br$^-$ (aq)	1,08
NO$_3^-$ (aq) + 4 H$^+$ (aq) + 3 e$^-$ $\rightleftharpoons$ NO (g) + 2 H$_2$O (l)	0,96
ClO$^-$ (aq) + H$_2$O (l) + 2 e$^-$ $\rightleftharpoons$ Cl$^-$ (aq) + 2 OH$^-$ (aq)	0,89
Hg^{2+} (aq) + 2 e$^-$ $\rightleftharpoons$ Hg (l)	0,855
Ag$^+$ (aq) + e$^-$ $\rightleftharpoons$ Ag (s)	0,80
Hg$_2^{2+}$ (aq) + 2 e$^-$ $\rightleftharpoons$ 2 Hg (l)	0,789
Fe^{3+} (aq) + e$^-$ $\rightleftharpoons$ Fe^{2+} (aq)	0,771
I$_2$ (s) + 2 e$^-$ $\rightleftharpoons$ 2 I$^-$ (aq)	0,535
O$_2$ (g) + 2 H$_2$O (l) + 4 e$^-$ $\rightleftharpoons$ 4 OH$^-$ (aq)	0,40
Cu^{2+} (aq) + 2 e$^-$ $\rightleftharpoons$ Cu (s)	0,337
AgCl (s) + e$^-$ $\rightleftharpoons$ Ag (s) + Cl$^-$ (aq)	0,222
Sn^{4+} (aq) + 2 e$^-$ $\rightleftharpoons$ Sn^{2+} (aq)	0,15
2 H$^+$ (aq) + 2 e$^-$ $\rightleftharpoons$ H$_2$ (g)	0
Sn^{2+} (aq) + 2 e$^-$ $\rightleftharpoons$ Sn (s)	-0,14
Ni^{2+} (aq) + 2 e$^-$ $\rightleftharpoons$ Ni (s)	-0,25
V^{3+} (aq) + e$^-$ $\rightleftharpoons$ V^{2+} (aq)	-0,255
PbSO$_4$ (s) + 2 e$^-$ $\rightleftharpoons$ Pb (s) + SO$_4^{2-}$ (aq)	-0,356
Cd^{2+} (aq) + 2 e$^-$ $\rightleftharpoons$ Cd (s)	-0,40
Fe^{2+} (aq) + 2 e$^-$ $\rightleftharpoons$ Fe (s)	-0,44
Zn^{2+} (aq) + 2 e$^-$ $\rightleftharpoons$ Zn (s)	-0,763
2 H$_2$O (l) + 2 e$^-$ $\rightleftharpoons$ H$_2$ (g) + 2 OH$^-$ (aq)	-0,8277
[Zn (OH$_4$)]$^{2-}$ (aq) + 2 e$^-$ $\rightleftharpoons$ Zn (s) + 4 OH$^-$ (aq)	-1,22
[Zn(CN)$_4$]$^{2-}$ (aq) + 2 e$^-$ $\rightleftharpoons$ Zn (s) + 4 CN$^-$ (aq)	-1,26
Al^{3+} (aq) + 3 e$^-$ $\rightleftharpoons$ Al (s)	-1,66
Mg^{2+} (aq) + 2 e$^-$ $\rightleftharpoons$ Mg (s)	-2,37
Na$^+$ (aq) + e$^-$ $\rightleftharpoons$ Na (s)	-2,714
K$^+$ (aq) + e$^-$ $\rightleftharpoons$ K (s)	-2,925
Li$^+$ (aq) + e$^-$ $\rightleftharpoons$ Li (s)	-3,045

SOLUTION

a) Les ions H^+ (aq) peuvent oxyder spontanément les métaux situés en dessous de son couple dans le tableau 7.1 : Fe, Zn, Al.

Les ions H^+ (aq) oxydent le zinc en Zn^{2+} (aq) et de l'hydrogène se dégage. Charles D. Winters

b) Seules les formes oxydées des couples situés au-dessus du couple Cl_2 (g)/ Cl^- (aq) peuvent oxyder Cl^- : on peut choisir entre F_2 (g), H_2O_2 (aq, milieu acide), PbO_2 (s, H_2SO_4), MnO_4^- (aq, milieu acide) et Au^{3+} (aq).

EXERCICE 7.6   La prévision de la direction des réactions d'oxydoréduction

Les réactions suivantes favorisent-elles les produits dans les conditions standards ?

a) Ni^{2+} (aq) $+$ H_2 (g) $\longrightarrow$ Ni (s) $+$ 2 H^+ (aq)

b) 2 Fe^{3+} (aq) $+$ 2 I^- (aq) $\longrightarrow$ 2 Fe^{2+} (aq) $+$ I_2 (s)

c) Br_2 (l) $+$ 2 Cl^- (aq) $\longrightarrow$ 2 Br^- (aq) $+$ Cl_2 (g)

d) $Cr_2O_7^{2-}$ (aq) $+$ 6 Fe^{2+} (aq) $+$ 14 H^+ (aq) $\longrightarrow$ 2 Cr^{3+} (aq) $+$ 6 Fe^{3+} (aq) $+$ 7 H_2O (l)

EXEMPLE 7.6   Le calcul du potentiel d'électrode

Calculez le potentiel d'une électrode d'argent immergée dans une solution de nitrate d'argent de concentration 0,100 mol/L, à 25 °C ($E^0 = 0,80$ V).

SOLUTION

L'équation de Nernst du couple redox Ag^+ (aq)/Ag (s)

$$Ag^+ \text{ (aq) } + \text{ e}^- \rightleftharpoons Ag \text{ (s)}$$

se note :

$$E = E^0 + 0,059 \log [Ag^+]$$

Le remplacement des lettres par leurs valeurs conduit à :

$$E = 0,80 \text{ V} + 0,059 \log 0,100 = 0,80 \text{ V} + (0,059 \text{ V} \times (-1)) = 0,74 \text{ V}$$

EXEMPLE 7.7   **Le calcul de la fém. d'une pile**

Calculez la fém. de la pile suivante, à 25 °C,

$$Al \ (s) | Al^{3+} \ (aq, \ 0,0010 \ mol/L) \| Ni^{2+} \ (aq, \ 0,50 \ mol/L) | Ni \ (s)$$

et équilibrez la réaction qui se produit lorsque la pile débite du courant électrique.

SOLUTION

À l'aide des potentiels standards du tableau 7.1 (*voir la page 289*) et de l'équation de Nernst, on calcule le potentiel de chacune des électrodes.

$$Al^{3+} \ (aq) + 3 \ e^- \rightleftharpoons Al \ (s) \qquad E^0 = -1,66 \ V$$

$$E_{Al} = -1,66 \ V + \frac{0,059}{3} \log 0,0010 = -1,719 \ V$$

$$Ni^{2+} \ (aq) + 2 \ e^- \rightleftharpoons Ni \ (s) \qquad E^0 = -0,25 \ V$$

$$E_{Ni} = -0,25 \ V + \frac{0,059}{2} \log 0,50 = -0,259 \ V$$

Le nickel a un potentiel plus élevé : il constitue la cathode.

$$V = E_{cat} - E_{an} = E_{Ni} - E_{Al} = (-0,259 \ V) - (-1,719 \ V) = 1,46 \ V$$

À la cathode se produit la demi-réaction de réduction,

$$Ni^{2+} \ (aq) + 2 \ e^- \longrightarrow Ni \ (s)$$

la demi-réaction d'oxydation se produisant à l'anode.

$$Al \ (s) \longrightarrow Al^{3+} \ (aq) + 3 \ e^-$$

La réaction globale est ainsi :

$$3(Ni^{2+} \ (aq) + 2 \ e^- \longrightarrow Ni \ (s))$$
$$\underline{2(Al \ (s) \longrightarrow Al^{3+} \ (aq) + 3 \ e^-)}$$
$$3 \ Ni^{2+} \ (aq) + 2 \ Al \ (s) \longrightarrow 3 \ Ni \ (s) + 2 \ Al^{3+} \ (aq)$$

EXERCICE 7.7   **Le calcul de la fém. d'une pile**

Calculez la fém. de la pile suivante, à 25 °C,

$$Fe \ (s) | Fe^{2+} \ (aq, \ 0,024 \ mol/L) \| H^+ \ (aq, \ 0,0056 \ mol/L), \ H_2 \ (g, \ 1 \ bar) | Pt \ (s)$$

et équilibrez la réaction qui se produit lorsque la pile débite du courant électrique.

Dans l'exemple 7.7, on a démontré que l'on pouvait calculer la fém. d'une pile en connaissant les concentrations des espèces mises en jeu. L'inverse est aussi possible : on peut calculer des concentrations à l'aide de la tension mesurée aux bornes d'une pile. C'est ce que l'on fait dans un pH-mètre (*voir la figure 7.6, page 293*).

EXEMPLE 7.8   **La fém. des piles et la concentration des ions**

Calculez le pH de la solution acide de l'électrode à hydrogène sachant que la fém. de la pile :

pour en savoir + ...

La convention américaine

Les calculs exposés précédemment suivent la convention dite « internationale », parce qu'elle résulte d'une recommandation de l'Union internationale de chimie pure et appliquée (UICPA). Pour calculer la fém. des piles, certains auteurs appliquent la convention dite « américaine » qui consiste à définir les demi-réactions selon la réduction et l'oxydation, et à leur accoler les potentiels de réduction et d'oxydation.

Reprenez les données de l'exemple 7.7 (*voir la page 291*). On suppose que la réduction a lieu à l'électrode d'aluminium :

$$Al^{3+} (aq) + 3 e^- \longrightarrow Al (s)$$

dont le potentiel de réduction correspond au potentiel d'électrode défini précédemment.

$$E_{red} = -1,66 \text{ V} + \frac{0,059}{3} \log 0,0010 = -1,719 \text{ V}$$

À l'autre électrode se produirait l'oxydation :

$$Ni (s) \longrightarrow Ni^{2+} (aq) + 2 e^-$$

Comme cette demi-réaction est l'inverse de la demi-réaction de réduction, le potentiel correspondant appelé le potentiel d'oxydation est l'opposé de son potentiel de réduction.

$$E_{ox} = -\left(-0,25 \text{ V} + \frac{0,059}{2} \log 0,50\right) = 0,259 \text{ V}$$

Finalement, pour obtenir la réaction globale et la fém. de la pile, on additionne les demi-réactions de réduction et d'oxydation, multipliées au besoin, et les potentiels correspondants.

$$
\begin{array}{ll}
2(Al^{3+} (aq) + 3 e^- \longrightarrow Al (s)) & E_{red} = -1,719 \text{ V} \\
3(Ni (s) \longrightarrow Ni^{2+} (aq) + 2 e^-) & E_{ox} = 0,259 \text{ V} \\
\hline
2 Al^{3+} (aq) + 3 Ni (s) \longrightarrow 2 Al (s) + 3 Ni^{2+} (aq) & V = -1,46 \text{ V}
\end{array}
$$

Comme la fém. est négative, on en conclut que l'hypothèse de départ est erronée et que c'est la réaction inverse :

$$3 Ni^{2+} (aq) + 2 Al (s) \longrightarrow 3 Ni (s) + 2 Al^{3+} (aq)$$

qui se produit spontanément, auquel cas on calcule une fém. positive et égale à 1,46 V.

Les deux méthodes conduisent évidemment au même résultat. L'application de la convention internationale consiste à faire la différence entre deux potentiels d'électrode qui sont, selon la convention américaine, deux potentiels de réduction.

$$V = E_{cat} - E_{an} = E_{red1} - E_{red2}$$

La convention américaine consiste à ajouter au potentiel de réduction du premier couple le potentiel d'oxydation du second, qui est l'inverse de son potentiel de réduction.

$$V = E_{red1} + E_{ox2} = E_{red1} + (-E_{red2}) = E_{red1} - E_{red2}$$

$$Pt|H^+ (aq), H_2 (g, 1 \text{ bar}) \,\|Cu^{2+} (aq, 1,0 \text{ mol/L})|Cu (s)$$

est de 0,49 V, à 298 K.

SOLUTION

Dans les conditions standards, l'hydrogène est un meilleur réducteur que le cuivre. On suppose donc *a priori* que le cuivre constitue la cathode, où Cu^{2+} (aq) est réduit en Cu (s).

$$Cu^{2+} (aq) + 2 e^- \rightleftharpoons Cu (s) \qquad E^0 = 0,337 \text{ V}$$

$$E_{Cu} = 0,337 \text{ V} + \frac{0,059}{2} \log 1,0 = 0,337 \text{ V}$$

$$2 H^+ (aq) + 2 e^- \rightleftharpoons H_2 (g) \qquad E^0 = 0 \text{ V}$$

$$E_{H_2} = 0 \text{ V} + \frac{0,059}{2} \log \frac{[H^+]^2}{P_{H_2}} = \frac{0,059}{2} \log \frac{[H^+]^2}{1} = \frac{0,059}{2} \times 2 \log [H^+]$$
$$= 0,059 \log [H^+]$$

$$V = 0,49 \text{ V} = E_{cat} - E_{an} = E_{Cu} - E_{H_2} = 0,337 \text{ V} - 0,059 \log [H^+]$$

$$\log [H^+] = \frac{0,337 - 0,49}{0,059} = -2,59 \qquad pH = -\log [H^+] = 2,59$$

On vérifie que le potentiel de l'électrode à hydrogène est effectivement inférieur à celui de l'électrode de cuivre.

$$E_{H_2} = 0\ V + \frac{0,059}{2} \log \frac{[H^+]^2}{P_{H_2}} = 0\ V + 0,059(-2,59) = -0,15\ V$$

L'utilisation d'une électrode à hydrogène dans un pH-mètre n'est guère pratique : cet appareillage est délicat à manipuler, fragile, et le platine coûte cher. De nos jours, on utilise une **électrode de verre,** qui doit son nom à une fine membrane de verre séparant la demi-cellule de la solution dont on désire mesurer le pH. À l'intérieur, se trouve un fil d'argent recouvert de chlorure d'argent trempant dans l'acide chlorhydrique de concentration fixe. Une **électrode au calomel saturé,** communément utilisée en laboratoire et constituée d'un mélange pâteux de mercure, de chlorure de mercure (I) (le calomel), de chlorure de potassium baignant dans une solution saturée de KCl, constitue souvent l'autre demi-cellule.

$$Hg_2Cl_2\ (s)\ +\ 2\ e^-\ \rightleftharpoons\ Hg\ (l)\ +\ 2\ Cl^-\ (aq)$$

À température constante, son potentiel est fixe, puisque la concentration des ions Cl⁻ (aq) est stable (solution saturée) et que les autres ingrédients sont à l'état solide ou liquide pur. Les deux demi-cellules sont de nos jours souvent intégrées dans un seul dispositif appelé l'*électrode de verre combinée* (figure 7.6). Le potentiel des deux côtés de la membrane de verre dépend de la concentration des ions H⁺ (aq) de la solution.

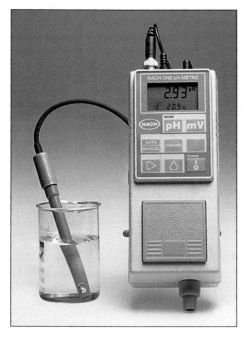
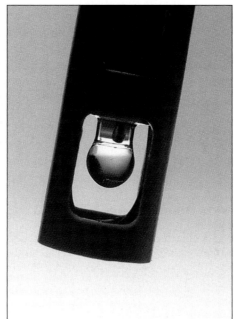

Figure 7.6 Un pH-mètre et son électrode de verre combinée. Charles D. Winters

7.3 L'ÉLECTROCHIMIE ET LA THERMODYNAMIQUE

7.3.1 L'énergie électrique et l'énergie de Gibbs

Le premier principe de la thermodynamique stipule que la variation d'énergie interne d'un système (ΔE) dépend de deux grandeurs, la chaleur (q) et le travail (w): $\Delta E = q + w$. Cette relation s'applique aussi aux transformations chimiques qui se produisent dans une pile. Lorsque la pile débite un courant électrique, de l'énergie est transférée de la pile, le système, au milieu extérieur.

Dans une pile, la diminution de son énergie interne se traduit idéalement par la production maximale d'énergie sous forme électrique, égale à $w_{max} = VIt = VQ$, où V représente sa tension, I, l'intensité du courant électrique débité pendant une durée t, et Q, la quantité d'électricité correspondante ($Q = It$). Si la quantité d'électricité mise en jeu est égale à nF, n moles d'électrons transférés, le travail électrique maximal s'écrit :

$$w_{max} = nFV$$

On a vu aussi à la section 6.8.2 (*voir la page 258*) que la variation d'énergie de Gibbs représentait le travail maximal, diminué du travail d'expansion PV, qu'on peut obtenir d'une réaction s'effectuant à une température et à une pression constantes. On peut ainsi relier le travail maximal effectué par une pile à sa variation d'énergie de Gibbs :

$$\Delta G = -nFV$$

le signe « - » signifiant que l'énergie de la pile a diminué du travail fourni à l'extérieur.

Dans les conditions standards, cette équation devient :

$$\boxed{\Delta G^0 = -nFV^0}$$

où $V^0 = E^0_{cat} - E^0_{an}$.

Ces équations montrent que plus la tension de la pile est élevée, plus ΔG^0 est négatif, plus la réaction directe est favorisée et plus elle fournit d'énergie électrique.

EXEMPLE 7.9   **La relation entre V^0 et ΔG^0**

Calculez la variation d'énergie de Gibbs de la réaction de réduction des ions Ag^+ (aq) par le cuivre, dans les conditions standards, à 298 K.

SOLUTION

Dans la pile, se produisent les réactions suivantes.

$$Cu\ (s) \longrightarrow Cu^{2+}\ (aq) + 2\ e^- \qquad \text{Oxydation anodique}$$
$$2(Ag^+\ (aq) + e^- \longrightarrow Ag\ (s)) \qquad \text{Réduction cathodique}$$

$$\overline{Cu\ (s) + 2\ Ag^+\ (aq) \longrightarrow Cu^{2+}\ (aq) + 2\ Ag\ (s)}$$

$$V^0 = E^0_{cat} - E^0_{an} = E^0_{Ag} - E^0_{Cu} = 0{,}80\ V - 0{,}337\ V = 0{,}463\ V$$

$$\Delta G^0 = -nFV^0 = -(2\ mol)(96\ 500\ C \cdot mol^{-1})(0{,}463\ V) = -89\ 359\ C \cdot V$$

Comme 1 C $\times$ 1 V = 1 J, $\Delta G^0 = -89$ kJ.

Commentaire La mesure des potentiels standards d'électrode constitue une méthode simple et efficace pour déterminer les valeurs thermodynamiques.

EXERCICE 7.8   **La relation entre V^0 et ΔG^0**

Calculez la variation d'énergie de Gibbs de la réaction d'oxydation du zinc en Zn^{2+} (aq) par les ions H^+ (aq), dans les conditions standards, à 298 K.

7.3.2   La fém. et les constantes d'équilibre

La connaissance des potentiels standards d'électrode permet de calculer la constante d'équilibre des réactions d'oxydoréduction. Considérez, par exemple, la réaction :

$$Fe\ (s)\ +\ Cd^{2+}\ (aq)\ \rightleftarrows\ Fe^{2+}\ (aq)\ +\ Cd\ (s)$$

On suppose tout d'abord qu'elle a lieu dans la pile :

$$Fe\ (s)|Fe^{2+}\ (aq)\|Cd^{2+}\ (aq)|Cd\ (s)$$

constituée des deux couples redox :

$$Fe^{2+}\ (aq)\ +\ 2\ e^-\ \rightleftarrows\ Fe\ (s) \qquad E^0 = -0{,}44\ V$$
$$Cd^{2+}\ (aq)\ +\ 2\ e^-\ \rightleftarrows\ Cd\ (s) \qquad E^0 = -0{,}40\ V$$

$$E_{Fe} = -0{,}44\ V\ +\ \frac{0{,}059}{2}\ log\ [Fe^{2+}]$$

$$E_{Cd} = -0{,}40\ V\ +\ \frac{0{,}059}{2}\ log\ [Cd^{2+}]$$

Lorsque la pile produit un courant électrique, la concentration des réactifs à la cathode diminue, de même que son potentiel, tandis que la concentration des produits augmente à l'anode, ainsi que son potentiel. La tension de la pile diminue jusqu'à devenir nulle : $E_{cat} = E_{an}$. Il n'y a plus alors de transfert d'électrons, les concentrations des espèces dans les demi-cellules ne changent plus : l'équilibre est atteint.

$$-0{,}44\ V\ +\ \frac{0{,}059}{2}\ log\ [Fe^{2+}]_{éq} = -0{,}40\ V\ +\ \frac{0{,}059}{2}\ log\ [Cd^{2+}]_{éq}$$

$$\frac{0{,}059}{2}\ log\ [Fe^{2+}]_{éq}\ -\ \frac{0{,}059}{2}\ log\ [Cd^{2+}]_{éq} = 0{,}04\ V$$

$$log\ \frac{[Fe^{2+}]_{éq}}{[Cd^{2+}]_{éq}} = \frac{0{,}04 \times 2}{0{,}059} = 1{,}3559 \qquad \frac{[Fe^{2+}]_{éq}}{[Cd^{2+}]_{éq}} = K = 23$$

La tension très basse de la pile (0,04 V), dans les conditions standards, indique que la réaction ne favorise que très faiblement les produits : cela est confirmé par une valeur peu élevée de la constante d'équilibre.

EXERCICE 7.9   **La fém. et la constante d'équilibre**

Calculez la constante d'équilibre de la réaction, à 25 °C.

$$2\ Ag^+\ (aq)\ +\ Hg\ (l)\ \rightleftarrows\ 2\ Ag\ (s)\ +\ Hg^{2+}\ (aq)$$

On peut aussi déterminer les produits de solubilité à l'aide des potentiels standards d'électrode. Considérez, par exemple, l'équilibre :

$$AgCl\ (s)\ \rightleftarrows\ Ag^+\ (aq)\ +\ Cl^-\ (aq)$$

et imaginez la pile suivante constituée de deux demi-cellules $Ag\ (s)|Ag^+\ (aq)$ et $Ag\ (s), AgCl\ (s)|Ag^+\ (aq)$ dans lesquelles se tiennent respectivement les équilibres redox.

$$Ag^+\ (aq)\ +\ e^-\ \rightleftarrows\ Ag\ (s) \qquad E^0 = 0{,}80\ V$$
$$AgCl\ (s)\ +\ e^-\ \rightleftarrows\ Ag\ (s)\ +\ Cl^- \qquad E^0 = 0{,}222\ V$$

Les potentiels d'électrode s'expriment par :

$$E_{Ag} = 0,80 \text{ V} + 0,059 \log [Ag^+]$$

$$E_{Ag,AgCl} = 0,222 \text{ V} + 0,059 \log \frac{1}{[Cl^-]}$$

Comme dans l'exemple 7.9, lorsque l'équilibre est atteint, les potentiels d'électrode sont égaux et l'on peut écrire :

$$0,80 \text{ V} + 0,059 \log [Ag^+]_{éq} = 0,222 \text{ V} + 0,059 \log \frac{1}{[Cl^-]_{éq}}$$

$$0,059 \log [Ag^+]_{éq} - 0,059 \log \frac{1}{[Cl^-]_{éq}} = 0,222 \text{ V} - 0,80 \text{ V} = -0,578 \text{ V}$$

$$\log [Ag^+]_{éq}[Cl^-]_{éq} = -\frac{0,578}{0,059} = -9,797$$

$$[Ag^+]_{éq}[Cl^-]_{éq} = K_{ps}(AgCl) = 1,6 \times 10^{-10}, \text{ à } 25 \text{ °C.}$$

La plupart des produits de solubilité des sels sont déterminés à partir des tensions de piles électrochimiques.

EXERCICE 7.10   **La fém. et la constante d'équilibre**

Calculez la constante de formation, à 25 °C, du complexe $[Zn(CN)_4]^{2-}$.

$$Zn^{2+} \text{ (aq)} + 4 CN^- \text{ (aq)} \rightleftharpoons [Zn(CN)_4]^{2-} \text{ (aq)}$$

Indice Considérez la pile où se produisent les demi-réactions.

$$[Zn(CN)_4]^{2-} \text{ (aq)} + 2 e^- \rightleftharpoons Zn \text{ (s)} + 4 CN^- \text{ (aq)}$$
$$Zn^{2+} \text{ (aq)} + 2 e^- \rightleftharpoons Zn \text{ (s)}$$

7.4   LES PILES COMMERCIALES

Les piles décrites jusqu'ici ont servi à illustrer comment elles peuvent engendrer un courant électrique et à quoi elles peuvent servir en laboratoire à des fins de recherche, mais n'ont pas d'usage pratique. Elles ne sont ni compactes ni robustes, qualités nécessaires à une commercialisation à grande échelle. Dans bien des utilisations concrètes, il est aussi important que leur tension demeure constante, ce qui n'est pas le cas des piles décrites, leur tension variant selon la concentration des ions en solution. En plus, l'intensité du courant produit est très faible. Les différentes tentatives pour l'augmenter se soldent toujours par une chute de potentiel, parce que le courant dépend de la vitesse de migration des ions dans les solutions. Lorsque le courant est élevé, les ions disparaissent plus vite à l'électrode qu'ils n'y arrivent par migration : leur concentration au niveau de l'électrode diminue et la tension baisse.

La quantité d'électricité que l'on peut obtenir d'une pile dépend de la quantité de réactifs présents initialement. Plus elle en contient, plus elle dure longtemps. Une pile rechargeable est de ce point de vue très intéressante : recharger une pile signifie retransformer les produits en réactifs, en les remettant au bon endroit. Cela est impossible dans les piles décrites précédemment, car le mouvement des ions dans la cellule a mélangé les réactifs et les produits, et l'on ne peut les séparer de nouveau pour revenir à l'état initial.

Ces limitations ont pour la plupart été éliminées dans les piles commerciales actuelles, que l'on classe selon qu'elles sont ordinaires ou rechargeables. Les piles ordinaires sont mortes lorsque leurs réactifs sont épuisés et l'on doit s'en débarrasser dans des lieux de récupération. Les réactions dans les piles rechargeables peuvent être inversées, si bien qu'elles peuvent servir plusieurs fois.

Il existe actuellement sur le marché différentes piles répondant à des besoins divers (figure 7.7). On en décrit quelques-unes dans cette section.

◆ *Une pile improvisée*

On peut confectionner une pile électrochimique en insérant des électrodes de zinc et de cuivre dans n'importe quel objet contenant une solution d'électrolyte.

Charles D. Winters

Figure 7.7 Quelques piles commerciales. Les piles commerciales fournissent l'énergie électrique nécessaire au fonctionnement d'une multitude d'appareils. Elles sont offertes en différents formats et formes, et sont parfois groupées pour obtenir des tensions plus élevées. Certaines sont rechargeables, d'autres ne le sont pas. Malgré cette abondance de choix, la recherche dans le domaine est loin d'être terminée et constitue actuellement un des champs de spécialisation les plus actifs en chimie. Charles D. Winters

7.4.1 Les piles ordinaires : les piles sèches et au mercure

Il y a de fortes chances que les piles ordinaires les moins chères que vous puissiez trouver actuellement sur le marché soient une version moderne de celle inventée en 1866 par Georges Leclanché (1839-1882) (*voir la figure 7.8, page 298*). L'anode est en zinc et une tige de graphite centrale en constitue la cathode. Ces piles sont dites **sèches,** car elles ne comportent apparemment aucune phase liquide. En réalité, elles contiennent une pâte humide de NH_4Cl, $ZnCl_2$ et MnO_2 : l'humidité permet aux ions de migrer d'une électrode à l'autre.

Ce modèle repose sur les demi-réactions :

Réduction cathodique $\quad 2\ NH_4^+\ (aq)\ +\ 2\ e^-\ \longrightarrow\ 2\ NH_3\ (g)\ +\ H_2\ (g)$

Oxydation anodique $\quad Zn\ (s)\ \longrightarrow\ Zn^{2+}\ (aq)\ +\ 2\ e^-$

Les deux gaz formés créeraient une pression indue et détruiraient la pile si ce n'était des réactions subséquentes : l'ammoniac se lie aux ions Zn^{2+} et l'hydrogène est oxydé par l'oxyde de manganèse (IV).

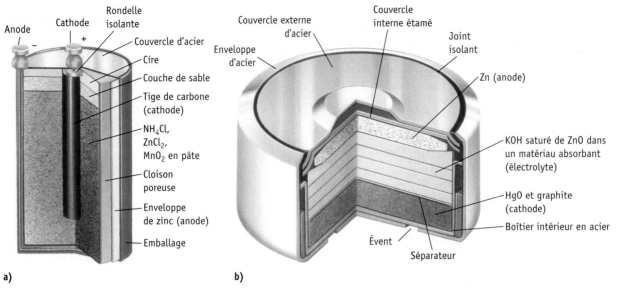

Figure 7.8 Deux piles commerciales courantes. a) La pile Leclanché. **b)** Une pile au mercure. Dans les deux exemples, l'anode est constituée de zinc (le zinc est le réducteur).

$$Zn^{2+} \text{ (aq)} + 2\ NH_3 \text{ (g)} + 2\ Cl^- \text{ (aq)} \longrightarrow [Zn(NH_3)_2]Cl_2 \text{ (s)}$$
$$2\ MnO_2 \text{ (s)} + H_2 \text{ (g)} \longrightarrow Mn_2O_3 \text{ (s)} + H_2O \text{ (l)}$$

La tension est voisine de 1,5 V.

Cette pile est beaucoup utilisée à cause de son prix de revient assez bas, mais elle présente plusieurs inconvénients. Quand elle débite beaucoup de courant, les gaz produits n'ont pas le temps de réagir totalement : la résistance interne augmente et la tension chute. En plus, NH_4^+ (aq), un acide de Brønsted, réagit lentement avec le zinc, avec lequel il est en contact permanent, en donnant de l'hydrogène. À cause de cette réaction, ce type de pile ne peut être stocké indéfiniment : les réactifs s'épuisent, même si la pile ne débite pas. Finalement, la détérioration normale de l'enveloppe externe de zinc due à son oxydation crée des trous, par lesquels peuvent s'échapper des ingrédients : on risque alors d'endommager le réceptacle de la pile.

Insatisfait des piles sèches ordinaires ? Vous pouvez toujours vous rabattre sur les **piles alcalines,** certes un peu plus chères, mais plus durables : à grosseur égale, elles fournissent environ 50 % plus d'énergie que les précédentes. Leurs deux chimies sont assez semblables, sauf que les ingrédients constituant la pile alcaline se trouvent en milieu basique, d'où leur nom (alcalin = basique). La réaction implique toujours l'oxydation du zinc et la réduction de MnO_2 pour engendrer du courant, mais KOH ou NaOH remplace le sel acide NH_4Cl.

Réduction cathodique $2\ MnO_2 \text{ (s)} + H_2O \text{ (l)} + 2\ e^- \longrightarrow Mn_2O_3 \text{ (s)} + 2\ OH^- \text{ (aq)}$

Oxydation anodique $Zn \text{ (s)} + 2\ OH^- \text{ (aq)} \longrightarrow ZnO \text{ (s)} + H_2O \text{ (l)} + 2\ e^-$

La tension de 1,54 V, voisine de celle de la pile Leclanché, est presque constante lorsque la pile débite fortement, puisqu'elle ne dégage aucun gaz.

La pile au mercure est aussi alcaline (figure 7.8 **b**). Elle alimente les calculatrices, les caméras, les montres, les stimulateurs cardiaques et quantité d'autres petits appareils. L'anode est en zinc et la cathode est constituée d'oxyde de mercure (II) mélangé à du graphite.

Réduction cathodique $HgO \text{ (s)} + H_2O \text{ (l)} + 2\ e^- \longrightarrow Hg \text{ (l)} + 2\ OH^- \text{ (aq)}$

Oxydation anodique $Zn \text{ (s)} + 2\ OH^- \text{ (aq)} \longrightarrow ZnO \text{ (s)} + H_2O \text{ (l)} + 2\ e^-$

Le zinc et son oxyde sont séparés de la pâte de HgO et de KOH ou NaOH par un carton humide qui sert aussi de jonction électrolytique. La tension est de 1,35 V. Ces piles sont largement utilisées, mais on s'efforce de nos jours de les faire disparaître à cause de leur impact néfaste sur l'environnement, le mercure et ses composés étant des polluants dangereux.

7.4.2 Les piles rechargeables

Quand une pile Leclanché ou alcaline est usée et cesse de produire du courant électrique, on doit la jeter. Au contraire, certaines piles peuvent être rechargées, éventuellement des centaines de fois, en leur appliquant un courant électrique externe qui les ramène à leur état initial.

L'accumulateur au plomb est certainement le plus connu de ce type de source d'énergie électrique (*voir la figure 7.9 **a**, page 300*). Il est généralement constitué de six piles en série, électrode négative d'une pile reliée à la borne positive de la suivante; l'ensemble forme une batterie d'accumulateurs, d'où l'abréviation courante de « batterie », dont la tension aux bornes externes, égale à la somme des tensions individuelles, est de 12 V. Elle peut fournir sur demande une intensité de courant relativement élevée pendant un court laps de temps, une qualité appréciée lors du démarrage des moteurs à combustion interne.

Ses électrodes sont en plomb, la cathode étant cependant recouverte d'une couche compactée d'oxyde de plomb (IV) insoluble (PbO_2). Elles sont immergées côte à côte, alternativement, cathode, anode, cathode, etc., dans une solution d'acide sulfurique; des feuilles de fibre de verre séparent les groupes de trois électrodes consécutives. En fonctionnement, l'anode de plomb est oxydée en sulfate de plomb (II), composé insoluble qui adhère à sa surface. Les deux électrons issus de cette demi-réaction migrent dans le circuit extérieur vers la cathode et réduisent l'oxyde de plomb (IV) en ions Pb^{2+} qui, en présence d'acide sulfurique, forment du sulfate de plomb (II).

Réduction cathodique	$PbO_2\ (s) + 3\ H^+\ (aq) + HSO_4^-\ (aq) + 2\ e^- \longrightarrow PbSO_4\ (s) + 2\ H_2O\ (l)$
Oxydation anodique	$Pb\ (s) + HSO_4^-\ (aq) \longrightarrow PbSO_4\ (s) + H^+\ (aq) + 2\ e^-$
Équation globale	$Pb\ (s) + PbO_2\ (s) + 2\ HSO_4^-\ (aq) + 2\ H^+\ (aq) \longrightarrow 2\ PbSO_4\ (s) + 2\ H_2O\ (l)$

Ainsi, la réaction consomme de l'acide sulfurique et forme de l'eau. Comme la masse volumique de celle-ci est moins élevée que celle de l'acide sulfurique, la masse volumique de la solution électrolytique diminue. Ce paramètre constitue un moyen très simple de vérifier si l'accumulateur a besoin d'être rechargé, ce que l'on peut faire en lui fournissant de l'énergie électrique, par l'intermédiaire de l'alternateur entraîné par le moteur d'une voiture en marche ou par un chargeur. Ce processus inverse les réactions génératrices de courant: le sulfate de plomb déposé sur les électrodes est reconverti en Pb sur son anode et en PbO_2 sur sa cathode, et l'acide sulfurique est régénéré. Les cycles de décharge et de charge sont possibles parce que les réactifs et les produits restent accrochés à la surface des électrodes. Cependant, leur nombre est limité, les revêtements de PbO_2 et de $PbSO_4$ devenant à la longue friables et se déposant au fond de l'accumulateur plutôt que sur les électrodes.

On cherche depuis longtemps une solution de remplacement à l'accumulateur au plomb, en raison non seulement de son encombrement et de son poids, mais aussi de la toxicité du plomb et de ses composés. Sa récupération dans des conditions environnementales satisfaisantes pose aussi de nombreux problèmes. Malgré tout, ses avantages dépassent encore actuellement ses inconvénients et il est toujours le pourvoyeur de l'énergie nécessaire au démarreur des moteurs à combustion interne.

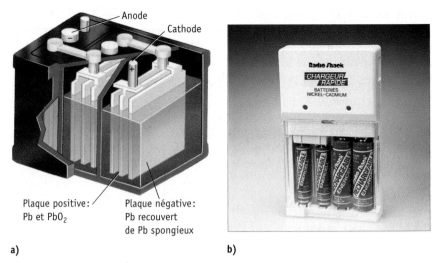

a)   **b)**

Figure 7.9 Deux piles rechargeables. a) Une batterie d'accumulateurs au plomb. Les plaques sont constituées d'un treillis de plomb, sur lequel on a compacté du plomb spongieux à l'anode et de l'oxyde de plomb (IV) à la cathode. Chaque pile a une tension voisine de 2 V. **b)** La recharge des piles Ni/Cd (1,5 V). Charles D. Winters

Les piles nickel-cadmium (figure 7.9 **b**) utilisées dans une variété d'appareillages sans fil comme les téléphones, les enregistreurs vidéo, les outils électriques autonomes, sont légères et rechargeables. Elles reposent sur l'oxydation du cadmium et la réduction de l'oxyde de nickel (III) en milieu basique. Comme dans l'accumulateur au plomb, les réactifs et les produits se présentent à l'état solide et adhèrent aux électrodes.

Réduction cathodique $NiO(OH)\ (s)\ +\ H_2O\ (l)\ +\ e^-\ \longrightarrow\ Ni(OH)_2\ (s)\ +\ OH^-\ (aq)$

Oxydation anodique $Cd\ (s)\ +\ 2\ OH^-\ (aq)\ \longrightarrow\ Cd(OH)_2\ (s)\ +\ 2\ e^-$

La tension aux bornes de cette pile est presque constante. Cependant, son coût est relativement élevé et la toxicité des composés du cadmium rend sa récupération nécessaire si l'on veut réduire les risques pour l'environnement.

7.4.3   Les piles à combustible

La petitesse des piles décrites précédemment constitue un de leurs nombreux avantages, mais constitue aussi une limite à leur utilisation, car la quantité d'énergie électrique produite dépend de leur quantité de réactifs. Quand l'un d'eux est épuisé, la pile ne peut plus débiter de courant. Les **piles à combustible** contournent cette limitation : elles sont alimentées en réactifs sur demande, en continu et de l'extérieur.

Bien que ce type de générateur d'électricité soit connu et fabriqué depuis plus de 150 ans, il n'a bénéficié que de faibles développements technologiques jusqu'à ce que les programmes spatiaux ne le ramènent au premier plan. Les piles hydrogène/oxygène ont été utilisées par la NASA lors des missions des capsules *Gemini*, *Apollo* et de la navette spatiale. En plus d'être légères et efficaces, elles produisent de l'eau potable, un bénéfice marginal très apprécié. Les piles de la navette spatiale étaient dix fois plus légères que la batterie traditionnelle d'accumulateurs au plomb pouvant fournir la même quantité d'énergie électrique. Pour une mission typique de sept jours, elles consomment environ 680 kg d'hydrogène et produisent, en plus de l'énergie, 720 L d'eau.

L'hydrogène est pompé vers l'anode, où se produit la demi-réaction d'oxydation :

$$H_2\ (g)\ \longrightarrow\ 2\ H^+\ (aq)\ +\ 2\ e^-$$

perspectives

L'auto de l'avenir ?

Pour satisfaire aux normes de qualité de l'air de plus en plus exigeantes, les principaux fabricants d'automobiles ont conçu des prototypes de véhicules électriques dont l'énergie est fournie par différents types de piles. La batterie d'accumulateurs au plomb est la plus utilisée, mais malheureusement elle est extrêmement lourde, ce qui la classe parmi les moins efficaces de toutes les piles développées jusqu'à maintenant en ce qui concerne le rapport énergie/masse. De ce point de vue, l'énergie emmagasinée dans une batterie quelconque est encore actuellement de très loin inférieure à celle libérée par une même masse d'essence: la batterie la plus performante produit à masse égale 100 fois moins d'énergie que l'essence.

Quantité d'énergie emmagasinée par kilogramme de batterie	
Système chimique	**kJ·kg^{-1}**
Accumulateur au plomb	65-210
Pile nickel/cadmium	120-250
Pile sodium/soufre	290-500
Pile lithium/polymère	540
(Moteur à combustion interne)	(44 000)

Les piles à combustible se comportent bien selon ce critère. Dans une pile hydrogène/oxygène, de 50 à 65 % de l'énergie contenue dans l'hydrogène est convertie en électricité, ce qui est un excellent rendement comparativement à celui d'un moteur à combustion interne qui dépasse rarement 25 %. Ces piles semblent prometteuses, car elles fonctionnent à la température ambiante ou un peu au-dessus, démarrent rapidement et produisent une forte intensité de courant. Cependant, leur coût constitue un obstacle majeur à leur utilisation en série, et le remplacement complet des moteurs à combustion interne ne semble pas encore envisageable dans un avenir proche. Actuellement, le rapport performance/coût du moteur classique est imbattable.

De plus, la production en masse de l'hydrogène (gaz très inflammable), son transport et sa distribution et son stockage à bord des voitures représentent d'autres obstacles à l'adoption généralisée de ce mode de propulsion. Ces problèmes pourraient être éliminés si l'on arrivait à le produire directement dans le véhicule grâce à un reformeur d'essence, d'éthanol ou de méthanol. Par exemple, le reformage à la vapeur du méthanol, en présence d'un catalyseur, produit de l'hydrogène selon la réaction globale:

$$CH_3OH\ (g)\ +\ H_2O\ (g)\ \longrightarrow\ CO_2\ (g)\ +\ 3\ H_2\ (g)$$

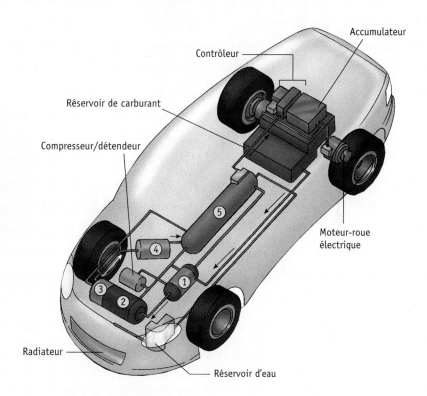

Figure A. Le prototype hypothétique d'une voiture utilisant des piles à combustible

1. Le carburant liquide (essence, méthanol ou éthanol) est vaporisé par chauffage.
2. Le carburant à l'état gazeux est oxydé partiellement par l'air en CO et H_2.
3. En présence d'un catalyseur, de la vapeur d'eau se combine à la quasi-totalité du CO et du carburant résiduel pour donner du CO_2 et encore plus de H_2.
4. De l'air injecté transforme en présence d'un catalyseur le CO résiduel en CO_2. Le gaz issu de toutes ces transformations contient essentiellement du CO_2 et de l'hydrogène.
5. Dans une pile à combustible, l'hydrogène réagit avec l'oxygène de l'air. La réaction produit de la vapeur d'eau et de l'électricité qui charge en permanence une batterie d'accumulateurs. Ces accumulateurs fournissent l'énergie à un moteur ou à plusieurs moteurs électriques, qui propulsent la voiture.

tandis que l'oxygène est réduit à la cathode.

$$O_2 \ (g) + 2 \ H_2O \ (l) + 4 \ e^- \longrightarrow 4 \ OH^- \ (aq)$$

Les demi-cellules sont séparées par une membrane en plastique qui échange les protons. Ceux-ci, formés à l'anode, la traversent et réagissent avec les ions OH^- produits à la cathode pour former de l'eau. Ces piles fonctionnent à une température variant entre 70 et 140 °C, et possèdent une tension aux bornes voisine de 0,9 V (figure 7.10).

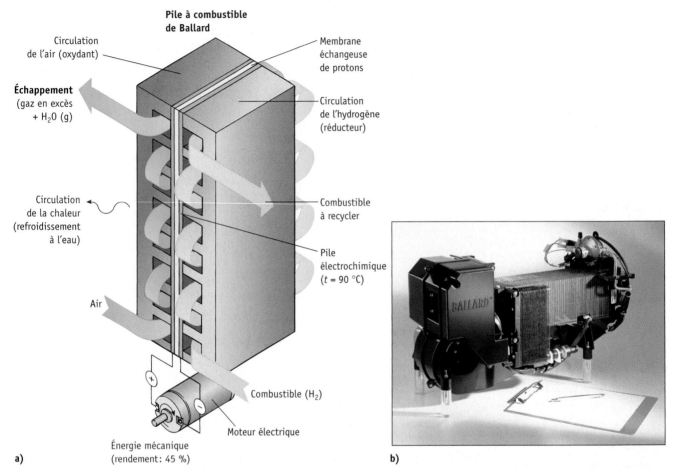

Figure 7.10 Une pile hydrogène/oxygène. a) L'hydrogène est oxydé à l'anode en ions H^+ (aq). De l'autre côté de la membrane perméable aux protons, l'oxygène est réduit en ions OH^- (aq). Les ions H^+ (aq) franchissent la membrane et se combinent aux ions OH^- (aq) pour former de l'eau. **b)** Une batterie de piles. Les piles individuelles sont branchées en série de façon à obtenir une tension plus élevée aux bornes extérieures.

7.5 L'ÉLECTROLYSE

À l'inverse d'une pile qui transforme spontanément l'énergie d'une réaction chimique en courant électrique, il est possible de produire des changements chimiques non spontanés à l'aide d'un courant électrique : ce processus s'appelle l'**électrolyse.** Une cellule électrolytique est une pile inversée.

L'électrolyse de l'eau est l'exemple classique d'une expérience de chimie (figure 7.11 **a**). Un courant électrique traverse une solution aqueuse d'un électrolyte et il se forme aux électrodes de l'oxygène et de l'hydrogène. On se sert souvent de cette manipulation pour illustrer la stœchiométrie et les lois des gaz, et pour montrer comment on peut effectuer une réaction très peu favorisée d'un point de vue énergétique.

L'électrolyse est à la base de l'électroplacage (figure 7.11 **b**). Dans ce cas, le passage d'un courant électrique réduit un cation métallique d'une solution aqueuse en son métal qui se dépose sur l'objet conducteur utilisé comme cathode.

Par électrolyse, on produit bon nombre de métaux comme l'aluminium, le magnésium et le sodium, et quelques composés industriels importants, parmi lesquels figure notamment le chlore. Le raffinage électrolytique des métaux est une technique largement répandue.

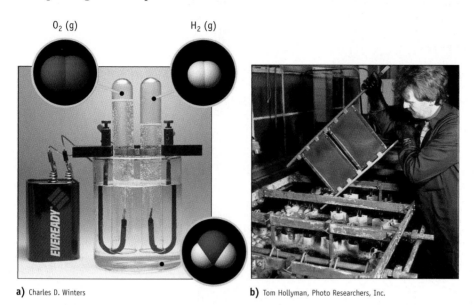

O_2 (g) H_2 (g)

a) Charles D. Winters   **b)** Tom Hollyman, Photo Researchers, Inc.

Figure 7.11 L'électrolyse. a) L'électrolyse de l'eau acidifiée produit de l'hydrogène et de l'oxygène. **b)** Par électroplacage, on dépose superficiellement un métal sur un objet, pour le prémunir contre la corrosion ou pour améliorer son apparence. L'objet constitue la cathode d'une cuve à électrolyse contenant une solution d'un sel du métal à plaquer.

7.5.1   L'électrolyse des sels fondus

Dans une cellule électrolytique, la substance à transformer doit être un sel en fusion ou en solution, pour que le courant puisse circuler. Les ions transportent les charges électriques à l'intérieur de la cellule, dont les électrodes sont branchées à une source de courant continu. Si la tension est suffisante, une réduction s'effectue à la cathode et une oxydation a lieu à l'anode.

À l'état liquide, NaCl fondu, l'édifice cristallin très ordonné du sel s'effondre et les ions ont plus de liberté pour se déplacer. Lorsqu'on applique une différence de potentiel suffisante aux bornes de la cellule, les ions Na^+ sont attirés par la cathode, tandis que les ions Cl^- se rendent à l'anode (*voir la figure 7.12, page 304*).

Réduction cathodique	$2\ Na^+\ (l) + 2\ e^- \longrightarrow 2\ Na\ (l)$
Oxydation anodique	$2\ Cl^-\ (l) \longrightarrow Cl_2\ (g) + 2\ e^-$
	$2\ Na^+\ (l) + 2\ Cl^-\ (l) \longrightarrow 2\ Na\ (l) + Cl_2\ (g)$

La réaction se produit dans ce sens seulement lorsqu'un courant électrique traverse la cellule : sans cet apport énergétique externe, c'est la réaction inverse qui se produit spontanément. La source d'énergie force les électrons à circuler dans un sens donné : ils partent de la source et se rendent à la cathode de la cellule électrolytique, où ils engendrent la réduction des ions positifs Na^+. De l'autre côté de la cellule, il se produit à l'anode l'oxydation des ions Cl^-, ce qui permet aux électrons de se diriger vers le pôle positif de la source : le circuit externe de la cellule est ainsi fermé. On remarque que les électrodes portent les

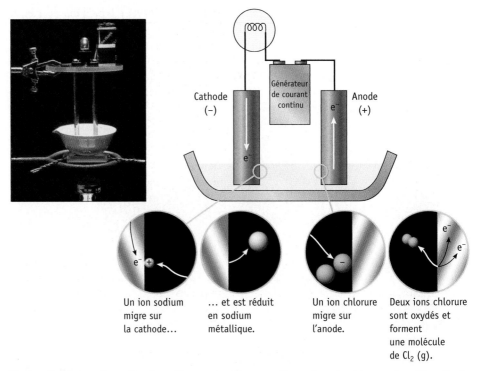

Un ion sodium
migre sur
la cathode...

... et est réduit
en sodium
métallique.

Un ion chlorure
migre sur
l'anode.

Deux ions chlorure
sont oxydés et
forment
une molécule
de Cl_2 (g).

Figure 7.12 La préparation du sodium et du chlore par électrolyse du chlorure de sodium fondu.
À l'état liquide, NaCl fondu, les ions Na^+ migrent vers la cathode où ils sont réduits en sodium métallique. Les ions Cl^- sont oxydés en chlore à l'anode. Charles D. Winters

mêmes noms que dans les piles électrochimiques : une réduction se produit toujours à la cathode, tandis qu'une oxydation a lieu à l'anode.

7.5.2 L'électrolyse des solutions aqueuses

Le chlorure de sodium fondu n'est constitué que d'ions Na^+ et Cl^- qui peuvent être réduits ou oxydés. Les électrolyses en solution aqueuse se compliquent à cause de la possibilité d'oxydation ou de réduction de l'eau, en plus, ou parfois à la place, de celles des ions en solution.

L'électrolyse d'une solution aqueuse d'iodure de sodium illustre le propos (figure 7.13). Dans cette expérience, la cuve électrolytique contient des ions Na^+ (aq), des ions I^- (aq) et des molécules d'eau. Deux réactions de réduction sont possibles à la cathode (*voir le tableau 7.1, page 289*) :

$$Na^+ \text{ (aq) } + \text{ e}^- \longrightarrow Na \text{ (s)} \qquad E^0 = -2{,}714 \text{ V}$$
$$2 \text{ H}_2O \text{ (l) } + 2 \text{ e}^- \longrightarrow H_2 \text{ (g) } + 2 \text{ OH}^- \text{ (aq)} \qquad E^0 = -0{,}8277 \text{ V}$$

et deux réactions d'oxydation à l'anode.

$$2 \text{ I}^- \text{ (aq) } \longrightarrow I_2 \text{ (aq) } + 2 \text{ e}^- \qquad E^0 = 0{,}535 \text{ V}$$
$$2 \text{ H}_2O \text{ (l) } \longrightarrow O_2 \text{ (g) } + 4 \text{ H}^+ \text{ (aq) } + 4 \text{ e}^- \qquad E^0 = 1{,}229 \text{ V}$$

Lors d'une électrolyse, l'espèce susceptible *d'être oxydée le plus facilement à l'anode est celle qui possède le pouvoir réducteur le plus fort*, la substance qui cède ses électrons le plus facilement, donc le potentiel standard le plus faible. De la même manière, *l'espèce réduite à la cathode est celle qui a le pouvoir oxydant le plus fort* : elle est plus avide d'électrons et a le potentiel standard le plus élevé (figure 7.14).

L'eau est l'espèce la plus facile à réduire, car son potentiel standard est plus élevé que celui de Na^+ (aq) : l'eau gagne plus facilement des électrons que Na^+ (aq). Si ceux-ci étaient réduits à la place de l'eau, la réaction produirait du

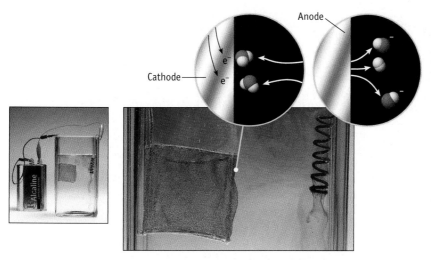

Figure 7.13 L'électrolyse d'une solution aqueuse d'iodure de sodium. On électrolyse une solution aqueuse de NaI à l'aide d'une source externe d'électricité. On y a ajouté quelques gouttes de solution de phénolphtaléine, un indicateur acidobasique. De l'iode se forme à l'anode (couleur brunâtre, à droite), tandis qu'à la cathode se dégage de l'hydrogène et se libèrent des ions OH⁻ (aq), dont la présence est détectée par la couleur rose violacé de l'indicateur en milieu basique. Charles D. Winters

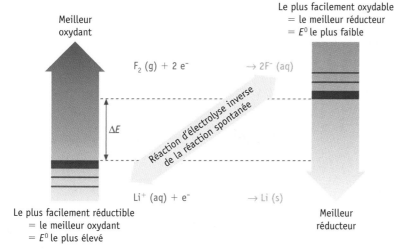

Figure 7.14 La prévision des demi-réactions lors d'une électrolyse. Parmi les réactions possibles lors d'une électrolyse, la plus susceptible de se produire est celle qui met en jeu la forme oxydée (à réduire) possédant le potentiel le plus élevé et la forme réduite (à oxyder) possédant le potentiel le plus bas. La différence de potentiel entre ces deux couples, la plus faible des couples considérés, est la tension minimale qu'il faut appliquer pour que l'électrolyse ait lieu.

sodium qui réduirait l'eau spontanément (le sodium réduit spontanément toutes les formes oxydées situées au-dessus de celui-ci dans le tableau 7.1) : le résultat global serait finalement la réduction de l'eau.

Il est plus facile d'oxyder I⁻ (aq) que H_2O, car son potentiel standard est plus faible que celui de l'eau.

L'électrolyse de la solution aqueuse d'iodure de sodium produit ainsi de l'hydrogène à la cathode et de l'iode à l'anode :

Réduction cathodique $2 H_2O$ (l) $+ 2 e^- \longrightarrow H_2$ (g) $+ 2 OH^-$ (aq) $E^0 = -0,8277$ V

Oxydation anodique $2 I^-$ (aq) $\longrightarrow I_2$ (aq) $+ 2 e^-$ $E^0 = 0,535$ V

Réaction globale $2 H_2O$ (l) $+ 2 I^-$ (aq) $\longrightarrow H_2$ (g) $+ 2 OH^-$ (aq) $+ I_2$ (aq)

à condition d'*appliquer une tension supérieure à 1,36 V* (0,535 V − (-0,8277 V) = 1,36 V), dans les conditions standards.

Pour prévoir les produits résultant d'une électrolyse en solution aqueuse, on identifie dans un premier temps les espèces qui peuvent être affectées au cours de l'électrolyse. Ensuite, on classe les couples redox où elles apparaissent par ordre décroissant de potentiel standard. La réaction qui se produit est celle qui nécessite la plus faible tension. Que se passe-t-il, par exemple, lors de l'électrolyse d'une solution aqueuse de SnCl$_2$?

Espèces en solution : Sn^{2+} (aq), Cl$^-$ (aq) et H$_2$O (l).

Couples redox et leurs potentiels standards d'électrode :

$$H_2O_2 \text{ (aq)} + 2 \text{ H}^+ \text{ (aq)} + 2 \text{ e}^- \rightleftharpoons 2 \textbf{ H}_2\textbf{O} \text{ (l)} \qquad E^0 = 1,77 \text{ V}$$

$$Cl_2 \text{ (g)} + 2 \text{ e}^- \rightleftharpoons 2 \textbf{ Cl}^- \text{ (aq)} \qquad E^0 = 1,36 \text{ V}$$

$$O_2 \text{ (g)} + 4 \text{ H}^+ \text{ (aq)} + 4 \text{ e}^- \rightleftharpoons 2 \textbf{ H}_2\textbf{O} \text{ (l)} \qquad E^0 = 1,23 \text{ V}$$

$$\textbf{Sn}^{2+} \text{ (aq)} + 2 \text{ e}^- \rightleftharpoons \text{Sn (s)} \qquad E^0 = -0,14 \text{ V}$$

$$2 \textbf{ H}_2\textbf{O} \text{ (l)} + 2 \text{ e}^- \rightleftharpoons \text{H}_2 \text{ (g)} + 2 \text{ OH}^- \text{ (aq)} \qquad E^0 = -0,83 \text{ V}$$

On sait que la réaction d'électrolyse s'effectue dans le sens ↗ et que la différence de potentiel doit être minimale. Comme Sn^{2+} n'apparaît qu'à gauche, on prévoit que les ions Sn^{2+} (aq) seront réduits en étain métallique à la cathode, qu'il y aura un dégagement d'oxygène à l'anode et que la tension nécessaire devra être supérieure à 1,37 V (1,23 V − (-0,14 V)). Or, la réalité est différente. On constate expérimentalement que ce n'est pas l'eau qui est oxydée en oxygène, mais les ions chlorure en chlore (figure 7.15).

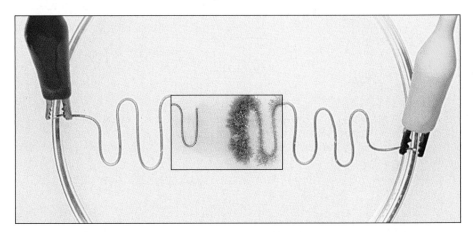

Figure 7.15 L'électrolyse d'une solution aqueuse de chlorure d'étain (II). L'étain se dépose à la cathode, tandis que le chlore (gaz jaune) se dégage à l'anode. Charles D. Winters

Pour expliquer la formation de chlore au lieu d'oxygène, il faut tenir compte de la vitesse des demi-réactions. Dans les faits, on applique une tension susceptible *a priori* d'oxyder l'eau et les ions chlorure, donc supérieure à 1,50 V (1,36 V − (-0,14 V)). Comme les ions chlorure s'oxydent beaucoup plus rapidement que l'eau, le chlore, bien que défavorisé d'un point de vue énergétique, est le produit nettement majoritaire. La différence entre la tension qu'il faut appliquer pour que la réaction évolue à un rythme appréciable et la tension calculée théoriquement est appelée la **surtension.** Les surtensions ne sont pas prévisibles et sont mesurées expérimentalement : dans le cas de l'eau, elles peuvent atteindre 0,40 V. Elles dépendent du matériau utilisé pour fabriquer l'électrode, de la nature de sa surface et de la réaction considérée.

Le potentiel standard d'électrode de la demi-réaction :

$$CO_2 \text{ (aq)} + 4 \text{ H}^+ \text{ (aq)} + 4 \text{ e}^- \rightleftharpoons \text{C (s)} + 2 \text{ H}_2\text{O (l)}$$

est égal à 0,20 V. Cette valeur montre que le carbone est légèrement plus facile à oxyder que, par exemple, le cuivre ($E^0 = 0,34$ V). En se référant à cette comparaison, on s'attendrait à ce que l'oxydation d'une électrode « inerte » de graphite se produise souvent lors des électrolyses. Cela se produit effectivement, mais l'oxydation est lente, si bien que les électrodes ne se détériorent pas trop rapidement : on doit malgré tout les remplacer au bout d'un certain temps.

Quand on considère l'électrolyse, on doit aussi tenir compte des concentrations des espèces électroactives en solution, car les potentiels d'électrode en dépendent. En dehors des conditions standards, les prévisions à partir des E^0 restent théoriques.

EXEMPLE 7.10 **L'électrolyse des solutions aqueuses**

À l'aide des potentiels standards d'électrode, prévoyez les produits résultant de l'électrolyse des solutions aqueuses de :

a) NaBr ;   b) NaCl ;   c) NaF.

SOLUTION

a) **NaBr** Espèces en solution : Na^+ (aq), Br^- (aq) et H_2O (l).

$$H_2O_2 \text{ (aq)} + 2\ H^+ \text{ (aq)} + 2\ e^- \rightleftharpoons 2\ H_2O \text{ (l)} \qquad E^0 = 1,77 \text{ V}$$

$$O_2 \text{ (g)} + 4\ H^+ \text{ (aq)} + 4\ e^- \rightleftharpoons 2\ H_2O \text{ (l)} \qquad E^0 = 1,23 \text{ V}$$

$$Br_2 \text{ (g)} + 2\ e^- \rightleftharpoons 2\ Br^- \text{ (aq)} \qquad E^0 = 1,08 \text{ V}$$

$$2\ H_2O \text{ (l)} + 2\ e^- \rightleftharpoons H_2 \text{ (g)} + 2\ OH^- \text{ (aq)} \qquad E^0 = -0,83 \text{ V}$$

$$Na^+ \text{ (aq)} + e^- \rightleftharpoons Na \text{ (s)} \qquad E^0 = -2,71 \text{ V}$$

À la cathode, H_2O (l) est réduit en H_2 (g) de préférence à Na^+ (aq). Les ions Br^- (aq) sont oxydés en brome à l'anode. La tension minimale à appliquer aux bornes de la cellule électrolytique est de 1,91 V (1,08 − (-0,83 V)).

b) **NaCl** Espèces en solution : Na^+ (aq), Cl^- (aq) et H_2O (l).

$$H_2O_2 \text{ (aq)} + 2\ H^+ \text{ (aq)} + 2\ e^- \rightleftharpoons 2\ H_2O \text{ (l)} \qquad E^0 = 1,77 \text{ V}$$

$$Cl_2 \text{ (g)} + 2\ e^- \rightleftharpoons 2\ Cl^- \text{ (aq)} \qquad E^0 = 1,36 \text{ V}$$

$$O_2 \text{ (g)} + 4\ H^+ \text{ (aq)} + 4\ e^- \rightleftharpoons 2\ H_2O \text{ (l)} \qquad E^0 = 1,23 \text{ V}$$

$$2\ H_2O \text{ (l)} + 2\ e^- \overset{\times}{\rightleftharpoons} H_2 \text{ (g)} + 2\ OH^- \text{ (aq)} \qquad E^0 = -0,83 \text{ V}$$

$$Na^+ \text{ (aq)} + e^- \rightleftharpoons Na \text{ (s)} \qquad E^0 = -2,71 \text{ V}$$

À la cathode, H_2O (l) est réduit en H_2 (g) de préférence à Na^+ (aq). *A priori*, l'eau devrait être oxydée en oxygène de préférence aux ions Cl^- (aq). Toutefois, la surtension et le faible écart entre les potentiels standards des couples O_2 (g)/H_2O (l) et Cl_2 (g)/Cl^- (aq) font que les ions Cl^- (aq) sont oxydés de façon très majoritaire : du chlore est produit à l'anode. La tension minimale à appliquer aux bornes de la cellule électrolytique est de 2,19 V (1,36 − (-0,8277 V)).

c) **NaF** Espèces en solution : Na^+ (aq), F^- (aq) et H_2O (l).

$$F_2 \text{ (g)} + 2\ e^- \rightleftharpoons 2\ F^- \text{ (aq)} \qquad E^0 = 2,87 \text{ V}$$

$$H_2O_2 \text{ (aq)} + 2\ H^+ \text{ (aq)} + 2\ e^- \rightleftharpoons 2\ H_2O \text{ (l)} \qquad E^0 = 1,77 \text{ V}$$

$$O_2 \text{ (g)} + 4\ H^+ \text{ (aq)} + 4\ e^- \rightleftharpoons 2\ H_2O \text{ (l)} \qquad E^0 = 1,23 \text{ V}$$

$$2\ H_2O \text{ (l)} + 2\ e^- \rightleftharpoons H_2 \text{ (g)} + 2\ OH^- \text{ (aq)} \qquad E^0 = -0,83 \text{ V}$$

$$Na^+ \text{ (aq)} + e^- \rightleftharpoons Na \text{ (s)} \qquad E^0 = -2,71 \text{ V}$$

À la cathode, H_2O (l) est réduit en H_2 (g) de préférence à Na^+ (aq). À l'anode, l'eau est oxydée en O_2 (g), la surtension associée au potentiel de l'eau ne rejoignant pas le potentiel trop éloigné du couple F_2 (g)/F^- (aq). L'électrolyse d'une solution aqueuse de fluorure de sodium entraîne la décomposition de l'eau en ses éléments: les ions fluorure et sodium ne servent finalement qu'à assurer le passage du courant électrique dans la solution. La tension à appliquer est supérieure à 2,06 V (1,23 − (-0,83 V)):

Réduction cathodique $2(2\ H_2O\ (l)\ +\ 2\ e^-\ \longrightarrow\ H_2\ (g)\ +\ 2\ OH^-\ (aq))$

Oxydation anodique $2\ H_2O\ (l)\ \longrightarrow\ O_2\ (g)\ +\ 4\ H^+\ (aq)\ +\ 4\ e^-$

Réaction globale $6\ H_2O\ (l)\ \longrightarrow\ 2\ H_2\ (g)\ +\ O_2\ (g)\ +\ 4\ H^+\ (aq)\ +\ 4\ OH^-\ (aq)$

soit après la simplification: $2\ H_2O\ (l)\ \longrightarrow\ 2\ H_2\ (g)\ +\ O_2\ (g)$

EXERCICE 7.11   L'électrolyse des solutions aqueuses

À l'aide des potentiels standards d'électrode, prévoyez les produits résultant de l'électrolyse d'une solution aqueuse d'hydroxyde de sodium.

7.5.3   L'électrolyse: aspect quantitatif

L'argent se dépose à la cathode lors de l'électrolyse de son nitrate selon la demi-réaction:

$$Ag^+\ (aq)\ +\ e^-\ \longrightarrow\ Ag\ (s)$$

Une mole d'électrons est requise pour produire une mole d'argent. Par contre, il en faut deux pour obtenir une mole d'étain.

$$Sn^{2+}\ (aq)\ +\ 2\ e^-\ \longrightarrow\ Sn\ (s)$$

La mesure de la quantité de charges électriques traversant une cellule électrolytique permet de calculer la quantité ou la masse d'argent ou d'étain produit. Inversement, on peut connaître la quantité d'électricité mise en jeu à l'aide des quantités ou des masses de métal déposé.

L'intensité (I) d'un courant électrique est déterminée par le quotient de la quantité de charges électriques (Q) qui passe dans le circuit extérieur par la durée (t) de son passage. Si t est exprimée en secondes et Q, en coulombs, I a pour unité l'ampère.

$$I\ (A) = \frac{Q\ (C)}{t\ (s)}$$

EXEMPLE 7.11   Le calcul de la masse de métal déposé

Un courant continu et constant de 2,40 A traverse une solution d'ions cuivre (II) pendant 30,0 min. Quelle masse (g) de cuivre se dépose à la cathode?

SOLUTION

Demi-réaction de réduction $Cu^{2+}\ (aq)\ +\ 2\ e^-\ \longrightarrow\ Cu\ (s)$

Quantité de charges = $Q = It = 2,40\ A \times 30,0\ min \times \dfrac{60\ s}{1\ min} = 4320\ C$

Quantité d'électrons = $4320\ C \times \dfrac{1\ mol}{96\ 500\ C} = 4,477 \times 10^{-2}\ mol$

Michael Faraday (1791-1867)

On doit à Michael Faraday, l'un des physicochimistes les plus influents de l'histoire des sciences, l'introduction des termes *anion, cation, électrode, anode, cathode* et *électrolyte*. Parmi ses contributions les plus remarquables, on peut citer:
- la relation entre la masse de métal déposé et la quantité d'électricité (à laquelle on a donné le nom de loi de Faraday en signe de reconnaissance);
- la mise en évidence de l'induction électrique et les inventions du moteur, de la génératrice et du transformateur électriques;
- l'introduction des concepts de champs électrique et magnétique;
- la découverte des propriétés magnétiques de la matière;
- la découverte du benzène et d'autres composés organiques, etc.

Sa mémoire est toujours vivante grâce à deux unités nommées en son honneur: le farad (capacité électrique) et le faraday (quantité d'électricité de 1 mol d'électrons).

Quantité de cuivre = $(4,477 \times 10^{-2} \text{ mol de e}^-) \dfrac{1 \text{ mol de Cu}}{2 \text{ mol de e}^-} = \dfrac{4,477 \times 10^{-2}}{2}$ mol

Masse de cuivre = $\dfrac{4,477 \times 10^{-2}}{2}$ mol de Cu $\times \dfrac{63,546 \text{ g}}{1 \text{ mol de Cu}} = 1,42$ g

---

EXEMPLE 7.12 La durée d'électrolyse

Pendant combien de temps un courant continu et constant de 0,800 A doit-il circuler dans une cellule d'électroplacage pour déposer 2,50 g d'argent?

SOLUTION

Demi-réaction de réduction $Ag^+ (aq) + e^- \longrightarrow Ag (s)$

Quantité d'argent = $2,50 \text{ g de Ag} \times \dfrac{1 \text{ mol}}{107,8682 \text{ g de Ag}} = \dfrac{2,50}{107,8682}$ mol

Quantité d'électrons = $\dfrac{2,50}{107,8682}$ mol de Ag $\times \dfrac{1 \text{ mol de e}^-}{1 \text{ mol de Ag}} = \dfrac{2,50}{107,8682}$ mol

Quantité de charges = $\dfrac{2,50}{107,8682}$ mol de e$^-$ $\times \dfrac{96\,500 \text{ C}}{1 \text{ mol de e}^-} = \dfrac{2,50 \times 96\,500}{107,8682}$ C

Temps = $\dfrac{Q}{I} = \left(\dfrac{2,50 \times 96\,500}{107,8682} \text{ C} \right) / 0,800 \text{ A} = 2796$ s ou $46,6$ min.

EXERCICE 7.12 L'électrolyse des solutions aqueuses

Une expérience d'électrolyse de l'eau, à l'aide d'un courant continu et constant de 0,445 A, dure 45 min. Quelle masse (g) d'oxygène se dégage à l'anode?

EXERCICE 7.13 L'électrolyse des solutions aqueuses

Industriellement, on produit du sodium par électrolyse nécessitant un courant continu 25×10^3 A et une tension de 7,0 V. Quelle masse de sodium produit-on à l'heure?

7

(SAUVEgarder)

LES RÉACTIONS D'OXYDORÉDUCTION

Définitions

État d'oxydation de l'argent: de +1 à 0

Ag⁺ réduit en Ag   Ag⁺ = oxydant

$$Cu\ (s)\ +\ 2\ Ag^+\ (aq)\ \longrightarrow\ Cu^{2+}\ (aq)\ +\ 2\ Ag\ (s)$$

État d'oxydation du cuivre: de 0 à +2

Cu oxydé en Cu²⁺   Cu = réducteur

Demi-réactions

Réduction $2\ (Ag^+\ (aq)\ +\ e^-\ \longrightarrow\ Ag\ (s))$

Oxydation $Cu\ (s)\ \longrightarrow\ Cu^{2+}\ (aq)\ +\ 2\ e^-$

Réaction globale $2\ Ag^+\ (aq)\ +\ Cu\ (s)\ \longrightarrow\ 2\ Ag\ (s)\ +\ Cu^{2+}\ (aq)$

Couple redox

$$Ag^+\ (aq)\ +\ e^-\ \rightleftharpoons\ Ag\ (s)$$

Forme oxydée   Forme réduite

L'ÉQUILIBRAGE DES RÉACTIONS D'OXYDORÉDUCTION

Exemple

Milieu basique

$$Al\ (s)\ +\ H_2O\ (l)\ \longrightarrow\ Al(OH)_4^-\ (aq)\ +\ H_2\ (g)$$

1. *Identifiez les demi-réactions.*

$$Al\ (s)\ \longrightarrow\ Al(OH)_4^-\ (aq)\quad et\quad H_2O\ (l)\ \longrightarrow\ H_2\ (g)$$

2. *Équilibrez les atomes qui subissent l'oxydation ou la réduction.*

$$Al\ (s)\ \longrightarrow\ Al(OH)_4^-\ (aq)\quad et\quad H_2O\ (l)\ \longrightarrow\ H_2\ (g)$$

3. *Équilibrez les atomes d'oxygène en y ajoutant le nombre approprié de molécules d'eau.*

$$Al\ (s)\ +\ 4\ H_2O\ (l)\ \longrightarrow\ Al(OH)_4^-\ (aq)$$
$$H_2O\ (l)\ \longrightarrow\ H_2\ (g)\ +\ H_2O\ (l)$$

4. *Équilibrez les atomes d'hydrogène en y ajoutant le nombre approprié d'ions H⁺ (aq).*

$$Al\ (s)\ +\ 4\ H_2O\ (l)\ \longrightarrow\ Al(OH)_4^-\ (aq)\ +\ 4\ H^+\ (aq)$$
$$H_2O\ (l)\ +\ 2\ H^+\ (aq)\ \longrightarrow\ H_2\ (g)\ +\ H_2O\ (l)$$

5. *Équilibrez les charges en y ajoutant le nombre approprié d'électrons.*

$$Al\ (s)\ +\ 4\ H_2O\ (l)\ \longrightarrow\ Al(OH)_4^-\ (aq)\ +\ 4\ H^+\ (aq)\ +\ 3\ e^-$$
$$H_2O\ (l)\ +\ 2\ H^+\ (aq)\ +\ 2\ e^-\ \longrightarrow\ H_2\ (g)\ +\ H_2O\ (l)$$

6. *Multipliez, si c'est nécessaire, les demi-réactions de manière à obtenir le même nombre d'électrons dans chacune.*

$$2\ [Al\ (s)\ +\ 4\ H_2O\ (l)\ \longrightarrow\ Al(OH)_4^-\ (aq)\ +\ 4\ H^+\ (aq)\ +\ 3\ e^-]$$
$$3\ [H_2O\ (l)\ +\ 2\ H^+\ (aq)\ +\ 2\ e^-\ \longrightarrow\ H_2\ (g)\ +\ H_2O\ (l)]$$

L'ÉQUILIBRE DES RÉACTIONS D'OXYDORÉDUCTION (*SUITE*)

Exemple (*suite*)

7. *Additionnez les demi-réactions en éliminant les électrons.*

$$2\ Al\ (s) + 11\ H_2O\ (l) + 6\ H^+\ (aq) \longrightarrow 2\ Al(OH)_4^-\ (aq) + 8\ H^+\ (aq) + 3\ H_2\ (g) + 3\ H_2O\ (l)$$

8. *Simplifiez l'équation.*

$$2\ Al\ (s) + 8\ H_2O\ (l) \longrightarrow 2\ Al(OH)_4^-\ (aq) + 2\ H^+\ (aq) + 3\ H_2\ (g)$$

9. *En milieu basique, ajoutez de chaque côté de l'équation autant de OH^- (aq) qu'il y a de H^+ (aq) et simplifiez de nouveau l'équation en tenant compte de H^+ (aq) $+ OH^-$ (aq) $\longrightarrow H_2O$ (l).*

$$2\ Al\ (s) + 8\ H_2O\ (l) + 2\ OH^-\ (aq) \longrightarrow 2\ Al(OH)_4^-\ (aq) + 2\ H^+\ (aq) + 3\ H_2\ (g) + 2\ OH^-\ (aq)$$
$$2\ Al\ (s) + 8\ H_2O\ (l) + 2\ OH^-\ (aq) \longrightarrow 2\ Al(OH)_4^-\ (aq) + 2\ H_2O\ (l) + 3\ H_2\ (g)$$
$$2\ Al\ (s) + 6\ H_2O\ (l) + 2\ OH^-\ (aq) \longrightarrow 2\ Al(OH)_4^-\ (aq) + 3\ H_2\ (g)$$

10. *Vérifiez l'équation.*

De part et d'autre, 2 Al, 8 O, 14 H et 2 charges négatives.

LES PILES ÉLECTROCHIMIQUES

Cu (s)|Cu²⁺ (aq, x mol/L)‖Ag⁺ (aq, y mol/L)|Ag (s)

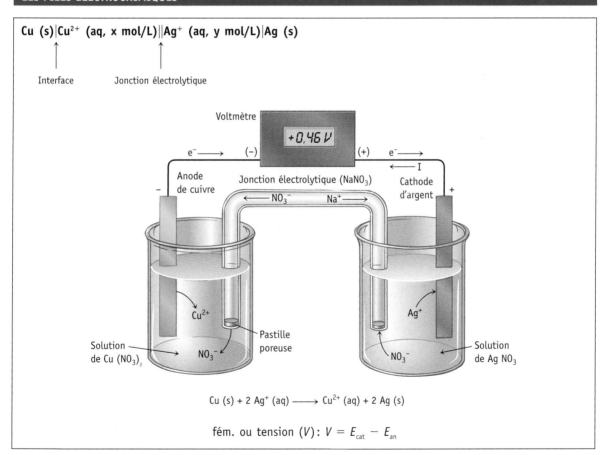

$$Cu\ (s) + 2\ Ag^+\ (aq) \longrightarrow Cu^{2+}\ (aq) + 2\ Ag\ (s)$$

$$\text{fém. ou tension } (V): V = E_{cat} - E_{an}$$

LES POTENTIELS D'ÉLECTRODE (E)

Équation de Nernst

$$a\ Ox + u\ Esp_1 + n\ e^- \rightleftharpoons b\ Red + v\ Esp_2$$

$$E = E^0 + \frac{RT}{nF}\ln \frac{[Ox]^a[Esp_1]^u}{[Red]^b[Esp_2]^v}$$

E^0 : potentiel standard d'électrode

À 298 K

$$E = E^0 + \frac{0{,}059}{n}\log \frac{[Ox]^a[Esp_1]^u}{[Red]^b[Esp_2]^v}$$

Exemple

$$Cu^{2+}\ (aq) + 2\ e^- \rightleftharpoons Cu\ (s)$$

$$E_{Cu} = E^0_{Cu^{2+}/Cu} + \frac{0{,}059}{2}\log [Cu^{2+}]$$

Électrode de référence : électrode standard à hydrogène

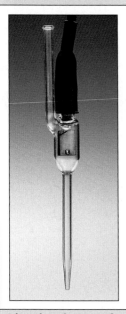

$[H^+] = 1$ mol/L et $P_{H_2} = 1$ bar (exactement 100 kPa) : $E = 0$ V, à toute température

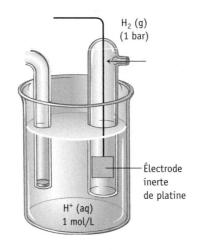

H_2 (g)
(1 bar)

Électrode inerte de platine

H^+ (aq)
1 mol/L

Direction des transformations spontanées

- Plus le potentiel standard d'électrode est élevé, plus le système est oxydant.
- Plus le potentiel standard d'électrode est faible, plus le système est réducteur.

Couples redox	E^0 (V)
I_2 (s) + 2 e$^-$ $\rightleftharpoons$ 2 I$^-$ (aq)	0,535
Cu^{2+} (aq) + 2 e$^-$ $\rightleftharpoons$ Cu (s)	0,337
2 H$^+$ (aq) + 2 e$^-$ $\rightleftharpoons$ H$_2$ (g)	0
Fe^{2+} (aq) + 2 e$^-$ $\rightleftharpoons$ Fe (s)	-0,44
Zn^{2+} (aq) + 2 e$^-$ $\rightleftharpoons$ Zn (s)	0,763
Al^{3+} (aq) + 3 e$^-$ $\rightleftharpoons$ Al (s)	-1,66

LES CONSTANTES D'ÉQUILIBRE

Exemple

$$Fe\ (s)\ +\ Cd^{2+}\ (aq)\ \rightleftharpoons\ Fe^{2+}\ (aq)\ +\ Cd\ (s)\quad K = ?$$

Pile hypothétique $Fe\ (s)|Fe^{2+}\ (aq)\|Cd^{2+}\ (aq)|Cd\ (s)$

$$Fe^{2+}\ (aq)\ +\ 2\ e^{-}\ \rightleftharpoons\ Fe\ (s)\qquad E^0 = -0,44\ V$$

$$Cd^{2+}\ (aq)\ +\ 2\ e^{-}\ \rightleftharpoons\ Cd\ (s)\qquad E^0 = -0,40\ V$$

$$E_{Fe} = -0,44\ V\ +\ \frac{0,059}{2}\ \log\ [Fe^{2+}]\qquad E_{Cd} = -0,40\ V\ +\ \frac{0,059}{2}\ \log\ [Cd^{2+}]$$

À l'équilibre ($V = 0\ V$)

$$-0,44\ V\ +\ \frac{0,059}{2}\ \log\ [Fe^{2+}]_{\text{éq}} = -0,40\ V\ +\ \frac{0,059}{2}\ \log\ [Cd^{2+}]_{\text{éq}}$$

$$\frac{[Fe^{2+}]_{\text{éq}}}{[Cd^{2+}]_{\text{éq}}} = K = 23$$

L'ÉLECTROLYSE

Processus électrochimique consommant de l'électricité pour forcer une réaction d'oxydoréduction non spontanée à se produire.

Principe

Exemple de l'électrolyse du chlorure de sodium à l'état liquide (en fusion)

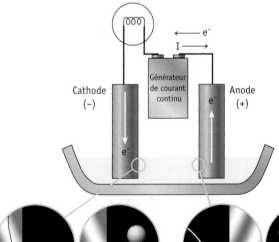

Un ion sodium migre sur la cathode...

... et est réduit en sodium métallique.

Un ion chlorure migre sur l'anode.

Deux ions chlorure sont oxydés et forment une molécule de Cl_2 (g).

L'ÉLECTROLYSE (*SUITE*)

Prévision des demi-réactions

Couples redox classés par ordre décroissant de E^0

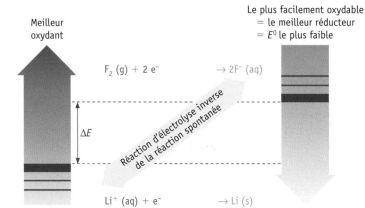

Meilleur oxydant

Le plus facilement oxydable
= le meilleur réducteur
= E^0 le plus faible

$F_2 \, (g) + 2 \, e^-$ $\rightarrow 2F^- \, (aq)$

ΔE

Réaction d'électrolyse inverse de la réaction spontanée

$Li^+ \, (aq) + e^-$ $\rightarrow Li \, (s)$

Le plus facilement réductible
= le meilleur oxydant
= E^0 le plus élevé

Meilleur réducteur

Aspect quantitatif

Électrolyse d'une solution d'ions cuivre (II) : $I = 2,40$ A pendant 30,0 min. Masse (g) de cuivre déposé à la cathode ?

Demi-réaction de réduction $Cu^{2+} \, (aq) + 2 \, e^- \longrightarrow 2 \, Cu \, (s)$

Quantité de charges $= Q = It = 2,40$ A $\times \, 30,0 \, \cancel{min} = \dfrac{60 \text{ s}}{1 \, \cancel{min}} = 4320$ C

Quantité d'électrons $= 4320 \, \cancel{C} \times \dfrac{1 \text{ mol}}{96\,500 \, \cancel{C}} = 4,477 \times 10^{-2}$ mol

Quantité de cuivre $= (4,477 \times 10^{-2} \, \cancel{\text{mol de } e^-}) \, \dfrac{1 \text{ mol de Cu}}{2 \, \cancel{\text{mol de } e^-}} = \dfrac{4,477 \times 10^{-2}}{2}$ mol

Masse de cuivre $= \dfrac{4,477 \times 10^{-2}}{2} \, \cancel{\text{mol de Cu}} \times \dfrac{63,546 \text{ g}}{1 \, \cancel{\text{mol de Cu}}} = 1,42$ g

Revue des concepts importants

1. Repérez à l'aide des équations suivantes les réactions d'oxydoréduction. Pour les réactions d'oxydoréduction, identifiez les substances oxydée et réduite, ainsi que le réducteur et l'oxydant.

a) $Zn\ (s) + 2\ HNO_3\ (aq) \longrightarrow Zn(NO_3)_2\ (aq) + H_2\ (g)$

b) $P_4O_{10}\ (s) + 6\ H_2O\ (l) \longrightarrow 4\ H_3PO_4\ (aq)$

c) $3\ Cu\ (s) + 2\ NO_3^-\ (aq) + 8\ H^+\ (aq) \longrightarrow$
$\qquad\qquad 2\ NO\ (g) + 3\ Cu^{2+}\ (aq) + 4\ H_2O\ (l)$

d) $HClO\ (aq) + H^+\ (aq) + Cl^-\ (aq) \longrightarrow$
$\qquad\qquad Cl_2\ (g) + H_2O\ (l)$

2. Identifiez l'anode et la cathode dans un accumulateur au plomb et déterminez la demi-réaction se produisant à chaque électrode. Pourquoi cet accumulateur est-il rechargeable?

3. Décrivez une expérience qui vous permettrait de mesurer le potentiel standard d'électrode du couple Zn^{2+}/Zn.

4. Quels facteurs peuvent affecter la fém. d'une pile?

5. Parmi les réactions suivantes, lesquelles favorisent les produits?

a) $Zn\ (s) + I_2\ (s) \longrightarrow Zn^{2+}\ (aq) + 2\ I^-\ (aq)$

b) $2\ Cl^-\ (aq) + I_2\ (s) \longrightarrow Cl_2\ (g) + 2\ I^-\ (aq)$

c) $2\ Na^+\ (aq) + 2\ Cl^-\ (aq) \longrightarrow 2\ Na\ (s) + Cl_2\ (g)$

d) $2\ K\ (s) + 2\ H_2O\ (l) \longrightarrow 2\ K^+\ (aq) + H_2\ (g) + 2\ OH^-\ (aq)$

6. Représentez schématiquement le montage utilisé pour effectuer l'électrolyse de NaCl en solution aqueuse. Identifiez l'anode, la cathode, ainsi que les demi-réactions s'y produisant. Ensuite, indiquez le sens du déplacement des électrons dans le circuit extérieur ainsi que celui des ions en solution et du courant électrique.

Exercices

Équilibrage des équations des réactions d'oxydoréduction

7. Équilibrez les équations des demi-réactions suivantes et spécifiez si elles symbolisent une oxydation ou une réduction.

a) $Cr\ (s) \longrightarrow Cr^{3+}\ (aq)$ (milieu acide).

b) $AsH_3\ (g) \longrightarrow As\ (s)$ (milieu acide).

c) $VO_3^-\ (aq) \longrightarrow V^{2+}\ (aq)$ (milieu acide).

d) $Ag\ (s) \longrightarrow Ag_2O\ (s)$ (milieu basique).

8. Équilibrez les équations des réactions d'oxydoréduction suivantes se produisant en milieu acide.

a) $Ag\ (s) + NO_3^-\ (aq) \longrightarrow NO_2\ (g) + Ag^+\ (aq)$

b) $MnO_4^-\ (aq) + HSO_3^-\ (aq) \longrightarrow$
$\qquad\qquad Mn^{2+}\ (aq) + SO_4^{2-}\ (aq)$

c) $Zn\ (s) + NO_3^-\ (aq) \longrightarrow Zn^{2+}\ (aq) + N_2O\ (g)$

d) $Cr\ (s) + NO_3^-\ (aq) \longrightarrow Cr^{3+}\ (aq) + NO\ (g)$

9. Équilibrez les équations des réactions d'oxydoréduction suivantes se produisant en milieu basique.

a) $Al\ (s) + OH^-\ (aq) \longrightarrow Al(OH)_4^-\ (aq) + H_2\ (g)$

b) $CrO_4^{2-}\ (aq) + SO_3^{2-}\ (aq) \longrightarrow Cr(OH)_3\ (s) + SO_4^{2-}\ (aq)$

c) $Zn\ (s) + Cu(OH)_2\ (s) \longrightarrow [Zn(OH)_4]^{2-}\ (aq) + Cu\ (s)$

d) $HS^-\ (aq) + ClO_3^-\ (aq) \longrightarrow S\ (s) + Cl^-\ (aq)$

Les piles électrochimiques

10. Une pile met en jeu la réaction suivante.

$$Mg\ (s) + 2\ H^+\ (aq) \longrightarrow Mg^{2+}\ (aq) + H_2\ (g)$$

a) Identifiez les demi-réactions d'oxydation et de réduction.

b) Laquelle des demi-réactions se produit à l'anode? À la cathode?

c) Déterminez le sens du déplacement des électrons dans le circuit extérieur, ainsi que celui des ions dans la jonction électrolytique.

11. Les demi-cellules $Ag^+\ (aq)|Ag\ (s)$ et $Cl_2\ (g)|Cl^-\ (aq)$ sont reliées pour former une pile électrochimique.

a) Identifiez les demi-réactions d'oxydation et de réduction.

b) Laquelle des demi-réactions se produit à l'anode? À la cathode?

c) Déterminez le sens du déplacement des électrons dans le circuit ainsi que celui des ions dans la jonction électrolytique.

Les potentiels standards d'électrode

12. À l'aide des potentiels standards d'électrode, déterminez si les réactions suivantes sont spontanées.

a) $2\ I^-\ (aq) + Zn^{2+}\ (aq) \longrightarrow I_2\ (g) + Zn\ (s)$

b) $Zn^{2+}\ (aq) + Ni\ (s) \longrightarrow Zn\ (s) + Ni^{2+}\ (aq)$

c) $2\ Cl^-\ (aq) + Cu^{2+}\ (aq) \longrightarrow Cu\ (s) + Cl_2\ (g)$

d) $Fe^{2+}\ (aq) + Ag^+\ (aq) \longrightarrow Fe^{3+}\ (aq) + Ag\ (s)$

13. Équilibrez les équations des réactions suivantes se produisant en milieu acide. Calculez la fém. des piles mettant en jeu ces réactions, dans les conditions standards.

a) $Sn\ (s) + Ag^+\ (s) \longrightarrow Sn^{2+}\ (aq) + Ag\ (s)$

b) $Al\ (s) + Sn^{4+}\ (aq) \longrightarrow Sn^{2+}\ (aq) + Al^{3+}\ (aq)$

c) $Cl^-\ (aq) + Ce^{4+}\ (aq) \longrightarrow ClO_3^-\ (aq) + Ce^{3+}\ (aq)$

d) $Cu\ (s) + NO_3^-\ (aq) \longrightarrow Cu^{2+}\ (aq) + NO\ (g)$

14. À l'aide des potentiels standards d'électrode des couples redox décrits dans le tableau suivant, répondez aux questions suivantes.

a) Déterminez quel métal s'oxyde le plus facilement.

b) Déterminez quels métaux peuvent réduire les ions $Fe^{2+}\ (aq)$ en $Fe\ (s)$.

c) Déterminez si les ions $Sn^{2+}\ (aq)$ peuvent oxyder le fer. Si oui, équilibrez l'équation de la réaction.

d) Déterminez si les ions $Zn^{2+}\ (aq)$ peuvent oxyder l'étain. Si oui, équilibrez l'équation de la réaction.

Couples redox	E^0 (V)
$Cu^{2+}\ (aq) + 2\ e^- \rightleftharpoons Cu\ (s)$	+0,34
$Sn^{2+}\ (aq) + 2\ e^- \rightleftharpoons Sn\ (s)$	-0,14
$Fe^{2+}\ (aq) + 2\ e^- \rightleftharpoons Fe\ (s)$	-0,44
$Zn^{2+}\ (aq) + 2\ e^- \rightleftharpoons Zn\ (s)$	-0,76
$Al^{3+}\ (aq) + 3\ e^- \rightleftharpoons Al\ (s)$	-1,66

15. Quel est le meilleur réducteur parmi les métaux suivants : Cu, Zn, Fe, Ag ou Cr ?

16. Parmi les ions suivants, lequel se réduit le plus facilement : Cu^{2+} (aq), Zn^{2+} (aq), Fe^{2+} (aq), Ag^+ (aq) ou Al^{3+} (aq) ?

17. Parmi les ions suivants, lesquels se réduisent plus facilement que H^+ (aq) : Cu^{2+} (aq), Zn^{2+} (aq), Fe^{2+} (aq), Ag^+ (aq), Al^{3+} (aq) ?

18. **a)** Quel est l'halogène le plus facile à réduire : F_2, Cl_2, Br_2 ou I_2 ?
  b) Quels sont les halogènes possédant un pouvoir oxydant supérieur à celui de MnO_2 (s) ?

19. **a)** Lequel des ions suivants s'oxyde le plus facilement en halogène : F^-, Cl^-, Br^- ou I^- ?
  b) Lequel de ces ions s'oxyde plus facilement que H_2O (l) ?

20. Calculez la fém. de la pile mettant en jeu la réaction suivante, la concentration de chacune des espèces en solution étant $2,5 \times 10^{-2}$ mol/L.

$$Zn \text{ (s)} + 2\,H_2O \text{ (l)} + 2\,OH^- \text{ (aq)} \longrightarrow [Zn(OH)_4]^{2-} \text{ (aq)} + H_2 \text{ (g)}$$

21. Calculez la fém. de la pile suivante, à 25 °C : Cu (s)|Cu^{2+} (aq, $4,8 \times 10^{-3}$ mol/L)‖Zn^{2+} (aq, 0,40 mol/L)|Zn (s).

22. La fém. de la pile suivante, à 25 °C, est de 0,49 V :

Fe (s)|Fe^{2+} (aq, x mol/L)‖H^+ (aq, 1 mol/L), H_2 (g, 1 bar) |Pt (s). Calculez la concentration x des ions Fe^{2+} (aq) dans la demi-cellule de gauche.

23. Calculez ΔG^0 et la constante d'équilibre des réactions suivantes.
  a) $2\,Fe^{3+}$ (aq) $+ 2\,I^-$ (aq) $\rightleftharpoons 2\,Fe^{2+}$ (aq) $+ I_2$ (s)
  b) I_2 (s) $+ 2\,Br^-$ (aq) $\rightleftharpoons 2\,I^-$ (aq) $+ Br_2$ (l)

24. À l'aide des potentiels standards d'électrode des couples redox suivants, calculez K_{ps} de AgBr.

AgBr (s) $+ e^- \longrightarrow$ Ag (s) $+ Br^-$ (aq) $E^0 = 0,0713$ V
Ag^+ (aq) $+ e^- \longrightarrow$ Ag (s) $E^0 = 0,800$ V

25. À l'aide des potentiels standards d'électrode des couples redox suivants, calculez la valeur de K_{form} du complexe $[AuCl_4]^-$.

$[AuCl_4]^-$ (aq) $+ 3\,e^- \longrightarrow$ Au (s) $+ 4\,Cl^-$ (aq)
    $E^0 = 1,00$ V
Au^{3+} (aq) $+ 3\,e^- \longrightarrow$ Au (s) $E^0 = 1,50$ V

26. Représentez schématiquement l'appareil utilisé pour réaliser l'électrolyse de NaCl fondu. Identifiez l'anode, la cathode, le sens du déplacement des électrons dans le circuit extérieur et celui des ions dans la cellule.

27. Lors de l'électrolyse d'une solution aqueuse de KF, lequel des deux gaz, O_2 ou F_2, se forme à l'anode ?

28. Lors de l'électrolyse de $CaCl_2$ en solution aqueuse, lequel des deux composés, Ca ou H_2, se forme à la cathode ?

29. Une solution de KBr est électrolysée en utilisant deux électrodes inertes de platine.
  a) H_2 (g) et OH^- (aq) sont formés à la cathode. Équilibrez l'équation de la demi-réaction se produisant à cette électrode.

b) Équilibrez l'équation de la demi-réaction se produisant à l'anode, où le brome est le produit majoritaire.

30. Un courant continu et constant de 0,150 A traverse une solution d'ions nickel (II) pendant 12,2 min. Quelle masse de nickel se dépose à la cathode ?

31. On applique un courant de 0,66 A lors d'une électrolyse d'une solution aqueuse de $CuSO_4$. Combien de temps faut-il pour déposer 0,50 g de cuivre ?

32. On applique un courant de 2,12 A lors d'une électrolyse d'une solution aqueuse de $Zn(NO_3)_2$. Quel est le temps nécessaire pour produire 2,5 g de zinc ?

Questions de révision

Ces questions peuvent combiner plusieurs concepts vus précédemment. Les numéros de couleur correspondent à des questions demandant plus de réflexion.

33. Équilibrez les équations des demi-réactions suivantes.
  a) UO_2^+ (aq) $\longrightarrow U^{4+}$ (aq) (milieu acide).
  b) ClO_3^- (aq) $\longrightarrow Cl^-$ (aq) (milieu acide).
  c) N_2H_4 (aq) $\longrightarrow N_2$ (g) (milieu basique).
  d) ClO^- (aq) $\longrightarrow Cl^-$ (aq) (milieu basique).

34. Parmi les couples redox suivants : Sn^{2+} (aq)/Sn, Au^+ (aq)/Au, Zn^{2+} (aq)/Zn, Ag^+ (aq)/Ag et Cu^{2+} (aq)/Cu, repérez à l'aide des potentiels standards d'électrode :
  a) l'oxydant le plus faible,
  b) l'oxydant le plus fort,
  c) le réducteur le plus fort,
  d) le réducteur le plus faible,

  et répondez aux questions suivantes.

  e) Sn peut-il réduire Cu^{2+} (aq) en Cu (s) ?
  f) Quel ion métallique peut être réduit par Sn (s) ?
  g) Quels métaux peuvent être oxydés par Ag^+ (aq) ?

35. Soit les non-métaux suivants : F_2, Cl_2, Br_2, I_2 et O_2. À l'aide des potentiels standards d'électrode, répondez aux questions suivantes.
  a) Quel est l'oxydant le plus faible ?
  b) Quel est le réducteur le plus faible ?
  c) Quels éléments peuvent oxyder H_2O en O_2 ?
  d) Est-ce que O_2 peut oxyder I^- en I_2 en milieu acide ?

36. Une pile électrochimique repose sur les demi-réactions :

Ni^{2+} (aq) $+ 2\,e^- \longrightarrow$ Ni (s) et
    Cd^{2+} (aq) $+ 2\,e^- \longrightarrow$ Cd (s)

  a) Schématisez la pile et désignez tous ses composants.
  b) Équilibrez l'équation de la réaction.
  c) Laquelle des deux électrodes possède le potentiel le plus élevé ?
  d) Quelle est sa tension (V^0) ?
  e) Dans quelle direction les électrons circulent-ils dans le circuit extérieur ?
  f) Dans quelles directions les ions Na^+ (aq) et NO_3^- (aq) composant la jonction électrolytique se déplacent-ils ?
  g) Calculez la constante d'équilibre de cette réaction.

h) Si la concentration de Cd^{2+} est égale à 0,010 mol/L et que $[Ni^{2+}] = 1,0$ mol/L, quelle est la fém. (V) de la pile?

37. La réaction Al^{3+} (aq) $+ 3\,e^- \longrightarrow$ Al (s) a lieu dans les cellules où Al_2O_3 et les sels d'aluminium sont électrolysés. Si ces cellules fonctionnent à une tension de 5 V et à un courant de $1,0 \times 10^5$ A, quelle masse d'aluminium est produite durant 24 heures?

38. La fém. de la pile où se produisent les demi-réactions suivantes est égale à 0,146 V dans des conditions standards.

Cathode Ag^+ (aq) $+ e^- \longrightarrow$ Ag (s)
Anode $\quad$ 2 Ag (s) $+ SO_4^{2-}$ (aq) $\longrightarrow Ag_2SO_4$ (s) $+ 2\,e^-$

a) Calculez le potentiel standard d'électrode du couple Ag_2SO_4 (s)/Ag (s).
b) Calculez le produit de solubilité de Ag_2SO_4.

39. La fém. de la pile mettant en jeu la réaction d'oxydation de Mg par I_2 est de 2,91 V. Calculez ΔG^0 de cette réaction.

40. Les cellules d'électrolyse utilisées pour la production d'aluminium fonctionnent à une tension de 5 V et à un courant $1,0 \times 10^5$ A. Calculez le nombre de kilowatt·heures nécessaires à la production d'une tonne d'aluminium. (1 kw·h $= 3,6 \times 10^6$ J et 1 J $= 1$ coulomb·volt.)

41. Les cellules d'électrolyse de NaCl en fusion fonctionnent sous une tension de 7,0 V et un courant de $4,0 \times 10^4$ A. Quelles masses de Na (s) et de Cl_2 (g) produit-on en une journée? Combien de kilowatt·heures a-t-on consommés (1 kw·h $= 3,6 \times 10^6$ J et 1 J $= 1$ coulomb·volt)?

42. Un courant de 0,44 A circule dans une solution de nitrate de ruthénium. Après une période de 25,0 min, 0,345 g de Ru se dépose. Quelle est la charge des ions ruthénium? Quelle est la formule du nitrate de ruthénium?

43. Le chlore est produit à partir de l'électrolyse d'une solution aqueuse de NaCl. Si les cuves à électrolyse opèrent à une tension de 4,6 V et à un courant $3,0 \times 10^5$ A, quelle masse de chlore peut-on produire en 24 heures?

44. Équilibrez les équations des demi-réactions suivantes ayant lieu en milieu acide et impliquant des composés organiques.
a) $HCOOH \longrightarrow HCHO$
b) $C_6H_5COOH \longrightarrow C_6H_5CH_3$
c) $CH_3CH_2CHO \longrightarrow CH_3CH_2CH_2OH$
d) $CH_3OH \longrightarrow CH_4$

45. Dans quel milieu, acide ou basique, est-il plus facile de réduire l'eau? Pour répondre à cette question, considérez l'équilibre redox suivant et calculez le potentiel d'électrode à pH $= 7$ et pH $= 1$. (On suppose que la pression de l'hydrogène est de 1 bar.)

$$2\,H_2O \text{ (l)} + 2\,e^- \rightleftarrows 2\,OH^- \text{ (aq)} + H_2 \text{ (g)} \quad E^0 = -0,83 \text{ V}$$

46. Selon les spécifications, un accumulateur au plomb doit débiter un courant de 1,5 A pendant 15 h.
a) Quelle est la masse minimale de plomb nécessaire à la conception de l'anode?
b) Quelle masse de PbO_2 doit être utilisée pour la cathode?
c) Si le volume de la batterie est de 0,50 L, quelle est la concentration minimale de H_2SO_4 nécessaire pour respecter les conditions?

47. Par électrolyse dans HF (l), on peut synthétiser de nombreux produits organiques fluorés utilisés notamment dans l'industrie des herbicides, des ignifuges ou des agents extincteurs.

$$CH_3SO_2F + 3\,HF \longrightarrow CF_3SO_2F + 3\,H_2$$

a) Pour obtenir 150 g de CH_3SO_2F par électrolyse, quelle masse de HF est-elle nécessaire?
b) À quelle électrode se dégage H_2?
c) Une cuve typique fonctionne à une tension de 8,0 V et à un courant de 250 A. Combien de kw·h cette cellule consomme-t-elle en 24 heures?

7

ANNEXE A

Symboles ou abréviations des grandeurs ou des unités courantes

Grandeurs	Symboles ou abréviations	Grandeurs	Symboles ou abréviations
atmosphère	atm	longueur d'onde	λ
bar	bar	masse	m
charge nucléaire effective	Z_{eff}	masse molaire	M
coefficient de Van't Hoff	i	masse volumique	ρ_t
concentration molaire volumique	C	mètre	m
conditions normales	TPN	millimètre de mercure	mm Hg
constante d'acidité	K_a	minute	min
constante de basicité	K_b	molalité	m
constante de formation	K_{form}	mole	mol
constante de Henry	k_H	newton	N
constante de Planck	h	nombre d'Avogadro	N
constante d'équilibre	K, K_c, K_p	nombre de masse	A
constante des gaz parfaits	R	numéro atomique	Z
constante de vitesse	k	pascal	Pa
coulomb	C	point d'ébullition	$T_{éb}$
cycle par seconde	Hz	point de fusion	T_{fus}
debye	D	potentiel d'électrode	E, E_{cat}, E_{an}
demi-vie	$t_{1/2}$	potentiel standard d'électrode	E^0
électron	e^-	pression	P
électronégativité	χ	pression de vapeur	P_{vap}
énergie	E	pression osmotique	Π
énergie d'activation	E_a	produit de solubilité	K_{ps}
énergie de Gibbs	G	produit ionique de l'eau	K_e
énergie de Gibbs standard de formation	ΔG_f^0	quantité de chaleur	q
enthalpie	H	quantité (mol)	n
enthalpie de dissolution	ΔH_{sol}	quotient réactionnel	Q
enthalpie d'hydratation	ΔH_{hyd}	seconde	s
enthalpie standard	H^0	solide	(s)
enthalpie standard de formation	ΔH_f^0	solution aqueuse	(aq)
entropie	S	température (°C)	t
entropie standard	S^0	température (K)	T
facteur de fréquence	A	tension	V
faraday	F	unité de masse atomique	u
fraction molaire	χ	variation d'énergie de Gibbs standard	ΔG^0
fréquence	ν	variation d'entropie standard du milieu extérieur	ΔS_{ext}^0

(suite)

Grandeurs	Symboles ou abréviations	Grandeurs	Symboles ou abréviations
hertz	Hz	variation d'entropie standard du système	ΔS^0_{sys}
heure	h	variation d'entropie standard de l'univers	ΔS^0_{univ}
joule	J	vitesse de la lumière	c
kelvin	K	vitesse de réaction	v
kilogramme	kg	vitesse initiale	v_i
liquide	(l)	volume	V
litre	L	volume équivalent	$v_{a,e}$, $v_{b,e}$

ANNEXE B

Valeurs de quelques constantes physiques

Constantes	Symboles	Valeurs
accélération due à la pesanteur	g	$9{,}806\ 65$ m·s^{-2}
charge élémentaire	e	$1{,}602\ 176\ 462 \times 10^{-19}$ C
constante de Planck	h	$6{,}626\ 068\ 76 \times 10^{-34}$ J·s
constante de Rydberg	R	$1{,}097\ 373\ 156\ 855 \times 10^7$ m^{-1}
constante des gaz parfaits	R	$8{,}314\ 472$ kPa·L·mol^{-1}·K^{-1}
faraday	F	$96\ 485{,}338\ 3$ C·mol^{-1}
masse au repos de l'électron	m_e	$0{,}910\ 938\ 188 \times 10^{-30}$ kg
masse au repos du neutron	m_n	$1{,}674\ 927\ 16 \times 10^{-27}$ kg
masse au repos du proton	m_p	$1{,}672\ 621\ 58 \times 10^{-27}$ kg
nombre d'Avogadro	N	$6{,}022\ 141\ 99 \times 10^{23}$ entités·mol^{-1}
unité de masse atomique	u	$1{,}660\ 540\ 2 \times 10^{-27}$ kg
vitesse de la lumière dans le vide	c	$2{,}997\ 924\ 58 \times 10^8$ m·s^{-1}
volume molaire à TPN d'un gaz parfait	V_m	$22{,}414\ 10$ L·mol^{-1}

ANNEXE C

Nomenclature

Nomenclature utilisée	Formule	Nomenclature systématique
acide carbonique	H_2CO_3	trioxocarbonate de dihydrogène
acide chloreux	$HClO_2$	dioxochlorate d'hydrogène
acide chlorique	$HClO_3$	trioxochlorate d'hydrogène
acide hypochloreux	$HClO$	oxochlorate d'hydrogène
acide nitreux	HNO_2	dioxonitrate d'hydrogène
acide nitrique	HNO_3	trioxonitrate d'hydrogène
acide perchlorique	$HClO_4$	tétraoxochlorate d'hydrogène
acide phosphoreux	H_3PO_3	trioxophosphate de trihydrogène
acide phosphorique	H_3PO_4	tétraoxophosphate de trihydrogène
acide sulfureux	H_2SO_3	trioxosulfate de dihydrogène
acide sulfurique	H_2SO_4	tétraoxosulfate de dihydrogène

(suite)

Nomenclature utilisée	Formule	Nomenclature systématique
azote	N_2	diazote
brome	Br_2	dibrome
ion carbonate	CO_3^{2-}	ion trioxocarbonate (IV)
carbonate de calcium	$CaCO_3$	trioxocarbonate de calcium
carbonate de magnésium	$MgCO_3$	trioxocarbonate de magnésium
carbonate de sodium	Na_2CO_3	trioxocarbonate de disodium
ion chlorate	ClO_3^-	ion trioxochlorate (V)
chlore	Cl_2	dichlore
ion chlorite	ClO_2^-	ion dioxochlorate (III)
chlorure de calcium	$CaCl_2$	dichlorure de calcium
ion chromate	CrO_4^{2-}	ion tétraoxochromate (VI)
chromate de plomb (II)	$PbCrO_4$	tétraoxochromate de plomb (II)
chromate de potassium	K_2CrO_4	tétraoxochromate de dipotassium
ion dichromate	$Cr_2O_7^{2-}$	ion heptaoxodichromate (VI)
ion dihydrogénophosphate	$H_2PO_4^-$	ion dihydrogénotétraoxophosphate (V)
fluor	F_2	difluor
fluorure de calcium	CaF_2	difluorure de calcium
hydrogène	H_2	dihydrogène
ion hydrogénocarbonate	HCO_3^-	ion hydrogénotrioxocarbonate (IV)
ion hydrogénophosphate	HPO_4^{2-}	ion hydrogénotétraoxophosphate (V)
ion hydrogénosulfate	HSO_4^-	ion hydrogénotétraoxosulfate (VI)
hydroxyde d'aluminium	$Al(OH)_3$	trihydroxyde d'aluminium
hydroxyde de calcium	$Ca(OH)_2$	dihydroxyde de calcium
ion hypobromite	BrO^-	ion oxobromate (I)
ion hypochlorite	ClO^-	ion oxochlorate (I)
ion hypoiodite	IO^-	ion oxoiodate (I)
ion iodate	IO_3^-	ion trioxoiodate (V)
iode	I_2	diiode
ion nitrate	NO_3^-	ion trioxonitrate (V)
nitrate d'ammonium	NH_4NO_3	trioxonitrate d'ammonium
nitrate d'argent	$AgNO_3$	trioxonitrate d'argent (I)
nitrate de calcium	$Ca(NO_3)_2$	bis(trioxonitrate) de calcium
nitrate de sodium	$NaNO_3$	trioxonitrate de sodium
ion nitrite	NO_2^-	ion dioxonitrate (III)
oxygène	O_2	dioxygène
ozone	O_3	trioxygène
ion perchlorate	ClO_4^-	ion tétraoxochlorate (VII)
ion periodate	IO_4^-	ion tétraoxoiodate (VII)
ion permanganate	MnO_4^-	ion tétraoxomanganate (VII)
ion persulfate	$S_2O_8^{2-}$	ion octaoxodisulfate (VI)
ion phosphate	PO_4^{3-}	ion tétraoxophosphate (V)
phosphate de calcium	$Ca_3(PO_4)_2$	bis(tétraoxophosphate) de tricalcium
ion sulfate	SO_4^{2-}	ion tétraoxosulfate (VI)
sulfate de sodium	Na_2SO_4	tétraoxosulfate de disodium
ion sulfite	SO_3^{2-}	ion trioxosulfate (IV)

ANNEXE D

Constantes d'acidité et de basicité, à 25 °C

Acides	Équations*	K_a
acétique	$CH_3COOH + H_2O \rightleftarrows CH_3COO^- + H_3O^+$	$1,8 \times 10^{-5}$
arsénieux	$H_3AsO_3 + H_2O \rightleftarrows H_2AsO_3^- + H_3O^+$	$K_{a1} = 6,0 \times 10^{-10}$
	$H_2AsO_3^- + H_2O \rightleftarrows HAsO_3^{2-} + H_3O^+$	$K_{a2} = 3,0 \times 10^{-14}$
arsénique	$H_3AsO_4 + H_2O \rightleftarrows H_2AsO_4^- + H_3O^+$	$K_{a1} = 2,5 \times 10^{-4}$
	$H_2AsO_4^- + H_2O \rightleftarrows HAsO_4^{2-} + H_3O^+$	$K_{a2} = 5,6 \times 10^{-8}$
	$HAsO_4^{2-} + H_2O \rightleftarrows AsO_4^{3-} + H_3O^+$	$K_{a3} = 3,0 \times 10^{-13}$
benzoïque	$C_6H_5COOH + H_2O \rightleftarrows C_6H_5COO^- + H_3O^+$	$6,3 \times 10^{-5}$
borique	$H_3BO_3 + H_2O \rightleftarrows H_2BO_3^- + H_3O^+$	$K_{a1} = 7,3 \times 10^{-10}$
	$H_2BO_3^- + H_2O \rightleftarrows HBO_3^{2-} + H_3O^+$	$K_{a2} = 1,8 \times 10^{-13}$
	$HBO_3^{2-} + H_2O \rightleftarrows BO_3^{3-} + H_3O^+$	$K_{a3} = 1,6 \times 10^{-14}$
carbonique	$H_2CO_3 + H_2O \rightleftarrows HCO_3^- + H_3O^+$	$K_{a1} = 4,2 \times 10^{-7}$
	$HCO_3^- + H_2O \rightleftarrows CO_3^{2-} + H_3O^+$	$K_{a2} = 4,8 \times 10^{-11}$
citrique	$H_3C_6H_5O_7 + H_2O \rightleftarrows H_2C_6H_5O_7^- + H_3O^+$	$K_{a1} = 7,4 \times 10^{-3}$
	$H_2C_6H_5O_7^- + H_2O \rightleftarrows HC_6H_5O_7^{2-} + H_3O^+$	$K_{a2} = 1,7 \times 10^{-5}$
	$HC_6H_5O_7^{2-} + H_2O \rightleftarrows C_6H_5O_7^{3-} + H_3O^+$	$K_{a3} = 4,0 \times 10^{-7}$
cyanhydrique	$HCN + H_2O \rightleftarrows CN^- + H_3O^+$	$4,0 \times 10^{-10}$
cyanique	$HOCN + H_2O \rightleftarrows OCN^- + H_3O^+$	$3,5 \times 10^{-4}$
fluorhydrique	$HF + H_2O \rightleftarrows F^- + H_3O^+$	$7,2 \times 10^{-4}$
formique	$HCOOH + H_2O \rightleftarrows HCOO^- + H_3O^+$	$1,8 \times 10^{-4}$
hydrazoïque	$HN_3 + H_2O \rightleftarrows N_3^- + H_3O^+$	$1,9 \times 10^{-5}$
hypobromeux	$HBrO + H_2O \rightleftarrows BrO^- + H_3O^+$	$2,5 \times 10^{-9}$
hypochloreux	$HClO + H_2O \rightleftarrows ClO^- + H_3O^+$	$3,5 \times 10^{-8}$
nitreux	$HNO_2 + H_2O \rightleftarrows NO_2^- + H_3O^+$	$4,5 \times 10^{-4}$
oxalique	$H_2C_2O_4 + H_2O \rightleftarrows HC_2O_4^- + H_3O^+$	$K_{a1} = 5,9 \times 10^{-2}$
	$HC_2O_4^- + H_2O \rightleftarrows C_2O_4^{2-} + H_3O^+$	$K_{a2} = 6,4 \times 10^{-5}$
peroxyde d'hydrogène	$H_2O_2 + H_2O \rightleftarrows HO_2^- + H_3O^+$	$2,4 \times 10^{-12}$
phénol	$C_6H_5OH + H_2O \rightleftarrows C_6H_5O^- + H_3O^+$	$1,3 \times 10^{-10}$
phosphoreux	$H_3PO_3 + H_2O \rightleftarrows H_2PO_3^- + H_3O^+$	$K_{a1} = 1,6 \times 10^{-2}$
	$H_2PO_3^- + H_2O \rightleftarrows HPO_3^{2-} + H_3O^+$	$K_{a2} = 7,0 \times 10^{-7}$
phosphorique	$H_3PO_4 + H_2O \rightleftarrows H_2PO_4^- + H_3O^+$	$K_{a1} = 7,5 \times 10^{-3}$
	$H_2PO_4^- + H_2O \rightleftarrows HPO_4^{2-} + H_3O^+$	$K_{a2} = 6,2 \times 10^{-8}$
	$HPO_4^{2-} + H_2O \rightleftarrows PO_4^{3-} + H_3O^+$	$K_{a3} = 3,6 \times 10^{-13}$

(*suite*)

Acides	Équations*	K_a
sélénieux	$H_2SeO_3 + H_2O \rightleftharpoons HSeO_3^- + H_3O^+$	$K_{a1} = 2,7 \times 10^{-3}$
	$HSeO_3^- + H_2O \rightleftharpoons SeO_3^{2-} + H_3O^+$	$K_{a2} = 2,5 \times 10^{-7}$
sélénique	$H_2SeO_4 + H_2O \longrightarrow HSeO_4^- + H_3O^+$	$K_{a1} = $ très grand
	$HSeO_4^- + H_2O \rightleftharpoons SeO_4^{2-} + H_3O^+$	$K_{a2} = 1,2 \times 10^{-2}$
sulfhydrique	$H_2S + H_2O \rightleftharpoons HS^- + H_3O^+$	$K_{a1} = 1 \times 10^{-7}$
	$HS^- + H_2O \rightleftharpoons S^{2-} + H_3O^+$	$K_{a2} = 1 \times 10^{-19}$
sulfureux	$H_2SO_3 + H_2O \rightleftharpoons HSO_3^- + H_3O^+$	$K_{a1} = 1,7 \times 10^{-2}$
	$HSO_3^- + H_2O \rightleftharpoons SO_3^{2-} + H_3O^+$	$K_{a2} = 6,4 \times 10^{-8}$
sulfurique	$H_2SO_4 + H_2O \longrightarrow HSO_4^- + H_3O^+$	$K_{a1} = $ très grand
	$HSO_4^- + H_2O \rightleftharpoons SO_4^{2-} + H_3O^+$	$K_{a2} = 1,2 \times 10^{-2}$
tellureux	$H_2TeO_3 + H_2O \rightleftharpoons HTeO_3^- + H_3O^+$	$K_{a1} = 2 \times 10^{-3}$
	$HTeO_3^- + H_2O \rightleftharpoons TeO_3^{2-} + H_3O^+$	$K_{a2} = 1 \times 10^{-8}$

Bases	Équations*	K_b
ammoniac	$NH_3 + H_2O \rightleftharpoons NH_4^+ + OH^-$	$1,8 \times 10^{-5}$
aniline	$C_6H_5NH_2 + H_2O \rightleftharpoons C_6H_5NH_3^+ + OH^-$	$4,0 \times 10^{-10}$
diméthylamine	$(CH_3)_2NH + H_2O \rightleftharpoons (CH_3)_2NH_2^+ + OH^-$	$7,4 \times 10^{-4}$
éthylamine	$C_2H_5NH_2 + H_2O \rightleftharpoons C_2H_5NH_3^+ + OH^-$	$4,3 \times 10^{-4}$
éthylènediamine	$H_2N(CH_2)_2NH_2 + H_2O \rightleftharpoons H_2N(CH_2)_2NH_3^+ + OH^-$	$K_{b1} = 8,5 \times 10^{-5}$
	$H_2N(CH_2)_2NH_3^+ + H_2O \rightleftharpoons H_3N(CH_2)_2NH_3^{2+} + OH^-$	$K_{b2} = 2,7 \times 10^{-8}$
hydrazine	$N_2H_4 + H_2O \rightleftharpoons N_2H_5^+ + OH^-$	$K_{b1} = 8,5 \times 10^{-7}$
	$N_2H_5^+ + H_2O \rightleftharpoons N_2H_6^{2+} + OH^-$	$K_{b2} = 8,9 \times 10^{-16}$
hydroxylamine	$NH_2OH + H_2O \rightleftharpoons NH_3OH^+ + OH^-$	$6,6 \times 10^{-9}$
méthylamine	$CH_3NH_2 + H_2O \rightleftharpoons CH_3NH_3^+ + OH^-$	$5,0 \times 10^{-4}$
pyridine	$C_5H_5N + H_2O \rightleftharpoons C_5H_5NH^+ + OH^-$	$1,5 \times 10^{-9}$
triméthylamine	$(CH_3)_3N + H_2O \rightleftharpoons (CH_3)_3NH^+ + OH^-$	$7,4 \times 10^{-5}$

* Afin d'alléger l'écriture, on a omis l'état dans lequel se trouvent les espèces : (aq) pour l'acide ou la base et les ions, (l) pour l'eau.

ANNEXE E

Produits de solubilité de quelques composés inorganiques, à 25 °C

Composés	K_{ps}	Composés	K_{ps}
$BaCrO_4$	$1,2 \times 10^{-10}$	TlBr	$3,7 \times 10^{-6}$
$BaCO_3$	$2,6 \times 10^{-9}$	TlCl	$1,9 \times 10^{-4}$
BaF_2	$1,8 \times 10^{-7}$	TlI	$5,5 \times 10^{-8}$
$BaSO_4$	$1,1 \times 10^{-10}$		
		$MgCO_3$	$6,8 \times 10^{-6}$
$CaCO_3$	$3,4 \times 10^{-9}$	MgF_2	$5,2 \times 10^{-11}$
CaF_2	$5,3 \times 10^{-11}$	$Mg(OH)_2$	$5,6 \times 10^{-12}$
$Ca(OH)_2$	$5,5 \times 10^{-5}$		
$CaSO_4$	$4,9 \times 10^{-5}$	$MnCO_3$	$2,3 \times 10^{-11}$
		$Mn(OH)_2$	$1,9 \times 10^{-13}$
CuBr	$6,3 \times 10^{-9}$		
CuI	$1,3 \times 10^{-12}$	Hg_2Br_2	$6,4 \times 10^{-23}$
$Cu(OH)_2$	$2,2 \times 10^{-20}$	Hg_2Cl_2	$1,4 \times 10^{-18}$
CuSCN	$1,8 \times 10^{-13}$	Hg_2I_2	$2,9 \times 10^{-29}$
AuCl	$2,0 \times 10^{-13}$	Hg_2SO_4	$6,5 \times 10^{-7}$
$FeCO_3$	$3,1 \times 10^{-11}$	$NiCO_3$	$1,4 \times 10^{-7}$
$Fe(OH)_2$	$4,9 \times 10^{-17}$	$Ni(OH)_2$	$5,5 \times 10^{-16}$
		AgBr	$5,4 \times 10^{-13}$
$PbBr_2$	$6,6 \times 10^{-6}$	$AgBrO_3$	$5,4 \times 10^{-5}$
$PbCO_3$	$7,4 \times 10^{-14}$	CH_3COOAg	$1,9 \times 10^{-3}$
$PbCl_2$	$1,7 \times 10^{-5}$	AgCN	$6,0 \times 10^{-17}$
$PbCrO_4$	$2,8 \times 10^{-13}$	Ag_2CO_3	$8,5 \times 10^{-12}$
PbF_2	$3,3 \times 10^{-8}$	$Ag_2C_2O_4$	$5,4 \times 10^{-12}$
PbI_2	$9,8 \times 10^{-9}$	AgCl	$1,8 \times 10^{-10}$
$Pb(OH)_2$	$1,4 \times 10^{-15}$	Ag_2CrO_4	$1,1 \times 10^{-12}$
$PbSO_4$	$2,5 \times 10^{-8}$	AgI	$8,5 \times 10^{-17}$
		AgSCN	$1,0 \times 10^{-12}$
$SrCO_3$	$5,6 \times 10^{-10}$	Ag_2SO_4	$1,2 \times 10^{-5}$
SrF_2	$4,3 \times 10^{-9}$		
$SrSO_4$	$3,4 \times 10^{-7}$	$Zn(OH)_2$	3×10^{-17}
		$Zn(CN)_2$	$8,0 \times 10^{-12}$

Source: *Lange's Handbook of Chemistry*, 15e édition, New York, NY, McGraw Hill Publishers, 1999. Valeurs arrondies à deux CS.

ANNEXE F

Produits de solubilité apparents* de quelques sulfures métalliques, à 25 °C

Composés	K_{ps}	Composés	K_{ps}
HgS (rouge)	4×10^{-54}	PbS	3×10^{-28}
HgS (noir)	2×10^{-53}	CdS	8×10^{-28}
Ag_2S	6×10^{-51}	SnS	1×10^{-26}
CuS	6×10^{-37}	FeS	6×10^{-19}

* Valeurs correspondant aux équilibres MS (s) + H_2O (l) $\rightleftharpoons$ M^{2+} (aq) + OH^- (aq) + HS^- (aq) ou Ag_2S (s) + H_2O (l) $\rightleftharpoons$ 2 Ag^+ (aq) + OH^- (aq) + HS^- (aq). R. J. Myers, J. Chem. Ed., 63, 687, 1986.

ANNEXE G

Valeurs thermodynamiques, à 298 K, de quelques éléments et composés sélectionnés

Espèces	ΔH_f^0 (kJ/mol)	S^0 (J·K^{-1}·mol^{-1})	ΔG_f^0 (kJ/mol)
Ag (s)	0	42,55	0
Ag_2O (s)	-31,1	121,3	-11,32
$BaCO_3$ (s)	-1213	112,1	-1134,41
BaO (s)	-548,1	72,05	-520,38
Br_2 (l)	0	152,2	0
Br_2 (g)	30,91	245,42	3,12
C (s, graphite)	0	5,6	0
C (s, diamant)	1,8	2,377	2,900
CH_3OH (l)	-238,4	127,19	-166,14
CH_3OH (g)	-201	239,9	-161,96
CH_4 (g)	-74,87	186,26	-50,8
CO (g)	-110,525	197,674	-137,168
$COCl_2$ (g)	-218,8	283,53	-204,6
CO_2 (g)	-393,509	213,74	-394,359
CS_2 (l)	89,41	151	65,2
CS_2 (g)	116,7	237,8	66,61
C_2H_5OH (l)	-277,0	160,7	-174,7
C_2H_6 (g)	-83,85	229,2	-31,89
C_6H_6 (l)	48,95	173,26	124,21
$C_6H_6O_{12}$ (aq)	-1260,0	289	-918,8
$CaCO_3$ (s, calcite)	-1207,6	91,7	-1129,16
CaO (s)	-635,09	38,2	-603,42
$CaSO_4$ (s)	-1434,52	106,5	-1322,02
Cl_2 (g)	0	223,08	0
Cu (s)	0	33,17	0
CuO (s)	-156,06	42,59	-128,3
Fe (s)	0	27,78	0

(suite)

Espèces	ΔH_f^0 (kJ/mol)	S^0 (J·K^{-1}·mol^{-1})	ΔG_f^0 (kJ/mol)
Fe$_2$O$_3$ (s, hématite)	-824,2	87,4	-742,2
HCl (g)	-92,31	186,2	-95,09
HCl (aq)	-167,159	56,5	-131,26
HNO$_3$ (aq)	-207,36	146,4	-111,25
H$_2$ (g)	0	130,7	0
H$_2$O (l)	-285,83	69,95	-237,15
H$_2$O (g)	-241,83	188,84	-228,59
Hg (l)	0	76,02	0
HgO (s, rouge)	-90,83	70,29	-58,539
HgS (s, rouge)	-58,2	82,4	-50,6
ICl (g)	17,51	247,56	-5,73
K (s)	0	64,63	0
KCl (s)	-436,68	82,56	-408,77
KOH (s)	-424,72	78,9	-378,92
KOH (aq)	-482,37	91,6	-440,50
Mg (s)	0	32,67	0
MgCO$_3$ (s)	-1111,69	65,84	-1028,2
MgO (s)	-601,24	26,85	-568,93
Mg(OH)$_2$ (s)	-924,54	63,18	-833,51
N$_2$ (g)	0	191,56	0
NH$_3$ (g)	-45,9	192,77	-16,37
NH$_4$NO$_3$ (s)	-365,56	151,08	-183,84
NH$_4$NO$_3$ (aq)	-339,87	259,8	-190,57
NO (g)	90,29	210,76	86,58
NO$_2$ (g)	33,1	240,04	51,23
N$_2$O$_4$ (g)	9,08	304,38	97,73
Na (s)	0	51,21	0
Na (g)	107,3	153,765	76,83
NaCl (s)	-411,12	72,11	-384,04
NaCl (aq)	-407,27	115,5	-393,133
NaOH (s)	-425,93	64,46	-379,75
NaOH (aq)	-469,15	48,1	-418,09
O$_2$ (g)	0	205,07	0
Pb (s)	0	64,81	0
PbO (s, jaune)	-219	66,5	-196
S (s, orthorhombique)	0	32,1	0
S (g)	278,98	167,83	236,51
SO$_2$ (g)	-296,84	248,21	-300,13
SO$_3$ (g)	-395,77	256,77	-371,04
Si (s)	0	18,82	0
SiCl$_4$ (g)	-662,75	330,86	-622,76
SiO$_2$ (s)	-910,86	41,46	-859,97
TiCl$_4$ (l)	-804,2	252,34	-737,2

Réponses aux exercices internes des chapitres

Chapitre 1

1.1 $10,0$ g de $C_{12}H_{22}O_{11} \times \dfrac{1 \text{ mol}}{341,0 \text{ g de } C_{12}H_{22}O_{11}}$

$$= 0,0293 \text{ mol}$$

250 g d'eau $\times \dfrac{1 \text{ mol}}{18,02 \text{ g d'eau}} = 13,9 \text{ mol}$

Fraction massique $= \dfrac{0,0293 \text{ mol}}{0,0293 \text{ mol} + 13,9 \text{ mol}} = 0,00210$

Fraction massique $= \dfrac{10,0 \text{ g}}{10,0 \text{ g} + 250 \text{ g}} = 0,0385$

$m = \dfrac{\text{quantité de soluté (mol)}}{\text{masse de solvant (kg)}}$

$= \dfrac{0,0293 \text{ mol de } C_{12}H_{22}O_{11}}{250 \text{ g}} \times \dfrac{10^3 \text{ g}}{1 \text{ kg}} = 0,117 \; m$

1.2   a) Soluble en forme Li^+ et NO_3^-.

     b) Soluble en forme Ca^{2+} et $2 \, Cl^-$.

     c) Insoluble.

     d) Soluble en forme Na^+ et CH_3COO^-.

1.3   a) Na_2CO_3 (aq) $+ CuCl_2$ (aq) $\longrightarrow$

                              $CuCO_3$ (s) $+ 2 \, NaCl$ (aq)

     b) Non.

     c) $NiCl_2$ (aq) $+ 2 \, KOH$ (aq) $\longrightarrow$

                              $Ni(OH)_2$ (s) $+ 2 \, KCl$ (aq)

1.4   Comme la charge des deux anions est identique, on étudiera la taille des ions. Comme F^- est plus petit que Cl^-, l'attraction des molécules d'eau sera plus forte vers l'ion fluorure, donc l'enthalpie sera plus négative.

1.5 $NaOH$ (s) $\longrightarrow NaOH$ (aq, $1m$)

$\Delta H^0 = \sum[\Delta H_f^0(\text{produits})] - \sum[\Delta H_f^0(\text{réactifs})]$

$\Delta H_{sol}^0 = \Delta H_f^0(\text{NaOH}, 1m) - \Delta H_f^0(\text{NaOH}, s)$

$= \text{-}469,2 \text{ kJ/mol} - (\text{-}425,9) \text{ kJ/mol}$

$= \text{-}43,3 \text{ kJ/mol}$

1.6 $s_{CO_2} = k_H P_{CO_2} = 3,86 \times 10^{-4} \text{ mol/(kg·kPa)} \times 33,4 \text{ kPa}$

$= 1,29 \times 10^{-2} \text{ mol/kg}$

Pour convertir les quantités (mol) en masses (g), il suffit de multiplier le résultat par la masse molaire du dioxyde de carbone.

$s_{CO_2} = 1,29 \times 10^{-2} \text{ mol de } CO_2/\text{kg} \times \dfrac{44,0 \text{ g}}{1 \text{ mol } CO_2}$

$= 0,567 \text{ g/kg} = 567 \text{ mg/kg}$

1.7   On applique la loi de Raoult, puisqu'on suppose que la solution est idéale. P_{eau}^0 est donné, et l'on peut calculer la fraction molaire de l'eau dans le mélange.

Quantité d'eau $= 225$ g d'eau $\times \dfrac{1 \text{ mol}}{18,0152 \text{ g d'eau}} = 12,48 \text{ mol}$

Quantité de sucrose $= 10,0$ g de sucrose $\times \dfrac{1 \text{ mol}}{342 \text{ g de sucrose}} = 0,029 \text{ mol}$

$\chi_{eau} = \dfrac{12,48 \text{ mol}}{12,48 \text{ mol} + 0,029 \text{ mol}} = 0,9976$

$P_{eau} = \chi_{eau} \, P_{eau}^0 = 0,9976 \times 19,9 \text{ kPa} = 19,8 \text{ kPa}$

1.8 $\Delta T_{éb} = k_{éb} m_{soluté} = 0,512 \text{ °C/(mol/kg)} \times m_{soluté}$

$1,0 \text{ °C} = k_{éb} m_{soluté} = 0,512 \text{ °C/(mol/kg)} \times m_{soluté}$

$m_{soluté} = 1,953 \text{ mol/kg}$

$m_{soluté} = \dfrac{\text{quantité de soluté}}{\text{masse de solvant}}$

$= \dfrac{\text{x mol de } C_2H_6O_2}{0,125 \text{ kg } H_2O} = 1,953 \text{ mol/kg}$

$x = 0,244 \text{ mol}$

$M(C_2H_6O_2) = 62,07 \text{ g/mol}$

masse d'éthylèneglycol $= 15,2 \text{ g}$

1.9 525 g de $C_2H_6O_2 \times \dfrac{1 \text{ mol}}{50 \text{ g de } C_2H_6O_2} = 10,5 \text{ mol}$

$m_{soluté} = \dfrac{\text{quantité de soluté}}{\text{masse de solvant}}$

$= \dfrac{10,5 \text{ mol de } C_2H_6O_2}{3,0 \text{ kg } H_2O} = 3,5 \text{ mol/kg}$

$\Delta T_{fus} = k_{fus} m_{soluté} \quad k_{fus} = 1,86 \text{ °C/(mol/kg)}$

$\Delta T_{fus} = 1,86 \text{ °C/(mol/kg)} \times 3,5 \text{ mol/kg}$

$\Delta T_{fus} = 6,51 \text{ °C}$

L'eau gèlera à $\text{-}6,51$ °C. Quantité insuffisante.

1.10 $\Delta T_{éb} = 80,23 \text{ °C} - 80,10 \text{ °C} = 0,13 \text{ °C}$

$m_{soluté} = \dfrac{\Delta T_{éb}}{k_{éb}} = \left(\dfrac{0,13 \text{ °C}}{2,53 \text{ °C}/m} \right) = 0,051 \; m$

$\dfrac{0,051 \text{ mol de soluté}}{1 \text{ kg de benzène}} \times 0,099 \text{ kg de benzène.}$

$= 5,0 \times 10^{-3} \text{ mol}$

$\dfrac{0,640 \text{ g}}{5,0 \times 10^{-3} \text{ mol}} = 128 \text{ g/mol} \qquad \dfrac{128 \text{ g/mol}}{64 \text{ g/mol}} = 2$

La formule moléculaire est donc $C_{10}H_8$.

1.11 25 g de NaCl $\times \dfrac{1 \text{ mol}}{58,4 \text{ g de NaCl}} = 0,43 \text{ mol}$

$m_{soluté} = \dfrac{\text{quantité de soluté}}{\text{masse de solvant}}$

$= \dfrac{0,43 \text{ mol}}{0,525 \text{ kg de } H_2O} = 0,819 \text{ mol/kg}$

$\Delta T_{fus} = i k_{fus} m_{soluté}$

$\Delta T_{fus} = 1,85 \times 1,86 \text{ °C/(mol/kg)} \times 0,819 \text{ mol/kg}$

$\Delta T_{fus} = 2,81 \text{ °C}$

$T_{fus} = \text{-}2,81 \text{ °C}$

1.12 $c = \dfrac{\Pi}{RT} = \dfrac{0,248 \text{ kPa}}{8,314 \text{ kPa} \cdot \text{mol}^{-1} \cdot \text{K}^{-1} \times 298,15 \text{ K}} = 1,00$

$= 10^{-4} \text{ mol/L}$

Quantité de polyéthylène dans 10,0 mL de solution =
$(1,00 \times 10^{-4} \text{ mol/L}) \times 0,100 \text{ L} = 1,00 \times 10^{-5} \text{ mol}$

Masse molaire du polyéthylène $= \dfrac{1,40 \text{ g}}{1,00 \times 10^{-5} \text{ mol}}$

$= 1,40 \times 10^{-5} \text{ g/mol}$

Chapitre 2

2.1 $2 \text{ NOCl (g)} \longrightarrow 2 \text{ NO (g)} + \text{Cl}_2 \text{ (g)}$

$-\dfrac{d[\text{NOCl}]}{dt} = 2\dfrac{d[\text{Cl}_2]}{dt} \qquad \dfrac{d[\text{NO}]}{dt} = 2\dfrac{d[\text{Cl}_2]}{dt}$

2.2 a) $\dfrac{\Delta[\text{sucrose}]}{\Delta t} = \dfrac{(0,05 - 0,034)\text{mol/L}}{(0 - 2)\text{h}} = -0,008 \text{ mol/L} \cdot \text{h}$

b) $\dfrac{\Delta[\text{sucrose}]}{\Delta t} = \dfrac{(0,014 - 0,01)\text{mol/L}}{(6 - 8)\text{h}} = -0,002 \text{ mol/L} \cdot \text{h}$

c) $\dfrac{[\text{sucrose}]}{t} = \dfrac{0,023 \text{ mol/L}}{4 \text{ h}} = 0,005 \text{ mol/L} \cdot \text{h}$

2.3 $2 \text{ NO (g)} + \text{O}_2 \text{ (g)} \longrightarrow 2 \text{ NO}_2 \text{ (g)}$

Pour résoudre ce problème, on sélectionne deux expériences dans lesquelles la concentration d'un réactif est constante et l'on évalue la variation de la vitesse en fonction de la concentration du deuxième réactif.

La concentration de NO est constante dans les trois premières expériences. La vitesse initiale de réaction double lorsque celle de O_2 double. On en déduit que la réaction est d'ordre 1 par rapport à NO.

On raisonne de la même manière pour trouver l'ordre de la réaction par rapport à O_2. La concentration en O_2 des expériences 4 et 5 est constante.

Lorsqu'on quadruple la concentration de NO et que l'on maintient constante celle de O_2 (comparez les expériences 4 et 5), la vitesse croît d'un facteur 16. De ce résultat, on déduit que la réaction est d'ordre 2 par rapport à O_2.

$$v = k[\text{NO}][\text{O}_2]^2$$

2.4 $v = 0,090 \text{ h}^{-1} [\text{Pt(NH}_3)_2\text{Cl}_2]$

$v = 0,090 \text{ h}^{-1} (0,020 \text{ mol/L})$

$v = 0,0018 \text{ h}^{-1} \text{ mol/L}$

v de formation de Cl^- = v de disparition de $\text{Pt(NH}_3)_2\text{Cl}_2$

v de formation de Cl^- = $0,0018 \text{ h}^{-1} \text{ mol/L}$

2.5 $\ln\dfrac{[\text{sucrose}]}{[\text{sucrose}]_0} = -(0,21 \text{ h}^{-1})t$

$\ln\dfrac{[\text{sucrose}]}{0,010 \text{ mol/L}} = -(0,21 \text{ h}^{-1})5,0 \text{ h} = -1,05$

$\dfrac{[\text{sucrose}]}{0,010 \text{ mol/L}} = e^{-1,05} = 0,35$

$[\text{sucrose}] = 0,0035 \text{ mol/L}$

2.6 a) $\ln\dfrac{[\text{NO}_2]}{[\text{NO}_2]_0} = -(3,6 \times 10^{-3} \text{ s}^{-1})t$

$\ln\dfrac{[\text{NO}_2]}{[\text{NO}_2]_0} = -(3,6 \times 10^{-3} \text{ s}^{-1})180 \text{ s} = -0,648$

$\dfrac{[\text{NO}_2]}{[\text{NO}_2]_0} = e^{-0,648} = 0,52 = 52 \text{ \%}.$

b) $\ln 0,01 = -(3,6 \times 10^{-3} \text{ s}^{-1})t$

$-4,60 = -(3,6 \times 10^{-3} \text{ s}^{-1})t$

$t = 1277 \text{ s}$

2.7 $\dfrac{1}{x} = (30 \text{ L} \cdot \text{mol}^{-1} \cdot \text{min}^{-1})t + \dfrac{1}{0,010 \text{ mol/L}}$

$\dfrac{1}{x} = (30 \text{ L} \cdot \text{mol}^{-1} \cdot \text{min}^{-1})(12 \text{ min}) + \dfrac{1}{0,010 \text{ mol/L}}$

$\dfrac{1}{x} = 460 \text{ L} \cdot \text{mol}^{-1}$

2.8 La courbe issue des mesures expérimentales est une droite lorsqu'on trace $\ln [\text{R}] = f(t)$. La réaction est donc d'ordre 1.

Vitesse $= k[\text{R}]$

$k = 0,0375 \text{ min}^{-1}$

2.9 a) Américium 241 $\qquad t_{1/2} = \dfrac{0,693}{0,0016 \text{ année}^{-1}}$

$t_{1/2} = 433,1 \text{ années.}$

Iode 125 $\qquad t_{1/2} = \dfrac{0,693}{0,011 \text{ jour}^{-1}}$

$t_{1/2} = 63 \text{ jours.}$

b) L'iode 125.

c) $\ln\dfrac{[^{125}\text{I}]}{[^{125}\text{I}]_0} = -kt$

$\ln\dfrac{[^{125}\text{I}]}{[^{125}\text{I}]_0} = -0,011 \text{ jour}^{-1} \quad 2 \text{ jours} = -0,022$

$\dfrac{[^{125}\text{I}]}{[^{125}\text{I}]_0} = e^{-0,022} = 0,978$

$(0,978)(1,6 \times 10^{15} \text{ atomes}) = 1,56 \times 10^{15} \text{ atomes.}$

2.10 $\ln\dfrac{k_2}{k_1} = -\dfrac{E_a}{R}\left(\dfrac{1}{T_2} - \dfrac{1}{T_1}\right)$

$\ln\dfrac{1,00 \times 10^4 \text{s}^{-1}}{4,5 \times 10^3 \text{ s}^{-1}} = -\dfrac{E_a}{8,314 \times 10^{-3} \text{ kJ} \cdot \text{mol}^{-1} \cdot \text{K}^{-1}}\left(\dfrac{1}{283 \text{ K}} - \dfrac{1}{274 \text{ K}}\right)$

$\ln 2,222 = 0,798$

$0,798 = -\dfrac{E_a}{8,314 \times 10^{-3} \text{ kJ} \cdot \text{mol}^{-1} \cdot \text{K}^{-1}}(0,003533 \text{ K}^{-1} - 0,003649 \text{ K}^{-1})$

$0,798 = -\dfrac{E_a}{8,314 \times 10^{-3} \text{ kJ} \cdot \text{mol}^{-1}}(-0,000115)$

$E_a = \dfrac{(0,798)(8,314 \times 10^{-3})}{0,000115 \text{ kJ/mol}} = 57,7 \text{ kJ/mol}$

2.11 $2 \text{ NO (g)} + 2 \text{ H}_2 \text{ (g)} \longrightarrow \text{N}_2 \text{ (g)} + 2 \text{ H}_2\text{O (g)}$

On a proposé le mécanisme suivant.

Étape 1 $2\ NO\ (g) \longrightarrow N_2O_2\ (g)$ $v = k[NO]^2$

Étape 2 $N_2O_2\ (g) + H_2\ (g) \longrightarrow$
$\qquad\qquad N_2O\ (g) + H_2O\ (g)$ $v = k'[N_2O_2][H_2]$

Étape 3 $N_2O\ (g) + H_2\ (g) \longrightarrow$
$\qquad\qquad N_2\ (g) + H_2O\ (g)$ $v = k'[N_2O][H_2]$

2.12 a) $2\ NH_3\ (aq) + ClO^-\ (aq) \longrightarrow N_2H_4\ (aq) + Cl^-\ (aq) + H_2O\ (l)$

b) La deuxième.

c) $v = k'[NH_2Cl][NH_3]$

d) NH_2Cl et $N_2H_5^+$.

2.13 $NO_2Cl\ (g) + Cl\ (g) \longrightarrow NO_2\ (g) + Cl_2\ (g)$

$v = k_2[NO_2Cl][Cl]$

L'accroissement de la concentration de NO_2 augmente la vitesse de réaction.

Chapitre 3

3.1 a) $K_C = [Cu^{2+}][OH^-]^2$

b) $K_C = \dfrac{[H_3O^+][CH_3COO^-]}{[CH_3COOH]}$

3.2 a) Les deux réactions favorisent la réaction inverse ($K \ll 1$).

b) La deuxième solution a une concentration en NH_3 plus élevée. Comme K est plus grand pour cette réaction, le réactif, $Cd(NH_3)_4^{2+}$, se dissocie en plus grande proportion.

3.3 $Q = \dfrac{[NO]^2}{[N_2][O_2]} = \dfrac{(4,2 \times 10^{-3})^2}{(0,50)(0,25)} = 1,4 \times 10^{-4}$

$Q < K$, donc la réaction n'est pas en équilibre. Pour atteindre l'équilibre, le système va évoluer vers la droite : $[NO]$ va augmenter et $[N_2]$ et $[O_2]$ vont diminuer.

3.4

Concentrations (mol/L)	$C_6H_{10}I_2$ $\rightleftharpoons$	C_6H_{10} +	I_2
initiales	0,050	0	0
Changement	-0,035	+0,035	+0,035
équilibre	0,015	0,035	0,035

$K = \dfrac{(0,035)(0,035)}{(0,015)} = 0,082$

3.5

Concentrations (mol/L)	H_2 +	I_2 $\rightleftharpoons$	$2\ HI$
initiales	$6,00 \times 10^{-3}$	$6,00 \times 10^{-3}$	0
Changement	$-x$	$-x$	$+2x$
équilibre	$0,00600 - x$	$0,00600 - x$	$+2x$

$K_C = 33 = \dfrac{(2x)^2}{(0,00600 - x)^2}$

$x = 0,0045$ mol/L, donc $[H_2] = [I_2] = 0,0015$ mol/L et $[HI] = 0,0090$ mol/L

3.6

Concentrations (mol/L)	$C(s)$ +	$CO_2\ (g)$ $\rightleftharpoons$	$2\ CO\ (g)$
initiales		0,012	0
Changement		$-x$	$+2x$
équilibre		$0,012 - x$	$2x$

$K_C = 0,021 = \dfrac{(2x)^2}{(0,012 - x)}$

$x = 0,0057$ mol/L et $2x = [CO] = 0,0011$ mol/L

3.7 a) $K' = K^2 = (2,5 \times 10^{-29})^2 = 6,3 \times 10^{-58}$

b) $K'' = \dfrac{1}{K^2} = \dfrac{1}{(6,3 \times 10^{-58})} = 1,6 \times 10^{57}$

3.8 Manipulez les équations et les constantes d'équilibre de la façon suivante.

$\dfrac{1}{2}\ H_2\ (g) + \dfrac{1}{2}\ Br_2\ (g) \rightleftharpoons HBr\ (g)$
$\qquad\qquad\qquad\qquad K'_1 = (K_1)^{\frac{1}{2}} = 8,9 \times 10^5$

$H\ (g) \rightleftharpoons \dfrac{1}{2}\ H_2\ (g) \qquad K'_2 = \dfrac{1}{(K_2)^{\frac{1}{2}}} = 1,4 \times 10^{20}$

$Br\ (g) \rightleftharpoons \dfrac{1}{2}\ Br_2\ (g) \qquad K'_3 = \dfrac{1}{(K_3)^{\frac{1}{2}}} = 2,1 \times 10^7$

$\overline{H\ (g) + Br\ (g) \rightleftharpoons HBr\ (g)}$
$\qquad\qquad\qquad K = K'_1 K'_2 K'_3 = 2,6 \times 10^{33}$

3.9 Une augmentation de température déplace l'équilibre vers la droite, donc $[NOCl]$ diminue.
Une augmentation de température déplace l'équilibre vers la gauche, donc $[SO_2]$ et $[O_2]$ augmentent.

3.10 La valeur de K pour cette réaction est :

$K = \dfrac{[isobutane]}{[butane]} = \dfrac{0,50}{0,20} = 2,5$

Après l'ajout d'isobutane, le système n'est plus en équilibre, car le quotient réactionnel, $Q = \dfrac{2,50\,mol/L}{0,20\,mol/L} = 12,5$, n'est plus égal à K. Comme Q est plus grand que K, le système se déplace vers la gauche.

Concentrations (mol/L)	butane $\rightleftharpoons$ isobutane	
initiales (à l'équilibre)	0,20	0,50
après l'ajout d'isobutane	0,20	2,50
changement	$+x$	$-x$
équilibre	$0,20 + x$	$2,50 - x$

$K = 2,5 = \dfrac{[isobutane]}{[butane]} = \dfrac{2,50 - x}{0,20 + x}$

$x = 0,57$ mol/L

Les nouvelles concentrations sont $[butane] = 0,77$ mol/L et $[isobutane] = 1,93$ mol/L.

3.11 a) L'ajout d'hydrogène déplace l'équilibre vers la droite, augmentant $[NH_3]$. L'ajout d'ammoniac déplace l'équilibre vers la gauche, augmentant $[N_2]$ et $[H_2]$.

b) Une augmentation de volume déplace l'équilibre vers la gauche (augmentation du nombre total de moles de gaz).

Chapitre 4

4.1 Acide: HNO_3 (aq)   Base conjuguée: NO_3^- (aq)

Base: NH_3 (aq)   Acide conjugué: NH_4^+ (aq)

4.2 Puisque l'acide chlorhydrique est un acide fort, il est totalement dissocié en solution aqueuse:

$$HCl \text{ (aq)} \longrightarrow H^+ \text{ (aq)} + Cl^- \text{ (aq)}$$

$[Cl^-]$ et $[H^+]$ sont égaux à la concentration initiale de HCl.

$$[Cl^-] = [H^+] = 4,0 \times 10^{-3} \text{ mol/L}$$

4.3 a) $pOH = -\log [OH^-] = -\log (0,0012 \text{ mol/L}) = 2,92$

$pH = 14 - pOH = 14 - 2,92 = 11,08$

b) $[H_3O^+] = 10^{-pH} = 10^{-4,32} = 4,8 \times 10^{-5} \text{ mol/L}$

$[OH^-] = 10^{-pOH} = 10^{-9,68} = 2,1 \times 10^{-10} \text{ mol/L}$

c) $[OH^-] = 10^{-pOH} = 10^{-(14,00 - 10,46)} = 10^{-3,54} = 2,88 \times 10^{-4} \text{ mol/L}$

$[Sr(OH)_2] = 1,44 \times 10^{-4} \text{ mol/L}$

4.4 a) H_2SO_4.   d) L'ammoniac.

b) Oui.   e) L'ion acétate.

c) L'acide borique.

4.5 a) Aucun effet.   c) Aucun effet.

b) Légèrement acide.   d) Légèrement basique.

4.6 a) $pK_a = -\log K_a = -\log (6,3 \times 10^{-5}) = 4,20$

b) Oui.

c) $pK_a = -\log K_a = -\log (5,6 \times 10^{-10}) = 9,25$

Plus faible que CH_3COOH.

4.7 $K_a K_b = 1,0 \times 10^{-14}$ $K_b = 7,14 \times 10^{-11}$

4.8 a) NH_4^+ est l'acide le plus fort.

HCO_3^- possède la base conjuguée la plus forte.

b) NH_3 (aq) arrachera les protons aux molécules de HCO_3^-.

4.9 L'hydrogénosulfate de sodium se protonera, car l'acide acétique est l'acide le plus fort.

4.10 a) La solution résultant d'un mélange *équimolaire* d'un *acide fort* et d'une *base faible* est *acide*.

b) Légèrement acide.

4.11 $CH_3CH_2CH_2COOH + H_2O \rightleftharpoons CH_3CH_2CH_2COO^- + H_3O^+$

$[H_3O^+] = 10^{-pH} = 10^{-2,72} = 1,91 \times 10^{-3} \text{ mol/L}$

$$K_a = \frac{[CH_3CH_2CH_2COO^-][H_3O^+]}{[CH_3CH_2CH_2COOH]}$$

$$K_a = \frac{(1,91 \times 10^{-3})(1,91 \times 10^{-3})}{(0,055 - 1,91 \times 10^{-3})} = 6,84 \times 10^{-5}$$

$$pK_a = -\log K_a = -\log (6,84 \times 10^{-5}) = 4,17$$

4.12

Concentrations (mol/L)	CH_3COOH (aq) + H_2O (l) $\rightleftharpoons$ CH_3COO^- (aq) + H_3O^+ (aq)		
initiales	0,10	0	négligeable
Changement	-x	+x	+x
équilibre	0,10 − x	x	x

Selon l'équation de la réaction, $[H_3O^+] = [CH_3COO^-] = x$ et l'on déduit que $[CH_3COOH] = 0,0010 - x$.

$$K_a = \frac{[H_3O^+][CH_3COO^-]}{[CH_3COOH]} = \frac{x^2}{0,10 - x} = 1,8 \times 10^{-5}$$

Puisque la concentration initiale, 0,10 mol/L, est supérieure à $100 K_a$, il est possible de négliger x par rapport à 0,10 et de simplifier la dernière équation.

$$x = [H_3O^+] = [CH_3COO^-] = 1,8 \times 10^{-6} \text{ mol/L}$$

Le pH de la solution est égal à:

$$pH = -\log (1,8 \times 10^{-6}) = 5,74$$

4.13

Concentrations (mol/L)	HF (aq) + H_2O (l) $\rightleftharpoons$ F^- (aq) + H_3O^+ (aq)		
initiales	0,015	0	négligeable
Changement	-x	+x	+x
équilibre	0,015 − x	x	x

Selon l'équation de la réaction, $[H_3O^+] = [F^-] = x$ et l'on déduit que $[HF] = 0,015 - x$.

$$K_a = \frac{[H_3O^+][F^-]}{[HF]} = \frac{x^2}{0,015 - x} = 7,2 \times 10^{-4}$$

Puisque la concentration initiale, 0,015 mol/L, n'est pas supérieure à $100 K_a$, il n'est pas possible de négliger x par rapport à 0,015 et de simplifier la dernière équation.

On doit donc obligatoirement la résoudre en l'exprimant sous la forme quadratique.

$$x^2 + (7,2 \times 10^{-4})x - (1,8 \times 10^{-5}) = 0$$

$$x = [H_3O^+] = [F^-] = 3,9 \times 10^{-3} \text{ mol/L}$$

Le pH de la solution est égal à:

$$pH = -\log (3,9 \times 10^{-3}) = 2,41$$

4.14 $NaClO$ (aq) + H_2O (l) $\longrightarrow$ Na^+ (aq) + ClO^- (aq)

ClO^- (aq) + H_2O (l) $\rightleftharpoons$ $ClOH$ (aq) + OH^- (aq)

$K_a K_b = 1,0 \times 10^{-14}$

$K_b = 2,86 \times 10^{-7}$

Concentrations (mol/L)	Cl^- (aq) + H_2O (l) $\rightleftharpoons$ $ClOH$ (aq) + OH^- (aq)		
initiales	0,015	0	négligeable
Changement	-x	+x	+x
équilibre	0,015 − x	x	x

Selon l'équation de la réaction, $[ClOH] = [OH^-] = x$ et l'on déduit que $[ClO^-] = 0,015 - x$.

$$K_b = \frac{[ClOH][OH^-]}{[ClO^-]} = \frac{x^2}{0,015 - x} = 2,86 \times 10^{-7}$$

Puisque la concentration initiale, $0,015$ mol/L, est supérieure à $100K_b$, il est possible de négliger x par rapport à $0,015$ et de simplifier la dernière équation.

$$x = [ClOH] = [OH^-] = 6,5 \times 10^{-5} \text{ mol/L}$$
$$[Na^+] = 0,015 \text{ mol/L}$$
$$pOH = -\log [OH^-] = -\log (6,5 \times 10^{-5}) = 4,18$$
$$pH = 14 - pOH = 14 - 4,18 = 9,82$$

4.15 $CH_3COOH \text{ (aq)} + NaOH \text{ (aq)} \longrightarrow$
$$CH_3COO^- \text{ (aq)} + H_2O \text{ (l)} + Na^+ \text{ (aq)}$$

CH_3COOH et $NaOH$ étant en quantités équimolaires (même volume de solution et même concentration), il ne reste en solution que des quantités égales d'ions Na^+, qui n'ont pas d'effet sur le pH, et d'ions CH_3COO^-. La solution est basique, puisque CH_3COO^- est la base conjuguée d'un acide faible.

$$CH_3COO^- \text{ (aq)} + H_2O \text{ (l)} \rightleftharpoons$$
$$CH_3COOH \text{ (aq)} + OH^- \text{ (aq)}$$

Quantité de CH_3COOH qui a réagi $=$
$$(0,12 \text{ mol/L})(0,015 \text{ L}) = 1,8 \times 10^{-3} \text{ mol}$$

Quantité de CH_3COO^- formé $= 1,8 \times 10^{-3}$ mol

En supposant que les volumes de solution soient additifs, on a 30 mL de solution après le mélange.

$$[CH_3COO^-] = \frac{1,8 \times 10^{-3} \text{ mol}}{0,030 \text{ L}} = 6,0 \times 10^{-2} \text{ mol/L}$$

Concentrations (mol/L)	$CH_3COO^- \text{ (aq)} + H_2O \text{ (l)} \rightleftharpoons CH_3COOH \text{ (aq)} + OH^- \text{ (aq)}$		
initiales	0,060	0	négligeable
Changement	-x	+x	+x
équilibre	0,060 − x	x	x

$$K_b = \frac{[CH_3COOH][OH^-]}{[CH_3COO^-]} = 5,6 \times 10^{-10} = \frac{x^2}{0,060 - x}$$

$$5,6 \times 10^{-10} \approx \frac{x^2}{0,060}$$

$$x = [CH_3COOH] = [OH^-] = \sqrt{5,6 \times 10^{-10} \times 0,060}$$
$$= 5,8 \times 10^{-6} \text{ mol/L}$$

$$pOH = -\log [OH^-] = -\log (5,8 \times 10^{-6}) = 5,24$$
$$pH = 14 - pOH = 14 - 5,24 = 8,76$$

4.16

Concentrations (mol/L)	$H_2C_2O_4 \text{ (aq)} + H_2O \text{ (l)} \rightleftharpoons HC_2O_4^- \text{ (aq)} + H_3O^+ \text{ (aq)}$		
initiales	0,10	0	négligeable
Changement	-x	+x	+x
équilibre	0,10 − x	x	x

$$K_{a1} = \frac{[HC_2O_4^-][H_3O^+]}{[H_2C_2O_4]} = 5,9 \times 10^{-2} - \frac{x^2}{0,10 - x}$$

$$x^2 + (5,9 \times 10^{-2})x - (5,9 \times 10^{-3}) = 0$$

$$x = [H_3O^+] = [HC_2O_4^-] = 0,106 \text{ mol/L}$$

Concentrations (mol/L)	$HC_2O_4^- \text{ (aq)} + H_2O \text{ (l)} \rightleftharpoons C_2O_4^- \text{ (aq)} + H_3O^+ \text{ (aq)}$		
initiales	0,106	0	0,106
Changement	-y	+y	+y
équilibre	0,106 − y	y	0,106 + y

$$K_{a2} = \frac{[C_2O_4^-][H_3O^+]}{[HC_2O_4^-]} = 6,4 \times 10^{-5} = \frac{(0,106 + y)\,y}{0,106 - y}$$

En supposant que y soit négligeable par rapport à $0,106$, on trouve que $y = [C_2O_4^-] = 6,4 \times 10^{-5}$ mol/L.

$$[H_3O^+] = 0,106 \text{ mol/L} + 6,4 \times 10^{-5} \text{ mol/L}$$
$$= 0,106 \text{ mol/L}$$

$$pH = -\log [H_3O^+] = -\log 0,106 = 0,97$$

4.17   a) Base de Lewis.   c) Base de Lewis.

         b) Acide de Lewis.   d) Base de Lewis.

4.18   a) 1) H_2TeO_4 2) $Fe(H_2O)_6^{3+}$ 3) $HClO$

         b) Une base de Brønsted et de Lewis.

Chapitre 5

5.1 $HCOOH \text{ (aq)} + H_2O \text{ (l)} \longrightarrow HCOO^- \text{ (aq)} + H_3O^+ \text{ (aq)}$

pH de la solution avant l'ajout de sel:

$$K_a = \frac{[HCOO^-][H_3O^+]}{[HCOOH]}$$

$$1,8 \times 10^{-4} = \frac{(x)(x)}{(0,30 - x)} \; ;$$

$x = 7,3 \times 10^{-3}$ mol/L et le pH $= 2,14$.

pH de la solution après l'ajout de sel:

$$K_a = \frac{[HCOO^-][H_3O^+]}{[HCOOH]}$$

$$1,8 \times 10^{-4} = \frac{(x)(0,10 + x)}{(0,30 - x)}$$

$x = 5,4 \times 10^{-4}$ mol/L; pH $= 3,27$.

5.2   NaOH: $(0,100 \text{ mol/L})(0,0300 \text{ L}) = 3,00 \times 10^{-3}$ mol

CH_3COOH: $(0,100 \text{ mol/L})(0,0450 \text{ L}) = 4,50 \times 10^{-3}$ mol

Quantités (mol)	$CH_3COOH \text{ (aq)} + OH^- \text{ (aq)} \longrightarrow CH_3COO^- \text{ (aq)} + H_2O \text{ (l)}$		
initiales	$4,50 \times 10^{-3}$	$3,00 \times 10^{-3}$	négligeable
Changement	$-3,00 \times 10^{-3}$	$-3,00 \times 10^{-3}$	$+3,00 \times 10^{-3}$
finales	$1,50 \times 10^{-3}$	0	$3,00 \times 10^{-3}$

Calculez $[CH_3COOH]$ et $[CH_3COO^-]$ initiaux sachant que le volume total est 75,0 mL.

Concentrations (mol/L)	CH₃COOH (aq) + H₂O (l) ⟶⟵ CH₃COO⁻ (aq) + H₃O⁺ (aq)		
initiales	0,200	0,400	négligeable
Changement	-x	+x	+x
équilibre	0,200 − x	0,400 + x	x

$$K_a = \frac{[CH_3COO^-][H_3O^+]}{[CH_3COOH]}$$

$$1,8 \times 10^{-5} = \frac{(x)(0,400 + x)}{(0,200 - x)}$$

$$x = [H_3O^+] = 9,0 \times 10^{-6} \text{ mol/L}; \text{ pH} = 5,05.$$

5.3

Concentrations (mol/L)	HCOOH (aq) + H₂O (l) ⟶⟵ HCOO⁻ (aq) + H₃O⁺ (aq)		
initiales	0,50	0,70	négligeable
Changement	-x	+x	+x
équilibre	0,50 − x	0,70 + x	x

$$K_a = \frac{[HCOO^-][H_3O^+]}{[HCOOH]} = \frac{(0,70 + x)x}{0,50 - x} = 1,8 \times 10^{-4}$$

On présume que x est négligeable par rapport à 0,70 et 0,50.

$$1,8 \times 10^{-4} = \frac{0,70 \, x}{0,50}$$

$$x = [H_3O^+] = 1,29 \times 10^{-4} \text{ mol/L}$$

$$\text{pH} = -\log (1,29 \times 10^{-3}) = 3,89$$

5.4 15,0 g de NaHCO₃ (1 mol/84,01 g) = 0,179 mol de NaHCO₃.

$$18,0 \text{ g de Na}_2\text{CO}_3 \left(\frac{1 \text{ mol}}{106,01 \text{ g}}\right) = 0,170 \text{ mol de Na}_2\text{CO}_3.$$

$$\text{pH} = \text{p}K_a + \log \frac{C_b}{C_a}$$

$$\text{pH} = -\log (4,8 \times 10^{-11}) + \log \left(\frac{0,170}{0,179}\right)$$

$$\text{pH} = 10,32 - 0,02 = 10,30$$

5.5 $$\text{pH} = \text{p}K_a + \log \frac{C_b}{C_a}$$

$$5,00 = 4,74 + \log \frac{C_b}{C_a}$$

$$\frac{C_b}{C_a} = 1,8$$

5.6 pH initial (avant l'ajout d'acide):

$$\text{pH} = \text{p}K_a + \log \frac{C_b}{C_a}$$

$$= -\log (1,8 \times 10^{-4}) + \log \left(\frac{0,70}{0,50}\right)$$

$$= 3,74 + 0,15 = 3,89$$

pH après l'ajout d'acide:

la base faible (ion formiate) réagit avec HCl ajouté, formant ainsi davantage d'acide formique.

$$\text{HCOOH}: (0,50 \text{ mol/L})(0,500 \text{ L}) = 0,25 \text{ mol}$$

$$\text{HCOO}^-: (0,70 \text{ mol/L})(0,500 \text{ L}) = 0,35 \text{ mol}$$

$$\text{HCl}: (1,0 \text{ mol/L})(0,010 \text{ L}) = 0,010 \text{ mol}$$

Quantités (mol)	HCOO⁻ (aq) + H₃O⁺ (aq) ⟶ HCOOH (aq) + H₂O (l)		
initiales	0,35	0,010	0,25
Changement	-0,010	-0,010	+0,010
finales	0,34	négligeable	0,26

C'est toujours une solution tampon.

$$\text{pH} = \text{p}K_a + \log \frac{C_b}{C_a}$$

$$\text{pH} = -\log (1,8 \times 10^{-4}) + \log \left(\frac{0,34}{0,26}\right)$$

$$\text{pH} = 3,74 + 0,12 = 3,86$$

5.7 Quantité initiale de HCl = 0,100 mol/L × 25,00 × 10⁻³ L = 2,50 × 10⁻³ mol

Quantité ajoutée de NaOH = 0,100 mol/L × 12,5 × 10⁻³ L = 1,25 × 10⁻³ mol

Quantité résiduelle de HCl = 2,50 × 10⁻³ − 1,25 × 10⁻³ = 1,25 × 10⁻³ mol

$$[HCl]_{\text{résiduel}} = \frac{1,25 \times 10^{-3} \text{ mol}}{(25,00 + 12,5)} = 0,0333 \text{ mol/L}.$$

HCl étant un acide fort qui se dissocie complètement, $[H_3O^+] = 0,0333$ mol/L et le pH = 1,48.

Après l'ajout de 25,25 mL de base, il reste un petit excès de base présent dans les 50,25 mL de solution. (Le volume de base en excès est de 0,25 mL.)

Quantité de base en excès = 0,100 mol/L × 2,5 × 10⁻⁴ L = 2,5 × 10⁻⁵ mol

$$[OH^-] = \frac{2,5 \times 10^{-5} \text{ mol}}{50,25 \times 10^{-3} \text{ L}} = 5,0 \times 10^{-4} \text{ mol/L}$$

Donc, pOH = -log (5,0 × 10⁻⁴) = 3,30; pH = 14 − pOH = 10,70

5.8 L'acide réagit avec 8,0 mL de base.

Quantité initiale de CH₃COOH = 0,100 mol/L · 25,00 × 10⁻³ L = 2,5 × 10⁻³ mol

Quantité ajoutée de NaOH = 0,100 mol/L · 8,0 × 10⁻³ L = 8,0 × 10⁻⁴ mol

Quantité résiduelle de CH₃COOH = 2,5 × 10⁻³ − 8,0 × 10⁻⁴ mol = 1,7 × 10⁻³ mol

Quantité formée de CH₃COO⁻ = 8,0 × 10⁻⁴ mol

$$[CH_3COOH]_{\text{résiduel}} = \frac{1,7 \times 10^{-3} \text{ mol}}{0,0330 \text{ L}} = 0,052 \text{ mol/L}$$

$$[CH_3COO^-]_{\text{formée}} = \frac{8,0 \times 10^{-4} \text{ mol}}{0,0330 \text{ L}} = 0,024 \text{ mol/L}$$

$$K_a = \frac{[CH_3COO^-][H_3O^+]}{[CH_3COOH]}$$

5

$$1,8 \times 10^{-5} = \frac{(0,024 + x)(x)}{(0,052 - x)}$$

(négligez x par rapport à 0,024 et 0,052)

$x = [\text{H}_3\text{O}^+] = 3,9 \times 10^{-5}$ mol/L; pH = 4,41.

5.9 La base réagit avec 20,0 mL d'acide.

Quantité initiale de $\text{NH}_3 = 0,100$ mol/L $\times 25,00 \times 10^{-3}$ L
$$= 2,50 \times 10^{-3} \text{ mol}$$

Quantité ajoutée de HCl $= 0,100$ mol/L $\times 0,0200$ L
$$= 2,00 \times 10^{-3} \text{ mol}$$

Quantité résiduelle de $\text{NH}_3 = 2,50 \times 10^{-3} - 2,00 \times 10^{-3}$
$$= 5,0 \times 10^{-4} \text{ mol}$$

Quantité formée de $\text{NH}_4^+ = 2,00 \times 10^{-3}$ mol

Calculez le pH à l'aide de l'équation de Henderson-Hasselbalch et utilisez le K_a de l'acide faible NH_4^+.

$$\text{pH} = \text{p}K_a + \log \frac{n_b}{n_a}$$

$$\text{pH} = \text{-log }(5,6 \times 10^{-10}) + \log \left(\frac{5,0 \times 10^{-4}}{2,00 \times 10^{-3}} \right)$$

$$\text{pH} = 9,25 - 0,60 = 8,65$$

5.10 Un indicateur qui change de couleur près du pH au point équivalent est indispensable. Le vert de bromocrésol, le rouge de méthyle et le noir ériochrome T, des indicateurs dont la zone de virage se situe entre pH 5 et pH 6, sont des indicateurs possibles.

5.11 a) $\text{AgI (s)} \rightleftharpoons \text{Ag}^+ \text{(aq)} + \text{I}^- \text{(aq)}$ $K_{ps} = [\text{Ag}^+][\text{I}^-]$

b) $\text{BaF}_2 \text{ (s)} \rightleftharpoons \text{Ba}^{2+} \text{(aq)} + 2 \text{ F}^- \text{(aq)}$
$$K_{ps} = [\text{Ba}^{2+}][\text{F}^-]^2$$

c) $\text{Ag}_2\text{CO}_3 \text{ (s)} \rightleftharpoons 2 \text{ Ag}^+ \text{(aq)} + \text{CO}_3^{2-} \text{(aq)}$
$$K_{ps} = [\text{Ag}^+]^2[\text{CO}_3^{2-}]$$

5.12 $\text{BaF}_2 \text{ (s)} \rightleftharpoons \text{Ba}^{2+} \text{(aq)} + 2 \text{ F}^- \text{(aq)}$

$[\text{Ba}^{2+}] = 3,6 \times 10^{-3}$ mol/L; $[\text{F}^-] = 7,2 \times 10^{-3}$ mol/L

$K_{ps} = [\text{Ba}^{2+}][\text{F}^-]^2$

$K_{ps} = (3,6 \times 10^{-3})(7,2 \times 10^{-3})^2 = 1,9 \times 10^{-7}$

5.13 $\text{Ca(OH)}_2 \text{ (s)} \rightleftharpoons \text{Ca}^{2+} \text{(aq)} + 2 \text{ OH}^- \text{(aq)}$

$K_{ps} = [\text{Ca}^{2+}][\text{OH}^-]^2$; $K_{ps} = 5,5 \times 10^{-5}$

$5,5 \times 10^{-5} = (x)(2x)^2 = 4x^3$ (où x est la solubilité en mol/L).

$x = 2,4 \times 10^{-2}$ mol/L

La solubilité en g/L devient: $(2,4 \times 10^{-2}$ mol/L$)$ $(74,09$ g/mol$) = 1,8$ g/L.

5.14 a) AgCN

b) Ca(OH)_2

c) Déduire directement les solubilités relatives de ces deux sels à l'aide de leurs K_{ps} est impossible parce que leurs ions ne sont pas dans le même rapport; il faut les calculer. Ca(OH)_2, qui a une solubilité de $2,4 \times 10^{-2}$ mol/L (*voir l'exercice 5.13*), est plus soluble que CaSO_4 qui a une solubilité $7,0 \times 10^{-3}$ mol/L ($K_{ps} = [\text{Ca}^{2+}][\text{SO}_4^{2-}]$; $4,9 \times 10^{-5} = (x)(x)$; $x = 7,0 \times 10^{-3}$ mol/L).

5.15 a) Dans l'eau:

$K_{ps} = [\text{Ba}^{2+}][\text{SO}_4^{2-}]$; $1,1 \times 10^{-10} = (x)(x)$

$x = 1,0 \times 10^{-5}$ mol/L

b) Une solution de $\text{Ba(NO}_3)_2$ 0,010 mol/L fournit 0,010 mol/L d'ions Ba^{2+} en solution.

$K_{ps} = [\text{Ba}^{2+}][\text{SO}_4^{2-}]$; $1,1 \times 10^{-10} = (0,010 + x)(x)$

$x = 1,1 \times 10^{-8}$ mol/L

5.16 a) Dans l'eau:

$K_{ps} = [\text{Zn}^{2+}][\text{CN}^-]^2$; $8,0 \times 10^{-12} = (x)(2x)^2 = 4x^3$

Solubilité $= x = 1,3 \times 10^{-4}$ mol/L

b) Une solution de $\text{Zn(NO}_3)_2$ 0,10 mol/L fournit 0,10 mol/L d'ions Zn^{2+} en solution.

$K_{ps} = [\text{Zn}^{2+}][\text{CN}^-]^2$; $8,0 \times 10^{-12} = (0,10 + x)(2x)^2$

Solubilité $= x = 4,5 \times 10^{-7}$ mol/L

5.17 Lorsque $[\text{Pb}^{2+}] = 1,1 \times 10^{-3}$ mol/L,
$$[\text{I}^-] = 2,2 \times 10^{-3} \text{ mol/L}$$

$Q = [\text{Pb}^{2+}][\text{I}^-]^2 = 5,3 \times 10^{-9}$. Cette valeur est inférieure à celle de K_{ps}, ce qui signifie que le système n'a pas encore atteint l'équilibre.

5.18 $Q = [\text{Sr}^{2+}][\text{SO}_4^{2-}] = 6,3 \times 10^{-8}$. Comme Q est inférieur à K_{ps}, le système n'a pas encore atteint l'équilibre et le SrSO_4 ne précipite pas.

5.19 $K_{ps} = [\text{Pb}^{2+}][\text{I}^-]^2$. Soit x la concentration de I^- à l'équilibre. Si l'on utilise une quantité supérieure à x, la précipitation aura lieu.

$$9,8 \times 10^{-9} = (0,050)(x)^2$$

$$x = [\text{I}^-] = 4,4 \times 10^{-5} \text{ mol/L}$$

5.20 Déterminez les concentrations de Ag^+ et de Cl^- dans la solution finale et calculez la valeur de Q pour la comparer avec celle de K_{ps}.

Quantité d'ions Ag^+ dans sa solution initiale
$$= 0,0010 \text{ mol/L} \times 0,1000 \text{ L} = 1,0 \times 10^{-4} \text{ mol}$$

$$[\text{Ag}^+]_{final} = \frac{1,0 \times 10^{-4} \text{ mol}}{(100,0 + 5,0) \times 10^{-3} \text{ L}}$$
$$= 9,5 \times 10^{-4} \text{ mol/L}$$

Quantité d'ions Cl^- dans sa solution initiale
$$= 0,025 \text{ mol/L} \times (5,0 \times 10^{-3} \text{ L}) = 1,25 \times 10^{-4} \text{ mol}$$

$$[\text{Cl}^-]_{final} = \frac{1,25 \times 10^{-4} \text{ mol}}{(100,0 + 5,0) \times 10^{-3} \text{ L}}$$
$$= 1,2 \times 10^{-3} \text{ mol/L}$$

$Q = [\text{Ag}^+][\text{Cl}^-] = (9,5 \times 10^{-4})(1,2 \times 10^{-3}) = 1,1 \times 10^{-6}$. Comme Q est supérieur à K_{ps}, AgCl précipite.

5.21 $\text{Cu(OH)}_2 \text{ (s)} \rightleftharpoons \text{Cu}^{2+} \text{(aq)} + 2 \text{ OH}^- \text{(aq)}$ $K_{ps} = [\text{Cu}^{2+}][\text{OH}^-]^2$

$\text{Cu}^{2+} \text{ (aq)} + 4 \text{ NH}_3 \text{ (aq)} \rightleftharpoons \text{Cu(NH}_3)_4^{2+} \text{ (aq)}$

$$K_{form} = \frac{[\text{Cu(NH}_3)_4^{2+}]}{[\text{Cu}^{2+}][\text{NH}_3]^4}$$

$\text{Cu(OH)}_2 \text{ (s)} + 4 \text{ NH}_3 \text{ (aq)} \rightleftharpoons \text{Cu(NH}_3)_4^{2+} \text{ (aq)} + 2 \text{ OH}^- \text{ (aq)}$

$K = K_{ps}K_{form} = (2,2 \times 10^{-20})(6,8 \times 10^{12}) = 1,5 \times 10^{-7}$

5.22 a) L'ajout de Cl^- fait précipiter $AgCl$; $BiCl_3$ est soluble.

b) L'ajout de S^{2-} ou de OH^- fait précipiter FeS ou $Fe(OH)_2$; K_2S ou KOH sont solubles.

Chapitre 6

6.1 a) O_3; les molécules plus grosses possèdent généralement une entropie plus élevée que les petites molécules.

b) $SnCl_4$ (g); les gaz possèdent une entropie plus élevée que les liquides.

6.2 a) NH_4Cl (s) $\longrightarrow$ NH_4Cl (aq)

$\Delta S^0 = \sum [S^0(\text{produits})] - \sum [S^0(\text{réactifs})]$

$\Delta S^0 = S^0(NH_4Cl\ (aq)) - S^0(NH_4Cl\ (s))$

$\Delta S^0 = (1\ mol \times 169{,}9\ J \cdot K^{-1} \cdot mol^{-1}) - (1\ mol \times 94{,}85\ J \cdot K^{-1} \cdot mol^{-1})$
$= 77{,}1\ J \cdot K^{-1}$

On prévoit un gain d'entropie lors de la formation d'une solution.

b) N_2 (g) + 3 H_2 (g) $\longrightarrow$ 2 NH_3 (g)

$\Delta S^0 = 2\ S^0(NH_3\ (g)) - [S^0(N_2\ (g)) + 3\ S^0(H_2\ (g))]$

$\Delta S^0 = (2\ mol \times 192{,}77\ J \cdot K^{-1} \cdot mol^{-1}) - [(1\ mol \times 191{,}56\ J \cdot K^{-1} \cdot mol^{-1}) + (3\ mol \times 130{,}7\ J \cdot K^{-1} \cdot mol^{-1})] = -198{,}1\ J \cdot K^{-1}$

On pouvait prévoir un résultat négatif, puisque la réaction fait passer le nombre de moles de gaz de 4 à 2.

6.3 a) Type 2.   b) Type 3.   c) Type 1.   d) Type 2.

6.4 $\Delta S^0 = 2\ S^0(HCl) - [S^0(H_2) + S^0(Cl_2)]$

$\Delta S^0_{sys} = (2\ mol \times 186{,}2\ J \cdot K^{-1} \cdot mol^{-1}) - [(1\ mol \times 130{,}7\ J \cdot K^{-1} \cdot mol^{-1}) + (1\ mol \times 223{,}08\ J \cdot K^{-1} \cdot mol^{-1})] = 18{,}6\ J \cdot K^{-1}$

$\Delta S^0_{ext} = \dfrac{-\Delta H^0_{sys}}{T} = -\left(\dfrac{-184{,}620\ J}{298\ K}\right) = 616{,}5\ J \cdot K^{-1}$

$\Delta S^0_{univ} = \Delta S^0_{sys} + \Delta S^0_{ext} = 18{,}6\ J \cdot K^{-1} + 616{,}5\ J \cdot K^{-1}$
$= 635{,}1\ J \cdot K^{-1}$

6.5 À 298 K, $\Delta S^0_{ext} = \dfrac{-\Delta H^0_{sys}}{T} = -\left(\dfrac{467{,}9 \times 10^3\ J}{298\ K}\right)$
$= -1570\ J \cdot K^{-1}$

$\Delta S^0_{univ} = \Delta S^0_{sys} + \Delta S^0_{ext} = 560{,}7\ J \cdot K^{-1} + (-1570\ J \cdot K^{-1})$
$= -1010\ J \cdot K^{-1}$

Le signe négatif signifie que cette réaction n'est pas spontanée. Par contre, à haute température, la valeur absolue de $-\dfrac{\Delta H^0_{sys}}{T}$ diminue. À une température suffisamment élevée, la dispersion de la matière devient plus importante que la dispersion de l'énergie et la réaction devient spontanée.

6.6 $\Delta H^0 = 2\ \Delta H^0_f(NH_3) = (2\ mol \times -45{,}90\ kJ \cdot mol^{-1})$
$= -91{,}80\ kJ$

$\Delta S^0 = 2\ S^0(NH_3\ (g)) - [S^0(N_2\ (g)) + 3\ S^0(H_2\ (g))]$

$\Delta S^0 = (2\ mol \times 192{,}77\ J \cdot K^{-1} \cdot mol^{-1}) - [(1\ mol \times 191{,}56\ J \cdot K^{-1} \cdot mol^{-1}) + (3\ mol \times 130{,}7\ J \cdot K^{-1} \cdot mol^{-1})]$

$\Delta S^0 = -198{,}1\ J \cdot K^{-1}$

$\Delta G^0 = \Delta H^0 - T\Delta S^0 = -91{,}80\ kJ - (298\ K \times -0{,}1981\ kJ \cdot K^{-1})$

$\Delta G^0 = -32{,}80\ kJ$

6.7 SO_2 (g) + $\dfrac{1}{2}$ O_2 (g) $\longrightarrow$ SO_3 (g)

$\Delta G^0 = \sum [\Delta G^0_f(\text{produits})] - \sum [\Delta G^0_f(\text{réactifs})]$

$\Delta G^0 = \Delta G^0_f(SO_3\ (g)) - \left[\Delta G^0_f(SO_2\ (g)) + \dfrac{1}{2}\Delta G^0_f(O_2\ (g))\right]$

$\Delta G^0 = -371{,}04\ kJ - [300{,}13\ kJ + 0] = -70{,}94\ kJ$

6.8 HgO (s) $\longrightarrow$ Hg (l) + $\dfrac{1}{2}$ O_2 (g)

Déterminez la température (T) pour laquelle
$$\Delta G^0 = 0 = \Delta H^0 - T\Delta S^0.$$

$\Delta H^0 = -90{,}83\ kJ$

$\Delta S^0 = \left[S^0(Hg\ (l)) + \dfrac{1}{2}S^0(O_2\ (g))\right] - S^0(HgO\ (s))$

$\Delta S^0 = [(1\ mol \times 76{,}02\ J \cdot K^{-1} \cdot mol^{-1}) + (0{,}5\ mol \times 205{,}07\ J \cdot K^{-1} \cdot mol^{-1})] - (1\ mol \times 70{,}29\ J \cdot K^{-1} \cdot mol^{-1}) = 108{,}26\ J \cdot K^{-1}$

$\Delta H^0 - T\Delta S^0 = -90\ 830\ J - T(108{,}26\ J \cdot K^{-1}) = 0$

$T = 839\ K\ (566\ ^\circ C)$

6.9 C (s) + CO_2 (g) $\longrightarrow$ 2 CO (g)

$\Delta G^0 = 2\ \Delta G^0_f(CO\ (g)) - \Delta G^0_f(CO_2\ (g))$

$\Delta G^0 = (2\ mol \times -137{,}17\ kJ \cdot mol^{-1}) - (1\ mol \times -394{,}36\ kJ \cdot mol^{-1})$

$\Delta G^0 = 120{,}02\ kJ$

$\Delta G^0 = -RT \ln K$

$120\ 020\ J = -(8{,}314\ J \cdot mol^{-1} \cdot K^{-1})(298\ K) \ln K$

$K = 9{,}15 \times 10^{-22}$

6.10 $\Delta G^0 = -RT \ln K$
$= -(8{,}314\ J \cdot mol^{-1} \cdot K^{-1})(298\ K) \ln 1{,}6 \times 10^7$

$\Delta G^0 = -41\ 100\ J \cdot mol^{-1} = -41\ kJ \cdot mol^{-1}$

Chapitre 7

7.1 MnO_4^- (aq) + 8 H^+ (aq) + 5 Fe^{2+} (aq) $\longrightarrow$
Mn^{2+} (aq) + 5 Fe^{3+} (aq) + 4 H_2O (l)

L'espèce réduite: MnO_4^-.

L'espèce oxydée: Fe^{2+}.

Le réducteur: Fe^{2+}.

L'oxydant: MnO_4^-.

7.2 Al (s) + 3 S (s) + 3 H_2O (l) $\longrightarrow$ $Al(OH)_3$ (s) + 3 HS^- (aq)

L'espèce réduite: S.

L'espèce oxydée: Al.

Le réducteur: Al.

L'oxydant: S.

7.3 $C_6H_8O_6$ (aq) + I_2 (aq) $\longrightarrow$
$C_6H_6O_6$ (aq) + 2 H^+ (aq) + 2 I^- (aq)

I_2 (aq) + 2 $S_2O_3^{2-}$ (aq) $\longrightarrow$ 2 I^- (aq) + $S_4O_6^{2-}$ (aq)

Quantité initiale de I_2 = 0,050 L $\times \dfrac{0,0520 \text{ mol}}{1 \text{ L}}$

$\qquad\qquad\qquad\qquad = 0,0026$ mol.

Quantité d'iode résiduelle dosée par $Na_2S_2O_3$ =

0,0203 L $\times \dfrac{0,196 \text{ mol de } Na_2S_2O_3}{1 \text{ L}} \times \dfrac{1 \text{ mol de } I_2}{2 \text{ mol de } Na_2S_2O_3}$

$\qquad\qquad\qquad\qquad = 0,00199$ mol.

Iode ayant réagi = 0,00061 mol.

Masse de $C_6H_8O_6$ = 0,00061 mol de $I_2 \times$

$\dfrac{1 \text{ mol de } C_6H_8O_6}{1 \text{ mol de } I_2} \times \dfrac{175,4 \text{ g}}{1 \text{ mol de } C_6H_8O_6} = 0,106$ g.

7.4 La pièce de nickel s'oxyde ; donc, elle sera l'anode et la pièce d'argent, la cathode. Les électrons circulent de l'anode vers la cathode. L'anode porte la borne négative et la cathode, la borne positive. Les ions K^+ iront vers la cathode et les ions NO_3^- vers l'anode.

7.5 a) Mg $\qquad\qquad\qquad\qquad$ b) Au

7.6 a) Non. $\qquad$ b) Oui. $\qquad$ c) Non. $\qquad$ d) Oui.

7.7 Fe^{2+} (aq) + 2 e⁻ $\rightleftharpoons$ Fe (s) $\quad E^0 = -0,44$ V

$E_{Fe} = -0,44 \text{ V} + \dfrac{0,059}{2} \log 0,024 = -0,488$ V

H^+ (aq) + e⁻ $\rightleftharpoons \dfrac{1}{2}H_2$ (g) $\quad E^0 = 0$ V

$E_H = 0 \text{ V} + 0,059 \log\ 0,0056 = -0,133$ V

$V = E_{cat} - E_{an} = E_H - E_{Fe} = (-0,133 \text{ V}) - (-0,488\text{V}) = 0,355$ V

$\qquad 2(H^+ \text{ (aq)} + e^- \longrightarrow \dfrac{1}{2} H_2 \text{ (g)})$

$\qquad\qquad\quad$ Fe (s) $\longrightarrow Fe^{2+}$ (aq) + 2 e⁻

$\overline{\text{Fe (s) + 2 } H^+ \text{ (aq)} \longrightarrow Fe^{2+} \text{ (aq)} + H_2 \text{ (g)}}$

7.8 Zn (s) $\rightleftharpoons Zn^{2+}$ (aq) + 2 e⁻ $\qquad E^0 = -0,763$ V

$\underline{2(H^+ \text{ (aq)} + e^- \rightleftharpoons H_2 \text{ (g)})\qquad\quad E^0 = 0,000 \text{ V}}$

Zn (s) + 2 H^+ (aq) $\rightleftharpoons Zn^{2+}$ (aq) + H_2 (g)

$V^0 = E_{cat}^0 - E_{an}^0 = 0,00 \text{ V} - (-0,763 \text{ V}) = 0,763$ V

$\Delta G^0 = -nFV^0 = -(2 \text{ mol})(96\ 500 \text{ C·mol}^{-1})(0,763 \text{ V}) =$
$\qquad\qquad\qquad\qquad\qquad\qquad\qquad -147\ 259$ C·V

Comme 1 C $\times$ 1 V = 1 J, $\Delta G^0 = -147$ kJ.

7.9 Ag^+ (aq) + e⁻ $\rightleftharpoons$ Ag (s) $\qquad E^0 = 0,80$ V

$E_{Ag} = 0,80 \text{ V} + 0,059 \log\ [Ag^+]$

Hg^{2+} (aq) + 2 e⁻ $\rightleftharpoons$ Hg (l) $\qquad E^0 = 0,855$ V

$E_{Hg} = 0,855 \text{ V} + \dfrac{0,059}{2} \log\ [Hg^{2+}]$

À l'équilibre, les potentiels standards des deux électrodes sont égaux.

$0,80 \text{ V} + 0,059 \log\ [Ag^+]_{éq} = 0,855 \text{ V} + \dfrac{0,059}{2} \log\ [Hg^{2+}]_{éq}$

$0,80 \text{ V} - 0,855 \text{ V} = \dfrac{0,059}{2} \log\ [Hg^{2+}]_{éq} - 0,059 \log\ [Ag^+]_{éq}$

$-0,055 \text{ V} = \dfrac{0,059}{2} \log\ [Hg^{2+}]_{éq} - \dfrac{0,059}{2} \log\ [Ag^+]^2_{éq}$

$-0,055 \text{ V} = \dfrac{0,059}{2} \log \dfrac{[Hg^{2+}]_{éq}}{[Ag^+]^2_{éq}} = \dfrac{0,059}{2} \log K$

$\log K = -0,055 \times \dfrac{2}{0,059} = -1,864 \quad K = 1,37 \times 10^{-2}$

7.10 Zn^{2+} (aq) + 2 e⁻ $\rightleftharpoons$ Zn (s) $\qquad E^0 = -0,763$ V

$E_{Zn} = -0,763 \text{ V} + \dfrac{0,059}{2} \log\ [Zn^{2+}]$

$Zn(CN)_4^{2+}$ (aq) + 2 e⁻ $\rightleftharpoons$ Zn (s) + 4 CN⁻ (aq)
$\qquad\qquad\qquad\qquad\qquad\qquad\qquad E^0 = -1,26$ V

$E_{Zn(CN)_4^{2+}/Zn^{2+}} = -1,26 \text{ V} + \dfrac{0,059}{2} \log \dfrac{[Zn(CN)_4^{2+}]}{[CN^-]^4}$

À l'équilibre, les potentiels standards des deux électrodes sont égaux.

$-0,763 \text{ V} + \dfrac{0,059}{2} \log\ [Zn^{2+}]_{éq} =$

$\qquad\qquad -1,26 \text{ V} + \dfrac{0,059}{2} \log \dfrac{[Zn(CN)_4^{2+}]_{éq}}{[CN^-]^4_{éq}}$

$-0,763 \text{ V} + 1,26 \text{ V} =$

$\qquad \dfrac{0,059}{2} \log \dfrac{[Zn(CN)_4^{2+}]_{éq}}{[CN^-]^4_{éq}} - \dfrac{0,059}{2} \log\ [Zn^{2+}]_{éq}$

$0,497 \text{ V} = \dfrac{0,059}{2} \log \dfrac{[Zn(CN)_4^{2+}]_{éq}}{[Zn^{2+}]_{éq}[CN^-]^4_{éq}}$

$0,497 \text{ V} = \dfrac{0,059}{2} \log K$

$\log K = 0,497 \times \dfrac{2}{0,059} = 16,847 \qquad K = 7,0 \times 10^{16}$

7.11 Espèces en solution : Na^+ (aq), OH^- (aq) et H_2O (l).

H_2O_2 (aq) + 2 H^+ (aq) + 2 e⁻ $\rightleftharpoons$ 2 **H_2O** (l)
$\qquad\qquad\qquad\qquad\qquad\qquad\qquad E^0 = 1,77$ V

O_2 (g) + 4 H^+ (aq) + 4 e⁻ $\rightleftharpoons$ 2 **H_2O** (l)
$\qquad\qquad\qquad\qquad\qquad\qquad\qquad E^0 = 1,23$ V

O_2 (g) + 2 **H_2O** (l) + 4 e⁻ $\rightleftharpoons$ 4 OH⁻ (aq)
$\qquad\qquad\qquad\qquad\qquad\qquad\qquad E^0 = 0,40$ V

2 **H_2O** (l) + 2 e⁻ $\rightleftharpoons H_2$ (g) + 2 OH⁻ (aq)
$\qquad\qquad\qquad\qquad\qquad\qquad\qquad E^0 = -0,83$ V

Na^+ (aq) + e⁻ $\rightleftharpoons$ Na (s) $\qquad E^0 = -2,71$ V

À la cathode, l'eau est réduite en hydrogène. À l'anode, les ions OH⁻ (aq) sont oxydés en oxygène. La tension à appliquer est supérieure à 1,23 V.

7.12 O_2 (g) + 4 H^+ (aq) + 4 e⁻ $\rightleftharpoons$ 2 **H_2O** (l)

(45 min)(60 s/1 min)(0,445 A) = 1201,5 C

$(1201,5 \text{ C})\left(\dfrac{1 \text{ mol de e}^-}{96\ 500 \text{ C}}\right)\left(\dfrac{1 \text{ mol de } O_2}{4 \text{ mol de e}^-}\right)$

$\qquad\qquad\left(\dfrac{32,00 \text{ g}}{1 \text{ mol de } O_2}\right) = 0,10$ g d'oxygène

7.13 **Na^+** (aq) + e⁻ $\rightleftharpoons$ Na (s)

(1 h)(60 min/h)(60 s/min)(25 $\times 10^3$ A) = 9,0 $\times 10^7$ C

$(9,0 \times 10^7 \text{ C})\left(\dfrac{1 \text{ mol de e}^-}{96\ 500 \text{ C}}\right)\left(\dfrac{1 \text{ mol de Na}}{1 \text{ mol de e}^-}\right)\left(\dfrac{22,99 \text{ g}}{1 \text{ mol de Na}}\right)$

= 2,1 $\times 10^4$ g ou 21 kg de sodium par heure.

Réponses aux exercices de fin de chapitre

Chapitre 1

1. Le solvant est la substance dans laquelle le soluté est dissous. La plus grande quantité que l'on retrouve est celle du solvant.

2. Loi de Raoult $\qquad\qquad\qquad P_{sol} = \chi_{sol}P^0_{sol}$
Élévation du point d'ébullition $\quad \Delta T_{éb} = k_{éb}m$
Abaissement du point de congélation $\quad \Delta T_{fus} = k_{fus}m$
Pression osmotique $\qquad\qquad\quad \Pi = cRT$

3. Concentration molaire volumique : nombre de moles de soluté par kilogramme de solvant.

Concentration molaire volumique : nombre de moles de soluté par litre de solution.

4. La température, la pression et les forces intermoléculaires entre les molécules de gaz et de solvant.

5. NaCl produit 2 mol d'ions par mole de soluté, tandis que le $CaCl_2$ produit 3 mol d'ions par mole de soluté.

6. La concentration de solvant à l'intérieur du cornichon est supérieure à la concentration de solvant à l'extérieur. Les molécules du solvant sortent donc du cornichon causant ainsi son rétrécissement.

7. La solubilité est la concentration du soluté dans une solution saturée.

8. Des liquides polaires tels l'eau et l'éthanol sont miscibles. Les liquides non polaires comme l'octane, C_8H_{18}, et le tétrachlorométhane, CCl_4, le sont aussi.

9. 1) Solide ionique, soluble dans l'eau.
    2) Polaire, soluble dans l'eau.
    3) Non polaire, soluble dans le benzène.
    4) Solide ionique, soluble dans l'eau.
    5) Non polaire, soluble dans le benzène.

10. Concentration = 0,0434 mol/L
Molalité = 0,0434 m
χ = 0,000781
Fraction massique = 0,509 %.

11. Concentration = 0,696 mol/L
Molalité = 0,886 m
χ = 0,0392
Fraction massique = 11,9 %.

12. NaI : 0,15 ; 2,2 % ; $\quad \chi$ = 0,0027
C_2H_5OH : 1,1 ; 5,0 % ; χ = 0,0200
$C_{12}H_{22}O_{11}$: 0,15 ; 4,9 % ; χ = 0,0027

13. χ = 0,00359

14. Molalité = 5,7 m

15. a) Molalité = 16,2 m
    b) Fraction massique = 37,1 %.

16. Molalité = 19,4 m
Concentration = 17,8 mol/L

17. Molalité = $2,6 \times 10^{-6}$ m

18. a) $CuCl_2$
    b) $AgNO_3$
    c) K_2CO_3, KI, $KMnO_4$

19. a) K^+ et OH^-.   c) Li^+ et NO_3^-.
    b) K^+ et SO_4^{2-}.   d) NH_4^+ et SO_4^{2-}.

20. a) Soluble ; Na^+ et CO_3^-.   c) Insoluble.
    b) Soluble ; Cu^{2+} et SO_4^{2-}.   d) Soluble ; Ba^{2+} et Br^-.

21. $CdCl_2$ (aq) + 2 NaOH (aq) $\longrightarrow$
$\qquad\qquad\qquad\qquad Cd(OH)_2$ (s) + 2 NaCl (aq)
Cd^{2+} (aq) + 2 OH^- (aq) $\longrightarrow Cd(OH)_2$ (s)

22. a) $NiCl_2$ (aq) + $(NH_4)_2S$ (aq) $\longrightarrow$
$\qquad\qquad\qquad\qquad$ NiS (s) + 2 NH_4Cl (aq)
    b) 3 $Mn(NO_3)_2$ (aq) + 2 Na_3PO_4 (aq) $\longrightarrow$
$\qquad\qquad\qquad\qquad Mn_3(PO_4)_2$ (s) + 6 $NaNO_3$ (aq)

23. b) C_6H_6 et CCl_4.
    c) H_2O et CH_3CO_2H.

24. L'acétone est une molécule polaire, donc les fortes interactions des molécules d'acétone et d'eau sont responsables de la miscibilité de ces deux composés.

25. $\Delta H^\circ_{sol} = 13,4$ kJ/mol

26. c) Augmenter la température de la solution et ajouter du NaCl.

27. a) LiCl
    b) $Mg(NO_3)_2$
    c) $NiCl_2$

28. Mg^{2+} est hydraté le plus fortement. Cs^+ est l'ion le moins hydraté.

29. Masse = 0,002 g de O_2/L.

30. a) $6,61 \times 10^{-6}$ mol·kg^{-1}·kPa

31. P = 150,6 kPa

32. Concentration de H_2 dans l'eau = $1,59 \times 10^{-6}$ g/g d'eau

33. P_{H_2O} = 4,66 kPa

34. P_{H_2O} = 2,35 kPa

35. 1040 g de $HOCH_2CH_2OH$.

36. P = 59,18 kPa

37. $T_{\text{éb}} = 84{,}15\ °C$

38. $T_{\text{éb}} = 100{,}26\ °C$

39. $T_{\text{éb}} = 62{,}51\ °C$

40. a) Molalité $= 8{,}60\ m$

    b) Fraction massique $= 28{,}4\ \%$.

41. $T_{\text{fus}} = -0{,}362\ °C$

42. $T_{\text{fus}} = -5{,}0\ °C$, le vin commence à geler.

43. $M = 368{,}04\ g/mol\ C_{20}H_{16}Fe_2$.

44. $M = 472\ g/mol$

45. $T_{\text{fus}} = -24{,}6\ °C$

46. $\Pi = 483\ kPa$

47. $M = 6{,}0 \times 10^3\ g/mol$

48. a) $\chi_{\text{NaOH}} = 0{,}162$

    b) Fraction massique $= 30{,}0\ \%$.

    c) Concentration $= 9{,}97\ mol/L$

49. $\text{Molalité}_{Ca(NO_3)_2} = 0{,}016\ m$

    $\text{Molalité}_{\text{ions}} = 0{,}049\ m$

50. $0{,}592\ g$ de Na_2SO_4.

51. a) $0{,}20\ m$ de KBr.

    b) $0{,}20\ m$ de NH_4NO_3.

52. $T_{\text{éb}} = 106{,}34\ °C$

53. La formule moléculaire est $C_{10}H_{12}O_2$.

54. $M = 400\ g/mol$

55. $888\ g$ de $HCOONH_4$ précipitent à $0\ °C$.

56. $n_{N_2} = 4{,}93 \times 10^{-4}\ mol/kg$

57. Fraction massique $= 80{,}7\ \%$.

58. $T_{\text{éb}} = 104{,}13\ °C$

59. Concentration $= 55{,}3\ mol/L$

    Molalité $= 55{,}5\ m$

60. $P_{\text{tot}} = 7{,}670\ kPa$

    $\chi_{\text{toluène}} = 0{,}13 \quad \chi_{\text{benzène}} = 0{,}87$

61. a) Concentration $= 0{,}040\ mol/L$ **b)** $1{,}4\ \%$

62. a) $i = 2{,}06$ **b)** $H^+ + HSO_4^-$

63. Probablement Br^-.

Chapitre 2

1. La réaction est d'ordre 2 par rapport à A et d'ordre 1 par rapport à B. L'ordre global est 3.

2. a) La vitesse est multipliée par 9.

    b) La vitesse est divisée par 4.

3. $\left(\dfrac{1}{2}\right)^5 = \dfrac{1}{32}$

Il reste donc $\dfrac{1}{32}$ de la quantité originale.

4. La constante de vitesse (k), le facteur de collision (A) et la température (T).

5. Un intermédiaire de réaction consiste en une espèce formée en une seule étape. Cette espèce se situe à mi-chemin entre les réactifs et les produits, et n'apparaît pas dans l'équation de la réaction. Dans l'exemple suivant:

$$Br_2\ (g) + 2\ NO\ (g) \longrightarrow 2\ BrNO\ (g)$$

l'espèce $Br_2NO\ (g)$ est un intermédiaire.

6. Un catalyseur est une substance qui accélère la vitesse d'une réaction chimique en modifiant la façon dont elle se produit, abaissant ainsi son énergie d'activation.

7. a) $-\dfrac{1}{2}\left(\dfrac{d[O_3]}{dt}\right) = \dfrac{1}{3}\left(\dfrac{d[O_2]}{dt}\right)$

    b) $-\dfrac{1}{2}\left(\dfrac{d[HOF]}{dt}\right) = \dfrac{1}{2}\left(\dfrac{d[HF]}{dt}\right) = \left(\dfrac{d[O_2]}{dt}\right)$

8. $-\left(\dfrac{d[O_3]}{dt}\right) = 1{,}0 \times 10^{-3}\ mol·L^{-1}·s^{-1}$

9. $\left(\dfrac{d[NH_3]}{dt}\right) = 3{,}0 \times 10^{-4}\ mol·L^{-1}·min^{-1}$

10. a) Entre 0 et 10 s, $\dfrac{\Delta[B]}{\Delta t} = 0{,}0326\ mol·L^{-1}·s^{-1}$

    Entre 10 et 20 s, $\dfrac{\Delta[B]}{\Delta t} = 0{,}0246\ mol·L^{-1}·s^{-1}$

    Entre 20 et 30 s, $\dfrac{\Delta[B]}{\Delta t} = 0{,}0178\ mol·L^{-1}·s^{-1}$

    Entre 30 et 40 s, $\dfrac{\Delta[B]}{\Delta t} = 0{,}0140\ mol·L^{-1}·s^{-1}$

    La vitesse moyenne diminue parce que la concentration de A diminue.

    b) Le réactif A est consommé à une vitesse deux fois moins élevée que la vitesse de formation de B.

    $-\dfrac{\Delta[A]}{\Delta t}$ entre 10 et 20 s $= 0{,}0123\ mol/L·s$

11. a) Tracez la courbe de l'acétate de phényle en fonction du temps. La courbe devrait décroître exponentiellement.

    b) $-\dfrac{\Delta[\text{Acétate de phényle}]}{\Delta t}$ entre 15 et 30 s

        $= 0{,}0073\ mol·L^{-1}·s^{-1}$

    $-\dfrac{\Delta[\text{Acétate de phényle}]}{\Delta t}$ entre 75 et 90 s

        $= 0{,}0023\ mol·L^{-1}·s^{-1}$

    c) $-\dfrac{\Delta[\text{phénol}]}{\Delta t}$ entre 60 et 75 s $= 0{,}0033\ mol·L^{-1}·s^{-1}$

    d) $v = 0{,}008\ mol/L·s$.

12. a) $v = k[NO_2][O_3]$

   b) La vitesse triple.

   c) La vitesse diminue de moitié.

13. a) L'ordre de la réaction par rapport à NO est 2. L'ordre de la réaction par rapport à O_2 est 1.

   b) $v = k[NO]^2[O_2]$

   c) $k = 13\ L^2 \cdot mol^{-2} \cdot s^{-1}$

   d) $v = 1,4 \times 10^{-5}\ mol \cdot L^{-1} \cdot s^{-1}$

   e) Vitesse de réaction de $O_2 = 5,0 \times 10^{-5}\ mol \cdot L^{-1} \cdot s^{-1}$; vitesse de formation de $NO_2 = 1,0 \times 10^{-4}\ mol \cdot L^{-1} \cdot s^{-1}$.

14. a) $v = k[CO][NO_2]$

   b) $k = 1,9\ L \cdot mol^{-1} \cdot h^{-1}$

   c) $v = 2,0 \times 10^{-7}\ mol \cdot L^{-1} \cdot h^{-1}$

15. a) $v = k\ [OH^-]^2[H_2PO_4^-]$

   b) $k = 4,2 \times 10^6\ L^2 \cdot mol^{-2} \cdot min^{-1}$

   c) $[H_2PO_4^-] = 0,0044\ mol/L$

16. $k = 0,0392\ h^{-1}$

17. $k = 0,00557\ min^{-1}$

18. $t = 5,0 \times 10^2\ min$

19. $t = 105\ min$

20. a) $t = 153\ min$ **b)** $t = 1790\ min$

21. $t = 580\ s$

22. a) $t_{1/2} = 1400\ s$ **b)** $t = 4600\ s$

23. $0,260\ g$; $3,0 \times 10^{-2}\ mol$

24. $t = 150\ min$

25. $4,3\ mg$

26. Fraction restante de $SO_2Cl_2 = 0,81$.

27. $v = k[HOF]$

28. $v = (0,04\ L \cdot mol^{-1} \cdot s^{-1})[C_2F_4]^2$

29. $E_a = 102\ kJ/mol$

30. $E_a = 85\ kJ/mol$

31. $k_2 = 0,314\ s^{-1}$

32.

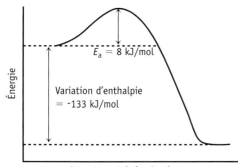

33. a) $v = k[NO][NO_3]$

   b) $v = k[Cl][H_2]$

   c) $v = k[(CH_3)_3CBr]$

34. a) L'étape 2.   **b)** $v = k[O_3][O]$

35. a) $CH_3OH + H^+ + Br^- \longrightarrow CH_3Br + H_2O$

   b)

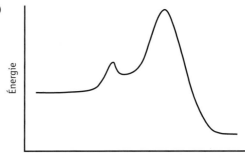

   c) $v = k_2[CH_3OH_2^+][Br^-]$

   $$K = \frac{[CH_3OH_2^+]}{[CH_3OH][H^+]}$$

   $v = k_2\,K[CH_3OH][H^+][Br^-]$
   $= k[CH_3OH][H^+][Br^-]$

36. a) $(CH_3)_3CBr + H_2O \longrightarrow (CH_3)_3COH + HBr$

   b) L'étape 1.

   c) $v = k[(CH_3)_3CBr]$

37. On mesure le pH en fonction du temps. On calcule pOH et $[OH^-]$. Si la courbe $\frac{1}{[OH^-]} = f(t)$ est une droite, on en déduit que la réaction est d'ordre 2 par rapport à OH^-.

38. a) La quantité diminue.   **d)** Identique.

   b) La quantité augmente.   **e)** Identique.

   c) Identique.   **f)** Aucun changement.

39. a) $v = k[N_2]^2[H_2]^3$ **c)** L'ordre 3.

   b) $k = 5 \times 10^4\ L^4 \cdot mol^{-4} \cdot min^{-1}$ **d)** L'ordre 5.

40. a) La réaction est d'ordre 2 par rapport à NH_4NCO, puisque la courbe $\frac{1}{[NH_4NCO]} = f(t)$ est une droite.

   b) $k = 0,0109\ L \cdot mol^{-1} \cdot min^{-1}$

   c) $t_{1/2} = 200\ min$

   d) $[NH_4NCO]_{12h} = 0,0997\ mol/L$

41. a) $0,59\ mg$ **b)** $t = 75\ h$

42. $t_{1/2} = 19\ h$, $k = 0,037\ h^{-1}$

43. $E_a = 103\ kJ/mol$

44. $1,7\ mg$

45. Si nous utilisons l'isotope ^{18}O dans la molécule de méthanol, représenté par un astérisque(*), nous observons que l'isotope ^{18}O se retrouve dans la molécule d'eau après la réaction.

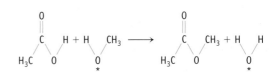

2

46. $0{,}0274$ min^{-1}

47. La réaction globale : HA + X $\longrightarrow$ A$^-$ + Produits

L'étape 3 est déterminante, $v = k[\text{XH}^+]$.

XH$^+$ est l'intermédiaire.

Étape 1 : $K_1 = \dfrac{[\text{H}^+][\text{A}^-]}{[\text{HA}]}$ $\qquad [\text{H}^+] = \dfrac{K_1[\text{HA}]}{[\text{A}^-]}$

Étape 2 : $K_2 = \dfrac{[\text{HX}^+]}{[\text{H}^+][\text{X}]}$ $\qquad [\text{HX}^+] = K_2[\text{H}^+][\text{X}]$

En substituant ces équations dans l'équation de vitesse,

$$v = k[\text{XH}^+] = k(K_2[\text{X}])\left(\frac{K_1[\text{HA}]}{[\text{A}^-]}\right) = kK_1K_2\frac{[\text{X}][\text{HA}]}{[\text{A}^-]}$$

La réaction est d'ordre 1 par rapport à HA.

Doubler la concentration de HA double la vitesse.

48. $P_{\text{tot}} = 6{,}25$ kPa

Chapitre 3

1. a) Faux. La grandeur de la constante d'équilibre est toujours dépendante de la température.

b) Vrai.

c) Faux. La valeur de la constante d'équilibre d'une réaction inverse est la réciproque de la valeur (K) de la réaction directe.

d) Vrai.

e) Faux $K_p = K_c(RT)$.

2. Vers la droite.

3. a) Une hausse de température déplace l'équilibre vers la droite (réaction endothermique qui consomme de l'énergie).

b) L'ajout de CaCO$_3$ n'affecte pas l'équilibre puisque les solides n'apparaissent pas dans l'expression de la constante d'équilibre.

c) Le système réagit en consommant une partie du CO$_2$ ajouté : la réaction inverse se produit.

4. a) Réaction directe.

b) Réaction inverse.

c) Réaction directe.

5. a) $K = \dfrac{[\text{H}_2\text{O}]^2[\text{O}_2]}{[\text{H}_2\text{O}_2]^2}$ $\quad K_p = \dfrac{(P_{\text{H}_2\text{O}})^2(P_{\text{O}_2})}{(P_{\text{H}_2\text{O}_2})^2}$

b) $K = \dfrac{[\text{CO}_2]}{[\text{CO}][\text{O}_2]^{1/2}}$ $\quad K_p = \dfrac{(P_{\text{CO}_2})}{(P_{\text{CO}})(P_{\text{O}_2})^{1/2}}$

c) $K = \dfrac{[\text{CO}]^2}{[\text{CO}_2]}$ $\quad K_p = \dfrac{(P_{\text{CO}})^2}{(P_{\text{CO}_2})}$

d) $K = \dfrac{[\text{CO}_2]}{[\text{CO}]}$ $\quad K_p = \dfrac{(P_{\text{CO}_2})}{(P_{\text{CO}})}$

e) $K = [\text{Ag}^+]^2[\text{SO}_4^{2-}]$

6. Non, car Q $(2{,}0 \times 10^{-14}) < K$. La réaction évolue vers les produits.

7. Non, car Q $(1{,}0 \times 10^3) > K$. La réaction se déplace vers la gauche.

8. Non, car Q $(5{,}0 \times 10^{-4}) < K$. La réaction évolue vers les produits.

9. a) $K = 0{,}025$

b) $K = 0{,}025$

c) La valeur de K est indépendante de la quantité de carbone présente puisque celui-ci n'apparaît pas dans l'expression de K.

10. $K_p = 2{,}21 \times 10^3$

11. a) [CO] = 0{,}007 12 mol/L ; [COCl$_2$] = 0{,}003 08 mol/L

b) $K = 144$

12. $K = 0{,}029$

13. [isobutane] = 0{,}024 mol/L ; [butane] = 0{,}010 mol/L.

14. [I$_2$] = 0{,}431 mol/L ; [I] = 0{,}0412 mol/L

15. a) [COBr$_2$] = 0{,}107 mol/L ;
[CO] = [Br$_2$] = 0{,}143 mol/L

b) 57{,}1 %

16. 4×10^{-4} g

17. c)

18. $K_2 = \dfrac{1}{(K_1)^2}$

19. $K = 13{,}7$

20. a) Vers la gauche. **c)** Vers la gauche.

b) Vers la gauche. **d)** Vers la droite.

21. a) [butane] = 1{,}1 mol/L ; [isobutane] = 2{,}9 mol/L.

b) [butane] = 1{,}1 mol/L ; [isobutane] = 2{,}9 mol/L.

22. a) Une hausse de température favorise la réaction endothermique (réaction directe) puisqu'elle consomme une partie de l'énergie fournie.

b) L'ajout de NH$_4$HS, un solide, n'a aucun effet sur l'équilibre.

c) L'apport d'ammoniac, un produit, déplace le système vers la gauche de manière à consommer une partie du produit ajouté.

d) Le retrait d'un peu de H$_2$S déplace le système vers la droite de manière à compenser la perte. Ainsi, la pression de NH$_3$ augmente.

23. $K = 3{,}9 \times 10^{-4}$

24. $K_p = 1{,}0 \times 10^{17}$

25. [CCl$_4$] = 0{,}0273 mol/L

26. $K = 4$

27. $K = 54$

28. a) La couleur bleue s'intensifie.

   b) Oui, puisque le nouvel équilibre est davantage déplacé vers la droite.

29. Non, le mélange n'est pas en équilibre, car $Q < K$. Le système se déplace vers la droite, formant ainsi plus d'isobutane.

   [butane] = 0,86 mol/L; [isobutane] = 2,14 mol/L.

30. a) Non, car $Q \neq K$.

   b) Vers la droite.

   c) [N_2] = [O_2] = 0,25 mol/L; [NO] = 0,0102 mol/L

31. b) 3,61 g. On obtient 3,75 g de SO_3 lorsqu'on suppose que la réaction est complète ($K \gg 1$). Comme elle ne l'est pas, la seule réponse raisonnable est 3,61 g.

32. a) Aucun.

   b) Un déplacement vers la gauche.

   c) Aucun.

   d) Un déplacement vers la droite.

   e) Un déplacement vers la droite.

33. a) La réaction évolue vers la gauche.

   b) [$COBr_2$] = 0,211 mol/L; [CO] = 1,04 mol/L; [Br_2] = 0,039 mol/L

   c) L'ajout de CO a diminué le degré de dissociation de $COBr_2$ de 57,1 % à 16 %.

34. La réaction est endothermique.

35. L'équilibre se déplace vers la gauche lors de l'ajout de Cl_2. À l'équilibre: [PCl_5] = 0,0199 mol/L; [PCl_3] = 0,0232 mol/L; [Cl_2] = 0,0404 mol/L.

36. 1,3 kg

37. 66 kPa

38. $K_p = 1,02 \times 10^5$

39. a) 84 %

   b) L'équilibre se déplace vers la gauche.

40. a) [NH_3] = 0,67 mol/L; [N_2] = 0,567 mol/L; [H_2] = 1,70 mol/L

   b) $1,76 \times 10^4$ kPa

41. $P_{NO_2} = 40,5$ kPa et $P_{N_2O_4} = 111,5$ kPa

42. a) [NH_3] = [H_2S] = 0,013 mol/L

   b) [H_2S] = $3,0 \times 10^{-3}$ mol/L; [NH_3] = 0,063 mol/L

43. Oui, c'est un état d'équilibre dynamique. Initialement, la vitesse d'évaporation est plus grande que celle de condensation. À l'équilibre, les deux vitesses sont égales.

44. a) $K_p = 1,00 \times 10^6$

   b) 0,089 mol de $La_2(C_2O_4)_3$.

45. a) Dans le récipient qui contient $(NH_3)B(CH_3)_3$ (K_p est le plus élevé).

   b) i) $P_{B(CH_3)_3} = P_{NH_3} = 213$ kPa et $P_{(NH_3)B(CH_3)_3} = 97$ kPa.

      ii) 523 kPa   **iii)** 68,7 %

46. 18,5 g

47. $P_{CO} = 0,10$ kPa

48. $1,7 \times 10^{18}$ atomes d'oxygène.

49. $K_p = 0,98$

Chapitre 4

1. L'eau peut à la fois accepter un proton (base de Brønsted) et donner une paire d'électrons (base de Lewis). L'eau peut aussi donner un proton (acide de Brønsted), mais ne peut pas accepter une paire d'électrons (acide de Lewis).

2. Une substance amphotère peut agir comme un acide ou comme une base. Beaucoup d'hydroxydes métalliques sont amphotères. Ils peuvent réagir à la fois comme un acide de Lewis en acceptant une paire d'électrons du groupement —OH^-, ou encore comme une base de Brønsted en réagissant avec un acide de Brønsted.

3. Mesurer le pH des solutions de concentration 0,1 M des trois bases. La solution contenant la base la plus forte aura le pH le plus élevé.

4. a) Augmentation de l'acidité. Effet inductif.

   b) CCl_3COOH aura le pH le plus bas, tandis que CH_3COOH aura le pH le plus élevé.

5. H_2SeO_4 devrait être l'acide le plus fort. Possède plus d'atomes d'oxygène. Mesurer le pH de deux solutions de H_2SeO_3 et de H_2SeO_4 de même concentration.

6. a) $HClO_4 + H_2SO_4 \longrightarrow ClO_4^- + H_3SO_4^+$

   b) L'acide sulfurique possède des paires d'électrons sur chaque atome d'oxygène lui permettant ainsi d'agir comme un donneur d'électrons ou un accepteur de protons.

7. a) ion cyanure (CN^-).

   b) ion sulfate (SO_4^{2-}).

   c) ion fluorure (F^-).

   d) ion ammonium (NH_2^-).

   e) ion carbonate (CO_3^{2-}).

8. a) $HNO_3 \quad + \quad H_2O \quad \longrightarrow \quad H_3O^+ \quad + \quad NO_3^-$

      Acide A   Base B   Ac. conj. de B   B. conj. de A

   b) $HSO_4^- \quad + \quad H_2O \quad \rightleftharpoons \quad H_3O^+ \quad + \quad SO_4^{2-}$

      Acide A   Base B   Ac. conj. de B   B. conj. de A

c) H_3O^+ + F^- $\rightleftharpoons$ HF   + H_2O

    Acide A   Base B   Ac. conj. de B   B. conj. de A

d) HCO_3^- + OH^- $\longrightarrow$ CO_3^{2-} + H_2O

    Acide A   Base B   B. conj. de A   Ac. conj. de B

9. a) Acide de Brønsted

$HC_2O_4^-$ (aq) + H_2O (l) $\rightleftharpoons$ $C_2O_4^{2-}$ (aq) + H_3O^+ (aq)

Base de Brønsted

$HC_2O_4^-$ (aq) + H_2O (l) $\rightleftharpoons$ $H_2C_2O_4$ (aq) + OH^- (aq)

b) Acide de Brønsted

HPO_4^{2-} (aq) + H_2O (l) $\rightleftharpoons$ PO_4^{3-} (aq) + H_3O^+ (aq)

Base de Brønsted

HPO_4^{2-} (aq) + H_2O (l) $\rightleftharpoons$ $H_2PO_4^-$ (aq) + OH^- (aq)

10.

	Acide de Brønsted	Base de Brønsted	Base conjuguée	Acide conjugué
a)	HCOOH	H_2O	$HCOO^-$	H_3O^+
b)	H_2S	NH_3	HS^-	NH_4^+
c)	HSO_4^-	OH^-	SO_4^{2-}	H_2O

11. La solution est acide. $[H_3O^+] = 1,78 \times 10^{-4}$ mol/L

12. La solution est basique. $[H_3O^+] = 3,02 \times 10^{-11}$ mol/L, $[OH^-] = 3,3 \times 10^{-4}$ mol/L,

13. $[OH^-] = 1,2 \times 10^{-4}$ mol/L; pH = 10,08

14. $[OH^-] = 4,57 \times 10^{-4}$ mol/L; $4,9 \times 10^{-3}$ g

15. a) L'acide le plus fort est HCOOH, le plus faible est C_6H_5OH.

b) HCOOH   **c)** C_6H_5OH

16. c) HOCl est le plus faible des acides, donc sa base conjuguée est la plus forte.

17. NH_4^+ (aq) + H_2O (l) $\rightleftharpoons$ H_3O^+ (aq) + NH_3 (aq)

18. Na_2S aura le pH le plus élevé, car S^{2-} (aq) est la base la plus forte.

$AlCl_3$ aura le pH le plus bas, car Al^{3+} (aq) est l'acide le plus fort.

19. $pK_a = 4,19$

20. $K_a = 3,0 \times 10^{-10}$

21. b)

22. $K_b = 7,4 \times 10^{-12}$

23. $K_a = 6,7 \times 10^{-6}$

24. $K_b = 8,9 \times 10^{-11}$

25. a) OH^- (aq) + HPO_4^{2-} (aq) $\rightleftharpoons$ H_2O (l) + PO_4^{3-} (aq)

La solution résultante est basique.

b) H_3O^+ (aq) + OCl^- (aq) $\rightleftharpoons$ H_2O (l) + HOCl (aq)

La solution résultante est acide.

c) CH_3COOH (aq) + HPO_4^{2-} (aq) $\rightleftharpoons$ CH_3COO^- (aq) + $H_2PO_4^{2-}$ (aq)

La solution est légèrement acide.

d) NH_3 (aq) + $H_2PO_4^-$ (aq) $\rightleftharpoons$ NH_4^+ (aq) + HPO_4^{2-} (aq)

La solution est légèrement basique.

26. a) $[H_3O^+] = 0,0021$ mol/L

b) $K_a = 3,6 \times 10^{-4}$

27. $K_b = 6,6 \times 10^{-9}$

28. a) $[H_3O^+] = 1,58 \times 10^{-4}$ mol/L.

b) C'est un acide faible.

29. $[CH_3COO^-] = [H_3O^+] = 1,9 \times 10^{-3}$ mol/L; $[CH_3COOH] \approx 0,20$ mol/L.

30. $[H_3O^+] = 1,5 \times 10^{-6}$ mol/L   pH = -log $[H_3O^+] = 5,83$

31. $[OH^-] = 1,02 \times 10^{-2}$ mol/L
pOH = -log $[OH^-] = 1,99$ pH = 14 − pOH = 12,01

32. pH = -log $[H_3O^+] = 3,25$

33. $[F^-] = [H_3O^+] = 0,0050$ mol/L   [HF] = 0,035 mol/L
$[HF]_{\text{initiale}} = 0,04$ mol/L

34. pH = -log $[H_3O^+] = 4,98$

35. [HCN] = $[OH^-] = 0,0033$ mol/L $[H_3O^+] = 3,0 \times 10^{-12}$
$[CN^-] = [Na^+] = 0,441$ mol/L

36. $[H_3O^+] = 1,1 \times 10^{-5}$ mol/L   pH = -log $[H_3O^+] = 4,98$

37. $[H_3O^+] = 1,4 \times 10^{-3}$ mol/L   pH = -log $[H_3O^+] = 2,86$

38. a) $[N_2H_5^+] = [OH^-] = 9,2 \times 10^{-5}$ mol/L
$[N_2H_6^{2+}] = K_{b2} = 8,9 \times 10^{-16}$

b) pH = 9,96

39. a) BCl_3 est un acide de Lewis.

b) NH_2NH_2 est une base de Lewis.

c) Ag^+ est un acide de Lewis.
NH_3 est une base de Lewis.

40. BH_3 est un acide de Lewis.

41. HOCN devrait être l'acide le plus fort, car l'atome d'hydrogène est lié à un atome d'oxygène très électronégatif.

42. L'atome de soufre est entouré par trois atomes d'oxygène électronégatifs. L'effet inductif de ces atomes induit une charge positive sur l'atome d'hydrogène le rendant plus facile à arracher.

43. a) L'ion NH_4^+ forme une solution légèrement acide. Les ions CO_3^{2-} et S^{2-} forment une solution basique.

b) Br^- et ClO_4^- n'ont aucun effet sur le pH.

c) S^{2-} est la base la plus forte.

44. L'acide benzoïque est l'acide le plus faible, donc sa solution aura le pH le plus élevé.

45. a) L'équilibre se déplace vers la gauche.

b) L'équilibre se déplace vers la droite.

c) L'équilibre se déplace vers la gauche.

46. [HCl] = 0,007 mol/L

47. pH = 12,13

48. $pK_a = -log (K_a) = 4,86$

49. $[H_3O^+] = 0,0014$ mol/L   pH = -log $[H_3O^+] = 2,85$

50. $[H_3O^+] = 2{,}72 \times 10^{-3}$ mol/L
pH = -log $[H_3O^+]$ = 2,57

51. $[H_3O^+] = 4{,}1 \times 10^{-4}$ mol/L
pH = -log $[H_3O^+]$ = 3,39

52. a) pH < 7   **d)** pH > 7   **g)** pH > 7
b) pH < 7   **e)** pH > 7   **h)** pH = 7
c) pH = 7   **f)** pH = 7   **i)** pH < 7

53. $HCl < NH_4Cl < NaCl < CH_3COONa < KOH$

54. pH = 10,07

55. Pour doubler le degré de dissociation, il faut diluer la solution de 100 mL à 400 mL.

56. a) BF_3 est un acide de Lewis et $(CH_3)_2O$, une base de Lewis.

    b) $P_{BF_3} = P_{(CH_3)_2O} = 3{,}24$ kPa
$P_{(CH_3)_2OBF_3} = 0{,}61$ kPa
$P_{tot} = 7{,}09$ kPa

Chapitre 5

1. a) pH < 7   **b)** pH = 7   **c)** pH > 7

2. a) Les ions H_3O^+ de l'acide fort sont tous consommés par la base présente dans le tampon.

NH_3 (aq) + H_3O^+ (aq) $\longrightarrow$ NH_4^+ (aq) + H_2O (l)

    b) Les ions OH^- de la base forte sont consommés par l'acide présent dans le tampon.

CH_3COOH (aq) + OH^- (aq) $\longrightarrow$ CH_3COO^-(aq) + H_2O (l)

3. Non, pas exactement. Une goutte en excès de la solution étalon fait virer l'indicateur.

4. L'expression du quotient réactionnel et celle de la constante d'équilibre sont identiques. Toutefois, les concentrations dans l'expression de Q peuvent être ou non à l'équilibre. Lorsqu'elles ne le sont pas, la comparaison des valeurs de Q et de K permet de prévoir dans quel sens la réaction évolue pour que le système soit en équilibre.

5. L'ajout d'un ion commun, par exemple OH^- (base forte), à une solution saturée de $Fe(OH)_2$ diminue sa solubilité puisque l'équilibre se déplace vers la gauche selon le principe de Le Chatelier.

$Fe(OH)_2$ (s) $\rightleftharpoons$ Fe^{2+} (aq) + 2 OH^- (aq)

6. La faible dissolution de Ag_3PO_4 produit des ions PO_4^{3-}. Cet ion, une base relativement forte, s'hydrolyse facilement en HPO_4^{2-} diminuant ainsi la concentration des ions PO_4^{3-} en solution. Pour tenter de rétablir l'équilibre, une quantité supplémentaire de phosphate d'argent se dissout.

Ag_3PO_4 (s) $\rightleftharpoons$ 3 Ag^+ (aq) + PO_4^{3-} (aq)

7. a) Le pH diminue.
    b) Le pH augmente.

c) Le pH demeure constant.
d) Le pH diminue légèrement.

8. pH = 9,25

9. a) pH = 4,85   **b)** pH = 9,7

10. pH = 9,11; le pH du tampon est inférieur au pH de la solution initiale d'ammoniac.

11. 4,7 g

12. 4,8 g

13. pH = 9,21

14. a) pH = 3,59   **b)** $\dfrac{[HCO_2^-]}{[HCO_2H]} = 2{,}2$

15. a) pH = 7,81   **b)** 2,9 g

16. b) NH_3 et NH_4Cl.

17. a) $\dfrac{[PO_4^{3-}]}{[HPO_4^{2-}]} = 0{,}36$;
HPO_4^{2-} est l'espèce prépondérante.

    b) 26 g

    c) 10 g de la base Na_3PO_4.

18. a) pH = 4,95   **b)** pH = 5,05

19. pH = 7,21 avant l'ajout de NaOH;
pH = 7,24 après l'ajout de NaOH.

20. La variation de pH est de 0,12 (de 9,34 à 9,22).

21. a) pH = 5,62

    b) $[Na^+] = 0{,}032$ mol/L;
$[H_3O^+] = 6{,}5 \times 10^{-12}$ mol/L;
$[OH^-] = 1{,}5 \times 10^{-3}$ mol/L;
$[C_6H_5O^-] = 0{,}031$ mol/L.

    c) pH = 11,19

22. a) $[NH_3] = 0{,}0154$ mol/L

    b) $[H_3O^+] = 1{,}9 \times 10^{-6}$ mol/L;
$[OH^-] = 5{,}3 \times 10^{-9}$ mol/L;
$[NH_4^+] = 6{,}25 \times 10^{-3}$ mol/L.

    c) pH = 5,73

23. a)

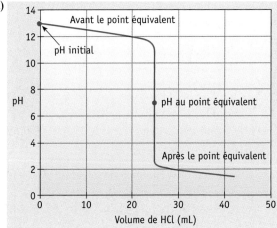

Volume total de solution = 50,0 mL

b)

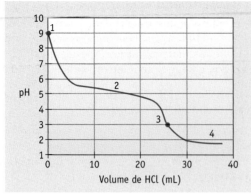

Volume de HCl (mL)

Points de repère

1. pH initial : solution aqueuse d'une base faible.
2. Avant le point équivalent : solution tampon.
3. Au point équivalent : solution aqueuse d'un sel de base faible et d'acide fort.
4. Après le point équivalent : acide fort, HCl, en excès.

Volume total de solution = 75,0 mL

24. a) $HCN\ (aq) + OH^-\ (aq) \longrightarrow CN^-\ (aq) + H_2O\ (l)$

b) pH = 5,35

c) pH = 9,40

d) pH = 10,7

e) $v_{b,é}$ = 17 mL

f) pH = 10,94

g) Jaune d'alizarine GG.

h) pH = 11,17

25. a) Bleu de thymol ou bleu de bromophénol.

b) Phénolphtaléine.

c) Vert de bromocrésol.

26. a) $AgCN\ (s) \rightleftharpoons Ag^+\ (aq) + CN^-\ (aq)$
$$K_{ps} = [Ag^+][CN^-]$$

b) $NiCO_3\ (s) \rightleftharpoons Ni^{2+}\ (aq) + CO_3^{2-}\ (aq)$
$$K_{ps} = [Ni^{2+}][CO_3^{2-}]$$

c) $AuBr_3\ (s) \rightleftharpoons Au^{3+}\ (aq) + 3\ Br^-\ (aq)$
$$K_{ps} = [Au^{3+}][Br^-]^3$$

d) $Ag_3PO_4\ (s) \rightleftharpoons 3\ Ag^+\ (aq) + PO_4^{3-}\ (aq)$
$$K_{ps} = [Ag^+]^3[PO_4^{3-}]$$

27. $K_{ps} = 3,6 \times 10^{-3}$

28. $K_{ps} = 4,37 \times 10^{-9}$

29. $K_{ps} = 1,11 \times 10^{-5}$

30. $K_{ps} = 1,4 \times 10^{-15}$

31. 0,012 mol/L et 4,3 g/L.

32. Seulement $2,0 \times 10^{-4}$ g se dissolvent.

33. a) $PbCl_2$

b) FeS

c) $Fe(OH)_2$

d) PbI_2 (Attention ! La solubilité doit être calculée.)

34. a) $7,3 \times 10^{-7}$ mol/L   **b)** $8,3 \times 10^{-11}$ mol/L

35. a) $2,2 \times 10^{-6}$ mg/mL   **b)** $1,0 \times 10^{-12}$ mg/mL

36. a) 0,62 mg/mL   **b)** $4,3 \times 10^{-3}$ mg/mL

37. a) PbS

b) Ag_2CO_3

c) $Al(OH)_3$

38. a) Ag_2CO_3

b) $PbCO_3$

c) AgCN

39. a) $Q < K_{ps}$, donc pas de précipité.

b) $Q > K_{ps}$; $NiCO_3$ précipite.

40. $Q > K_{ps}$; $Zn(OH)_2$ précipite.

41. $[OH^-]$ doit être supérieur à $1,0 \times 10^{-5}$ mol/L.

42. $Q > K_{ps}$; $Mg(OH)_2$ précipite.

43. $AgI\ (s) \rightleftharpoons Ag^+\ (aq) + I^-\ (aq)$

$\dfrac{Ag^+\ (aq) + 2\ CN^-\ (aq) \rightleftharpoons [Ag(CN)_2]^-\ (aq)}{AgI\ (s) + 2\ CN^-\ (aq) \rightleftharpoons [Ag(CN)_2]^-\ (aq) + I^-\ (aq)}$
$K = K_{ps}K_{form} = 480$

44. $AuCl\ (s) \rightleftharpoons Au^+\ (aq) + Cl^-\ (aq)$
$\dfrac{Au^+\ (aq) + 2\ CN^-\ (aq) \rightleftharpoons [Au(CN)_2]^-\ (aq)}{AuCl\ (s) + 2\ CN^-\ (aq) \rightleftharpoons [Au(CN)_2]^-\ (aq) + Cl^-\ (aq)}$
$K = 4,0 \times 10^{25}$

Les ions Au^+ en solution se combinent avec les ions CN^- pour former l'ion complexe soluble $[Au(CN)_2]^-$. Cela diminue la concentration des ions Au^+ et déplace le premier équilibre vers la droite, soit la solubilisation de AuCl.

45. a) L'ajout de H_2SO_4 fait précipiter $BaSO_4$ et laisse les ions Na^+ en solution.

b) L'ajout de HCl ou de toute autre source d'ions chlorure fait précipiter $PbCl_2$; $NiCl_2$ est soluble dans l'eau.

c) L'ajout de HCl fait précipiter Ag^+ sous forme de AgCl et laisse les ions Cu^{2+} en solution.

d) Ajouter $(NH_4)_2S$ pour faire précipiter seulement Fe^{3+} sous forme de Fe_2S_3.

46. $[H_3O^+] = 1,1 \times 10^{-5}$ mol/L ; pH = 4,98

47. a) pH = 8,72   **c)** pH = 7,00

b) pH = 9,29   **d)** pH = 7,00

48. $1,6 \times 10^{-4}$ mol/L

49. pH = 8,02. La dilution n'affecte pas le pH d'une solution tampon.

50. a) $HOCH_2CH_2NH_2\ (aq) + H_3O^+\ (aq) \longrightarrow$
$HOCH_2CH_2NH_3^+\ (aq) + H_2O\ (l)$

b) pH = 10,75

c) pH = 5,91

d) pH = 9,51

e) Le rouge de méthyle.

f) pH = 10,13 ; pH = 9,72 ; pH = 9,00 ; pH = 3,20.

g)

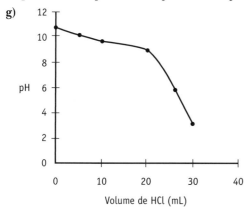

Volume de HCl (mL)

51. Non, 3,5 mg de $SrCO_3$ se dissolvent.

52. 110 mL de NaOH.

53. 2,1 g de Na_3PO_4.

54. 64 mL de NaOH.

55. a) Le pH augmente (équilibre déplacé vers la gauche).

b) Aucun effet sur le pH.

Ces effets sont différents parce qu'au point **a)**, l'ion acétate est une base faible (base conjuguée d'un acide faible) alors qu'au point **b)**, NO_3^- agit en ion passif parce qu'il est la base conjuguée de l'acide fort HNO_3.

56. a) pH = 4,13

b) Il faut ajouter 0,5 g d'acide benzoïque.

c) 8,2 mL de HCl de concentration 2,0 mol/L

57. 0,40 L

58. $K = 4 \times 10^{-6}$, donc l'équilibre favorise la réaction vers la gauche. L'ajout d'ions CN^- déplace l'équilibre vers la droite, mais la transformation de l'hydroxyde de zinc en cyanure de zinc se produira peu en raison de la faible valeur de K.

59. a) $PbCO_3$

b) $[CO_3^{2-}] = 7,6 \times 10^{-8}$ mol/L

Chapitre 6

1. Premier principe : l'énergie totale de l'univers (ou d'un système fermé) est constante.
Deuxième principe : dans tout processus spontané, l'entropie de l'univers s'accroît.
Troisième principe : l'entropie des solides cristallins à 0 K est nulle.

2. Un changement est dit spontané quand il se produit de lui-même sans aucune intervention extérieure. La spontanéité ne renseigne en aucune façon sur la vitesse de ce changement, elle signifie seulement qu'il se produit naturellement et sans aide. De plus, une réaction spontanée conduit invariablement à un état d'équilibre. Par contre, un changement non spontané est l'inverse.
Réaction chimique spontanée : un acide fort réagit avec une base forte pour former de l'eau et un sel.
Réaction chimique non spontanée : l'eau réagit avec un sel pour former HCl et NaOH.
Processus physique spontané : à la température ambiante, la glace fond et devient liquide.
Processus physique non spontané : à la température ambiante, l'eau liquide forme de la glace.

3. Système : ensemble de substances susceptibles ou non de réagir entre elles ; il représente l'objet à l'étude.
Milieu extérieur : tout ce qui est en dehors du système.
Univers : représente le système et son milieu extérieur.
Condition standard : pression de 1 bar ($T > 0$ K) et, pour les solutions, concentration de 1 m ($T > 0$ K).
Fonction d'état : fonction ne dépendant que de l'état initial et de l'état final du système considéré, indépendante de la façon dont le changement se produit.

4. a) Favorise les réactifs (le mercure est liquide dans les conditions standards).

b) Favorise les produits (la vapeur d'eau se condense à 25 °C).

c) Favorise les réactifs (un apport continuel d'énergie est requis).

d) Favorise les produits (ce sel se dissout dans l'eau).

e) Favorise les réactifs (le carbonate de calcium est insoluble).

5. a) Vrai.

b) Faux. Une réaction exothermique peut favoriser les produits ou les réactifs ; elle dépend aussi de la variation d'entropie du système.

c) Faux. Les réactions pour lesquelles ΔH^0 et ΔS^0 sont positifs sont spontanées à des températures élevées.

d) Vrai.

6. L'entropie des solides cristallins est nulle à 0 K.
Une substance ne peut avoir une entropie égale à 0 $J \cdot K^{-1} \cdot mol^{-1}$ dans les conditions standards.
Toutes les substances ont une entropie positive au-dessus de 0 K.
Selon le troisième principe de la thermodynamique, des valeurs d'entropie négatives ne peuvent exister, à l'exception des solutions aqueuses où la dissolution s'accompagne d'une solvatation. Lorsque des molécules d'eau se lient à des ions, elles sont forcées de subir un arrangement plus ordonné que celui existant dans l'eau pure.

7. a) $2\ C_2H_6\ (g) + 7\ O_2\ (g) \longrightarrow 4\ CO_2\ (g) + 6\ H_2O\ (g)$

b) $\Delta S^0_{sys} > 0$, car la réaction fait passer le nombre de moles de gaz de 9 à 10.

5
6

$\Delta S_{\text{ext}}^0 > 0$, car la combustion est un processus exothermique.

$\Delta S_{\text{univ}}^0 > 0$, car $\Delta S_{\text{univ}}^0 = \Delta S_{\text{sys}}^0 + \Delta S_{\text{ext}}^0$.

$\Delta H^0 < 0$, car c'est un processus exothermique.

$\Delta G^0 < 0$, car $\Delta G^0 = \Delta H^0 - T\Delta S^0$.

c) La valeur de K_p est très élevée parce que $\Delta G^0 < 0$. Si l'on élevait la température de cette réaction exothermique, l'équilibre se déplacerait vers la gauche, ce qui diminuerait la valeur de K_p.

8. a) CO_2 (g) à 0 °C.

b) L'eau liquide à 50 °C.

c) Le rubis.

d) Une mole de N_2 (g) sous une pression de 1 bar.

9. a) CH_3OH (g)　　　　**d)** HNO_3 (g)

b) HBr (g)　　　　**e)** H_2SO_4 (aq)

c) NH_4Cl (aq)

10. a) $\Delta S^0 = 12{,}7$ J·K^{-1}. La solution est plus désordonnée que le solide.

b) $\Delta S^0 = -102{,}56$ J·K^{-1}. Le système passe de l'état gazeux très désordonné à l'état solide très ordonné.

c) $\Delta S^0 = 93{,}2$ J·K^{-1}. La vapeur est plus désordonnée que le liquide.

d) $\Delta S^0 = -129{,}7$ J·K^{-1}. La solution est plus ordonnée (les H^+ forment des ions H_3O^+ qui forment des liaisons hydrogène avec l'eau) que HCl à l'état gazeux.

11. $\Delta S^0 = -174{,}1$ J·K^{-1}

12. a) $\Delta S^0 = -507{,}3$ J·K^{-1}. On pouvait prévoir un résultat négatif, puisque 5 mol de réactifs (dont 3 à l'état gazeux) disparaissent pour ne former que 2 mol de produits.

b) $\Delta S^0 = 313{,}25$ J·K^{-1}. On pouvait prévoir un résultat positif, puisque la réaction fait passer 2 mol de liquide et 3 mol de gaz à 6 mol de gaz.

13. $\Delta S_{\text{sys}}^0 = -134{,}12$ J·K^{-1}; $\Delta S_{\text{ext}}^0 = 2224{,}0$ J·K^{-1}; $\Delta S_{\text{univ}}^0 = 2089{,}9$ J·K^{-1}. La réaction est spontanée.

14. $\Delta H_{\text{sys}}^0 = 285{,}83$ kJ; $\Delta S_{\text{sys}}^0 = 163{,}3$ J·K^{-1}; $\Delta S_{\text{ext}}^0 = -959{,}16$ J·K^{-1}; $\Delta S_{\text{univ}}^0 = -795{,}9$ J·K^{-1}. Cette réaction n'est pas spontanée, car $\Delta S_{\text{univ}}^0 < 0$. La réaction est défavorisée par la dispersion de la matière.

15. a) Type 3: la réaction est favorisée par la dispersion de la matière, non par celle de l'énergie. Elle est favorisée par des températures plus élevées.

b) Type 2: la réaction est favorisée par la dispersion de l'énergie, non par celle de la matière. Elle est favorisée par des températures plus basses.

c) Type 4: la réaction est défavorisée à la fois par la dispersion de la matière et par celle de l'énergie. Elle est non spontanée dans n'importe quelles conditions.

16. a) $\Delta H_{\text{sys}}^0 = 116{,}94$ kJ; $\Delta S_{\text{sys}}^0 = 174{,}74$ J·K^{-1}.

b) La réaction n'est pas spontanée à 298 K, car $\Delta S_{\text{univ}}^0 = -217{,}68$ J·K^{-1}.

c) Lorsque la température augmente, le terme ΔS_{ext}^0 devient moins important. Ainsi, ΔS_{univ}^0 peut devenir positif à une température suffisamment élevée.

17. a) $\Delta H^0 = -438$ kJ; $\Delta S^0 = -201{,}7$ J·K^{-1}; $\Delta G^0 = -378$ kJ. La réaction favorise les produits, et le facteur enthalpique constitue la force motrice de la réaction.

b) $\Delta H^0 = -86{,}61$ kJ; $\Delta S^0 = -79{,}4$ J·K^{-1}; $\Delta G^0 = -62{,}9$ kJ. La réaction favorise les produits, et le facteur enthalpique constitue la force motrice de la réaction.

c) $\Delta H^0 = 49{,}03$ kJ; $\Delta S^0 = -252{,}4$ J·K^{-1}; $\Delta G^0 = 124{,}3$ kJ. La réaction ne favorise pas les produits.

18. a) $\Delta H^0 = 116{,}7$ kJ; $\Delta S^0 = 168{,}0$ J·K^{-1}; $\Delta G_f^0 = 66{,}6$ kJ. Valeur dans l'annexe: 66,61 kJ.

b) $\Delta H^0 = -425{,}93$ kJ; $\Delta S^0 = -154{,}6$ J·K^{-1}; $\Delta G_f^0 = -379{,}9$ kJ. Valeur dans l'annexe: -379,75 kJ.

c) $\Delta H^0 = 17{,}51$ kJ; $\Delta S^0 = 77{,}95$ J·K^{-1}; $\Delta G_f^0 = -5{,}72$ kJ. Valeur dans l'annexe: -5,73 kJ.

19. a) $\Delta G^0 = -817{,}54$ kJ. Réaction spontanée.

b) $\Delta G^0 = 256{,}6$ kJ. Réaction non spontanée.

c) $\Delta G^0 = -249{,}5$ kJ. Réaction spontanée.

d) $\Delta G^0 = -1101{,}14$ kJ. Réaction spontanée.

20. a) $\Delta G_f^0(BaCO_3$ (s)$) = -1134{,}4$ kJ·mol^{-1}

b) $\Delta G_f^0(TiCl_2$ (s)$) = -464{,}4$ kJ·mol^{-1}

21. a) $\Delta H^0 = 66{,}2$ kJ; $\Delta S^0 = -121{,}62$ J·K^{-1}; $\Delta G^0 = 102{,}4$ kJ. La réaction n'est pas spontanée; la réaction inverse est favorisée par les facteurs enthalpique et entropique. Donc la réaction ne peut devenir spontanée lors d'une hausse de température. (Réaction de type 4)

b) $\Delta H^0 = -221{,}050$ kJ; $\Delta S^0 = 179{,}1$ J·K^{-1}; $\Delta G^0 = -274{,}42$ kJ. La réaction est favorisée par les facteurs enthalpique et entropique, et est donc spontanée à toutes les températures. (Réaction de type 1)

c) $\Delta H^0 = -179{,}00$ kJ; $\Delta S^0 = -160{,}2$ J·K^{-1}; $\Delta G^0 = -131{,}26$ kJ. La réaction est spontanée et seul le facteur enthalpique favorise la réaction directe. Ainsi, au fur et à mesure que la température s'élève, la réaction devient moins spontanée. (Réaction de type 2)

d) $\Delta H^0 = 822{,}4$ kJ; $\Delta S^0 = 181{,}28$ J·K^{-1}; $\Delta G^0 = 768{,}22$ kJ. La réaction n'est pas spontanée et seul le facteur entropique favorise la réaction directe. Ainsi, au fur et à mesure que la température s'élève, la réaction peut devenir spontanée. (Réaction de type 3)

22. a) 2088 K　　　　**b)** 2141 K

23. $K_p = 6{,}7 \times 10^{-16}$. La très petite valeur de K_p et le signe positif de ΔG^0 indiquent que la réaction inverse est favorisée.

24. $\Delta G^0 = -100{,}24$ kJ et $K_p = 3{,}7 \times 10^{17}$. La réaction favorise les produits, car la valeur de K_p est élevée et ΔG^0 possède un signe négatif.

25. $\Delta G^0 = $ -2,27 kJ·mol^{-1}

26. Réaction 1: $\Delta S_1^0 = $ -80,74 J·K^{-1}.
Réaction 2: $\Delta S_2^0 = $ -161,61 J·K^{-1}.
Réaction 3: $\Delta S_3^0 = $ -242,35 J·K^{-1}.
Oui, $\Delta S_1^0 + \Delta S_2^0 = \Delta S_3^0$. Ainsi, l'entropie est une fonction d'état.

27. $\Delta H_{\text{sys}}^0 = $ -352,88 kJ; $\Delta S_{\text{sys}}^0 = $ 21,31 J·K^{-1};
$\Delta S_{\text{univ}}^0 = $ 1205 J·K^{-1}.
La réaction est spontanée, car $\Delta S_{\text{univ}}^0 > 0$.

28. 2 Fe (s) + $\frac{3}{2}$ O$_2$ (g) $\longrightarrow$ Fe$_2$O$_3$ (s)
$\Delta G_f^0 = $ -742,2 kJ; $\Delta G^0 = $ -2091 kJ

29. a) Prévisions: $\Delta S_{\text{sys}}^0 > 0$, car la réaction forme plus de moles de produits qu'il n'y a de moles de réactifs; $\Delta H^0 > 0$, car c'est une réaction endothermique (bris de liens), donc $\Delta S_{\text{ext}}^0 < 0$; comme la réaction n'est pas spontanée, $\Delta S_{\text{univ}}^0 < 0$ et $\Delta G^0 > 0$.
Données: $\Delta S_{\text{sys}}^0 = $ 216,53 J·K^{-1}; $\Delta H^0 = $ 181,66 kJ; $\Delta S_{\text{ext}}^0 = $ -609,6 J·K^{-1}; $\Delta S_{\text{univ}}^0 = $ -393,1 J·K^{-1}; $\Delta G^0 = $ 117 kJ.

b) $K_p = 3{,}1 \times 10^{-21}$, donc la réaction favorise les réactifs.

30. a) $\Delta H^0 = $ 1,8 kJ; $\Delta S_{\text{univ}}^0 = $ -9,2 J·K^{-1}; $\Delta G^0 = $ 2,8 kJ.

b) À une pression et à une température élevées.

31. a) $\Delta S_{\text{sys}}^0 = $ 43,4 J·K^{-1}; $\Delta H^0 = $ 3,85 kJ, donc $\Delta S_{\text{ext}}^0 = $ -12,9 J·K^{-1}; $\Delta S_{\text{univ}}^0 = $ 30,5 J·K^{-1}. La dissolution de NaCl étant un processus spontané, le signe de ΔS_{univ}^0 devrait être positif. Cette réaction est légèrement endothermique, donc la dispersion de la matière est la force motrice de la réaction ($\Delta S_{\text{sys}}^0 > 0$).

b) $\Delta S_{\text{sys}}^0 = $ -16,4 J·K^{-1}; $\Delta H^0 = $ -43,22 kJ, donc $\Delta S_{\text{ext}}^0 = $ 145,0 J·K^{-1}; $\Delta S_{\text{univ}}^0 = $ 128,6 J·K^{-1}. La dissolution de NaOH est un processus spontané, légèrement exothermique, donc la dispersion de l'énergie est la force motrice de la réaction ($\Delta S_{\text{ext}}^0 > 0$). (La diminution de l'entropie lors d'une dissolution est fréquemment observée pour les substances qui peuvent faire des liaisons hydrogène avec l'eau.)

32. a) $K_p = 1{,}3 \times 10^{29}$ à 25 °C ($\Delta G^0 = $ -166,14 kJ). La réaction favorise fortement les produits, car la valeur de K_p est élevée et ΔG^0 possède un signe négatif.

b) La réaction directe est déjà extrêmement favorisée à 25 °C. Toutefois, on n'élèverait pas la température parce que le signe de ΔS^0 est négatif (-242,3 J·K^{-1}).

33. a) $\Delta S^0 = $ 84,4 J·K^{-1}·mol^{-1} **b)** $\Delta S^0 = $ -84,4 J·K^{-1}·mol^{-1}

34. Pour C$_2$H$_5$OH (l) $\rightleftharpoons$ C$_2$H$_5$OH (g), $\Delta S^0 = $ 122,0 J·K^{-1} et $\Delta H^0 = $ 41,7 kJ. $T = \Delta H^0 / \Delta S^0 = $ 342 K ou 69 °C.

35. $\Delta S^0 = $ 137,2 J·K^{-1}. Pour rendre la réaction spontanée, on devrait augmenter la température de manière à ce que la valeur absolue de $T\Delta S^0$ soit plus grande que celle de ΔH^0 ($\Delta G^0 = \Delta H^0 - T\Delta S^0$).

36. a) $\Delta H^0 > 0$ **d)** ΔG^0 à 0,0 °C > 0
b) $\Delta S^0 > 0$ **e)** ΔG^0 à 25,0 °C < 0
c) ΔG^0 à 5,5 °C $= 0$

37. a) $\Delta H^0 > 0$; $\Delta S^0 > 0$; $\Delta G^0 > 0$
b) $\Delta H^0 < 0$; $\Delta S^0 > 0$; $\Delta G^0 < 0$
c) $\Delta H^0 < 0$; $\Delta S^0 > 0$; $\Delta G^0 < 0$

38. $\Delta H^0 = $ -81,0 kJ; $\Delta S^0 = $ 460 J·K^{-1}; $\Delta G^0 = $ -218,1 kJ. La réaction est spontanée.

39. ΔG^0, à 25 °C et à partir de $K_p = $ 4,87 kJ.
ΔG^0, à 25 °C et à partir des $\Delta G_f^0 = $ 4,73 kJ.

40. Comme l'iode se dissout facilement, le processus est favorable et ΔG^0 doit être inférieur à 0. Le ΔH^0 étant égal à 0, la dissolution est favorisée par la dispersion de la matière ($\Delta S^0 > 0$ dans $\Delta G^0 = \Delta H^0 - T\Delta S^0$).

41. 2 SO$_3$ (g) $\longrightarrow$ 2 SO$_2$ (g) + O$_2$ (g)
a) $\Delta G^0 = $ 141,82 kJ, donc la réaction favorise les réactifs.
b) $\Delta H^0 = $ 197,86 kJ et $\Delta S^0 = $ 187,95 J·K^{-1}. $T = \Delta H^0 / \Delta S^0 = $ 1052,7 K ou 779,6 °C.
c) À 1500 °C, $\Delta G^0 = $ -135,4 kJ et $K_p = 9{,}75 \times 10^3$.

42. À 25 °C, $\Delta G^0 = $ 22,64 kJ. La réaction inverse est donc favorisée, mais la réaction directe peut devenir spontanée à 196 °C (469 K).

43. a) ΔG^0, à 80 °C, = 0,14 kJ; ΔG^0, à 110 °C, = -0,12 kJ. Le soufre orthorhombique est plus stable à 80 °C, alors que le soufre monoclinique l'est plus à 110 °C.
b) $T = $ 370 K ou 96 °C. À cette température, la transition de phase a lieu.

44. a) $K_p = 4{,}59 \times 10^{-31}$. À 25 °C, la réaction favorise les réactifs.
b) À 700 °C, $\Delta G^0 = $ 156,36 kJ et $K_p = 4 \times 10^{-9}$. La réaction favorise toujours les réactifs, mais moins qu'à 25 °C.
c) $P_{\text{NO}} = 6 \times 10^{-5}$ bar; $P_{\text{O}_2} = P_{\text{N}_2} = $ 1,00 bar.

45. $\Delta G_f^0 = $ -10,9 kJ/mol

46. 4 Ag (s) + O$_2$ (g) $\longrightarrow$ 2 Ag$_2$O (s)
a) $\Delta H^0 = $ -62,2 kJ; $\Delta S^0 = $ -132,7 J·K^{-1}; $\Delta G^0 = $ -22,64 kJ.
b) $P_{\text{O}_2} = 1{,}1 \times 10^{-4}$ bar   **c)** $T = $ 469 K ou 196 °C.

47.

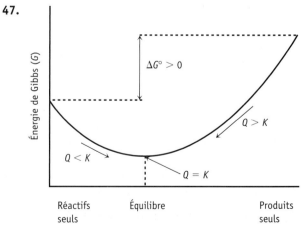

Chapitre 7

1. a) Zn, l'agent réducteur, est oxydé. HNO_3, l'agent oxydant, est réduit.

  b) Ce n'est pas une réaction d'oxydoréduction.

  c) Cu, l'agent réducteur, est oxydé. NO_3^-, l'agent oxydant, est réduit.

  d) HOCl, l'agent oxydant, est réduit. Cl^-, l'agent réducteur, est oxydé.

2. À l'anode, le plomb est oxydé en sulfate de plomb (II).

$$Pb\ (s) + HSO_4^-\ (aq) \longrightarrow PbSO_4\ (s) + H^+\ (aq) + 2\ e^-$$

À la cathode, l'oxyde de plomb (IV) est réduit en sulfate de plomb (II).

$$PbO_2\ (s) + 3\ H^+\ (aq) + HSO_4^-\ (aq) + 2\ e^- \longrightarrow$$
$$PbSO_4\ (s) + 2\ H_2O\ (l)$$

L'accumulateur peut être rechargé, car les réactifs et les produits sont solides et adhèrent aux électrodes.

3. Le potentiel standard du couple Zn^{2+}/Zn est déterminé à l'aide d'une électrode standard à hydrogène.

4. La concentration des réactifs et des produits ainsi que la température affectent la fém. d'une pile.

5. a) Les produits sont favorisés.

  d) Les produits sont favorisés.

6. L'appareil consiste en une anode et une cathode séparées par une membrane semi-perméable. Une source extérieure produit un courant. Les électrons circulent de la source vers la cathode, où l'eau est réduite en H_2 et OH^-. Les ions chlorure sont donc attirés vers l'anode où ils sont oxydés en Cl_2.

Anode $2\ Cl^-\ (aq) \longrightarrow Cl_2\ (g) + 2e^-$

Cathode $2\ H_2O\ (l) + 2\ e^- \longrightarrow H_2\ (g) + OH^-\ (aq)$

Le courant circule en sens inverse des électrons.

7. a) $Cr\ (s) \longrightarrow Cr^{3+}\ (aq) + 3\ e^-$ (oxydation)

  b) $AsH_3\ (g) \longrightarrow As\ (s) + 3\ H^+\ (aq) + 3\ e^-$ (oxydation)

  c) $VO_3^-\ (aq) + 6\ H^+\ (aq) + 3\ e^- \longrightarrow$
$$V^{2+}\ (aq) + 3\ H_2O\ (l)\ (\text{réduction})$$

  d) $2\ Ag\ (s) + 2\ OH^-\ (aq) \longrightarrow Ag_2O\ (s) + H_2O\ (l) + 2\ e^-$
$$(\text{oxydation})$$

8. a) $Ag\ (s) + NO_3^-\ (aq) + 2\ H^+\ (aq) \longrightarrow$
$$NO_2\ (g) + Ag^+\ (aq) + H_2O\ (l)$$

  b) $2\ MnO_4^-\ (aq) + H^+\ (aq) + 5\ HSO_3^-\ (aq) \longrightarrow$
$$2\ Mn^{2+}\ (aq) + 5\ SO_4^{2-}\ (aq) + 3\ H_2O\ (l)$$

  c) $4\ Zn\ (s) + 2\ NO_3^-\ (aq) + 10\ H^+\ (aq) \longrightarrow$
$$5\ H_2O\ (l) + 4\ Zn^{2+}\ (aq) + N_2O\ (g)$$

  d) $Cr\ (s) + NO_3^-\ (aq) + 4\ H^+\ (aq) \longrightarrow$
$$Cr^{3+}\ (aq) + NO\ (g) + 2\ H_2O\ (l)$$

9. a) $2\ Al\ (s) + 6\ H_2O\ (l) + 2\ OH^-\ (aq) \longrightarrow$
$$2\ Al(OH)_4^-\ (aq) + 3\ H_2\ (g)$$

  b) $2\ CrO_4^{2-}\ (aq) + 5\ H_2O\ (l) + 3\ SO_3^{2-}\ (aq) \longrightarrow$
$$2\ Cr(OH)_3\ (s) + 4\ OH^-\ (aq) + 3\ SO_4^{2-}\ (aq)$$

  c) $Zn\ (s) + 2\ OH^-\ (aq) + Cu(OH)_2\ (s) \longrightarrow$
$$Zn(OH)_4^{2-}\ (aq) + Cu\ (s)$$

  d) $3\ HS^-\ (aq) + ClO_3^-\ (aq) \longrightarrow$
$$3\ S\ (s) + Cl^-\ (aq) + 3\ OH^-\ (aq)$$

10. a) Oxydation: $Mg\ (s) \longrightarrow Mg^{2+}\ (aq) + 2\ e^-$

        Réduction: $2\ H^+\ (aq) + 2\ e^- \longrightarrow H_2\ (g)$

  b) L'oxydation se produit dans le compartiment Mg/Mg^{2+}, et la réduction dans le compartiment H_2/H^+.

  c) Les électrons du circuit vont de l'électrode de Mg vers l'électrode positive. Les anions circulent par le pont électrolytique, du compartiment H_2/H^+ vers le compartiment Mg/Mg^{2+}.

11. a) Oxydation: $Ag\ (s) \longrightarrow Ag^+\ (aq) + e^-$

        Réduction: $Cl_2\ (g) + 2\ e^- \longrightarrow 2\ Cl^-\ (aq)$

        Globale: $2\ Ag\ (s) + Cl_2\ (g) \longrightarrow 2\ Ag^+\ (aq) + 2\ Cl^-\ (aq)$

  b) L'oxydation à l'anode et la réduction à la cathode.

  c) Les électrons du circuit vont de l'électrode de Ag vers l'électrode positive. Les anions circulent par le pont électrolytique, du compartiment Cl_2/Cl^- vers le compartiment Ag/Ag^+.

12. a) $E^0\ (I_2/I^-) = 0{,}535\ V$, $E^0\ (Zn^{2+}/Zn) = -0{,}763\ V$: I_2 oxyde spontanément Zn, dans les conditions standards. La réaction n'est pas spontanée.

  b) $E^0\ (Ni^{2+}/Ni) = -0{,}25\ V$, $E^0\ (Zn^{2+}/Zn) = -0{,}763\ V$: Ni^{2+} oxyde spontanément Zn, dans les conditions standards. La réaction n'est pas spontanée.

  c) $E^0\ (Cl_2/Cl^-) = 1{,}36\ V$, $E^0\ (Cu^{2+}/Cu) = 0{,}337\ V$: Cl_2 oxyde spontanément Cu, dans les conditions standards. La réaction n'est pas spontanée.

  d) $E^0\ (NO_3^-/NO) = 0{,}96\ V$, $E^0\ (Cu^{2+}/Cu) = 0{,}337\ V$: NO_3^- oxyde spontanément Cu, dans les conditions standards. La réaction est spontanée.

13. a) $E^0_{(Ag^+/Ag)} = 0{,}80\ V$ $E^0_{(Sn^{2+}/Sn)} = -0{,}14\ V$

      Dans les conditions standards, Ag^+ oxyde Sn selon l'équation globale:

$$Sn\ (s) + 2\ Ag^+\ (aq) \longrightarrow Sn^{2+}\ (aq) + 2\ Ag\ (s)$$
$$V^0 = 0{,}80\ V - (-0{,}124\ V) = 0{,}924\ V$$

  b) $E^0_{(Sn^{4+}/Sn^{2+})} = 0{,}15\ V$ $E^0_{(Al^{3+}/Al)} = -1{,}66\ V$

      Dans les conditions standards, Sn^{4+} oxyde Al selon l'équation globale:

$$3\ Sn^{4+}\ (aq) + 2\ Al\ (s) \longrightarrow 3\ Sn^{2+}\ (aq) + 2\ Al^{3+}\ (aq)$$
$$V^0 = 0{,}15\ V - (-1{,}66\ V) = 1{,}81\ V$$

  c) $E^0_{(ClO_3^-)} = 1{,}45\ V$ $E^0_{(Ce^{4+}/Ce^{3+})} = 1{,}61\ V$

      Dans les conditions standards, Ce^{4+} oxyde Cl^- selon l'équation globale:

$$6\ Ce^{4+}\ (aq) + Cl^-\ (aq) + 3\ H_2O\ (l) \longrightarrow$$
$$6\ Ce^{3+}\ (aq) + ClO_3^-\ (aq) + 6\ H^+\ (aq)$$
$$V^0 = 1{,}61\ V - 1{,}45\ V = 0{,}16\ V$$

  d) $E^0_{(Cu^{2+}/Cu)} = 0{,}337\ V$ $E^0_{(NO_3^-/NO)} = 0{,}96\ V$

Dans les conditions standards, NO_3^- oxyde Cu selon l'équation globale :

$2 NO_3^-$ (aq) $+ 3$ Cu (s) $+ 8 H^+$ (aq) $\longrightarrow$
2 NO (g) $+ 3 Cu^{2+}$ (aq) $+ 4 H_2O$ (l)

$V^0 = 0,96$ V $- 0,337$ V $= 0,62$ V

14. a) Al (s)

b) Zn (s) et Al (s).

c) Fe^{2+} (aq) $+$ Sn (s) $\longrightarrow$ Fe (s) $+ Sn^{2+}$ (aq)
Réactifs favorisés.

d) Zn^{2+} (aq) $+$ Sn (s) $\longrightarrow$ Zn (s) $+ Sn^{2+}$ (aq)
Réactifs favorisés.

15. Zn

16. Ag^+ (aq)

17. Cu^{2+} (aq) et Ag^+ (aq).

18. a) F_2 **b)** Cl_2 et F_2.

19. a) I^- (aq) **b)** Br^- (aq) et I^- (aq).

20. $E = 0,34$ V

21. $E = 1,043$ V

22. $[Fe^{2+}] = 0,020$ mol/L

23. a) $\Delta G^0 = -45,5$ kJ $K = 9 \times 10^7$

b) $\Delta G^0 = 105,2$ kJ $K = 4 \times 10^{-19}$

24. $K_{form} = 2,7 \times 10^{25}$

25. $K_{ps} = 4,5 \times 10^{-13}$

26.

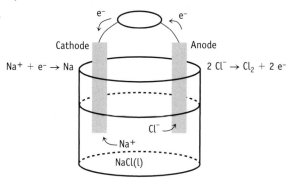

27. F^- est plus difficile à oxyder que l'eau, donc O_2 se formera à l'anode.

28. Ca^{2+} est plus difficile à réduire que l'eau, donc H_2 se formera à la cathode.

29. a) $2 H_2O$ (l) $+ 2 e^- \longrightarrow H_2$ (g) $+ 2 OH^-$ (aq)

b) $2 Br^-$ (aq) $\longrightarrow Br_2$ (l) $+ 2 e^-$

30. Masse de Ni $= 0,0334$ g

31. Temps $= 2300$ s ou 38 minutes.

32. Temps $= 3500$ s ou 58 minutes.

33. a) UO_2^+ (aq) $+ 4 H^+$ (aq) $+ e^- \longrightarrow U^{4+}$ (aq) $+ 2 H_2O$ (l)

b) ClO_3^- (aq) $+ 6 H^+$ (aq) $+ 6 e^- \longrightarrow Cl^-$ (aq) $+ 3 H_2O$ (l)

c) N_2H_4 (aq) $+ 4 OH^-$ (aq) $\longrightarrow N_2$ (g) $+ 4 H_2O$ (l) $+ 4 e^-$

d) OCl^- (aq) $+ H_2O$ (l) $+ 2 e^- \longrightarrow Cl^-$ (aq) $+ 2 OH^-$ (aq)

34. a) Zn^{2+} (aq) **e)** Oui.

b) Au^+ (aq) **f)** Cu^{2+} (aq), Ag^+ (aq) et Au^+ (aq).

c) Zn (s) **g)** Cu (s), Sn (s), et Zn (s).

d) Au (s)

35. a) O_2 (g) **c)** F_2(g) et Cl_2(g).

b) F^- (aq) **d)** Oui.

36. a)

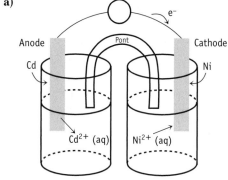

b) Ni^{2+} (aq) $+$ Cd (s) $\longrightarrow$ Ni (s) $+ Cd^{2+}$ (aq)

c) L'anode est négative et la cathode, positive.

d) $E^0 = E^0_{cathode} - E^0_{anode} = (-0,25$ V$) - (-0,40$ V$)$
$= 0,15$ V

e) Les électrons circulent de l'anode à la cathode.

f) Les ions Na^+ se déplacent du compartiment Cd/Cd^{2+} vers le compartiment Ni/Ni^{2+}. Les ions NO_3^- se déplacent dans la direction opposée.

g) $K = 1 \times 10^5$

h) $E = 0,21$ V

37. $8,1 \times 10^5$ g de Al

38. a) $E^0_{cathode} = 0,653$ V **b)** $K = 1 \times 10^{-5}$

39. $\Delta G^0 = -nFE^0 = -562$ kJ

40. $1,5 \times 10^4$ kw·h

41. $8,2 \times 10^5$ g de Na, $1,3 \times 10^6$ g de Cl_2 et 6700 kw·h.

42. Ru^{2+}, donc $Ru(NO_3)_2$.

43. $8,9 \times 10^7$ g de Cl_2.

44. a) HCOOH (aq) $+ 2 H^+$ (aq) $+ 2 e^- \longrightarrow$
HCHO (aq) $+ H_2O$ (l)

b) C_6H_5COOH (aq) $+ 6 H^+$ (aq) $+ 6 e^- \longrightarrow$
$C_6H_5CH_3$ (aq) $+ 6 H_2O$ (l)

c) CH_3CH_2CHO (aq) $+ 2 H^+$ (aq) $+ 2 e^- \longrightarrow$
$CH_3CH_2CH_2OH$ (aq)

d) CH_3OH (aq) $+ 2 H^+$ (aq) $+ 2 e^- \longrightarrow$
CH_4 (aq) $+ H_2O$ (l)

45. La solution acide est préférable.

46. a) 87 g de Pb. **b)** 100 g de PbO_2. **c)** 1,7 mol/L

47. a) 92 g de HF

b) H_2 est produit à la cathode. **c)** 48 kw·h

7

Glossaire

Abaissement du point de congélation (du solvant) (ΔT_{fus}) Propriété colligative d'une solution : $\Delta T_{fus} = k_{fus} m_{soluté}$, $\Delta T_{fus} = k_{fus} i m_{soluté}$ (pour un électrolyte).

Acide carboxylique Composé organique contenant le groupement —COOH.

Acide conjugué Espèce résultant d'une base ayant accepté un proton.

Acide de Brønsted Espèce pouvant céder un proton.

Acide de Lewis Espèce susceptible d'accepter une paire d'électrons.

Acide faible Acide partiellement dissocié en solution aqueuse.

Acide fort Acide totalement ionisé en solution aqueuse.

Acide polyprotique Acide pouvant donner plusieurs protons.

Amine Molécule d'ammoniac dans laquelle un, deux ou même trois atomes d'hydrogène ont été remplacés par des groupements organiques plus ou moins complexes.

Amphiprotique *Voir* Amphotère.

Ampholyte Composé pouvant se comporter comme un acide ou une base de Brønsted.

Amphotère Se dit d'une substance pouvant se comporter soit comme un acide, soit comme une base selon les espèces avec lesquelles elle réagit.

Anode Électrode où se produit la demi-réaction d'oxydation.

Anodique (oxydation) Expression rappelant qu'à l'anode se produit toujours une demi-réaction d'oxydation.

Autoprotolyse Échange d'un proton entre deux molécules d'une même substance.

Base conjuguée Espèce résultant d'un acide ayant cédé un proton.

Base de Brønsted Espèce pouvant accepter un proton.

Base de Lewis Espèce susceptible de céder une paire d'électrons.

Base faible Base partiellement ionisée en solution aqueuse.

Base forte Hydroxyde métallique totalement dissocié en solution aqueuse ou base réagissant totalement avec l'eau.

Base polyprotique Base pouvant accepter plusieurs protons.

Catalyse homogène Catalyse où le catalyseur et les réactifs sont présents dans la même phase.

Catalyseur Substance augmentant la vitesse d'une réaction en modifiant la façon dont elle se produit, abaissant ainsi son énergie d'activation. Non consommé au cours de la réaction, absent de l'équation globale, mais présent dans l'équation de vitesse.

Cathode Électrode où se produit la demi-réaction de réduction.

Chaleur (q) Peut être vue comme un processus par lequel de l'énergie est transférée à cause d'une différence de température.

Cinétique (chimique) Étude de la vitesse des réactions chimiques et des facteurs qui influent sur celle-ci.

Coefficient de Van't Hoff (i) Rapport entre ΔT_{fus}(exp) des solutions d'électrolytes et ΔT_{fus}(théor) ne supposant aucune ionisation ou rapport entre le nombre de particules en solution et le nombre de particules déduit de la formule. Présent dans les équations relatives aux propriétés colligatives des électrolytes.

Colligative *Voir* Propriété colligative.

Complexe de coordination Espèce neutre résultant de la liaison de coordinence entre un cation et un ligand.

Concentration (molaire volumique) (C) Quantité (mol) de soluté par litre de solution.

Constante cryoscopique molale (k_{fus}) Constante caractéristique d'un solvant reflétant la proportionnalité entre l'abaissement du point de congélation du solvant et la molalité du soluté.

Constante d'acidité (K_a) Constante d'équilibre se rapportant à l'ionisation d'un acide faible HA dans l'eau : $K_a = \dfrac{[A^-][H_3O^+]}{[HA]}$.

Constante de basicité (K_b) Constante d'équilibre se rapportant à la réaction d'une base faible B avec l'eau : $K_b = \dfrac{[BH^+][OH^-]}{[B]}$.

Constante de formation (K_{form}) Constante relative à l'équilibre de formation d'un ion complexe à partir des réactifs en solution.

Constante d'équilibre (K) Les concentrations à l'équilibre de toute réaction réversible a A + b B $\rightleftarrows$ c C + d D sont telles que l'expression $K = \dfrac{[C]^c[D]^d}{[A]^a[B]^b}$, appelée la constante d'équilibre, est constante à une température donnée.

Constante de vitesse (k) Constante de proportionnalité qui, multipliée par les concentrations élevées à une puissance adéquate, donne la loi de vitesse de la réaction.

Constante ébullioscopique molale (k_{eb}) Constante caractéristique d'un solvant reflétant la proportionnalité entre l'élévation du point d'ébullition du solvant et la molalité du soluté.

Couple acidobasique Acide et base dont les formules ne diffèrent que d'un proton.

Couple redox Paire d'espèces entre lesquelles existe un équilibre impliquant un transfert d'électrons.

Courbe d'ébullition À une pression constante, courbe représentant la température d'ébullition d'une solution d'au moins deux liquides volatils en fonction de sa composition.

Courbe de dosage acidobasique Courbe représentant l'évolution du pH de l'échantillon à doser en fonction du volume de solution étalon ajouté.

Courbe de rosée À une pression constante, courbe représentant la température d'apparition de la première goutte de liquide lors du refroidissement d'un mélange gazeux en fonction de sa composition.

Deuxième principe de la thermodynamique Dans tout processus spontané, l'entropie de l'univers (S_{univ}) s'accroît.

Demi-cellule Compartiment d'une pile constitué d'une électrode plongeant dans un mélange d'électrolytes, où se produit la demi-réaction d'oxydation ou de réduction.

Demi-réaction Réaction de réduction ou d'oxydation d'une espèce montrant le gain ou la perte d'électrons ; la somme de deux demi-réactions d'oxydation et de réduction multipliée adéquatement pour faire disparaître les électrons constitue la réaction d'oxydoréduction.

Demi-vie Laps de temps au bout duquel la concentration d'un réactif diminue de moitié.

Dissolution Passage en solution homogène d'une substance.

Distillation fractionnée Procédé de séparation d'un mélange de liquides volatils en ses différents constituants par une succession d'évaporations et de condensations.

Distillation simple Procédé consistant à faire passer par ébullition un liquide à l'état gazeux et à condenser la vapeur dans un autre récipient.

Dosage Technique d'analyse quantitative consistant à déterminer la quantité d'une espèce en y ajoutant une quantité connue d'une deuxième substance réagissant totalement.

Dosage volumétrique Dosage mettant en jeu des volumes de solution.

Échantillon Volume précis de solution ou masse précise du composé à doser.

Effet d'ion commun Diminution de l'ionisation d'un acide ou d'une base, de la solubilité d'un précipité due à la présence initiale en solution de la base ou de l'acide conjugué, ou de l'un des ions composant le précipité.

Effet inductif (attractif) Attraction des électrons d'une liaison par des atomes ou des groupements d'atomes électronégatifs adjacents faisant partie de la molécule.

Électrochimie Étude des relations entre l'électricité et les réactions chimiques.

Électrode Conducteur électrique, généralement métallique ou à base de graphite, plongeant dans le mélange constituant une demi-cellule d'une pile ou dans une cuve à électrolyse, et assurant le transfert des électrons vers le circuit extérieur.

Électrode à hydrogène Demi-cellule constituée d'une électrode de platine plongeant dans une solution d'ions H^+ saturée d'hydrogène barbotant en permanence.

Électrode au calomel saturé Électrode de référence souvent utilisée en laboratoire : Hg (l)$|Hg_2Cl_2$ (s)$|$KCl (s)$|$KCl (aq)

Électrode de verre Électrode, dont le potentiel dépend de la concentration des ions H^+ (aq), utilisée dans la mesure du pH des solutions.

Électrode inerte Électrode ne servant qu'à acheminer les électrons dans le circuit extérieur d'une pile ou dans une cuve à électrolyse ; elle n'est ni réduite ni oxydée.

Électrode standard à hydrogène Électrode de référence dont le potentiel est arbitrairement fixé à 0 à toutes les températures : Pt$|H_2$ (g, 1 bar)$|H^+$ (aq, 1 mol/L).

Électrolyse Processus électrochimique consommant de l'électricité pour forcer une réaction d'oxydoréduction non spontanée à se produire.

Électrolyte Toute substance produisant des ions en se dissociant dans un solvant.

Électrolyte faible Substance partiellement ionisée ou dissociée dans un solvant, plus particulièrement l'eau.

Électrolyte fort Substance totalement ionisée ou dissociée dans un solvant, plus particulièrement l'eau.

Élévation du point d'ébullition (du solvant) ($\Delta T_{\text{éb}}$) Propriété colligative d'une solution : $\Delta T_{\text{éb}} = k_{\text{éb}} m_{\text{soluté}}$, $\Delta T_{\text{éb}} = k_{\text{éb}} i m_{\text{soluté}}$ (pour un électrolyte).

Énergie Capacité d'effectuer du travail.

Énergie d'activation (E_a) Énergie minimale requise pour qu'une réaction ait lieu lors d'une collision.

Énergie de Gibbs (G) Fonction d'état égale à $H - TS$. $\Delta G = \Delta H - T\Delta S$ est liée à la spontanéité des réactions et au travail maximal, diminué du travail PV, qu'on peut obtenir d'une réaction s'effectuant à une température et à une pression constantes.

Énergie de Gibbs standard de formation (ΔG_f^0) Variation de l'énergie de Gibbs lors de la formation de 1 mol de composé à partir de ses éléments, toutes les substances se trouvant dans leur état standard.

Énergie interne (E) Toute l'énergie, sous quelque forme que ce soit, que possède un système. $\Delta E = E_f - E_i = q + w =$ chaleur + travail.

Énergie réticulaire ($\Delta E_{\text{rét}}$) Énergie de formation de 1 mol de composé ionique à l'état solide à partir de ses ions considérés à l'état gazeux.

Enthalpie (H) Fonction d'état d'un système égale à $E + PV$, dans le cas du seul travail d'expansion à une pression constante. $\Delta H =$ chaleur échangée avec le milieu extérieur, à une pression constante.

Enthalpie de dissolution (des composés ioniques) (ΔH_{sol}) Variation d'enthalpie associée la dissolution dans l'eau de 1 mol de composé ionique (s).

Enthalpie d'hydratation (des ions) (ΔH_{hyd}) Variation d'enthalpie associée à la dissolution dans l'eau des ions initialement à l'état gazeux.

Enthalpie standard de dissolution dans l'eau (des composés ioniques) (ΔH_{sol}^0) Variation d'enthalpie associée à la dissolution dans l'eau de 1 mol d'un composé ionique, le résultat étant une solution 1 m.

Enthalpie standard de formation (ΔH_f^0) Variation d'enthalpie associée à la formation de 1 mol de composé à partir de ses éléments, toutes les substances étant dans leur état standard.

Enthalpie standard de formation des solutions aqueuses (ΔH_f^0 (aq, 1 m)) Variation d'enthalpie associée à la formation d'une solution aqueuse 1 m à partir des éléments pris dans leur état standard.

Entropie (S) Fonction d'état définissant le degré de désordre résultant de la dispersion de l'énergie et de la matière.

Entropie molaire standard (S^0) Gain d'entropie associé au passage de 1 mol de substance de l'état cristallin parfait à 0 K aux conditions standards (1 bar, $T > 0$ K ; cas des solutions : 1 m, $T > 0$ K).

Enzyme Protéine dont le rôle biochimique est de catalyser des réactions spécifiques.

Équation d'Arrhenius Expression mathématique liant la constante de vitesse (k) d'une réaction, son énergie d'activation (E_a), son facteur de fréquence (A) et la température (T) : $k = Ae^{-E_a/RT}$.

Équation de Henderson-Hasselbalch Équation mathématique permettant de calculer le pH d'une solution tampon : $pH = pK_a + \log \dfrac{C_b}{C_a}$.

Équation de Nernst Équation définissant le potentiel d'électrode (E) d'un couple redox.

$$a \text{ Ox} + u \text{ Esp}_1 + n \text{ e}^- \rightleftharpoons b \text{ Réd} + v \text{ Esp}_2$$

$$E = E^0 + \frac{RT}{nF} \ln \frac{[\text{Ox}]^a [\text{Esp}_1]^u}{[\text{Réd}]^b [\text{Esp}_2]^v}$$

Équation de vitesse *Voir* Loi de vitesse

Équation de vitesse différentielle Expression mathématique de la vitesse d'une réaction faisant intervenir des variations infinitésimales de concentration sur une période de temps tendant vers 0 : $v = -\frac{d[\text{R}]}{dt} = k[\text{R}]^a$ (R = réactif).

Équation de vitesse intégrée Expression mathématique de la vitesse d'une réaction obtenue en intégrant l'équation de vitesse différentielle ; elle exprime la variation de la concentration d'un réactif ou d'un produit en fonction du temps.

Équilibre (chimique) dynamique État d'un système fermé lorsque deux processus, direct et inverse, se produisent en même temps et à la même vitesse.

Équilibre redox Équilibre entre les formes oxydée et réduite d'un couple redox.

Étape limitante Étape la plus lente d'un mécanisme de réaction déterminant la vitesse de la réaction globale.

État de transition Arrangement des espèces chimiques réagissant entre elles, présent au maximum d'énergie potentielle du système.

État d'oxydation Charge électrique hypothétique qu'un atome posséderait si chacun des doublets de liaison qu'il partage avec ses voisins était complètement transféré à l'élément le plus électronégatif.

État standard Forme la plus stable d'une substance existant à la pression de 1 bar (exactement 100 kPa) et à la température spécifiée, généralement 25 °C.

Facteur de fréquence (A) Facteur de l'équation d'Arrhenius relié au nombre de collisions et au facteur stérique.

Facteur stérique Ensemble des exigences géométriques spatiales auxquelles doivent satisfaire deux molécules s'entrechoquant pour qu'elles puissent réagir.

Faraday (F) Quantité de charges de 1 mol d'électrons $\approx$ 96 500 C.

Fin de dosage Atteinte du point équivalent.

Fonction de Gibbs *Voir* Énergie de Gibbs.

Fonction d'état Fonction ne dépendant que de l'état initial et de l'état final du système considéré, indépendante de la façon dont le changement se produit.

Force électromotrice (fém.) Force responsable du déplacement des électrons de l'anode vers la cathode dans le circuit extérieur d'une pile. Elle est égale à la différence de potentiel aux bornes de la pile, sa tension (V), lorsque celle-ci ne débite pas.

Forces de dispersion de London Forces d'attraction résultant de la concordance des déformations des nuages électroniques de molécules voisines, un dipôle instantané de l'une induisant un dipôle dans l'autre.

Forme oxydée Espèce d'un couple redox donné se comportant comme un oxydant.

Forme réduite Espèce d'un couple redox donné se comportant comme un réducteur.

Fraction massique Masse d'une substance présente dans un mélange divisée par la masse totale du mélange.

Fraction molaire (X) Quantité (mol) d'une substance présente dans un mélange homogène divisée par la quantité (mol) totale de substances présentes dans le mélange.

Hydratation Solvatation par les molécules d'eau.

Hypertonicité Qualité d'une solution dont la pression osmotique est supérieure à celle d'une autre solution.

Hypotonique (solution) Solution dont la concentration totale en solutés est inférieure à celle d'une autre solution.

Idéale *Voir* Solution idéale.

Indicateur (coloré) acidobasique (ou de pH) Substance dont les formes acide et basique conjuguées ont des couleurs différentes.

Interaction dipôle permanent-dipôle induit (Debye) Force d'attraction entre une molécule polaire et un dipôle induit dans une autre molécule.

Intermédiaire (de réaction) Espèce formée au cours d'une étape d'une réaction et totalement consommée dans une étape subséquente.

Ion complexe Ion formé par un cation métallique lié par coordinence à un ou plusieurs ions ou molécules (ligands).

Ion hydronium (H_3O^+) Ion hydraté le plus simple du proton.

Ion passif Ion présent dans une solution, mais ne participant pas aux réactions s'y produisant. Ion n'ayant aucun effet sur le pH d'une solution.

Ionisation Dissociation d'un composé moléculaire en cations et en anions individuels survenant lors de sa dissolution dans un solvant.

Isotonique (solution) Solution dont la concentration totale en solutés est identique à celle d'une autre solution.

Jonction électrolytique Jonction reliant les demi-cellules d'une pile, assurant ainsi la migration des ions permettant la conservation de l'électroneutralité et le passage du courant.

K_p Constante d'équilibre exprimée à l'aide des pressions partielles.

Liaison de coordinence Liaison covalente dont le doublet est fourni par un seul des deux partenaires, la base de Lewis.

Liaison hydrogène Attraction de type électrostatique de l'atome d'hydrogène d'une liaison intramoléculaire X—H avec un atome Y appartenant à une autre molécule (parfois la même), X et Y étant tous deux des éléments très électronégatifs, souvent F, O ou N, et Y comportant au moins un doublet libre d'électrons.

Ligand Base de Lewis cédant des électrons à un cation pour former un complexe de coordination.

Loi de Henry À une température constante, la solubilité d'un gaz (s_g) dans un liquide est directement proportionnelle à sa pression partielle (P_g) : $s_g = k_H P_g$ (k_H = constante de Henry).

Loi de Hess Si une réaction est la somme de plusieurs réactions, sa variation d'enthalpie (ΔH) est égale à la somme des variations d'enthalpie de chacune des étapes.

Loi de Raoult La pression de vapeur d'un solvant (P_{solv}) est égale au produit de sa fraction molaire en solution (X_{solv}) et de sa pression de vapeur à l'état pur (P^0_{solv}), à la température considérée : $P_{solv} = X_{solv} P^0_{solv}$.

Loi de vitesse Relation quantitative entre les concentrations des réactifs et la vitesse d'une réaction.

Loi de vitesse intégrée *Voir* Équation de vitesse intégrée.

Mécanisme de réaction Explication au niveau submicroscopique du déroulement d'une réaction : suite d'étapes (réactions élémentaires) au cours desquelles les réactifs se transforment en produits, en passant par des intermédiaires (de réaction).

Membrane semi-perméable Membrane ne laissant passer librement que des petites molécules comme l'eau, mais dont les pores trop petits retiennent des ions hydratés ou des molécules plus grosses.

Méthode des demi-réactions Méthode d'équilibrage des équations des réactions d'oxydoréduction reposant sur l'équilibrage des demi-réactions.

Méthode des vitesses initiales Méthode expérimentale conduisant à la détermination de la loi de vitesse d'une réaction, consistant à mesurer la vitesse instantanée d'une réaction immédiatement après qu'elle aura été amorcée, à différentes concentrations initiales des réactifs.

Milieu extérieur (ou milieu ambiant, ou environnement) Tout ce qui est en dehors du système chimique fermé.

Miscible Qui peut se mêler avec une autre substance pour former une solution homogène (s'applique généralement aux liquides).

Molalité (m) Quantité (mol) de soluté par kilogramme de solvant.

Molécularité Nombre d'espèces impliquées dans une réaction élémentaire.

Monoprotique (acide) Acide ne pouvant donner qu'un seul proton.

Neutralisation Réaction d'un acide fort et d'une base forte conduisant à la formation d'eau et de sel.

Normal *Voir* Point d'ébullition normal.

Ordre de réaction (par rapport à un réactif) Exposant de la concentration d'un réactif dans l'équation de vitesse d'une réaction.

Ordre global Somme des exposants des concentrations des réactifs dans l'équation de vitesse d'une réaction.

Osmose Migration des molécules de solvant, à travers une membrane semi-perméable, d'une solution vers une solution plus concentrée.

Oxacide Composé acide contenant un atome central, généralement un non-métal, lié à un ou plusieurs atomes d'oxygène, dont au moins un est lié à un atome d'hydrogène.

Oxydant Espèce gagnant des électrons au cours d'une réaction d'oxydoréduction (l'oxydant est réduit).

Oxydation Perte d'électrons.

Oxydation anodique *Voir* Anodique.

pH $-\log [H_3O^+]$.

Pile (électrochimique) Dispositif transformant directement l'énergie chimique d'une réaction d'oxydoréduction en énergie électrique.

Pile à combustible Pile alimentée en réactifs de façon continue, et dont les produits sont généralement aussi extraits en continu.

Pile alcaline Pile sèche fonctionnant en milieu basique.

Pile sèche Pile commerciale ne contenant pas, apparemment, de phase liquide.

pK_a $-\log K_a$.

pK_b $-\log K_b$.

pOH $-\log [OH^-]$.

Point d'ébullition ($T_{éb}$) Température à laquelle la pression de vapeur d'un liquide est égale à la pression externe s'exerçant sur lui.

Point d'ébullition normal Température à laquelle la pression de vapeur d'un liquide est égale à 101,325 kPa.

Point de demi-équivalence Point de la courbe de dosage correspondant à la moitié du volume équivalent.

Point de rosée Température d'apparition de la première goutte de liquide lors du refroidissement, à pression constante, d'un mélange gazeux.

Point équivalent Point d'une courbe de dosage correspondant au volume équivalent.

Polarisabilité Facilité avec laquelle le nuage électronique d'un atome ou d'une molécule peut se déformer pour donner un dipôle.

Potentiel d'électrode Potentiel pris par une électrode plongeant dans un mélange où se produit un équilibre redox.

Potentiel standard d'électrode Valeur du potentiel d'électrode lorsque les espèces présentes dans l'équilibre redox sont dans leur état standard (solides ou liquides purs, gaz sous une pression de 1 bar, concentrations des solutés égales à 1 mol/L). Les grandeurs publiées donnent habituellement les valeurs de ces potentiels par rapport à l'électrode standard à hydrogène.

Précipitation sélective Procédé d'analyse qualitative consistant à provoquer la précipitation d'un composé en ajoutant un réactif à un mélange, tout en gardant les autres espèces en solution.

Précipité Composé solide, en suspension ou déposé au fond du récipient, résultant d'une réaction de précipitation.

Premier principe de la thermodynamique La variation d'énergie (ΔE) d'un système est égale à la somme de la chaleur (q) et du travail (w) échangés avec le milieu extérieur : $\Delta E = q + w$.

Pression de vapeur (P_{vap}) Pression exercée, à une température donnée, par la vapeur d'une substance en équilibre avec son liquide ou son solide (avec les deux au point triple).

Pression osmotique (Π) Pression nécessaire pour obtenir un transfert net nul de solvant de part et d'autre d'une membrane semi-perméable séparant le solvant pur d'une solution : $\Pi = cRT$, $\Pi = icRT$ (pour un électrolyte).

Principe de Le Chatelier Toute modification d'un facteur influant sur les conditions d'équilibre d'un système force ce dernier à évoluer dans le sens qui réduit ou contrecarre l'effet de ce changement.

Prise d'essai *Voir* Échantillon.

Processus endothermique Processus absorbant de la chaleur ($\Delta H > 0$).

Processus exothermique Processus dégageant de la chaleur ($\Delta H < 0$).

Produit de solubilité (K_{ps}) Constante d'équilibre caractérisant un système comprenant un solide ionique en équilibre avec ses ions en solution.

Produit ionique de l'eau (K_e) Constante d'équilibre de l'autoprotolyse de l'eau : $K_e = [H_3O^+][OH^-]$.

Propriété colligative Propriété d'une solution ne dépendant que des quantités relatives de soluté et de solvant.

Quotient réactionnel (Q) Quotient ayant la même forme algébrique que la constante d'équilibre, mais calculé à l'aide des concentrations existant en dehors de la position d'équilibre.

Réaction acidobasique (selon Brønsted-Lowry) Réaction au cours de laquelle un acide (espèce 1) cède un proton à une base (espèce 2) pour former la base conjuguée de l'espèce 1 et l'acide conjugué de l'espèce 2.

Réaction de précipitation Réaction impliquant la formation d'un composé à l'état solide à partir d'un soluté ou d'ions en solution.

Réaction d'oxydoréduction Réaction chimique impliquant un transfert d'électrons entre les réactifs.

Réaction élémentaire Chacune des étapes d'une réaction faisant intervenir un nombre restreint d'espèces ; les exposants des concentrations apparaissant dans sa loi de vitesse sont identiques aux coefficients stœchiométriques de son équation chimique décrivant un seul événement supposé.

Réducteur Espèce perdant des électrons au cours d'une réaction d'oxydoréduction (le réducteur est oxydé).

Réduction Gain d'électrons.

Réduction cathodique Expression rappelant qu'à la cathode se produit toujours une demi-réaction de réduction.

Réversible (transformation) Transformation hypothétique idéale menée de manière infiniment lente et constituée d'une succession d'états d'équilibre. Un processus est réversible si, après avoir apporté un changement à un système selon un processus donné, il est possible de revenir à l'état initial par le même procédé inversé sans que l'environnement en soit altéré. Les transformations spontanées ne sont pas réversibles.

Saturation Action de dissoudre la masse maximale d'une substance dans une solution, à une température et sous une pression déterminées ; l'état d'équilibre ainsi obtenu.

Saturé *Voir* Solution saturée

Sel Composé formé de l'anion d'un acide et du cation d'une base.

Solubilité Concentration maximale d'un soluté en équilibre avec son solide dans une solution, forcément saturée, à une température donnée.

Soluté Substance dissoute dans un solvant.

Solution Mélange homogène d'au moins deux substances constituant une seule phase.

Solution étalon Solution d'un réactif, de concentration connue avec précision, réagissant totalement avec la substance à doser.

Solution idéale Solution obéissant à la loi de Raoult.

Solution insaturée Solution où la concentration du soluté est inférieure à sa solubilité, à une température et à une pression données.

Solution saturée Solution où la concentration du soluté est égale à sa solubilité, à une température et à une pression données.

Solution sursaturée Solution instable où la concentration du soluté est temporairement supérieure à sa solubilité, à une température donnée.

Solution tampon Solution possédant la propriété d'absorber une certaine quantité d'ions hydronium ou hydroxyde tout en maintenant son pH pratiquement constant.

Solvant Constituant se trouvant dans le même état physique que la solution et présent généralement en plus grande quantité.

Solvatation Phénomène au cours duquel des interactions se forment entre les particules d'un soluté et les molécules du solvant lors de la dissolution.

Spontané (changement, processus, réaction) Qui se produit de lui-même sans aucune intervention de l'extérieur.

Stabilisation (d'un anion) Gain de stabilité dû à la répartition de la charge négative de l'anion sur plus d'un atome.

Sursaturé *Voir* Solution sursaturée.

Surtension Différence entre la tension nécessaire pour effectuer une électrolyse à un rythme appréciable et la tension calculée théoriquement à l'aide des potentiels d'électrode.

Système chimique fermé Ensemble de substances susceptibles ou non de réagir entre elles.

Température (T ou t) Grandeur liée à l'état d'une substance en terme de vitesse moyenne à laquelle se déplacent ses molécules ou ses atomes, ou ses ions.

Tension (V) Différence de potentiel existant aux bornes d'une pile : $V = E_{cat} - E_{an}$.

Théorie de Brønsted-Lowry Théorie selon laquelle tout composé pouvant donner un proton est un acide, pouvant accepter un proton est une base.

Théorie des collisions Théorie des vitesses de réaction présumant que, pour réagir, les molécules doivent entrer en collision avec suffisamment d'énergie et dans la bonne direction.

Titrage *Voir* Dosage.

Totale (transformation) Réaction chimique dans laquelle on considère que pratiquement tout le réactif limitant a été consommé lorsque l'équilibre est atteint.

Travail (w) Mécanique = force × déplacement de son point d'application = Fd ; électrique = tension × intensité × temps = VIt.

Troisième principe de la thermodynamique L'entropie des solides cristallins est nulle à 0 K.

Vitesse (de réaction) Diminution de la concentration d'un réactif ou accroissement de celle d'un produit par unité de temps.

Vitesse (instantanée) (v) Vitesse de réaction à un instant donné (t), égale à la valeur absolue de la pente de la tangente à la courbe $C = f(t)$ au temps (t).

Vitesse moyenne Vitesse de réaction mesurée sur un intervalle de temps donné, égale à la valeur absolue de $\dfrac{\Delta C}{\Delta t}$.

Volatilité Tendance des molécules à s'échapper de l'état liquide et à adopter l'état gazeux.

Volume équivalent (v_e) Volume ajouté de solution étalon contenant une quantité de réactif correspondant précisément à la quantité stœchiométrique de substance à doser contenue dans l'échantillon.

Zone de virage Intervalle de pH dans lequel s'effectue le changement de couleur d'un indicateur coloré acidobasique.

Index